D1508567

UNE HISTOIRE DU MARIAGE

DU MÊME AUTEUR

Le sucre, une histoire douce-amère,
Fides, 2008.

Une histoire des maîtresses,
Fides, 2004.

Une histoire universelle de la chasteté et du célibat,
Fides, 2001.

Chronicle of Canada (directrice de l'édition),
Chronicle Publications, 1990.

Haiti : The Duvaliers and Their Legacy,
McGraw-Hill, 1988.

Tropical Obsession,
Henri Deschamps, 1986.

Elizabeth Abbott

UNE HISTOIRE
DU MARIAGE

Traduit de l'anglais par Benoît Patar

FIDES

Nous remercions le Gouvernement du Canada de son soutien financier pour nos activités de traduction dans le cadre du Programme national de traduction pour l'édition du livre.

Illustration de la couverture : © Gérard Dubois

Catálogage avant publication de Bibliothèque et Archives nationales du Québec et Bibliothèque et Archives Canada

Abbott, Elizabeth

Une histoire du mariage

Traduction de: A History of Marriage.

ISBN 978-2-7621-2851-2 [édition imprimée]

ISBN 978-2-7621-3270-0 [édition numérique]

1. Mariage — Histoire. I. Titre.

HQ503.A2314 2010   306.8109   C2010-942108-6

Titre original : The History of Marriage
© Elizabeth Abbott, 2010

© Éditions Fides, 2010, pour la traduction française
Publiée en accord avec Sanford J. Greenburger Associates (New York, États-Unis)

Les Éditions Fides reconnaissent l'aide financière du Gouvernement du Canada par l'entremise du Fonds du livre du Canada pour leurs activités d'édition. Les Éditions Fides remercient de leur soutien financier le Conseil des Arts du Canada et la Société de développement des entreprises culturelles du Québec (SODEC). Les Éditions Fides bénéficient du Programme de crédit d'impôt pour l'édition de livres du Gouvernement du Québec, géré par la SODEC.

IMPRIMÉ AU CANADA EN OCTOBRE 2010

À la mémoire de mon père, Bill Abbott,

qui n'a jamais douté d'avoir décroché le gros lot

en mariant Marnie Griggs, ma mère.

À Ivan, mon fils bien-aimé, et à ma belle-fille, Dina,

pour la joie que m'a apportée le partage de nos vies

et pour m'avoir donné l'occasion d'être grand-mère.

REMERCIEMENTS

Pendant mes treize années comme directrice des étudiantes au Trinity College de l'Université de Toronto, j'ai écrit une *Histoire universelle du célibat et des célibataires* ainsi qu'*Une histoire des maîtresses*. En 2004, j'ai quitté mon poste de directrice pour écrire à plein temps. J'ai dévié par rapport à mon thème principal pour écrire *Le sucre, une histoire douce-amère*, publié en 2008. J'ai ensuite repris ma trajectoire narrative ; *Une histoire du mariage* vient clore ma trilogie sur l'histoire des relations entre les hommes et les femmes. Les rêves peuvent se concrétiser, et je suis profondément reconnaissante envers tous ceux qui m'ont aidée à les réaliser.

Andrea Magyar, directrice de la rédaction chez Penguin Canada, m'a tenue en laisse en imprimant à *Une histoire du mariage* son orientation nord-américaine ; je l'en remercie. Je lui suis reconnaissante également de m'avoir confiée aux mains éditoriales d'Helen Smith, dont l'énergie et l'enthousiasme sont contagieux. Les drôles d'images d'animaux qu'elle intègre à ses messages électroniques me font toujours sourire, calmant le stress des directives de rédaction et des dates limites.

Depuis vingt-trois ans, ma représentante Heide Lange m'appuie dans mes objectifs d'écriture et vend mes livres partout dans le monde. Notre collaboration signifie beaucoup pour moi et je suis fière de faire partie de ses auteurs.

J'ai apprécié la rigueur et l'excellence du travail que le réviseur Shaun Oakey a effectué sur *Le sucre*, et j'ai été ravie qu'il accepte de s'occuper également d'*Une histoire du mariage*. Nos échanges sur le «suivi des modifications» ont ajouté une autre dimension au processus de révision.

Le directeur de la production David Ross s'est montré merveilleusement patient et compréhensif à l'endroit de ma conception d'une narration rehaussée par des images.

Le Dr David Reed, professeur émérite de théologie pastorale au Wycliffe College de l'Université de Toronto, a consacré une bonne partie de son temps et sa compétence d'expert à la critique de plusieurs chapitres.

Tim Cook, un historien du Musée canadien de la guerre à Ottawa, lauréat du prix Charles-Taylor en 2009, a effectué une lecture critique du chapitre 8 et fourni des sources complémentaires. Un grand merci à Tim.

Révérend père William Craig, que ferais-je si je ne pouvais avoir recours à vous pour telle traduction latine urgente ou telle subtilité théologique? Merci Bill!

Écouter et poser des questions à l'intérieur du groupe de réflexion sur le manuscrit fut une expérience toujours intéressante, révélatrice et souvent cathartique. Carol, Carolyn, Catharine, Elaine, Emily, Heather, Laura, LaTanya, Vivian et tous ceux qui se sont joints à nous : vous êtes de grands lecteurs et vous avez le don de la parole ; chacun d'entre vous m'a appris tant de choses! Viv, ton point de vue juridique fut inestimable.

Karl Jaffary fut un lecteur solitaire dont les remarques m'ont été très précieuses.

Yves Pierre-Louis, mon frère de cœur, m'a lue, critiquée et dirigée vers de nouvelles sources. Louise Abbott, ma sœur de chair et de sang, a fourni des photos du mariage de nos parents ainsi que de maman lorsqu'elle était toute petite.

Mon fils Ivan et ma belle-fille Dina ont marché main dans la main avec moi tout au long de la recherche et de la rédaction, même lorsqu'ils se sont fiancés, ont planifié leur beau gros mariage grec, se sont mariés, sont partis en voyage de noces, puis se sont installés dans leur vie domestique de jeunes mariés. Nous célébrerons leur troisième anniversaire de mariage en tenant tendrement dans nos bras leur nouveau-né, qui est attendu juste après la naissance de ce livre.

Heather Conway n'a jamais fléchi sous la pression des fichiers TIFF et JPG (ou celle des affreuses dates limites); une fois de plus, elle a usé de sa magie technique pour les transformer et en faire des images merveilleuses.

Pegi Dover et Philip Jessup ont embelli ce livre avec leur photo de famille. Carol McPhee et Jon Bankson m'ont aidée à illustrer les complexités du mariage moderne avec leur photo d'une famille recomposée célébrant le mariage de deux de leurs parents respectifs.

Carlton Abbott m'a toujours encouragée, et sa foi en moi m'a rendue plus forte.

LaTanya, Ashiyah et Tyanna Abbott ont mis la main à la pâte en confectionnant un album des images que je pensais utiliser. Merci à vous toutes!

Emily Griggs a donné de son temps pour m'aider avec la bibliographie; merci beaucoup.

Ma reconnaissance s'adresse aussi à Elaine Wong, Mehran Ataee, Mera Nirmalan-Nathan, Puja Karmaker Mullins, Rehaana Manek, Sophie Chung, Stephanie Creighton et Vizarath Ali pour leur aide dans ma recherche.

Finalement, j'ai une immense dette de gratitude envers les responsables du prix Charles-Taylor de l'essai littéraire. La gentillesse et la générosité dont ils ont fait preuve en diffusant la liste des livres présélectionnés ont permis qu'ils tiennent leur promesse de faire en sorte que nous soyons tous les trois gagnants.

PREMIÈRE PARTIE

Le mariage dans l'histoire

INTRODUCTION

Ce que nous étions (vraiment)

Nous sommes en août 2009. Le soleil luit sur Nathan Phillips Square, une place bétonnée située devant l'Hôtel de Ville de Toronto qui se trouve à servir de chemin nuptial en cet après-midi automnal. Le cortège nuptial est modeste : les futurs mariés, Heather et Greg, leurs parents, une tante, deux oncles, un cousin et sa fiancée ainsi qu'un ami venu seul. En suivant le rythme rapide d'un duo de rappeurs qui ravissent un public d'enfants qui tapent dans leurs mains, les participants déambulent par paires ou par trios, passant à côté de la magistrale sculpture d'Henry Moore, *The Archer*, pour se rendre jusqu'au bloc solide des portes qui les introduisent dans la tranquillité feutrée de l'Hôtel de Ville en fin de semaine.

En se serrant un peu, le cortège réussit à prendre place dans un seul ascenseur pour se rendre au troisième étage, où ils tombent sur la foule compacte d'un autre cortège nuptial, dont les membres attendent anxieusement l'arrivée des retardataires. Leur future mariée est jeune et parée de tous ses atours : les tatouages rouge sang et bleu profond qu'elle porte sur l'épaule forment un contraste frappant avec sa longue robe bustier et son bouquet de fleurs aux teintes pâles. Après que l'ascenseur eut éjecté deux femmes à talons hauts et en minijupe derrière leurs bébés en poussette, le groupe se précipite vers la salle où se déroulera la cérémonie de mariage, et le cortège de Heather et Greg prend place sur les chaises laissées vacantes.

Heather est rayonnante dans sa robe d'été sans manches, d'un gris chatoyant. Ses accessoires (tous empruntés) comprennent un châle, plusieurs colliers rosâtres et un sac argenté; elle porte aussi des escarpins Payless tout neufs. Quant à Greg, rouge d'émotion et de chaleur, il porte un habit gris foncé et une cravate rose à rayures. Ils bavardent avec leurs invités, Greg faisant remarquer à voix basse que c'est la première fois en plus de dix ans qu'il voit son père et sa mère dans la même pièce. Tout le monde est détendu et content en attendant — pas très longtemps — que la cérémonie du groupe précédent soit terminée, et que le cortège du nouveau couple marié se dirige vers l'ascenseur.

Dans la salle, aux accents d'une musique classique préenregistrée, le père et la mère de Heather l'accompagnent le long du couloir étroit qui la mène à l'officiant. Avec sa toge, le juge de paix est imposant et ressemble à un prêtre. Il commence une cérémonie qui sera courte mais touchante en demandant aux personnes réunies si elles vont aider Heather et Greg à respecter leurs vœux de mariage. Nous opinons tous de la tête en nous redressant sur nos sièges. Nous ne sommes plus de simples témoins, mais nous venons d'être intégrés à la cérémonie à titre de participants.

Greg fait face à Heather et récite ses vœux d'une voix entrecoupée. «Lorsque j'étais enfant, ma petite sœur avait un tee-shirt où on pouvait voir une petite fille sur le cou d'un brontosaure, avec cette légende: "Il m'a suivi jusqu'à la maison, est-ce que je peux le garder?"»

Heather lui répond avec l'émotion des larmes retenues: «Toi, tu es bon avec les mots alors que moi, je suis bonne avec les images. Je ne dirai donc rien mais je vais plutôt te faire un tableau.» Le tableau qu'elle décrit est un panorama des quatorze années qu'ils ont passées ensemble, y compris deux boîtes brunes remplies d'une correspondance qui s'est étendue sur plusieurs mois, le ciel immense de Thunder Bay rempli de bulles et de sucettes, une frêle maison victorienne remplie de trous de clous et de provisions, deux chiens de chasse qui partagent une crème glacée à la plage, des flamands roses comme à Las Vegas et des repas gargantuesques comme on en sert à Chicago, des ordinateurs portatifs qui jouent simultanément plusieurs chansons favorites dans une arrière-cour en milieu urbain, un journal dissimulant un mot d'amour, un oiseau du matin et un oiseau de nuit, des mains qui se tiennent, de petits becs et des mamours.

Puis avec une voix raffermie, Heather clôt ses vœux : « Je peindrai un avion volant vers un pays inconnu pour trouver un enfant inconnu. Je peindrai un passé heureux, un présent merveilleux et un avenir palpitant. Je peindrai quatorze ans passés à aimer un homme qui est mon mari et mon meilleur ami. Et en faisant tout cela, je vous peindrai et moi aussi. »

Je pleure (en tant qu'amie honorée de participer à ce rituel) et la plupart de ceux qui sont autour de moi en font autant. Peu de temps après, le juge sourit et nous renvoie. « Ça y est, dit-il. Vous êtes vraiment mariés maintenant. »

Nous partons dans un convoi de taxis vers la maison victorienne où Heather et Greg comptent aimer et élever l'enfant inconnu, venant d'une contrée inconnue qui, suivant ce qu'on leur a dit explicitement à l'agence d'adoption, ne confie ses orphelins qu'à des couples mariés en bonne et due forme. Dans leur vaste jardin illuminé par des bougies dans des lanternes en fer forgé, ils accueillent également leurs voisins et amis invités à célébrer un événement on ne peut plus traditionnel : un mariage enraciné dans le désir commun d'élever ensemble un enfant.

Durant les quelques années que j'ai passées à travailler sur ce livre consacré au mariage, j'ai eu l'occasion d'assister à plusieurs mariages : ceux de mon fils, de mon frère, d'anciens étudiants, et tout récemment, celui de Heather et Greg. Dans notre société, on entend souvent dire que le mariage est une institution condamnée, ce qui ne cadre pas avec la réalité, qui est que la plupart d'entre nous se marient, voire se remarient, à un moment ou à un autre. En effectuant ma recherche et en rassemblant mes matériaux, j'ai souvent été frappée de voir à quel point les choses avaient changé avec les années — et j'ai été encore plus étonnée de voir que bien des choses restaient encore inchangées.

Une histoire du mariage est le troisième ouvrage de la trilogie qui a débuté avec *Histoire universelle de la chasteté et du célibat* et s'est poursuivie avec *Une histoire des maîtresses*. Cette trilogie raconte la vaste histoire des rapports que les hommes et les femmes ont entretenus au cours des siècles. Toutefois, contrairement à *Histoire universelle de la chasteté et du célibat* et *Une histoire des maîtresses*, *Une histoire du mariage* se limite à l'expérience nord-américaine et à ses antécédents européens surtout. Dans ce livre, je m'évertue aussi à clarifier et à replacer dans son contexte l'état marital tel qu'il existe aujourd'hui, et je cherche à dégager et à commenter les questions qui importent le plus en regard de la manière dont il évolue. En d'autres termes, ce qui sous-tend *Une histoire du mariage*, c'est la relation entre le passé et le présent, entre là où nous étions et là où cela nous a menés.

Heather et Greg incarnent ce sous-thème. Au moment de se marier, ils vivaient déjà ensemble depuis quatorze ans, dont les dix derniers dans une vaste maison victorienne entourée d'arbres, dans un voisinage qui abrite beaucoup de chiens (dont les deux leurs) et d'enfants. Ils perçoivent leur relation comme étant heureuse et extrêmement satisfaisante, comme un mariage d'esprits accordés qui transcende les simples lois. Ils ont leur carrière, leurs passe-temps, leurs amis, leurs familles et ils sont l'un à l'autre. Comme ils ne peuvent satisfaire directement leur désir d'avoir des enfants, ils espèrent pouvoir en adopter, et, pour améliorer leurs chances, ils ont décidé de se marier. De nos jours comme autrefois, les enfants — désirés ou non désirés — ont toujours été au cœur du mariage.

Les gens se disputent autour du mariage, ils pleurent puis ils portent le mariage aux nues parce que, sur une multitude de plans interreliés, à savoir affectivement, logistiquement, socialement et financièrement parlant, le mariage leur importe. *Une histoire du mariage* retrace l'évolution du mariage comme institution en fonction des lois, des coutumes et de la religion. Ce livre étudie aussi les réalités du mariage, qui ont été vécues par les individus dans un climat d'amour et de devoir, de sexualité et de loyauté, sans oublier l'éducation des enfants, la cohabitation, le partage des ressources financières et la reconnaissance sociale.

Ces situations réelles sont présentées dans leur contexte historique plus vaste: quelles étaient les options qui s'offraient aux couples qui ne voulaient plus rester ensemble? combien de temps durait en moyenne un mariage avant que la mort y mette fin? quelles étaient les réalités de la vie quotidienne des maris qui portaient la culotte et de leurs femmes en jupe? jusqu'à quel point était omniprésent le sexisme reconnaissant l'autonomie des hommes, tout en refusant aux femmes le droit de vote, le droit de contrôler leur propre argent, d'avoir la garde des enfants ou de commettre l'adultère en toute impunité? quelles étaient les normes et les pratiques réelles en matière de tenue de maison? comment préparait-on la nourriture? comment élevait-on les enfants? quelles étaient les lois sur le divorce à une époque où ce dernier était rare? les époux se séparaient-ils sans divorcer? (dans ce cas, étaient-ils toujours considérés comme mariés?) Fondamentalement, quelles étaient les différences entre les épouses riches et pauvres, par exemple, entre le mariage de Martha Coffin Wright et celui de la femme immigrante sans nom — que nous appellerons Marta — qui laissa ses enfants à l'extérieur de son pauvre logement par un après-midi glacial de mars, en 1911?

Martha et Marta avaient toutes deux quatre enfants et un mari dont les revenus étaient insuffisants: Martha écrivait donc des articles, alors que Marta faisait du travail à la pièce dans le secteur du textile. Martha était une fervente abolitionniste et elle militait en faveur des droits des femmes. Avec l'aide de son mari, elle cacha des esclaves fugitifs dans sa maison et malgré une grossesse avancée, divertit les participantes de la Convention des droits de la femme de 1848, qui eut lieu à Seneca Falls, avec un article de journal intitulé «Conseils pour les épouses — et les maris». Son article traitait du «manège» des routines fastidieuses et interminables du travail domestique et du soin des «petits-fils et des petites-filles déchus de son Adam». Mais la drôle de communication de Martha trahissait son quasi-désespoir devant la corvée du train-train quotidien, notant au passage qu'à la différence de son «seigneur», elle se levait «fatiguée et sans fraîcheur, pour accomplir les mêmes tâches routinières».

L'existence de Marta laissa beaucoup moins de traces. Elle n'aurait même laissé aucune trace si la travailleuse sociale Elizabeth C. Watson n'était pas tombée sur ses enfants en pleurs, serrés les uns contre les autres pour se réchauffer dans le couloir de l'immeuble où Marta les avait laissés, à l'extérieur de l'appartement, alors même qu'il faisait un froid de loup et qu'il neigeait. Lorsqu'elle revint à la maison et que la travailleuse sociale lui demanda ce qui s'était passé, Marta lui cloua le bec en lui lançant: «Qu'est-ce que je suis censée faire? Je fais des manteaux, mon homme n'a pas de travail. Il passe la journée à courir les rues pour en trouver. Si j'enferme les enfants à l'intérieur, ils vont mettre le feu à la maison et y passer. Si je les laisse dehors, ils pleurent. Qu'est-ce que je suis censée faire?»

Comme la plupart de ceux qui effectuaient du travail à la pièce dans des appartements grouillant de monde, Marta était surmenée, subissant une pression intolérable. Contrairement aux enfants de Martha, ceux de Marta ne jouissaient pas de quantités illimitées de pain d'épices et de ragoût ; ils vivaient de plats « fast-food » entassés dans des chariots ou grâce à leurs propres efforts culinaires, ce qui les nourrissait mal et les laissait souvent affamés. Leur appartement était surpeuplé. Les pièces des manteaux que Marta devait coudre ensemble, travaillant depuis très tôt le matin jusque très tard le soir, étaient empilées dans tous les coins. Même lorsque son mari trouvait du boulot, elle devait continuer son travail à la pièce pour augmenter les revenus du ménage, les enfants les plus vieux donnant un coup de main.

Cette lutte quotidienne dans un appartement rempli d'enfants était le cadre de vie de Marta et de son mariage avec un homme sous-employé. Pour Martha, c'était le train-train quotidien, les enfants, un mari affectueux et les circonstances de la vie. Dans ce livre, c'est l'histoire de personnes comme Martha et Marta qui donne vie aux réalités et aux particularités de l'histoire du mariage.

La première partie d'*Une histoire du mariage* étudie le rôle de l'amour romantique et érotique tel qu'il a évolué au cours des siècles, et la manière dont il a été influencé par les autres aspects du mariage, notamment, la manière dont on choisissait les épouses. Par exemple, au XVIIe siècle, les centaines de femmes — les *Filles du roi* — qui furent dotées par l'État français et incitées à devenir les femmes de célibataires en poste dans la colonie avaient des priorités et des perspectives d'avenir très différentes des débutantes du XIXe siècle, fortes de leur dot, de leurs relations sociales et de leurs compétences en musique, en broderie, en dessin, et parfois même en langue française ou italienne.

La première partie de cet ouvrage traite aussi de la manière dont les épouses ont appris ce que le mariage signifiait et exigeait d'elles, l'essentiel de ses règles et de ses principes directeurs, ses objectifs et ses récompenses. Cette première partie retrace l'évolution des mariages et de l'état marital (lesquels ne sont pas toujours synonymes). Dans le chapitre intitulé « Le mariage à l'intérieur de quatre murs », nous creuserons les réalités de la vie quotidienne qui constituaient et façonnaient l'expérience du mariage, comme celle de Martha et de David Wright, par exemple. Le chapitre « Allez et multipliez-vous » insiste sur chacun des aspects de l'éducation des enfants en abordant la contraception, l'accouchement, l'allaitement, la formation et l'enseignement, l'amour et le maintien de la discipline, le travail à domicile et le deuil. Le rôle particulier et contesté des beaux-parents est un des fils conducteurs les plus importants qui relient le passé, lorsque la mort mettait fin à tant de jeunes mariages, et le présent, où le divorce a les mêmes conséquences. Le chapitre « Quand les choses tournèrent mal » aborde la manière dont les époux réagissaient aux difficultés conjugales — la bigamie, la séparation, voire le meurtre —, en se focalisant sur l'institution complexe du divorce avec ses conséquences touchant la garde des enfants et la répartition des biens.

En dégageant les valeurs fondamentales et les principales réalités de l'histoire du mariage, y compris les conditions sociales et les situations personnelles où elle s'incarne, la première partie d'*Une histoire du mariage* présente une optique d'analyse qui permet d'aborder le présent et même l'avenir du mariage, car l'expérience des millions d'époux qui ont existé nous fournit un point de vue et parfois même des leçons qui s'appliquent aux Nord-Américains vivant aujourd'hui. Une de ces leçons cruciales nous invite à éviter d'avoir une vue trop romantique de l'histoire du mariage car, comme le disait Gustave Flaubert, « notre ignorance de l'histoire nous fait calomnier notre temps ». Notre époque est extraordinairement intéressante : la deuxième partie de cet ouvrage en fera état, en ajoutant de nouveaux chapitres à la longue histoire du mariage.

CHAPITRE 1

Les maris et les femmes · Qui étaient-ils?

Comment les mariages étaient arrangés

Le 10 novembre 1670, Jean Talon, intendant de la Nouvelle-France, écrivait au ministre français des Finances:

> Les filles envoyées l'an passé sont mariées, et presque toutes ou sont grosses ou ont eu des enfants, marque de fécondité de ce pays. [...] il serait bon de recommander fortement que celles qui seront destinées pour ce pays [l'an prochain] ne soient aucunement disgraciées de la Nature, qu'elles n'aient rien de rebutant à l'extérieur, qu'elles soient saines et fortes, pour le travail de campagne, ou du moins qu'elles aient quelques industries pour les ouvrages de main [...] il est bon de les faire accompagner d'un certificat de leur Curé ou du Juge du lieu de leur demeure qui fasse connaître qu'elles sont libres et en état d'être mariées[1].

L'ambitieux programme faiseur de mariages réussit à persuader 737 femmes, qu'on appela les *Filles du roi*, de quitter la France en voilier pour la colonie naissante, dont la ressource la plus importante était le commerce des fourrures. Étant donné que les hommes y étaient beaucoup plus nombreux que les femmes, les soldats, les colons et les commerçants de fourrure avaient désespérément besoin de femmes. La plupart des *Filles du roi* étaient d'origine modeste, plus de la moitié d'entre elles étant orphelines. Avec une dot royale (pour autant que l'état du Trésor royal le permettait) d'au moins 50 livres pour accompagner leur belle apparence, leurs talents domestiques et souvent leurs compétences littéraires et comptables, elles trouvaient rapidement un mari.

Catherine Paulo est représentative des *Filles du roi* : venue de La Rochelle à dix-neuf ans, elle épousa Étienne Campeau, vingt-six ans, maçon et habitant ; ils eurent quinze enfants. Un autre exemple est celui de Mathurine Thibaut, laquelle avait vingt-neuf ans à son arrivée dans la colonie. Elle épousa Jean Milot, un taillandier qui avait perdu sa femme depuis peu et avec lequel elle eut six enfants.

Un petit nombre de femmes décevaient leurs parraineurs et se conduisaient mal. Ce fut le cas de Catherine Guichelin. Menant une vie scandaleuse, elle fut accusée de prostitution. Elle donna naissance à plusieurs enfants illégitimes, et au lieu d'élever le fils et la fille qu'elle eut avec un de ses maris, elle les donna en adoption à d'autres familles. Toutefois, en dépit de sa mauvaise réputation, Catherine elle-même n'éprouva aucune difficulté à trouver des maris : elle fit annuler deux contrats de mariage et se maria une troisième fois.

Les *Filles* étaient aussi saines et capables que l'avait espéré Talon et les responsables français ; et elles furent si prolifiques que, de nos jours, des millions de Canadiens français sont leurs descendants directs. Si on dresse la liste de leurs qualités et de leurs compétences, on s'aperçoit que chacune de ces femmes pouvait démontrer sa valeur et son admissibilité sur le marché du mariage de la société coloniale canadienne-française du XVIIe siècle, largement dominé par les hommes. Par ricochet, les *Filles* avaient le droit d'évaluer les aspirants. Leur principal souci, si on en croit Marie de l'Incarnation, de la congrégation des Ursulines, qui agissait un peu comme leur chaperonne, était de savoir si l'homme qui se présentait à elles possédait une maison. L'expérience de celles qui les avaient précédées leur permettait de savoir que, faute d'une habitation appropriée, une nouvelle mariée devrait subir un grand inconfort jusqu'à ce qu'une maison convenable fût construite.

En Nouvelle-France, comme dans toutes les sociétés, il existait des critères permettant de sélectionner les époux. Toute étude du mariage, quels que soient l'époque ou le lieu, doit commencer par considérer les hommes et les femmes qui se marient : qui sont-ils ? quels sont leurs traits communs ? qu'est-ce qu'on attend d'eux et pourquoi ont-ils choisi de se marier ?

Il pourrait sembler futile de noter que la première chose qu'on exigeait des jeunes mariés était d'être en vie — jusqu'à ce qu'on apprenne que, dans certains cas rares, le désespoir et le chagrin pouvaient réussir à surmonter cet obstacle. En Chine, sous le nom de *minghun*, ou mariage dans l'au-delà, on mariait les fils et les filles morts dans le célibat, pour leur épargner le tourment de rester éternellement non mariés. De nos jours, en France, il suffit d'obtenir l'accord du président de la République pour légitimer les mariages entre vivants et morts.

La « règle » selon laquelle les mariages ne doivent unir que des partenaires de sexe opposé a également connu des exceptions au cours de l'histoire. Dans la Rome ancienne, par exemple, l'empereur Élagabal convola en justes noces avec Zoticus, un athlète mâle de Smyrne ; l'empereur parlait également de Hiérocles, son jeune esclave blond, comme de son mari. L'historien et biographe romain Suétone décrit la manière dont l'empereur Néron « fit châtrer le jeune Sporus et tenta de le transformer en femme ; il finit par l'épouser dans les formes légales, lui attribuant une dot et lui faisant porter un voile nuptial […]. Il le traita comme s'il était sa femme. » Les documents littéraires de l'époque romaine parlent de relations lesbiennes sans parler de mariages entre femmes, probablement parce que ces dernières n'avaient pas suffisamment d'influence et de pouvoir pour pouvoir légitimer de telles unions.

Les unions entre personnes de même sexe n'ont pas survécu à la fin de l'Antiquité. Ainsi, les visiteurs européens furent surpris et choqués en découvrant de telles unions chez les autochtones d'Amérique du Nord. Les Sioux, par exemple, reconnaissaient l'existence d'un troisième sexe : les berdaches étaient considérés par les autochtones comme des êtres « aux deux esprits », à la fois mâles et femelles ; plusieurs tribus autorisaient les mariages entre individus du même sexe.

Polygames, les Aléoutes et les Cheyennes permettaient aux berdaches de sexe masculin d'être coépouses d'un homme ayant aussi une femme « à un seul esprit ». Qu'ils soient monogames ou polygames, les berdaches qui se mariaient devaient respecter certaines règles ayant trait au lien de parenté. « C'est là un étrange pays, note le commerçant en fourrure Edwin T. Dening en 1833, où des hommes portent des robes et effectuent des tâches de femmes, et où des femmes se changent en hommes et s'accouplent avec des représentantes de leur propre sexe[2] ! » À la même époque, en Europe et dans les colonies nord-américaines, la réalité de l'attraction entre personnes de même sexe continuait de passer inaperçue sinon d'être niée voire criminalisée, et les époux devaient être de sexe différent pour qu'un mariage ait lieu.

L'âge au premier mariage

Une question touchant tous les mariages était l'âge des jeunes mariés, et particulièrement celui des jeunes épouses. Comme le remarque l'historien Brent D. Shaw, «l'âge des épouses est un des critères les plus importants pour déterminer le taux de fertilité d'une population donnée, et donc son profil démographique. Il a également une influence sur l'ensemble des institutions liées à la reproduction, et surtout sur la "structure" de la famille, les relations entre la mère et ses enfants, entre le mari et la femme, et la manière de redistribuer la propriété par héritage[3] ». L'âge des épouses reflétait également leur statut social et les rôles que la société entendait leur faire jouer.

Dans presque toutes les contrées du monde, on pouvait aller jusqu'à marier des nourrissons. Dans la Chine traditionnelle, la pratique de la *t'ung yang hsi* — consistant à élever une belle-fille depuis son enfance jusqu'au mariage — permettait que l'on donne ou que l'on vende une petite fille de quelques semaines ou de quelques mois pour qu'elle devienne un jour la femme du fils de la famille chargée de son éducation. On croyait que cette coutume contribuait à produire des épouses soumises, obéissantes et travailleuses, familières des routines domestiques et des besoins personnels des membres de la famille de leur époux — ce qui était toujours une source de soucis —, et que la probabilité qu'elles s'enfuient était moins grande que chez les femmes plus âgées. La *t'ung yang hsi* date au moins de l'époque de la dynastie Sung (960-1279) ; elle s'est poursuivie jusqu'au xxᵉ siècle, et on peut lui attribuer environ 20 % des mariages en Chine.

En Inde, où les hindous considéraient le mariage comme un «sacrement de portée transcendantale», voire divine, on mariait aussi les toutes petites filles[4]. Comme les familles chinoises, les familles indiennes attachaient du prix à la malléabilité d'une très jeune épouse qui pourrait être formée et moulée suivant les désirs de son mari et de sa belle-famille. Les mariages d'enfants étaient tellement fréquents que de 1921 à 1931, le nombre des épouses-enfants passa de 8 millions et demi environ à 12 millions. Cependant, la coutume de la *gauna* — où la jeune fille engagée reste chez ses parents jusqu'à la puberté — faisait que la plupart des mariages d'enfants se faisaient en deux temps. La première étape était le mariage proprement dit ; la deuxième était la cérémonie de la *gauna*, après laquelle la jeune épouse devait aller vivre dans la famille de son mari.

En Europe occidentale, dans les classes supérieures, la situation ne différait pas de l'Asie. Il arrivait si souvent que les parents marient leurs filles au moment de la puberté ou avant, que les expressions *nubile* et *apte au mariage* étaient synonymes. Pousser une jeune fille à se marier était une manière de s'assurer de lui éviter la disgrâce de donner naissance à un bâtard, ce qui aurait détruit ses chances de consolider, voire d'améliorer, le statut social et la fortune de sa famille en se mariant.

Au XIIe siècle, le pape Alexandre III essaya de protéger ces jeunes épouses en promulguant une règle de droit canon qui spécifiait que l'âge minimum du « consentement *de pressenti* » (c'est-à-dire avec effet immédiat) sans lequel un mariage pouvait être annulé était de douze ans pour les filles et de quatorze ans pour les garçons. Certains parents faisant partie de l'élite de la société contournaient cette limitation en interprétant « douze ans » comme signifiant la douzième année, et mariaient leurs filles à onze ans. D'autres parents se contentaient d'ignorer la loi ou demandaient une dispense papale afin de marier des fillettes encore plus jeunes[5].

Souvent, les jeunes filles étaient fiancées dès l'enfance ou la petite enfance, et ce, malgré un décret apostolique du XIIe siècle, qui fixait à sept ans l'âge minimum des fiançailles. (Les fiançailles étaient comparables au mariage, si on excepte le fait que la mort d'un des partenaires n'entraînait aucun veuvage.) Tel fut le destin de Marguerite, qui n'avait que deux ans lorsque son père Louis VII, roi de France, la fiança à Henri, âgé de cinq ans et fils d'Henri II, roi d'Angleterre. Deux ans plus tard, après que Constance, la mère de Marguerite, fut morte en couches, et que Louis se fut remarié cinq semaines plus tard, Henri II réagit aux conséquences diplomatiques de ces événements en célébrant immédiatement le mariage de la petite Marguerite et du petit Henri.

La plupart des petites fiancées vivaient dans la maison de leurs parents jusqu'à ce qu'on considère qu'elles ont un âge suffisant pour se marier. Mais, comme en Chine et en Inde, certaines d'entre elles étaient élevées dans la maison de leur future belle-famille. Ces fillettes étaient initiées aux coutumes, à la culture, à la langue et aux particularités de leur nouvelle famille. La comtesse Agnès d'Essex, fiancée à l'âge de trois ans à Geoffrey de Vere, avait six ans lorsqu'elle fut remise au frère de Geoffrey, le comte d'Oxford. Matilda, sept ans, fille d'Henri Ier d'Angleterre, fiancée à Henri V du Saint-Empire romain, qui avait 21 ans de plus qu'elle, fut confiée à la cour d'Henri pour « apprendre la langue, les coutumes et les lois du pays, ainsi que tout ce qu'une impératrice doit savoir, dès maintenant, au moment de sa jeunesse[6] ». Pour assurer son intégration à la cour germanique, l'empereur congédia ses gardiens anglais.

Au moment de leur premier mariage, les maris avaient souvent le même âge ou quelques années de plus que leur épouse, même s'il n'était nullement inusité ou illégal pour un homme de soixante ans de marier une enfant ayant quarante ou cinquante ans de moins que lui. Par exemple, Angel Day, un traducteur britannique du XVIe siècle, dénonça le plan d'un père avide d'argent, dont le projet de marier sa « jeune et délicate » fille à un avare répugnant, « ressemblant à un fauve crasseux, déformé et inconvenant [...] une créature si misérable et défavorisée par la Nature », était « contraire à la raison ou à toute sorte de conseil sage et avisé[7] ».

À quoi pouvait ressembler le fait, pour un jeune enfant, d'être fiancé ou marié puis remis entre les mains d'étrangers ? Le mahatma Gandhi, fiancé à sept ans et marié à treize, condamna le mariage des enfants comme une « coutume cruelle », en ajoutant ceci au sujet de son père : « J'étais loin de songer à cette époque qu'un jour je le critiquerais sévèrement pour m'avoir marié si jeune[8]. » Rassundari Devi, une mère de onze enfants vivant au XIXe siècle, se comparait elle-même à « une chèvre offerte en sacrifice, traînée jusqu'à l'autel, dans la même situation désespérée, avec les mêmes cris d'agonie[9] ». La plupart des enfants mariés en bas âge n'ont laissé aucune trace, et certainement aucun témoignage. Bien que certains d'entre eux aient pu ne pas déplorer le fait d'avoir été mariés aussi jeunes, on peut raisonnablement supposer que la plupart des femmes furent dans une situation misérable. Les lois contre le mariage des enfants reflètent une conscience amère de la manière dont ceux-ci furent traités et le chagrin qu'ils éprouvèrent. Même lorsqu'ils étaient bien traités, ils n'en étaient pas moins privés de leur enfance.

Une fois installés dans leur nouvelle demeure, ces enfants n'étaient pas toujours respectés. Certaines filles étaient violées par des maris impatients ou des beaux-parents sans cœur. Les garçons comme les filles étaient vulnérables et pouvaient avoir à subir la vengeance de leur belle-famille si les alliances qu'ils avaient aidé à forger changeaient, ou si leurs avoirs étaient perdus. Lorsque son père perdit ses richesses, la comtesse Agnès d'Essex fut enfermée dans une tour, où elle subit de mauvais traitements. Même ceux qui n'étaient pas maltraités souffraient, car ils avaient perdu leurs parents, leur famille et leur maison, et devaient vivre avec de nouvelles personnes qui s'attendaient à ce que le nouveau venu, presque toujours une fille, soit modeste et obéissant, qu'il parle doucement, qu'il soit soumis et manifeste une pureté virginale dans ses paroles et ses actions.

Pourtant, si difficile qu'ait été la transition, si lourdes qu'aient été les exigences, si peu naturel qu'ait été le fait, pour ces enfants, de devoir jouer le rôle d'apprenties épouses, peu de filles furent contraintes à des relations sexuelles avant d'avoir atteint leur maturité physique, que l'on situait habituellement au moment de l'apparition des premières règles, ou entre douze et quatorze ans, ce qui était généralement l'âge légal du consentement, celui que la plupart des sociétés considéraient comme un âge convenable pour se marier, au moins chez les filles des familles privilégiées. Les garçons et surtout les filles qui ne faisaient pas partie de l'élite avaient un cheminement très différent. Dans l'ancienne Athènes, la plupart des femmes se mariaient entre quatorze et dix-huit ans, habituellement très tôt après l'apparition des premières règles ; elles étaient mariées à des hommes qui, la plupart du temps, avaient au moins dix ans de plus qu'elles. La conséquence de cet écart était que les pères des épouses, qui étaient dans la quarantaine avancée et se voyaient déjà à la fin de leur vie, étaient pressés de prendre des dispositions pour assurer l'avenir de leurs filles, pendant qu'ils le pouvaient encore. (Leurs fils se mariaient lorsqu'ils étaient parvenus à l'âge adulte et étaient donc fort occupés à organiser leurs propres mariages.) Le mariage permettait d'éviter les grossesses préconjugales et la disgrâce qui s'y rattachait. Il permettait également aux jeunes femmes d'avoir des relations sexuelles dans le mariage, ce qui, croyait-on, permettait de remédier aux problèmes gynécologiques, y compris les déséquilibres hormonaux qui surgissent à la puberté.

Fidèle à sa culture militariste, Sparte préparait ses *parthenoi* — filles non mariées — à leurs devoirs de futures mères de soldats redoutables en les soumettant à un régime sévère de formation qui les mettait à part de leurs sœurs des autres villes grecques. Musclées, entraînées et en forme, les *parthenoi* avaient au moins dix-huit ans au moment du mariage. Le mariage mettait une fin abrupte à cette vie relativement libre lorsque la jeune épouse intégrait la demeure de son mari ou de ses beaux-parents. Toutefois, si son époux avait moins de trente ans, il continuait de vivre dans les casernes communes des militaires et ne pouvait rendre visite à sa femme qu'« à la faveur de l'obscurité, dans le secret de la conspiration et à l'insu de ses compagnons d'armes et même de sa famille »; la situation restait la même lorsque le couple commençait à produire de petits Spartiates[10]. La vie de famille, qui favorise la détente, était supprimée aussi longtemps que possible pour éviter d'éroder l'infrastructure militariste qui imprégnait tous les aspects de la culture spartiate.

Comme en Grèce, la plupart des filles de la Rome antique se mariaient à l'adolescence ou au début de la vingtaine. Plusieurs historiens pensent que, là aussi, seules les filles des classes possédantes se mariaient jeunes, avec des hommes qui avaient généralement vingt-cinq ans ou plus. Les mariages de la classe supérieure se distinguaient donc par un écart important entre l'âge du mari et celui de la femme, avec toutes les conséquences qui s'ensuivaient sur le plan des relations matrimoniales, de la reproduction, du veuvage, du remariage et des transferts de propriété[11]. Des siècles plus tard, en Europe de l'Ouest, les jeunes filles d'origine modeste avaient tendance à se marier au début ou à la fin de l'adolescence, ou au début de la vingtaine. Certes, il s'agit là d'une généralisation touchant une grande variété de pays et de cultures, mais elle nous fournit une règle heuristique et sert de base pour l'interprétation de la nature et de la dynamique du mariage par les chercheurs, comme on peut le voir à partir des exemples qui suivent[12].

Dans l'Allemagne de la seconde moitié du XVIᵉ siècle, les marchands n'avaient pas le droit de se marier avant d'avoir réussi les examens qui les faisaient passer de l'état de compagnons à celui de maîtres. Mais comme les contraintes économiques faisaient qu'il était difficile, même pour les maîtres, de se marier, il se forma une classe importante d'hommes dont la situation financière les rendait immariables. Les fiançailles s'étiraient sur des mois et même des années, forçant certains couples à demander une exemption des règles, habituellement pour cause de grossesse ou, comme une demande urgente le formulait, de « motifs pesants ». En dépit des arguments de ceux qui prétendaient que le mariage permettait d'éviter de céder au désir sexuel, ou que les nouveaux mariés devaient accueillir les difficultés financières comme une épreuve divine, auquel cas Dieu allait sûrement leur fournir ce dont ils avaient besoin, les règles étaient appliquées de façon si rigoureuse que la moyenne d'âge du mariage augmenta et que beaucoup d'époux potentiels demeurèrent célibataires.

D'autres exemples indiquent des variations importantes de la moyenne d'âge lors du premier mariage. En 1864, au Portugal, 15,5 % des femmes de vingt à vingt-quatre ans de la province de Viana do Castelo, au nord, et 42,7 % des femmes de la même tranche d'âge résidant dans la province de Faro, au sud, étaient mariées. Dans les mêmes régions, 37,8 % et 11 % des femmes de cinquante à cinquante-quatre ans restaient célibataires. En 1880, en Belgique, dans les arrondissements de Tielt et de Charleroi, la moyenne d'âge du mariage était respectivement de 28,4 et de 25 ans ; 30,5 % des femmes de cinquante ans résidant à Tielt étaient restées célibataires, alors que seulement 9,2 % des femmes de Charleroi l'étaient[13]. En Angleterre et au pays de Galles, entre les années 1840 et 1870, plus des deux tiers des hommes et des femmes de vingt-cinq ans et plus n'étaient pas encore mariés, et 12 % des femmes dans la cinquantaine restaient célibataires[14].

Au XIXe siècle, la plupart des Nord-Américains suivaient la tendance européenne, se mariant plus tard, restant célibataires durant toute leur vie ou ne se mariant pas. Dans le Bas-Canada, les veufs étaient plus nombreux à se remarier que les veuves. Cependant, dans le Haut-Canada, où il y avait 145 hommes de 15 à 39 ans pour 100 femmes de la même tranche d'âge, les veuves avaient plus de chances de se remarier. En 1871, en Nouvelle-Écosse et particulièrement dans les comtés dominés par les Écossais, les femmes se mariaient souvent entre vingt-cinq et vingt-neuf ans, à des hommes qui avaient quelques années de plus qu'elles. Certaines femmes se mariaient avant vingt et un ans, mais peu d'hommes le faisaient[15]. En 1880, à Philadelphie, les immigrantes irlandaises, qui étaient souvent des aides domestiques, se mariaient en moyenne à 26,4 ans (alors que les hommes se mariaient en moyenne à 29,1 ans) ; les Allemandes se mariaient à 23,9 ans (et leurs compatriotes masculins à 25,9 ans), alors que les femmes blanches nées en sol américain se mariaient à 25,4 ans (et les hommes à 28 ans)[16].

Modèles de mariage

L'abondance des études sur les particularités et la dynamique du mariage a permis aux chercheurs de postuler l'existence de modèles du mariage. Si on considère l'histoire de l'Europe, trois modèles se dégagent : le modèle de l'Europe de l'Ouest, celui de l'Europe de l'Est et le modèle méditerranéen. Chacun de ces modèles est relié à l'âge des épouses lors de leur premier mariage, et il doit être compris en tenant compte du milieu, de l'économie et des conditions démographiques. Ces modèles de mariage permettent de donner un sens au passé, particulièrement lorsqu'il s'agit de comprendre les conséquences de l'âge du premier mariage pour les jeunes mariés, leurs familles et la société, et sur le type de maisonnée où ils vivaient en tant que couples mariés.

Dans le modèle de l'Europe de l'Ouest, les hommes et les femmes se mariaient à un âge relativement avancé, avec un écart d'âge entre les partenaires qui n'excédait pas quelques années, et ils formaient une nouvelle famille, qui était habituellement une famille nucléaire. Peu de maisonnées étaient multigénérationnelles ou abritaient plus d'une famille. Par exemple, dans les quatre siècles précédant la Révolution française, les paysans français se marièrent plus tard en raison des règles enracinées dans leur culture. Une de ces règles était que les époux ne devaient pas cohabiter avec les parents après le mariage. Une autre règle stipulait qu'il était essentiel que les nouveaux mariés aient leur propre foyer. Autrement dit, il était rare que les ménages d'Europe de l'Ouest comprennent des familles étendues, voire une forme ou l'autre de polygamie, mais il existait une variante du modèle qui intégrait les travailleurs domestiques ou la main-d'œuvre de la maisonnée.

Le modèle d'Europe de l'Est était presque diamétralement opposé à celui de l'Europe de l'Ouest. La plupart des gens se mariaient jeunes et se joignaient ensuite à une maisonnée déjà constituée, habituellement celle du nouveau marié, au lieu de fonder un nouveau foyer. Ces ménages conjoints incluaient plusieurs couples mariés ayant souvent entre eux des liens du sang, ainsi que d'autres parents, comme des frères ou des sœurs non mariés, ou des aînés qui avaient subi un veuvage. Résultat : peu de personnes vivaient seules ou avec des personnes n'ayant aucun lien de parenté. (En Extrême-Orient, il était interdit de fonder un nouveau foyer.)

Le modèle méditerranéen se caractérisait par la jeunesse des épouses et l'âge avancé de leurs époux. Comme dans le modèle d'Europe de l'Est, les nouveaux couples fondaient rarement un nouveau foyer, mais ils occupaient une habitation qui avait appartenu à d'autres, se joignaient à une maisonnée déjà existante ou partageaient une maison avec d'autres. Il en résultait une société où la plupart des ménages comprenaient plus d'une génération, voire plus d'une famille, notamment les membres de la famille élargie.

Ce qui distinguait surtout le modèle méditerranéen et le modèle oriental était l'âge du premier mariage, avec ses conséquences sur le plan social, culturel et économique. D'abord, des maris plus vieux risquaient moins d'avoir un père toujours vivant, ce qui avait une influence certaine sur leurs revenus et leurs moyens d'existence. Au moment de la mort de son père, par exemple, un homme acquérait son indépendance légale et sociale, ce qui modifiait sa position et son rôle dans la société et dans sa famille élargie. D'habitude, le fils aîné se retrouvait à la tête de la maisonnée. Dans la Rome antique, plus des trois quarts des hommes et la moitié des femmes avaient perdu leur père avant leur mariage, ce qui réduisait grandement l'influence de la *patria potestas* — le pouvoir de vie et de mort des pères romains sur leur famille[17]. Un autre modèle de mariage était le mariage polygame. En règle générale, la polygamie était l'apanage des hommes riches. En Chine, les hommes pouvaient marier plusieurs femmes et accueillir des concubines dans leur maison. Une conséquence remarquable de ce système de mariage est que, de nos jours, 1,5 million d'hommes chinois sont des descendants directs de Giocangga, le grand-père de la dynastie Ch'ing, suivant la chaîne des nombreuses femmes et concubines de ses descendants. Par contraste, les hommes chinois monogames ont en moyenne une vingtaine de descendants seulement.

La Bible parle également des nombreuses femmes de plusieurs grands noms de l'Ancien Testament, comme Abraham, David et le roi Salomon, ce dernier ayant eu 700 femmes et 300 concubines. Le roi Philippe de Macédoine et son fils Alexandre le Grand ont eu tous deux de nombreuses femmes ; en fait, la polygamie n'était pas rare chez les nobles et les autres hommes privilégiés. Avec l'évolution du christianisme, l'Église a peu à peu rejeté la polygamie, en partie parce que la culture gréco-romaine préconisait la monogamie. « La loi en vigueur de nos jours, et appuyée sur la coutume romaine, ordonne de n'avoir qu'une seule femme vivante », affirme saint Augustin dans son livre sur la bonté intrinsèque du mariage (*De bono coniugali*) [*Le bien conjugal*].

La nouvelle religion de l'islam, cependant, n'interdisait pas la polygamie. Le Coran se contentait de limiter les hommes musulmans à quatre femmes, et le Prophète conseillait à ceux qui en avaient onze de divorcer de sept d'entre elles. On peut lire dans le Coran : « Et si vous craignez de n'être pas justes envers les orphelins, il est permis d'épouser deux, trois ou quatre femmes, parmi celles qui vous plaisent, mais, si vous craignez de n'être pas justes avec elles, épousez-en une seule. » Contrairement au système chinois, où la première femme avait de l'ascendant sur les épouses suivantes, l'islam décréta que toutes les femmes étaient égales.

Pendant ce temps, l'Europe chrétienne luttait depuis des siècles pour éradiquer la polygamie, que plusieurs théologiens considéraient comme moins répugnante, moralement parlant, que le divorce. Lorsque Henri VIII exprima le désir de se défaire de sa première femme, Catherine d'Aragon, le pape Clément VII et ses conseillers lui proposèrent de marier plutôt une seconde femme, ce qui lui aurait permis d'éviter le péché du divorce et aurait assuré la légitimité de l'héritier mâle auquel elle aurait pu donner naissance.

Vu qu'il ne pouvait trouver dans les Écritures une condamnation de la polygamie, Martin Luther, le père de la Réforme protestante, avait une opinion similaire, qui se reflète dans le conseil qu'il donna à l'adultère Philippe de Hesse. Après que Philippe se fut défendu en

disant que le désert sexuel de son mariage arrangé avec Christine de
Saxe l'avait poussé à profaner les vœux de mariage, Luther lui conseilla
de prendre une seconde femme en gardant le mariage secret afin
d'éviter le scandale et le risque d'être exécuté, car la bigamie était à
l'époque punie de mort. (Lorsque la nouvelle du mariage de Philippe
à Marguerite von der Saale commença à transpirer, Luther l'exhorta
à nier la rumeur.) Dans l'Amérique du Nord du début du xixᵉ siècle,
l'Église de Jésus-Christ des Saints des Derniers Jours, plus connue
sous le nom de mormons, raviva la pratique quasi moribonde du
« mariage plural » ou polygamie, après que Joseph Smith, le fondateur,
eut appris, par une révélation divine, que certains anciens devraient
prendre plus d'une femme. L'outrage public accompagna l'extension
de cette pratique. Pourtant, ce n'est pas la polygamie qui scella le
destin de Smith mais sa déclaration de 1844, dans laquelle il se présentait comme candidat à la présidence des États-Unis, ce qui conduisit
à son arrestation pour cause de trahison et de conspiration. Une
cohue de 150 hommes armés attaqua la prison où Smith était enfermé
et il fut abattu.

Le meurtre de Smith ne fit rien pour mettre fin au débat sur les
pratiques polygames des mormons. Au moment de sa mort, en 1877,
le successeur de Smith, Brigham Young, avait eu des « scellements » ou
mariages avec cinquante-six femmes ; seize d'entre elles donnèrent
naissance à des enfants, cinquante-sept en tout. Les autres, disait-il,
étaient « de vieilles dames que je considérais plus comme des mères
que comme des femmes », qu'il avait « scellées » pour les protéger, une
variante mormone d'une pratique courante dans les sociétés tribales,
stipulant qu'une veuve doit marier son beau-frère.

En 1878, après que la Cour suprême des États-Unis se fut prononcée
contre le droit du mormon George Reynold au mariage plural, les
polygames furent soumis à de lourdes peines. Pour sauver l'Église, son
quatrième président, Wilford Woodruff, renonça à la polygamie dans
un manifeste de 1890. Quelques polygames purs et durs s'enfuirent
vers des communautés éloignées des États-Unis et du Canada ; l'Église
de Jésus-Christ des Saints des Derniers Jours cessa de les reconnaître
comme membres. En 1892, le Canada criminalisa à son tour la polygamie, en entérinant la définition légale du mariage telle que formulée
dans un jugement de la Chambre anglaise des Lords en 1866, dans la

cause *Hyde c. Hyde*: «l'union légitime [...] d'un homme et d'une femme à l'exclusion de toute autre personne».

(La polyandrie, où une femme a plusieurs maris, n'a laissé aucune trace dans l'histoire de l'Amérique du Nord. La polyandrie est presque toujours le produit ou, peut-être, la réaction logique à un milieu de vie si rigoureux que la terre ne réussit pas à nourrir la population, comme dans la chaîne de montagnes de l'Himalaya, par exemple. La polyandrie permet aux hommes de partager la paternité au lieu de devoir y renoncer, et elle fournit une structure sociale où des gens qui luttent pour leur survie peuvent réussir à se reproduire.)

En plus des mormons et des mormons en rupture avec leur communauté, l'Amérique du Nord a produit d'autres communautés utopiques, comme la communauté d'Oneida, fondée en 1848. On y pratiquait une sorte de «mariage complexe» par lequel chaque membre était théoriquement marié à chacun des autres membres de la communauté, avec lesquels il avait des «entrevues» — c'est-à-dire des rapports sexuels. Pour éviter les grossesses, qui étaient censées être approuvées à l'avance par une sorte de comité eugénique, les hommes pratiquaient le coït interrompu. Cependant, en 1879, la communauté renonça au mariage complexe en faveur de la monogamie et en 1880, plus de soixante-dix hommes contractèrent un mariage traditionnel.

En Amérique du Nord comme en Europe, la monogamie évolua comme la seule forme légale de mariage, et, si on excepte quelques poches de résistance, la polygamie fut pratiquement éliminée. Lorsque les Nord-Américains se marient, ils choisissent un conjoint unique, dont les qualités ne seront pas étendues ou complétées par d'autres partenaires.

Cette convention s'enracine dans les règles strictes auxquelles sont soumises les lignées; dans toutes les sociétés, ces règles définissent les unions acceptables et prohibent les unions incestueuses. La plupart des sociétés interdisent les mariages consanguins — entre frères et sœurs, une mère et son fils ou un père et sa fille — tout en permettant et même en encourageant les mariages entre cousins. En Grèce et en Orient, les mariages entre cousins étaient une stratégie fréquente pour fusionner une propriété qui avait été divisée entre plusieurs héritiers[18]. On encourageait également les mariages entre oncles et nièces, qui étaient autorisés par le droit canon juif, par exemple. En Inde, il était normal de marier une personne de la parenté, et dans certaines régions, cette coutume persiste encore aujourd'hui[19].

Les tabous de l'inceste désignent les personnes avec lesquelles il est interdit de se marier. Les règles touchant le lignage, qui sont des énoncés détaillés et complexes à propos de la nature des liens du sang, déterminent quels sont ceux qu'il nous est permis de marier, voire ceux que nous serions censés marier. Le lévirat, par exemple, imposait au frère d'un défunt de marier la veuve de celui-ci. Chez les anciens Hébreux, le lévirat prenait tout son sens parmi les membres d'une maisonnée lorsque le défunt était mort sans laisser d'héritier mâle. Cette institution assurait la descendance du défunt et reconnaissait ce dernier, et non son frère, comme le père de l'enfant à naître. (Le frère pouvait avoir d'autres enfants, afin de s'assurer que sa lignée ne s'éteigne pas.)

Les règles concernant les conjoints convenables découlent de la perception que chaque société a d'elle-même et de ses gens. La nature de la descendance — matrilinéaire ou patrilinéaire — est d'une importance primordiale. (Quelques petites sociétés utilisent des variantes de ces systèmes de lignage primaires : l'ambilinéarité se pratique à Hawaï, où on détermine le lignage indifféremment par la mère ou par le père, ou l'unilinéarité chez les Iroquois, qui déterminent le lignage suivant la descendance du père ou de la mère, mais pas de l'un ou de l'autre indifféremment.) Le mariage exogame, l'union de personnes qui n'ont pas de liens de sang, donne lieu à des considérations financières différentes, souvent sous la forme d'un « prix de la mariée » (l'ensemble des marchandises, bijoux ou monnaie remis par le futur marié ou par sa parenté à la future mariée ou à sa parenté) ou d'une autre sorte d'arrangement. De son côté, l'endogamie était la coutume consistant à se marier à l'intérieur d'une classe sociale, d'une religion ou d'un groupe ethnique. L'endogamie servait à préserver les cultures minoritaires et à en empêcher l'assimilation ou la dilution dans la culture dominante (ou l'assimilation et la dilution de cette dernière). Les aristocrates mariaient des aristocrates et les paysans, des paysans ; les chrétiens mariaient des chrétiens, et les juifs des juifs ; les Blancs mariaient des Blanches et les non-Blancs mariaient des non-Blanches. En Inde, où le système de castes est intrinsèquement endogame et où le mariage est permis uniquement entre membres de castes de rang égal ou similaire, les brahmanes mariaient uniquement des brahmanes et les dalits ou intouchables ne mariaient que des dalits.

En Amérique du Nord, il arrivait que les règles européennes habituelles doivent céder à l'urgence des circonstances. En Nouvelle-France, où les intérêts économiques du commerce de la fourrure étaient primordiaux, les responsables officiels fermaient les yeux sur les différences raciales et encourageaient les colons à marier des autochtones afin de faciliter le commerce de la fourrure et d'assurer la loyauté des autochtones à la France. Par ailleurs, dans les Treize colonies anglaises et plus tard aux États-Unis, le racisme qui alimentait l'esclavage des Noirs envahissait tellement la conscience sociale que quarante et un États votèrent des lois antimétissage proscrivant les mariages entre Blancs et Noirs, voire, pour faire bonne mesure, les mariages entre Blancs et Autochtones ou entre Blancs et Asiatiques. Pendant trois siècles, jusqu'à ce que la Cour suprême les déclare inconstitutionnelles, ces lois ont reflété et soutenu la suprématie des Blancs ainsi que le concept de la pureté de la race blanche, typique du XXe siècle, et stigmatisé le mariage interracial comme un crime de métissage.

Même si la race ne posait pas de problèmes dans les sociétés européennes caractérisées par leur homogénéité, des règles complexes encadraient étroitement la chasse en vue de trouver un mari ou une femme convenable. Dans les classes privilégiées, les considérations politiques, commerciales et sociales passaient en premier lorsque les parents se mettaient en peine de sélectionner les partenaires de leurs enfants. Les nobles et les membres de la famille royale devaient également tenir compte de questions diplomatiques complexes, fiançant leurs jeunes garçons ou leurs jeunes filles dans le seul but de former ou de renforcer des alliances qu'ils espéraient voir durer jusqu'au moment où le mariage aurait effectivement lieu.

Les gens moins privilégiés, c'est-à-dire la grande majorité des gens, avaient d'autres préoccupations ; mais chez eux aussi, le mariage des enfants avait des conséquences financières importantes pour toute la famille. Il ne suffisait pas que la future belle-famille soit à l'aise financièrement. Les parents, les pères souvent, avaient la responsabilité de négocier la meilleure entente possible, et de s'assurer qu'elle serait respectée par la suite par toutes les parties en cause.

Si une épouse potentielle avait une belle apparence, si elle paraissait être en bonne santé et chaste, et si elle n'avait pas le malheur d'avoir des sœurs plus âgées impossibles à marier ou une parenté déshonorante, sa famille pouvait espérer un engagement substantiel de la part de son futur époux. Suivant la classe sociale de sa famille, cela pouvait aller d'un emploi à un héritage important, dont on profiterait plus tard ou qui était déjà disponible. Dans les sociétés où la primogéniture se pratiquait et où les biens réels étaient conservés intacts en étant légués à une seule personne, en règle générale le fils aîné, ce dernier était considéré comme un candidat de premier choix. Quant à ses frères et sœurs, naturellement, ils étaient moins intéressants.

La situation était la même partout où les règles d'héritage étaient à l'avantage des fils aînés. Dans la noblesse du Poitou, en France, du XIIe au XIVe siècle, 77 % des fils aînés se mariaient, mais seulement 30 % de leurs frères pouvaient en faire autant. Dans une province portugaise, au XVe et au XVIe siècle, 80 % des fils aînés étaient mariés, comparativement à 39 % des quatrièmes fils. Les lois successorales de Norvège étaient si sévères que le quart des hommes, environ, n'avaient pas les moyens de se marier et de faire vivre une famille.

Dotation de la future mariée

On s'attendait à ce que les épouses apportent aussi une propriété, de l'argent ou d'autres actifs de poids à la nouvelle union, cet apport prenant habituellement la forme d'une dot. Sans dot, la plupart des femmes n'auraient pu se marier. De plus, la dot offrait une certaine protection à la femme dans son nouveau monde, particulièrement si ses parents la versaient par acomptes, ce qui encourageait son époux à la traiter mieux qu'il ne l'aurait peut-être fait sans la promesse de paiements à venir. En outre, si le mari mourait, la dot revenait à sa femme ; son beau-père gérait les biens dotaux mais en *common law*, c'est elle qui en était la propriétaire. Si la dot comprenait des terres, elles ne pouvaient être vendues sans son accord.

Maristella Botticini, qui a étudié en détail le régime des dots en Toscane au XVe siècle à partir des riches ménages aussi bien que des ménages modestes, met en évidence le mode de fonctionnement de ce régime[20]. En Toscane, la dot était obligatoire pour le mariage, quelle que soit la classe sociale. Même les filles élevées à l'orphelinat recevaient des petites dots qui leur étaient remises par l'orphelinat ou qu'elles recevaient en legs de la part des citadins. À Florence, les parents pouvaient même investir de l'argent dans le Monte delle Doti, un fonds dotal offrant un bon rendement économique, pour la dot dont leurs filles auraient immanquablement besoin un jour.

Les dots donnaient lieu à d'importants transferts de richesses. Entre 1415 et 1436, dans la ville de Cortona, au moment où le salaire annuel d'un travailleur urbain ne dépassait pas 14 florins, les dots s'élevaient en moyenne à 125,5 florins. L'importance de la dot dépendait de plusieurs facteurs. Après avoir cherché un candidat convenable pour leur fille, les parents offraient une dot dont le montant était calculé en fonction du travail qu'elle effectuerait à la maison et, parfois, dans les champs et du nombre d'enfants qu'elle porterait et élèverait. Une fille plus âgée était une « marchandise de moindre valeur » dont l'entretien coûterait plus cher à sa future famille ; elle donnerait naissance à moins d'enfants, consacrerait moins d'années de travail à son futur mari et aurait donc besoin d'une plus grosse dot pour persuader quelqu'un de la marier. (Les femmes qui se mariaient pour la deuxième fois faisaient partie de cette catégorie.) Une fille plus jeune, avec plus d'années de travail et d'enfants potentiels à offrir, pouvait se marier en apportant une dot plus modeste.

La mobilité sociale était également un facteur déterminant le montant des dots. Les filles de Toscane qui se mésalliaient (passant, par exemple, de la classe marchande à la classe paysanne) recevaient des dots plus considérables que celles qui mariaient quelqu'un d'une classe supérieure (passant de la classe paysanne à celle des professionnels, par exemple). Botticini y voit une preuve que les parents avaient le souci de s'assurer que leurs filles puissent conserver un niveau de vie comparable à celui de leur famille naturelle. Les filles dont les dots étaient plus considérables avaient tendance à donner naissance à plus d'enfants que celles qui avaient des dots plus modestes, probablement parce qu'elles étaient mieux nourries et mieux traitées.

Le système des dots engendrait aussi beaucoup de tristesse. Comme les sociétés accordaient une valeur beaucoup plus grande aux hommes qu'aux femmes et que l'obligation de doter les filles drainait les finances familiales, nombre de filles aimées de personne, peu attrayantes, difficiles, orphelines ou simplement ordinaires devaient se marier avec des hommes franchement déplaisants ou se terrer dans des couvents, car leurs modestes dots ne leur permettaient pas d'espérer mieux.

Dans les colonies nord-américaines, l'importance des dots était dopée par la pénurie de femmes à marier. C'était le cas au XVIIe siècle en Nouvelle-France où, sur une population de trois mille âmes, on comptait cinq hommes pour une femme, plusieurs de ces femmes étant des religieuses. Bien que certains commerçants de fourrures, des aventuriers et des fonctionnaires coloniaux s'unissaient avec des autochtones et les mariaient parfois, la plupart des célibataires avaient des perspectives de mariage si sombres que le roi Louis XIV et son ministre des finances, Jean-Baptiste Colbert, mirent sur pied un programme qui préparait des jeunes femmes robustes à immigrer en Nouvelle-France pour y marier des colons.

Ce projet marqua le début de l'envoi de 737 *Filles du roi*, dont la majorité avait entre quinze et vingt-neuf ans. La plupart étaient originaires de la ville, et plus de la moitié étaient des orphelines élevées à l'Hôpital général de Paris, qui les formaient comme domestiques pour leur permettre de travailler dans les maisons bourgeoises ou de marier les hommes intéressés par des femmes aussi capables. Six pour cent des *Filles* provenaient de familles nobles ou bourgeoises appauvries. Elles étaient intégrées dans le programme car, comme le faisait remarquer l'intendant Talon dans un rapport au ministre Colbert, «Trois ou quatre filles de naissance et distinguées par la qualité serviraient peut-être utilement à lier par le mariage des officiers qui ne tiennent au pays que par les appointements et l'émolument de leurs terres.» En France, un cercle de femmes de bonne naissance et bien dotées s'engagèrent à marier ces officiers. Comme leurs *consœurs*, ces femmes audacieuses étaient prêtes à parier qu'elles pourraient vivre une meilleure vie en Nouvelle-France que dans la Vieille France.

Les dots jouaient un rôle important et étaient élevées : de 50 livres à 3 000 livres, elles étaient fournies par les familles des femmes de haut rang qui avaient l'espoir de marier leurs filles à des officiers et dont les ménages auraient besoin de plus d'objets de parure. (Le trésor royal fournissait un maximum de 100 à 200 livres à ces femmes de condition.) Parmi ces femmes se trouvaient Marguerite Chabert de la Carrière et Judith de Matras, ayant chacune une dot substantielle de

3 000 livres. Marguerite maria le capitaine de troupe Jacques Du Mesnil-Heurry, et Judith maria un seigneur du nom de Charles-Pierre Le Gardeur. Quant à Catherine de Belleau, forte d'une dot de 1 000 livres, elle maria un autre seigneur, Jean-Baptiste Morin de Belleroche.

Les *Filles du Roi* recevaient aussi un trousseau de linge ordinaire et d'articles utiles comme des aiguilles, du fil, des ciseaux et des épingles, un peigne, des bas, des gants et un bonnet, 2 livres d'argent de poche (en fonction des fluctuations que subissait le trésor royal), et 50 livres pour pourvoir à leur futur ménage[21].

Au moins 95 % des *Filles* se marièrent et il semble que leurs mariages ont été heureux et qu'elles ont pu supporter les rigueurs des hivers canadiens. Les observateurs louaient leurs maisons, leur conduite et leur fertilité — environ 90 % d'entre elles ont eu des enfants. Après dix ans, le déséquilibre entre les sexes avait beaucoup diminué en Nouvelle-France et le nombre de mariages avait augmenté. Une bonne part de ce succès s'expliquait par l'intelligence des responsables français qui unirent des colons célibataires engagés à des femmes dotées et formées, prêtes à affronter ce qui les attendait, y compris la perspective d'avoir à se marier en dehors de leur classe sociale.

La sollicitude des parents et les pressions exercées par eux

Contrairement aux *Filles du Roi*, qui se trouvaient sous la tutelle de l'État français, plusieurs jeunes filles d'Europe et d'Amérique du Nord avaient des parents qui s'intéressaient étroitement à leurs arrangements matrimoniaux, même si les taux de mortalité élevés avaient pour conséquence qu'un bon nombre d'entre elles avaient au moins un beau-parent ou un gardien veillant à leurs intérêts. Catherine de Bore, par exemple, avait cinq ans lorsque sa mère décéda. Son père la plaça dans un pensionnat bénédictin et se remaria peu de temps après, sans jamais reprendre Catherine pour qu'elle puisse vivre avec lui. À l'adolescence, elle fut consignée au couvent, qu'elle finit par fuir pour se mettre à la recherche d'un mari et d'une vie de famille. La situation de l'Américaine Mary Westcott était tout autre : sa belle-mère lui était dévouée et aidée de son mari, elle s'engageait à fond dans la planification du mariage de Mary.

Après que les questions financières et autres avaient été dûment prises en considération, plusieurs parents prenaient la peine de s'informer sur le caractère de l'époux potentiel et de sa famille. Les jeunes filles qui se mariaient pour la première fois étaient censées être vierges, même si les hommes dans le même cas n'avaient pas à répondre à cette exigence. Une belle apparence, un bon caractère et une bonne santé avaient leur importance et dans le marché du mariage, ce sont des choses dont on pouvait discuter ouvertement. On peut éprouver de la compassion pour les visages grêlés, les dents de lapin, les jambes torses ou ceux qui souffraient de strabisme, car leurs imperfections étaient décrites sans pitié et rabaissées afin d'augmenter (ou de diminuer) la dot ou le prix de la mariée.

Là où la beauté avait son prix, les subterfuges avaient aussi leur place. Si une peau pâle était valorisée, on avait recours à la poudre, aux capelines et aux agents blanchissants. Le jus de citron et de rhubarbe éclaircissait les cheveux foncés. Au XVIᵉ siècle, un maquillage fait de poudre, de rouge et de mascara servait à façonner les visages. De mauvaises dents pouvaient être dissimulées (temporairement) derrière une expression sérieuse ou des sourires gênés. Les odeurs pouvaient être masquées — ou diminuées — par des applications de poudre.

Les mères avaient le devoir de produire des filles présentables, se conformant aux standards de beauté de leur temps et de leur lieu. En 1609, Ben Jonson décrivait les différentes astuces auxquelles une femme devait avoir recours pour dissimuler ses imperfections. Entre autres : « Si elle est petite, qu'elle reste assise plus souvent ou, lorsqu'elle se tient debout, qu'on puisse croire qu'elle est assise. [...] Si elle a mauvaise haleine, ne la laissez jamais parler à jeun et qu'elle parle à distance de ses interlocuteurs, si elle a des dents noires et endommagées, dites-lui de rire moins, surtout si elle rit à gorge déployée[22]. »

Dans les régions où le taux de mortalité était élevé, une bonne santé importait au moins autant que la beauté, et une constitution robuste était désirable. La couleur pâle de la peau, qui était un attrait chez les nobles, était un handicap chez les paysans au teint rubicond ; chez ces derniers, les mains calleuses qui faisaient frémir les aristocrates indiquaient l'expérience du travail dans les champs.

Les conséquences terribles et permanentes que pouvait avoir un mauvais choix faisaient du processus de sélection d'un partenaire une tâche exigeante et particulièrement stressante. Certaines familles, préférant ne pas s'en tenir à leurs propres impressions, engageaient des détectives spéciaux qui faisaient enquête sur les candidats potentiels.

À la fin du xixe siècle, Edma Griggs, fille d'un échevin de Détroit, Stephen Adelbert Griggs (et grand-tante de l'auteure), tomba amoureuse et accepta une proposition de mariage. Au moment où on procédait aux préparatifs de mariage, un détective, engagé par le père d'Edma, mena discrètement une enquête. Tardivement, après l'impression des invitations, le détective découvrit que le jeune homme était déjà marié. Les parents d'Edma annulèrent le mariage et envoyèrent leur fille, qui avait le cœur brisé, faire le tour de l'Europe pour qu'elle se remette. Elle retourna vivre avec eux et, après leur mort, elle vécut avec une dame de compagnie. Elle ne se maria jamais, et ses fiançailles brisées marquèrent la tradition familiale comme une tragédie muette.

Une exposition présentée au Musée juif de Berlin rapporte une enquête à l'issue plus heureuse menée par l'agence de détectives Salamonski & Co. Les parents d'Anne Schmidt (19 ans) firent appel aux services de cette agence après que Paul Benedikt (28 ans) eut demandée en mariage. Pour 40 marks allemands — ce qui était précisément le prix que Paul devait verser chaque mois pour la location de sa chambre — Salamonski chercha des réponses aux questions suivantes : quelle est la profession de l'oncle de Paul ? de quelle région sa famille est-elle originaire ? comment se portent les affaires de sa famille ? qu'est-ce que Paul a reçu en héritage de sa famille ? à qui la tante de Paul est-elle mariée ? quelles informations peut-on trouver sur la mère de Paul ? combien Paul gagne-t-il ? est-il capable de faire vivre une famille ? quelle sorte de personne est Paul ? combien débourse-t-il pour se loger ? qu'est-ce qui lui plaît particulièrement dans la vie d'une grande ville ? pourra-t-il avoir des enfants en santé et les élèvera-t-il dans la tradition juive ? Heureusement, Salamonski & Co ne découvrirent rien de fâcheux et en 1928, Anne et Paul purent se marier.

Les *Filles du roi* auraient compris que les parents d'Anne engagent les services de Salamonski & Co et elles auraient presque certainement eu une liste de questions similaires à leur poser. Elles auraient également sympathisé avec Edma Griggs lorsque le véritable état matrimonial de son prétendant fut révélé, car Jean Talon et les prêtres locaux avaient les mêmes soucis et les mêmes suspicions concernant certains immigrants français en Nouvelle-France — et même à propos d'un certain nombre de *Filles*.

Tout au long de l'histoire, la sélection des conjoints a été une procédure complexe et, particulièrement dans le cas des nobles et des membres de la famille royale, souvent alambiquée. Avant de conclure une entente, une foule de considérations devaient être prises en compte et en règle générale, les besoins et les obligations de la famille prenaient le pas sur les préférences individuelles. Cependant, comme les futures épouses étaient au cœur de leurs propres mariages, elles devaient se préparer personnellement à ce qui allait venir.

CHAPITRE 2

L'apprentissage du mariage, les rites de passage

Les enjeux du mariage

À la fin des années 1820, Caroline Sheridan fut officiellement introduite dans la haute société de Londres. Tout en dansant, en flirtant et
en bavardant au club Almack's Assembly Rooms, elle ne perdait
jamais de vue sa mission : trouver un mari à l'intérieur d'une seule
« saison » sociale. Les chances de Caroline semblaient très bonnes. On
la sélectionna comme une des douze plus jolies débutantes d'Almack's,
et on parlait d'elle ainsi que de ses deux sœurs, Helen et Georgiana,
en de très bons termes, les désignant comme « les Trois Grâces », un
surnom inspiré par leur beauté, leur éducation et par le fait qu'elles
vivaient à Hampton Court dans un logement appartenant à la Couronne, profitant d'une largesse qui avait pour but d'honorer leur
grand-père, le dramaturge Richard Brinsley Sheridan.

Pour les trois sœurs, les enjeux étaient élevés. Leur père était mort
jeune, laissant sa veuve avec quatre fils, trois filles et une petite pension pour faire vivre tout ce beau monde. Un mariage réussi semblait
être la seule porte de sortie pour les filles : comme elles n'avaient pas
de dot, elles devaient compter sur leurs qualités personnelles : Helen
avait du charme, Caroline de l'esprit, et Georgiana était d'une grande
beauté. Toutefois, elles devaient continuer de respecter la convention
qui veut que les filles se marient, ou à tout le moins se fiancent, suivant
leur âge, en commençant par l'aînée. Cela signifiait qu'Helen et Caroline devaient y penser à deux fois avant de refuser des propositions,

car cela pourrait nuire à leur adorable petite sœur, qui était déjà courtisée par plusieurs célibataires.

Helen capitula la première en mariant le capitaine Price Blackwood, même si elle ne l'aimait pas. Il était l'héritier d'un membre de la Chambre des Lords, un Irlandais, Lord Dufferin. Blackwood ferma les yeux sur l'absence de dot et sur la désapprobation de sa propre famille, car il était follement amoureux d'Helen, laquelle finit bientôt par partager cet amour. Caroline, la prochaine sur la liste, ne reçut aucune proposition des hommes qu'elle fréquenta durant sa saison sociale, probablement parce qu'elle était trop intelligente. La cour que lui fit l'honorable George Norton devint donc une affaire urgente. Norton, le frère de Lord Grantley, était épris d'elle depuis ses seize ans. Sa mère lui avait demandé d'attendre que Caroline ait dix-huit ans et qu'elle soit débutante ; il attendit et la demanda à nouveau en mariage lorsque le temps fut venu.

Caroline en était alors à sa deuxième saison sociale, et elle craignait fort de « vivre et de mourir vieille fille ». Elle était profondément touchée par les supplications de sa mère, qui l'enjoignait de sacrifier son goût personnel en acceptant la proposition de Norton, pour les avantages financiers que cette union comportait. À contrecœur, elle accepta donc de marier « un homme qu'elle n'aimait pas, qu'elle ne prétendait pas aimer mais qu'elle épousait pour certains avantages — pour éviter d'être trop misérable[1] ». Le 30 juin 1927, à dix-neuf ans, Caroline épousait George Norton, qui en avait vingt-six, et se retrouvait prisonnière, pour la quasi-totalité de sa vie, d'un homme qui fut vite reconnu comme un agresseur qui avait légalement la haute main sur elle. Ayant échoué à intéresser un soupirant au cours de deux saisons sociales londoniennes, qui était le rite de passage des Anglaises de la noblesse de l'état de jeunes filles à celui de femme, Caroline prit un risque (mal) calculé en acceptant la seule proposition qu'elle avait reçue, afin — pensait-elle — d'assurer son avenir du point de vue financier et de permettre à sa jeune sœur, Georgiana, de se marier à son tour.

Le mariage a toujours été une affaire sérieuse qui faisait passer les hommes et les femmes à une nouvelle étape de leur vie. Dans la plupart des sociétés, des rites de passage les aidaient à se préparer à la transition entre l'enfance et leur vie d'épouses et de maris. La puberté, marquant le moment de la maturité sexuelle, était déjà un rite de passage en lui-même, qui, souvent, donnait lieu à des cérémonies. Par exemple, en Amérique du Nord, nombre d'autochtones confinaient les filles qui avaient leurs premières règles à une hutte de menstruation où leurs mères s'occupaient d'elles et leur enseignaient en quoi consistait le fait d'être une femme[2].

Quant aux jeunes hommes, des exploits de hardiesse, de courage et d'adresse les propulsaient souvent de l'adolescence à la vie adulte. Certains rituels comme la scarification, le tatouage ou la circoncision les forçaient à supporter la souffrance « comme des hommes » — c'est-à-dire en silence. La circoncision, qui soulignait la maturité sexuelle, avait également pour but de renforcer les liens entre hommes et de marquer le passage de l'enfance à l'âge adulte. D'autres genres de rites, comme la quête de la vision chez les autochtones américains, poussaient les jeunes hommes (et parfois les jeunes femmes) à partir seuls dans la nature, où ils jeûnaient en attendant la vision surnaturelle qui éclairerait leur avenir.

Dans la Rome antique, le garçon renonçait à la toge blanche bordée de pourpre, la *toge prétexte*, qui symbolisait l'enfance, pour adopter la toge entièrement blanche de l'homme romain adulte. Il dédiait également sa *bulla*, un ornement ressemblant à un médaillon et contenant un talisman, aux *lares*, les divinités domestiques. Un cortège le conduisait ensuite jusqu'au forum, où celui qui n'était plus un petit garçon était formellement reconnu comme citoyen. Les pères décidaient à quel moment ce rite de passage devait avoir lieu ; c'était, en règle générale, lorsque leurs fils avaient entre quatorze et seize ans et qu'ils étaient assez développés sur le plan physique pour faire leur service militaire. Par la suite, le nouveau citoyen commençait une année de formation avec un civil ou un militaire éminent que son père avait choisi pour s'occuper de lui.

En Europe et en Amérique du Nord, le port des *breeches* ou hauts-de-chausses — la culotte au-dessous des genoux que portaient les garçons dès l'âge de six ans — était un rituel de passage important marquant la fin de la « petite enfance » ; il correspondait à l'âge de raison tel que la plupart des sociétés le comprenaient. À partir du moment où leurs fils portaient ce vêtement, les pères acquéraient un plus grand contrôle sur leur éducation ou leur formation. Leurs responsabilités comprenaient les arrangements concernant les établissements scolaires ou les tuteurs, et les enseignements que les pères dispensaient directement à leurs fils touchant des matières comme leurs rôles et leurs responsabilités dans la société.

Les rites religieux de passage, comme la confirmation chez les protestants, les cérémonies de la bar-mitsva et (depuis 1922) de la bat-mitsva chez les juifs, mettaient l'accent sur la profession de foi et sur les connaissances théologiques de l'aspirant, tout en soulignant les responsabilités de celui-ci au moment de franchir le seuil de sa maturité religieuse et sociale. Cette maturité trouvait un écho dans les lois qui, en spécifiant l'âge légal du consentement aux relations sexuelles, transférait la responsabilité personnelle des parents à leurs enfants.

Bien que les rites de passage marquaient l'arrivée de la maturité, les parents et les autres adultes mariés furent toujours les principaux instructeurs aux réalités de la vie domestique des couples mariés. Depuis leur plus tendre enfance, les filles « aidaient » leur mère dans le travail de maison, la cuisine et la pâtisserie, l'époussetage et le frottage, le raccommodage, le reprisage et la couture, l'entretien des jardins, les soins donnés aux poules et aux petits animaux, et la garde des jeunes enfants. Elles accompagnaient celle-ci au marché et l'observaient en train d'acheter et de vendre. Comme leurs frères qui avaient appris à devenir des hommes en aidant et en imitant leur père, leur éducation consistait en un apprentissage de la vie adulte et de la vie mariée à laquelle la plupart d'entre elles aspiraient.

Les filles de l'aristocratie devaient acquérir d'autres compétences : la capacité de lire et d'écrire l'anglais, de posséder des notions d'arithmétique suffisantes pour tenir les comptes de la maison, voire pour diriger ou comprendre des opérations commerciales. On s'attendait également à ce qu'elles puissent maîtriser la gestion du ménage et de la propriété, y compris la supervision des domestiques ; qu'elles puissent faire des travaux d'aiguille et du tissage ; qu'elles connaissent les herbes médicinales ; et qu'elles sachent jouer d'instruments de musique comme le luth et le clavecin.

Toutefois, la qualité essentielle d'une jeune fille, apprise en observant sa mère et les femmes adultes des autres maisonnées, était sans conteste la capacité d'obéir aux hommes de sa famille, y compris ses frères, sans être servile — ce que l'historienne J. Barbara Harris appelle une « intervention subordonnée », une expression qui reflète les contradictions de leur situation[3]. En interdisant aux filles d'apprendre le latin, la langue des documents juridiques et officiels portant sur les transactions foncières, les comptes seigneuriaux et les titres de propriété, on renforçait leur dépendance par rapport aux hommes.

En plus des « apprentissages » reliés au rôle de parent, les sociétés utilisaient des méthodes plus directes, comme la narration d'histoires, pour renseigner les jeunes sur le mariage. Les livres, particulièrement les textes sacrés, établissaient les règles. En Europe et en Amérique du Nord, l'Ancien et le Nouveau Testament ainsi que leurs interprétations étaient des ouvrages de base sur le mariage, décrivant des maris patriarches qui respectaient leurs femmes obéissantes et soumises, lesquelles avaient d'ailleurs été tirées directement de leur côte, comme le livre de la Genèse l'établissait. La balance du pouvoir était clairement établie : « [Femmes] soyez soumises à vos maris comme au Seigneur ; car le mari est le chef de la femme, de même que le Christ est le chef de l'Église, son corps, dont il est aussi le Sauveur. Ainsi, de même que l'Église est soumise au Christ, que les femmes le soient aussi en tout à leur mari » (Épître de saint Paul aux Éphésiens, 5, 22-24). Naturellement, pour celui qui la trouve, « elle a de loin plus de prix que les perles. Le cœur de son mari a confiance en elle » (Livre des Proverbes, 31, 10-11).

En règle générale, le mariage biblique était monogame (malgré les personnages polygames de l'Ancien Testament) et permanent (même si le divorce existait). Le sexe conjugal servait à la reproduction et à l'expression de l'amour mutuel, les épouses n'ayant de relations sexuelles qu'avec leurs maris. Quant à ces derniers, ils pouvaient aussi avoir de telles relations avec leurs concubines.

Plus concrètement, le mariage était une unité économique et domestique qui formait le cœur de la société. Une « épouse excellente » travaillait à l'intérieur comme à l'extérieur de la maison, elle gagnait de l'argent et contribuait à accroître l'avoir de sa famille. À titre de châtelaine et d'entrepreneure, « elle se lève lorsqu'il est encore nuit, et elle donne la nourriture à sa maison, et la tâche à ses servantes. Elle pense à un champ, et elle l'acquiert ; du fruit de ses mains, elle plante une vigne. [...] Elle recherche de la laine et du lin, et travaille de sa main joyeuse. [...] Elle sent que son gain est bon. » L'excellente épouse se repose rarement : « sa lampe ne s'éteint pas pendant la nuit », elle file, tisse, « elle fait des chemises et les vend, et elle livre des ceintures au marchand ». Elle est charitable et donne au malheureux et à l'indigent. Sa récompense est que ses enfants la proclament heureuse et que son mari la place au-dessus des autres femmes (Livre des Proverbes, 31, 13-29).

Les manuels de mariage étaient centrés presque exclusivement sur les textes religieux et leur interprétation, simplifiés dans un esprit d'édification populaire. Les manuels étaient très différents quant à leur contenu selon leur contexte social, reflétant les changements d'attitudes. Il s'agissait d'habitude de guides pratico-pratiques défendant une version idéale du mariage, mais ils offraient aussi des conseils sur la manière d'affronter les difficultés fréquentes de la vie commune.

Au XIVe siècle, une liste de choses à faire destinées à la femme mariée italienne comprenait la suppression de tous les goûts, intérêts et habitudes qui pouvaient déplaire au mari, y compris le franc-parler et la curiosité. Un ouvrage très influent de Francesco Barbaro, *Sur les devoirs des femmes mariées*, publié en 1415, recommandait fortement un mariage aimablement soudé par la soumission de la femme sous le contrôle de l'homme. Ce conseil cherchait à répondre en partie aux peurs engendrées par les femmes de l'élite, qui minaient la société patriarcale en utilisant les dots pour avantager les filles au détriment des fils.

En 1523, à une époque où le divorce est inconnu, un petit colloque d'Érasme sur le mariage, qui eut la faveur du public et fut traduit à de nombreuses reprises, traite des horreurs subies par une épouse malheureuse affublée d'un mari alcoolique et violent et d'une belle-mère détestable. Érasme lui conseille de résister à la tentation de laisser tomber un plein pot de chambre sur la tête de son mari (une tentation à laquelle, semble-t-il, toutes les épouses abusées ne résistaient pas) et d'employer des ruses sexuelles pour éveiller un tant soit peu la bonne nature de la brute.

Entre 1500-1800, les manuels de mariage destinés aux épouses protestantes d'Allemagne, d'Angleterre et d'Amérique du Nord continuaient à soutenir que la supériorité mâle était décrétée par Dieu, tout en introduisant la notion de réciprocité entre les époux. Dans leur *A Godly Form of Household Government* [*Une forme divine de gouvernance de la maisonnée*], qui connut de nombreuses rééditions, les pasteurs puritains John Dod et Robert Cleaver exhortent les époux à l'amour mutuel, invitant les maris à être sages et modérés dans leurs exigences, et les épouses à respecter leurs multiples devoirs : elles doivent s'occuper du ménage, ne pas dépenser inutilement l'argent du ménage, tenir leur langue et diriger une maison bien ordonnée. De leur côté, les hommes doivent gagner de l'argent, mener leurs affaires et agir comme porte-parole de la famille. « Le devoir de l'homme est d'être leur seigneur à tous ; celui de la femme, de rendre compte de tout. » Dod et Cleaver dressaient un tableau dramatique des maisonnées rendues misérables par des femmes relâchées ou stupides, ou par des hommes oublieux de la capacité de revanche de leurs femmes.

Le pasteur influent William Gouge soulignait l'infériorité de la femme et sa sujétion à son époux, tout en prônant la réciprocité des sentiments. « De tous les êtres inférieurs de la famille, les épouses sont celles qui excellent le plus et doivent donc être placées au premier rang », concède-t-il. Cependant, « de toutes les autres parties dont l'esprit divin réclame la sujétion, les épouses sont le plus loin derrière[4] ».

D'autres traités populaires sur le mariage dénoncent ce qui devait être considéré comme un comportement féminin courant : rire, flirter, s'habiller de façon indécente, parler avant son tour, lire des livres inconvenants, manger trop, et même lire des lettres sans la permission de leur époux. Un auteur très lu du xvie siècle décrivait la femme idéale comme une femme qui se lève tôt pour « commencer le ménage, avant même de se peigner ou de mettre des bas ; les manches de chemise roulées et les bras nus, elle met les servantes au travail et remet aux enfants les vêtements qu'ils doivent porter. Quelle joie de la voir faire la lessive, laver les draps, tamiser la farine, faire du pain, balayer la maison, remplir les lampes d'huile, préparer le repas, puis s'emparer de son aiguille à coudre. Je ne pense pas que les femmes qui ne font rien d'autre que se coucher à minuit pour se lever à midi, et qui racontent des histoires grivoises toute la soirée aient la moindre valeur[5]. »

Une pièce du xvie siècle, jouée à l'occasion du mariage, chantait les mérites de la paysanne idéale qui sait comment alimenter un feu, laver les plats et les casseroles, préparer un bon plat de nouilles, moudre le grain, engraisser les bœufs, conduire les porcs au marché et, sur place, acheter et vendre avec sagacité.

Depuis l'époque de la Réforme jusqu'à nos jours, les sermons et les écrits de Martin Luther ont modelé l'évolution du mariage et de la vie de famille. Sa stature imposante et (à l'époque) son mariage controversé à l'ancienne religieuse Catherine de Bore suscitèrent un intérêt insatiable pour sa vie et engendrèrent une profusion d'écrits axés sur sa personne. En plus de ses nombreux autres ouvrages, ses *Propos de table*, portant sur les multiples pensionnaires et invités qui mangeaient régulièrement chez lui (Luther leur lançait souvent les mots : « prenez-le en note !, couchez-le par écrit ! »), fournissent des matériaux sans fin à ses admirateurs comme à ses détracteurs. Qu'elle soit vénérée ou méprisée, l'union contractée par l'ancien religieux était un jalon important et excitant concernant le mariage.

Propos de table ne fait aucune révélation étonnante, mais se contente de décrire les rapports de deux êtres intelligents et extrêmement occupés ressemblant beaucoup aux autres hommes et femmes. Martin respectait Catherine et lui faisait confiance, mais il lui reprochait de trop parler durant les repas : elle avait une bonne éducation, parlait le latin et aimait l'esprit de vives discussions entre hommes, car, comme tout le monde à son époque, elle pensait que les femmes étaient moins rationnelles que les hommes. Les larges hanches des femmes, soutenait-elle, étaient la preuve que leur fonction était de donner naissance à des enfants ; le peu de formation scolaire qu'elles recevaient devait être axé sur la tenue de la maison et une maternité pieuse. Pour elle, les domaines des hommes et des femmes étaient séparés et réglés suivant un agencement divin, les hommes gagnant l'argent et les femmes dirigeant les affaires du ménage.

Propos de table indiquait aussi à quel point la réalité de la famille divergeait de ces « principes ». Tout d'abord, Luther déléguait une bonne part du travail payé à Catherine, qui se levait chaque matin à quatre heures pour avoir le temps de gérer non seulement le Schwarzen Kloster, ancien monastère augustin qui était devenu la demeure de la famille ainsi qu'une pension, mais encore pour s'occuper de la brasserie, des étables, et même des jardins, dont l'un se trouvait à l'extérieur des limites de la ville. Catherine supervisait également les fermes de la famille Luther.

Même s'il reconnaissait les talents d'administratrice de Catherine, qui gérait la plupart des activités lucratives du couple, Luther se réservait la direction suprême qui lui revenait en tant que mari: «Je te concède la gouverne de la maison, exception faite de mon droit, lui dit-il. Car l'autorité des femmes n'a jamais rien accompli de bon. Dieu a fait d'Adam le seigneur de toutes les créatures, afin qu'il puisse gouverner tous les êtres vivants. Mais lorsque Ève le persuada qu'il était un seigneur au-dessus de Dieu, il gâcha tout. C'est vous, les femmes, que nous devons remercier pour ce gâchis[6].»

Lady Sarah Pennington, dont le livre *An Unfortunate Mother's Advice to Her Absent Daughters* [*Conseils d'une mère malheureuse à ses filles absentes*] (1761) jouit d'une grande notoriété et connut de nombreuses rééditions, décrivait les difficultés des rapports de couple en offrant aux femmes des conseils pratiques en la matière. Que faire, demandait-elle, si votre mari est un plaignard chronique qui n'est content que lorsqu'il critique et qui est peu intelligent par-dessus le marché? Sa réponse: souvenez-vous de votre devoir et de vos promesses d'amour, de respect et d'obéissance. Elle n'exprimait qu'une seule réserve: si votre mari vous demande de poser un geste peu chrétien, il est de votre devoir de lui désobéir. À l'image du livre de Lady Pennington, les guides sur le mariage publiés à l'époque victorienne ou postvictorienne avaient tendance à se concentrer sur les stratégies matrimoniales.

Au XIXe et au XXe siècle, plusieurs guides matrimoniaux dressaient un tableau prudent de ce que le mariage pouvait être. Même si beaucoup de mariages étaient les unions parfaites d'âmes sœurs, d'autres avaient lieu entre «des âmes dépareillées […] forcées par un lien juridique à une proximité détestable mais séparées dans leur cœur par un torrent d'aversion passionnée[7]». Un ouvrage américain publié en 1871 dénonçait la mode féminine «moderne»:

> Une grosse masse, trois grosses protubérances, un fouillis de plis et de volants, un relèvement de la robe ici et là, une énorme masse de faux cheveux ou d'écorce empilée sur le sommet de sa tête […] pendant que les vitrines des boutiques nous entretiennent à longueur de journée des garnissages, corsets et ressorts qui occupent la majorité de l'espace se trouvant à l'intérieur de cette enveloppe extérieure […]. Comment un homme est-il censé tomber amoureux d'un tel composé: une curiosité doublée et tordue, amidonnée, comique, artificielle et remuante ressemblant à une balsamine[8]?

Dans *Modern Marriage: A Handbook* [*Manuel pratique sur le mariage moderne*] (1925), Paul Popenoe, considéré comme le père de la consultation matrimoniale en Amérique du Nord, trouvait les hommes tout aussi répugnants :

> Quelles faces de boutonneux à la poitrine creuse, quels individus graisseux et empâtés la plupart d'entre eux ne sont-ils pas, saturés qu'ils sont par les produits de la constipation, aromatisés à la nicotine et à l'huile de fusel, épicés avec les germes de la gonorrhée ! Faut-il s'étonner de ce qu'une fille supérieure qui les examine, songeant qu'elle pourrait se lier à l'un d'eux pour la vie et avoir des enfants qui lui ressemblent, frémisse à cette seule pensée[9] ?

(Paul Popenoe était un spécialiste de l'eugénisme qui croyait que les Noirs étaient une race inférieure ; il avançait des arguments contre les mariages mixtes et voulait régulariser la reproduction pour le bien de la société. Pendant longtemps, il tint la très populaire rubrique « Can This Marriage Be Saved ? » [« Ce mariage peut-il être sauvé ? »], basée sur des présentations de cas, dans le *Ladies' Home Journal*.)

Dans *Eve's Daugthers; or Common Sense for Maid, Wife, and Mother* [*Les filles d'Ève ou Conseils à l'intention des jeunes filles, des épouses et des mères*] (1882), Marion Harland présentait le mariage du point de vue de la nouvelle mariée désillusionnée qui doit tolérer tout, y compris l'infidélité, « la lourde croix que vous êtes destinée à porter », un « crime » tristement commun que les femmes ont à supporter « parce qu'elles le doivent ! ». Et à travers toutes les épreuves et les tribulations du mariage, une femme ne doit jamais oublier qu'il vaut mieux perdre son affection que son respect[10].

Au début du XXe siècle, deux ouvrages classiques du Dr Sylvanus Stall, *What a Young Wife Ought to Know* [*Ce qu'une jeune épouse devrait savoir*] et *What a Young Husband Ought to Know* [*Ce qu'un jeune époux devrait savoir*], mettaient l'accent sur les intérêts mutuels des futurs époux, en suggérant qu'un voyage prénuptial de camping serait un excellent essai de compatibilité. La mère femme au foyer et le mari pourvoyeur forment une unité parfaite, chaque sexe exerçant une supériorité dans la sphère qui est la sienne. En tout, la modération était la clef : pas trop de relations sexuelles, pas trop d'enfants, pas de vêtements extrêmes comme les corsets ou les talons hauts.

Les romans, dévorés par la minorité de ceux qui savaient lire et écrire, présentaient des portraits intimes de mariages fictifs ; à la fin des années 1820, ils supplantaient les manuels matrimoniaux dans la faveur populaire. Ce genre proliféra à l'époque victorienne. Les histoires étaient habituellement structurées de manière à prêcher des messages moraux autour de prétendues tranches de vie « sur le " Mais enfin, pour la grâce de Dieu ! ", combiné avec le " Comme je retrouve là les principes qui guident ma vie ! " », si on en croit l'historienne Judith Rowbotham, dans *Good Girls Make Good Wives* [*Les bonnes filles font de bonnes épouses*][11]. L'ubiquité et l'influence des romans amenèrent La Rochefoucauld-Doudeauville, dans *Le guide de la famille*, à conseiller aux mères de prévenir leurs filles contre les dangers de la lecture des romans qui les encourageaient à croire à une sorte de bonheur qui n'existe pas, ce qui pouvait affaiblir leur force morale[12]. Aux États-Unis, le Révérend Daniel Wise, auteur de *The Young Lady's Counselor* [*Conseils à l'intention des jeunes filles*] (1857), faisait des commentaires caustiques sur « la multitude de celles qui tirent leurs notions d'amour et de mariage de romans mièvres, de représentations théâtrales et de conversations désinvoltes[13] ».

Trousseau et débuts dans le monde

En Europe de l'Ouest et en Amérique du Nord, la plupart des filles espéraient se marier, et tous les livres qu'elles lisaient influençaient leurs espérances. De plus, elles avaient une conscience vive des aspects domestiques du mariage et éprouvaient le besoin de fonder leur propre foyer. Les femmes de la parenté contribuaient à la préparation du trousseau (l'expression anglaise « hope chest » [littéralement : coffre d'espoir] étant déjà une admission que toutes les filles ne trouveraient pas le mari qu'elles espéraient). Le trousseau était placé dans un coffre solide — qui pouvait aussi être un tiroir ou une section d'armoire — où s'empileraient la lingerie, l'argenterie et les autres articles essentiels à un ménage. La préparation du trousseau faisait partie des coutumes des paysans européens du Moyen Âge ; dans les dernières décennies du xixe siècle et au début du xxe siècle, cette tradition était bien établie chez les filles de la paysannerie et de la classe moyenne, en Europe aussi bien qu'en Amérique du Nord.

Jusqu'à tout récemment (quelques dizaines d'années tout au plus), la tradition du trousseau est restée vivante dans les foyers nord-américains. Encore en 1967, une enquête menée auprès d'étudiantes universitaires a révélé que 38% d'entre elles préparaient leur trousseau. En conclusion, les auteurs de l'étude affirmaient qu'«en un sens, le trousseau représente, sur le plan symbolique, les aspirations d'une jeune femme, et, sur le plan de la réalité, la manière dont elle s'investit concrètement dans le foyer conjugal avant qu'il ne voie le jour[14]». Année après année, la cuillère de naissance, la tasse à thé à Noël et la taie d'oreiller à Pâques inculquaient à la jeune fille qui grandissait les valeurs de sa communauté et les attentes à son endroit, en objectivant le mariage en des termes essentiellement domestiques.

Les classes privilégiées avaient d'autres priorités, dont la principale était de réussir à mettre la main sur un conjoint convenable du point de vue social et financier. Après que la révolution industrielle eut créé une bourgeoisie riche au point que ses membres pouvaient aspirer à des unions avec des aristocrates, on avait besoin d'un milieu propice aux rencontres entre jeunes gens et jeunes filles. Les premières «sorties» des débutantes se faisaient dans certains lieux et suivant un certain rituel. On donnait à ces débutantes, qui avaient habituellement dix-sept ou dix-huit ans, leur coup d'envoi dans la société adulte au moment de la saison sociale des bals, dîners et visites protocolaires. En Angleterre, on présentait les jeunes belles dans un des salons de réception de la Cour Saint-James; dans les autres pays, la cérémonie avait lieu à la cour royale, dans d'immenses salles de bal ou des hôtels.

Les débutantes avaient besoin de savoir danser, chanter ou jouer d'un instrument de musique, elles devaient avoir une compréhension des règles et coutumes de la société, ainsi qu'un minimum de beauté ou d'élégance. Naturellement, s'ajoutaient à ces qualités le statut social de leurs parents, leur réputation, leur richesse, la dot et les relations sociales qu'elles apporteraient à leur futur époux.

Les débutantes ne disposaient que d'une saison mondaine pour trouver un mari. En Angleterre, la saison débutait en novembre et se terminait en août; en Amérique du Nord, elle avait habituellement lieu entre novembre et janvier. Aux États-Unis, dès 1748, cinquante-neuf familles organisèrent des «soirées dansantes» où des jeunes filles étaient présentées à la bonne société et, dans le meilleur des cas, à leurs futurs maris. La jeune femme qui ne réussissait pas à trouver de partenaire était très déçue, de même que ses parents. Elle pouvait toujours trouver à se marier, mais, diminuée et éclipsée par le lot de nouvelles arrivantes que chaque saison amenait avec elle, la jeune aspirante devait viser moins haut, car ses perspectives d'avenir s'assombrissaient.

Avant la guerre de Sécession, les jeunes adolescentes des États du Sud quittaient l'école pour fréquenter la bonne société, en vue de ravir le cœur d'un beau et distingué jeune homme qu'elles épouseraient et auquel elles consacreraient le reste de leurs jours en s'occupant de la maison et en mettant des enfants au monde, tout comme leurs mères l'avaient fait avant elles. C'était là précisément que le bât blessait, comme le soulignaient, les uns après les autres, tous leurs journaux intimes : tout en se lançant à corps perdu dans la joute à laquelle donnait lieu leur introduction dans la société, qui leur donnait l'occasion de s'habiller élégamment et de mettre en évidence leur ardente beauté, « elles se révélaient particulièrement imperméables à l'objectif précis de cette étape de leur vie : trouver un mari », comme le remarque l'historienne Anya Jabour, dans *Scarlet's Sisters* [*Les sœurs de Scarlet*][15].

Une de ces rebelles fut Penelope Skinner, de Caroline du Nord, qui retarda le moment de se marier en flirtant, en séduisant, puis en rejetant les soupirants les uns après les autres : en trois ans, elle en avait éliminé trente. De son côté, Laura Wirt (de Washington D. C.) refusa trois propositions en déclarant : « Je ne suis pas amoureuse[16]. » Comme la plupart des jeunes femmes mariables, Penelope et Laura finirent par se marier, mais seulement après avoir profité, des années durant, de leur liberté de jolies femmes indépendantes et toujours sollicitées.

Penelope tomba finalement amoureuse ; elle épousa Thomas Warren, un médecin que son travail éloignait souvent de la maison ; elle souffrit grandement de sa solitude. « Je n'ai rien d'autre à faire que de penser à mes peines — alors que toi tu t'occupes de tes affaires et que tu rencontres tes jeunes amis, se plaignait-elle. Ton absence a sur moi le même effet que la maladie — elle me soumet parfaitement — me rendant aussi douce et gentille que possible[17]. » Quant à Laura, elle épousa Thomas Randall et, le cœur brisé d'avoir à quitter sa famille (« Mon cœur est tout chaviré […], il se meurt en moi […], je me tue en pensant sans cesse à ces choses »), elle partit vivre avec lui dans une propriété située en Floride[18].

Penelope Warren tomba enceinte très vite, et elle prit grand soin d'elle-même. Dans ses lettres à son mari, elle décrit son régime santé, ses vêtements «amples», ses hémorroïdes «gênantes» mais «à peine douloureuses», et fait preuve d'une grande bonne humeur. En janvier 1841, elle donna naissance à une fille. Mais comme pour justifier la peur bleue que l'accouchement lui inspirait, elle décéda peu de temps après[19].

Laura Wirt ne mourut point aussi vite, mais en dépit de l'assistance d'une infirmière blanche et de plusieurs femmes esclaves, elle s'épuisa en des grossesses répétées et en l'allaitement de ses enfants : «Je puis vous assurer que si j'avais su à quel point je serais occupée pour le reste de ma vie, j'aurais préféré — allais-je dire — *me coucher et mourir. Ce qui m'attendait était un esclavage pire que celui des galériens, que je devrais endurer toute la vie!*» Laura était encore plus malheureuse de son mariage, et de son mari qu'elle n'aimait plus. «Je suis maintenant, comme dit mon mari: "la femme la plus misérable, pauvre et bonne à rien qu'il ait jamais vue"[20].»

Dans l'Angleterre embourgeoisée, où l'argent et le statut social pesaient plus lourd que l'amour, les espérances étaient différentes. Dans les années 1870, la débutante Alice Catherine Miles fit un compte rendu sincère de sa saison mondaine dans son journal intime. La famille d'Alice était trop grosse pour lui permettre d'avoir de bons revenus et, à dix-sept ans, elle savait qu'elle ne pourrait satisfaire ses goûts de luxe qu'en misant sur ses relations et sa beauté pour convaincre un homme disposant d'au moins 5 000 £ par année de l'épouser. En même temps, ses moyens modestes faisaient en sorte que les hommes très riches, comme le jeune charmeur Henry Charles Keith Petty-Fitzmaurice, cinquième marquis de Lansdowne — il avait hérité d'une propriété de 140 000 acres en Grande-Bretagne et en Irlande —, étaient hors de portée. Du reste, prêter attention à ses avances lui aurait fait perdre un temps précieux (il la courtisait d'ailleurs sans grand sérieux, car elle était trop pauvre pour qu'il la considère comme une épouse potentielle). Alice comprenait qu'elle ne pourrait jamais rivaliser avec une Harriet Ives Wright, «une héritière plutôt jolie [...] qui, je le crains fort, nous jettera toutes dans l'ombre du simple fait qu'elle jouit d'un revenu annuel de 4 000 £[21]».

À l'image de la société dans laquelle elle vivait, Alice était obsédée par les revenus et les possessions de ses prétendants. En la présentant à des célibataires disponibles, son cousin «lui décrivait rapidement en chuchotant leurs possessions et leur position sociale : " Beauty Campbell, capitaine, garde royale, splendide propriété dans le Nord, 20 000 £ par année. — Capitaine Campbell, permettez-moi de vous présenter Mademoiselle Miles " ». Alice envoya promener un soupirant potentiel, Sir Samuel, car elle avait «déjà vérifié qu'il n'avait que 4 000 £ de revenus par année», ce qui était bien inférieur à ses exigences minimales[22].

La quête d'Alice pour un mariage convenable était astucieuse et délibérée. Le fait que sa famille ne pouvait lui fournir une dot suffisante la désavantageait grandement. Cependant, ses parents avaient tenté de faire contrepoids en lui donnant une excellente préparation au «marché du mariage». Vers la fin de 1869, Alice, qui avait maintenant vingt-quatre ans, repéra un candidat convenable : George Duppa, un éleveur de moutons de trente-trois ans son aîné, lequel avait fait fortune en Nouvelle-Zélande. Elle se faisait peu d'illusions sur la nature de leur union, mais elle croyait que la fortune de George compenserait leur écart d'âge ainsi que toute incompatibilité pouvant surgir entre eux. Ce qui comptait le plus pour elle était d'avoir finalement atteint son objectif : trouver un mari fortuné.

CHAPITRE 3

Les noces et le statut de personne mariée

Le mystère des noces

Nous sommes en 1434. Un couple formé de deux splendides jeunes gens se tient debout, main dans la main, savourant leur intimité dans leur chambre qui baigne dans la lumière du soleil. Giovanni di Arrigo Arnolfini — un marchand de Lucca se rendant régulièrement à Bruges — et Giovanna Cenami sont richement vêtus, lui d'une cape de fourrure et elle d'une robe verte bordée d'hermine. Tout en tenant sa main délicate, il regarde vers l'avant, et pointe vaguement vers quelque chose; ses doigts à elle reposent sur son ventre rebondi pendant que son regard se pose sur la main qui tient la sienne. Près d'elle, à l'extrémité de la traîne de sa robe, se trouve un petit terrier, les yeux alertes et la queue en l'air.

Giovanni et Giovanna partagent un moment de tendresse que le portraitiste Jan Van Eyck a immortalisé au moyen de couches de peinture à l'huile lumineuses et transparentes. Si Giovanna est fatiguée de poser, elle peut s'allonger sur le lit qui se trouve derrière elle. Mais il est plus probable qu'elle choisira de se reposer en s'assoyant sur la chaise sous laquelle se trouvent ses pantoufles, en travers. Les sandales de bois de Giovanni sont encore près de lui, comme s'il venait tout juste de les enlever.

Que signifie ce portrait? Comment expliquer que, plus de cinq siècles après sa création, les spécialistes s'engagent encore dans des débats passionnés sur le portrait des *Époux Arnolfini*? Est-ce que

Giovanni et Giovanna sont déjà mariés? leur mariage est-il en cours? est-ce qu'ils échangent une promesse de mariage? à moins que leur portrait ne signifie tout autre chose? est-elle enceinte? est-elle seulement vivante?

Le mystère du tableau tire son origine des caprices du mariage aussi bien que de la métaphore artistique[1]. Une des interprétations est que le tableau est en fait un certificat de mariage. Les mariages clandestins nécessitaient uniquement le consentement de l'épouse; la main levée de Giovanni renverrait au serment solennel que lui et Giovanna viennent tout juste de réciter, et leurs mains jointes sont une composante traditionnelle des anciens mariages. Le chien, symbole de fidélité, et le portrait de sainte Marguerite, patronne des futures mères, qui est sculpté dans le bois du lit, viennent appuyer cette hypothèse. L'image de Van Eyck apparaît dans le reflet du miroir; sa signature élégante sur le mur, au-dessus du miroir, semble confirmer qu'il a été témoin de leur mariage et que son tableau sert également de certificat de mariage.

Cependant, il est possible que Van Eyck ait fait le tableau d'un couple déjà marié, confortablement installé dans leur maison somptueusement décorée, avec à leurs côtés leur petit chien adoré. Après tout, pourquoi ces gens qui sont, de toute évidence, très riches recourraient-ils au mariage clandestin au lieu d'opter pour un mariage ostentatoire qui aurait mieux fait pour impressionner les invités du futur marié et leur prouver sa valeur?

Ou peut-être le tableau représente-t-il une cérémonie de fiançailles, une alliance ayant le sens d'un contrat commercial entre deux familles italiennes aussi éminentes qu'influentes. Mais les cheveux de Giovanna, coiffés comme ceux d'une épouse plutôt que portés longs, à la manière d'une jeune fille vierge, contredisent cette hypothèse. Sa présence dans le portrait va également à l'encontre de cette interprétation, car la coutume toscane voulait que seuls les hommes de la parenté assistent aux fiançailles.

À vrai dire, le tableau est plutôt un document juridique, une procuration que Giovanni remet à Giovanna pour qu'elle puisse agir en son nom lorsqu'il voyage pour affaires, ce qui lui arrive souvent. Après tout, il est un des principaux fournisseurs de textiles de la cour bourguignonne. Le portrait du couple est flatteur pour le mari comme pour la femme, et les symboles — le chien fidèle, le ventre rond, et le cerisier en fleurs — évoquent la fidélité, la fertilité et un mariage durable. Le tableau proclame que même en son absence, Giovanna a toute la confiance de son mari.

En réalité, tout ce qui précède pourrait être faux, même les noms des personnages. Arnolfini n'est pas Giovanni Arrigo — lequel s'est marié treize ans après que ce tableau eut été peint, six ans après la mort de Van Eyck ; il s'agirait plutôt de Giovanni di Nicolao, son cousin, le tableau de Van Eyck étant un mémorial en souvenir de sa femme, Costanza Trenta, décédée en 1434, alors qu'elle n'avait que vingt ans, probablement des suites d'un accouchement. Mais à une époque où les femmes n'avaient aucune valeur comme individus mais uniquement en fonction de leur lignage, pourquoi faire un tableau commémoratif d'une femme décédée ? Justement à cause de son lignage, qui était le fondement de l'alliance que son mariage avait cimentée.

Les éléments qui appuient cette théorie sont persuasifs. La robe verte doublée de bleue de Costanza symbolise la fidélité et l'amour qu'elle éprouve pour son mari ; le vêtement sombre de Giovanni symbolise son chagrin de l'avoir perdue. Costanza est mortellement pâle ; Giovanni est environné d'ombre. Le petit chien qui est à ses pieds sera son compagnon dans la vie après la mort, à l'exemple de tant d'autres chiens que l'on retrouve dans les portraits funèbres de femmes mortes en couches. Elle est morte sans enfants, et son ventre rond témoigne d'une grossesse à laquelle elle n'a pas survécu, comme tant d'autres femmes. Le fait qu'il n'y ait qu'une moquette et la présence de deux bougies seulement sur le chandelier en argent signifient que le lit qui se trouve derrière elle est le lit dans lequel elle donnera naissance à son enfant — et où elle mourra. Même l'image de sainte Marguerite qui est taillée dans le bois est dans un état de soumission : elle paraît affligée plutôt que fière d'affronter le dragon. Du reste, la main de Costanza n'est pas refermée sur celle de Giovanni, mais elle est molle, et ses doigts se retirent déjà.

Près de six siècles après que Van Eyck eut peint son chef-d'œuvre, sa signification et ses multiples dimensions sont toujours déconcertantes. Les historiens de l'art qui se sont imprégnés de l'histoire du mariage au xve siècle interprètent les riches détails du tableau à la lumière des lois et des coutumes de l'époque. Les nombreuses théories échafaudées sur sa signification témoignent non seulement de la nature complexe des noces et du mariage, mais, également, des fondements sociaux, économiques et juridiques des unions conjugales.

La procédure du mariage

L'énigmatique tableau de Van Eyck témoigne vivement des mystères qui entourent le mariage. À quel moment précis les hommes et les femmes passaient-ils de la condition d'homme ou de femme célibataires au statut de personnes mariées? Était-ce après qu'une autorité civile ou religieuse les eut finalement déclarés mariés? Était-ce au moment où l'encre avait séché sur l'acte de mariage? Était-ce, comme dans la tradition catholique, au moment où un homme et une femme conviennent ensemble qu'ils sont mariés, même en l'absence de témoins[2]? Était-ce au moment où les époux avaient eu des relations sexuelles, consommant et légitimant ainsi leur mariage? Était-ce lorsqu'une tache de sang apportait la preuve que la jeune mariée avait conservé sa virginité jusqu'au mariage? Il n'y a pas de réponse simple, car, de par le monde, le mariage a toujours été une procédure complexe où les parents, la parenté et la communauté avaient autant d'importance que le couple qui se mariait.

L'influence des parents était si grande que, souvent, les enfants étaient exclus des arrangements concernant leur mariage. En 1413, dans le Derbyshire, en Angleterre, un père négocia un contrat de mariage où il se réservait le droit de décider à une date ultérieure laquelle de ses deux filles serait la mariée[3]. Les contrats de mariage mentionnaient souvent les noms d'enfants des mêmes parents qui remplaceraient le jeune homme ou la jeune femme engagés, en cas de décès. En Allemagne, à l'époque de la Réforme, après que les parents de la jeune femme eurent accepté la proposition du jeune homme ou de ses représentants et qu'ils fussent entendus sur les questions de propriété et de succession, le couple était officiellement engagé et on parlait des «jeunes mariés». Traditionnellement, ils étaient présentés l'un à l'autre uniquement après que les parents des deux jeunes gens se fussent entendus sur les dispositions du contrat de mariage.

La France choisit une voie différente du reste de l'Europe. L'Église et l'État s'y livraient des batailles féroces pour le contrôle du mariage.

L'Église considérait le mariage comme un sacrement consacrant le consentement mutuel d'un homme et d'une femme, sanctionné par leur union sexuelle et la bénédiction nuptiale à l'Église. Les mariages clandestins étaient fondés sur des promesses secrètes ; c'est pourquoi les ecclésiastiques, les avocats, les juges et les tribunaux s'évertuaient à les réglementer en imposant des pénitences et en renouvelant le mariage prétendu ou clandestin. De son côté, l'État français prétendait que le mariage était d'abord et avant tout « un acte public de transfert de biens familiaux qui était sanctionné par l'État et rattaché à l'intérêt public[4] ». Les mariages clandestins, qui étaient souvent marqués par des enlèvements, la séduction ou les passions sexuelles, allaient à l'encontre de la « loi naturelle » du respect des parents et du droit civil français. Voilà pourquoi ces mariages étaient illégaux et récusés par les autorités françaises.

Une série d'édits renforça la position de la France contre l'Église. En 1557, le premier édit français sur le mariage donnait le ton. Il établissait que les mineurs devaient obtenir le consentement de leurs deux parents pour se marier, et portait l'âge de la majorité de vingt à trente ans pour les hommes, et de dix-sept à vingt-cinq ans pour les femmes, ce qui avait pour effet de rendre les jeunes adultes prisonniers d'un état infantile. L'édit autorisait les parents à déshériter en toute légalité ceux de leurs « enfants » qui se mariaient clandestinement, les privant ainsi de leur droit à une dot ou à un héritage. L'édit ordonnait également aux juges de fixer des pénalités.

En 1579, l'ordonnance de Blois renforça l'édit de 1557. Elle retirait à l'Église toute compétence en matière de mariages clandestins ; comme ces derniers constituaient désormais un crime capital, ils ne pouvaient être jugés que par un tribunal civil. (En pratique, la plupart des juges préféraient imposer aux contrevenants une amende, le bannissement ou l'emprisonnement que la peine de mort.) L'ordonnance étendait également le délit de clandestinité aux majeurs (les hommes de plus de trente ans et les femmes de plus de vingt-cinq ans) et à toutes les strates de la société, des classes les plus élevées aux plus modestes. Elle formulait la norme française officielle en matière de mariage : ce dernier devait avoir lieu devant un prêtre présidant à la cérémonie du mariage ; il fallait obtenir une attestation d'âge et le consentement des parents, publier des bans et s'assurer de la présence de quatre témoins.

Le mariage de Pierre Houlbronne et d'Élisabeth Pallier mit à l'épreuve l'engagement de la France envers le « complexe État-famille », unique en son genre en Europe et fièrement défendu comme le fondement de la souveraineté nationale. Depuis 1587, la veuve Élisabeth Pallier vivait avec Pierre Houlbronne, le père de ses enfants, lesquels étaient tous décédés. En 1595, un juge ecclésiastique voulut valider leur mariage clandestin. Comme Pierre refusait, le juge le fit arrêter et jeter en prison. Mais il finit par capituler, et les gardes ecclésiastiques l'escortèrent jusqu'à l'église.

Plus tard, Pierre trouva un emploi au Palais de justice. Cela faisait de lui un beau parti, et ses parents pensaient qu'il pourrait trouver mieux qu'Élisabeth. Après avoir trouvé une candidate plus convenable, ils tentèrent de faire annuler son mariage parce qu'il y manquait le consentement parental, bien que Pierre eut été mineur. Désespérée, Élisabeth déposa une plainte auprès d'un tribunal ecclésiastique, alléguant que Pierre avait l'intention de l'abandonner pour une autre femme à laquelle ses parents avaient décidé de le marier. Le tribunal statua que malgré l'absence de bans et du consentement parental, le mariage célébré à l'église était valide.

Les parents de Pierre firent appel de ce jugement devant le Parlement de Paris. En 1601, un tribunal civil cassa la décision du tribunal ecclésiastique, parce que les responsables ecclésiastiques avaient forcé le consentement de Pierre, et que son mariage s'était fait sans publication de bans et sans le consentement parental nécessaire à sa validation. Cette décision fit que Pierre était à nouveau célibataire, alors qu'Élisabeth était une mère non mariée, bien que sans enfants. Cette cause éroda la détermination de l'Église à valider les mariages clandestins entre mineurs ou entre majeurs et à faire pression sur les couples (ou les individus) pour qu'ils se marient religieusement, tout comme elle sapa sa volonté de placer le droit canon au-dessus du droit civil français.

Dans les autres pays européens, le consentement parental, la publication des bans, la présence de deux témoins et la tenue de registres civils étaient préconisés, sans être obligatoires. En leur absence, toutefois, les « mariages » pouvaient être repris et ainsi validés.

Jusqu'au xve siècle, le mariage contraint par le viol ou l'enlèvement avait également cours en Angleterre. (Il était également courant en

Asie centrale et dans certaines régions du sud-est de l'Asie, en Turquie, dans les forêts tropicales humides des Philippines, de l'Amérique centrale et de l'Amérique du Sud, et dans certaines parties de l'Afrique.) En plus de violer les droits de propriété et la fierté des pères et des autres hommes de la parenté de la victime, une telle agression réduisait grandement le prix de la mariée et faisait d'elle un paria de la société. En règle générale, ces mariages s'enracinaient dans la violence et la douleur, et ne pouvaient exister que dans les sociétés qui déconsidéraient les femmes, en accordant à leur virginité la valeur d'une marchandise dont le père était le propriétaire. (Selon une ancienne légende, les voyages de noces sont un vestige d'une époque où le mariage se faisait par la capture de l'épouse; le nouveau « mari » se cachait avec sa femme, espérant la féconder et mettre ainsi un terme aux possibles représailles de sa parenté.)

Mais il y avait un moyen de s'en sortir: l'épouse enlevée pouvait nier sa disgrâce en demeurant avec son mari. Parfois, c'était là ce qu'elle voulait. Effectivement, certains jeunes couples bravaient l'opposition de leurs parents — ou les arrangements différents qu'on avait prévus pour eux — en organisant de prétendus enlèvements qui dissimulaient une fugue amoureuse et forçaient les parents, couverts de honte par le « viol » de leur fille, à accorder sa main à un candidat qu'ils auraient considéré dans d'autres circonstances comme inacceptable.

Les contrats de mariage

Les contrats de mariage faisant l'objet d'un accord entre les parents des époux comprenaient un trousseau et une dot; même les parents des filles les plus pauvres essayaient de lui fournir un lit. À Augsbourg comme ailleurs, un fonds civique accordait une dot aux couples pauvres pour qu'ils puissent se pourvoir du nécessaire. Dans plusieurs régions de l'Angleterre, du pays de Galles, de l'Allemagne luthérienne et de la Suisse allemande, la communauté recueillait des objets ménagers pour le couple et de l'argent pour les célébrations entourant le mariage.

Le contrat et les promesses de mariage des futurs époux étaient annoncés officiellement, parfois sur le parvis de l'église. Puis, comme dans la conclusion d'un acte de vente, le couple partageait un verre avec ceux qui les accompagnaient et distribuait des poignées de main pour confirmer l'entente. Si le futur époux était fortuné, il pouvait aussi offrir des bijoux. Les deux futurs époux étaient désormais engagés et ils s'appelaient l'un l'autre mon futur époux, ma future épouse.

Que pouvait bien signifier un tel engagement ? En dehors de la pulsion sexuelle et de la pression sociale, qu'est-ce qui poussait les hommes à se marier ? (Contrairement aux hommes, les femmes avaient rarement le choix de se marier ou non.) Pour la classe des marchands, celle des commerçants ou des professionnels, la réponse était que le mariage était la clef du passage à l'âge adulte sur les plans social, financier et politique. Par exemple, un compagnon ou un apprenti commerçant ayant terminé son apprentissage et qui était capable de faire vivre une femme s'efforçait de faciliter sa transition de la condition d'apprenti à celle de maître en se mariant. L'historienne Lyndal Roper met en lumière le fait que « le mariage marquait la limite entre la guilde des maîtres, qui se devaient d'avoir une femme, et celle des compagnons, qui ne devaient pas en avoir, le mariage servant de rite de passage entre ces deux états[5] ». Voici quelques avantages supplémentaires pour les hommes (et les femmes) : les époux n'appartenant pas à la noblesse avaient les mêmes droits que les nobles aussi longtemps que leur conjoint qui en faisait partie vivait, et ceux qui n'étaient pas citoyens acquéraient les droits de citoyenneté. (Même si les femmes avaient un certain contrôle sur leur nouvelle maisonnée, elles restaient politiquement démunies et financièrement dépendantes de leurs maris.)

Suivaient des semaines ou des mois de préparatifs pour le mariage, entrecoupés de fêtes : l'ensemble de ces événements constituait le mariage. Le mariage lui-même donnait lieu à des réjouissances dont le point culminant était une cérémonie à la porte de l'église ou une messe nuptiale. Même si les grands dévots et les gens sobres préféraient se marier en privé et dans le calme, pour la plupart, le mariage était l'occasion de célébrations exubérantes où on buvait, festoyait, plaisantait avec entrain et où l'on s'exhibait de manière ostentatoire.

Aucun autre événement, même des moments cruciaux comme les naissances et les funérailles, ne donnait lieu à de telles dépenses. Plus les bijoux de la mariée étaient précieux, plus ses vêtements étaient luxueux, plus extravagantes étaient les fêtes organisées et plus le prestige du couple et des parents augmentait. Cependant, les règlements somptuaires limitaient les montants que les membres de chaque classe sociale pouvaient dépenser. À Nuremberg, au XVIᵉ siècle, par exemple, les bagues des futures épouses de la noblesse ne devaient pas dépasser 150 florins, 75 florins dans le cas de celles qui épousaient des marchands, et 3 florins pour celles qui épousaient des citoyens ordinaires. (Le salaire annuel d'une sage-femme d'expérience était de 2 à 8 florins, celui d'un barbier-chirurgien, de 10 à 25 florins.) Les pauvres s'efforçaient de rester dans la course, allant jusqu'à mettre en gage leurs maigres possessions pour parvenir à réunir l'argent nécessaire. Les mariages intimes étaient rarement possibles. Les mariages étaient une affaire publique, les chroniqueurs locaux décrivant ceux qui étaient les plus spectaculaires.

Les règlements somptuaires pour les mariages limitaient aussi le nombre d'invités, exception faite des étrangers et des ecclésiastiques. Les requêtes pour des invités supplémentaires appartenant à la noblesse étaient habituellement acceptées, alors que celles des citoyens moins distingués étaient rejetées. Pour assurer le respect des règles, les fonctionnaires municipaux faisaient enquête en questionnant les invités et les autres citoyens. Les invités des couples ayant des moyens plus modestes mangeaient dans des tavernes en payant de leur poche, mais les couples plus fortunés payaient la nourriture de leurs invités. Les plats servis étaient variés et abondants ; les autorités ecclésiastiques et séculières exhortaient, la plupart du temps en vain, les hôtes à donner les surplus de nourriture aux nécessiteux.

Une des principales raisons pour se marier était de se tailler une position sociale. Dans le cas de la noblesse, des célibataires à cheval allaient porter les invitations à leurs destinataires ; avant qu'ils ne repartent, ils avaient droit à un déjeuner de mariage bien arrosé de vin. Les commerçants payaient des *Hochzeitslader* (des personnes chargées d'aller porter les invitations) pour se rendre à pied chez les invités ; les pauvres faisaient l'économie de ces formalités.

Puisque les mariages « devenaient des tableaux de la structure sociale où chaque individu, homme ou femme, pouvait percevoir sa place dans la société », où la différence de sexe était rigidement soulignée, les responsables municipaux allèrent jusqu'à déterminer l'ordre dans lequel les gens entraient dans l'église. À Augsbourg, en 1571, un décret ordonna que les hommes ayant fait faillite s'assoient avec les femmes lors des mariages, ce qui constituait « un puissant dénigrement de leur virilité, au moment même où le rituel célébrait la dissemblance des sexes ». (À différentes époques, qui se suivaient parfois de quelques dizaines d'années seulement, dans des régions et des classes sociales diverses, les hommes et les femmes étaient séparés lors des mariages — mais ce n'était pas toujours le cas. « Tout au long du rituel du mariage, les rôles aussi complets mais distincts du mari et de la femme trouvaient une expression non verbale dans les cadeaux, les vêtements et les gestes accomplis. En passant des célébrations non mixtes aux fêtes réunissant des hommes et des femmes, les mariages renforçaient et reflétaient la différence entre les sexes[6]. »)

À l'occasion des cérémonies de mariages religieuses ou laïques, les futurs époux se donnaient symboliquement l'un à l'autre en mangeant et en buvant ensemble ; ils se tenaient la main, puis échangeaient anneaux et vœux à la porte de l'église. Cet échange d'anneaux faisait partie intégrante de la cérémonie. Un manuel de mariage du XVIe siècle précisait que l'anneau devait être porté au quatrième doigt de la main gauche, où une veine était reliée au cœur, tout comme le couple était sexuellement et affectivement uni. L'anneau d'or (l'or étant le plus précieux des métaux) représentait la fertilité et la nature durable du mariage. Le rite matrimonial décrit dans le *Livre des prières publiques* (*Book of Common Prayer*) anglican présente l'anneau comme un « gage et une promesse » attestant que, tout comme « Isaac et Rébecca ont vécu ensemble en restant fidèles l'un à l'autre, ces personnes pourront assurément accomplir et respecter le vœu et l'alliance passés entre eux ».

La jeune mariée portait souvent une couronne sur ses cheveux flottants, symbole de sa virginité. Elle offrait également une couronne à son fiancé au moment de leur engagement et au moment de leur mariage, pendant que les demoiselles d'honneur distribuaient des couronnes aux invités. (S'il était de notoriété publique que la future mariée avait déjà eu des relations sexuelles avec son fiancé avant le mariage, on pouvait la forcer à porter une couronne de paille présentant une ouverture à l'arrière.)

Au cours de la cérémonie du mariage, qui avait lieu à la porte de l'église ou à l'intérieur de cette dernière, les sermons répétaient à l'envi le message de la soumission de la femme à son époux, qui « la garderait ainsi que toute la maison dans le sérieux chrétien et le bon exemple ». Mais beaucoup de femmes avaient recours à des traditions populaires pour avoir le dessus dans le couple, par exemple, en mettant de la moutarde et de l'aneth dans leurs souliers.

Dans les communautés du XVIIIe ou du XIXe siècle, la cérémonie du mariage n'était pas nécessairement le moment qui définissait le couple comme « marié ». Ce qui importait plus était la coutume d'« aller à l'église et dans la rue », le cortège se rendant jusqu'à l'église puis jusqu'au nouveau logement du couple, le tout au son de la cornemuse et du tambour. Si la légitimité du couple était plus tard remise en question, c'étaient les témoins de ces processions publiques, plutôt que les documents ecclésiastiques, qui servaient de preuve. En même temps, à l'opposé de la reconnaissance juridique, la reconnaissance sociale du mariage était plus nébuleuse. Un homme parlait d'une femme à laquelle il rendait visite comme étant « pratiquement sa femme ou pas loin de cela ». Un autre disait qu'« il avait pris une femme […] mais [qu']ils n'avaient pas encore célébré le mariage ». Une femme s'engageait à aller à l'église et dans les rues, suivant la coutume chrétienne, avec son mari auquel elle était dès à présent mariée[7].

Le rôle du public dans la légitimation du mariage comprenait la lecture des bans du mariage à trois reprises avant que le mariage comme tel n'ait lieu. (« Si l'un ou l'autre d'entre vous connaît un motif valable ou un empêchement légal s'opposant à ce que ces deux personnes soient unies par le sacrement du mariage, vous devez le dire maintenant. ») Avant la Réforme, l'Église encourageait la publication des bans, mais elle acceptait aussi qu'un prêtre effectue une « enquête nuptiale » avant le mariage, ce qui éliminait la probabilité que quelqu'un puisse s'opposer au mariage pour des raisons de parenté ou d'engagement antérieur. Les protestants réformistes, qui définissaient le mariage en termes séculiers plutôt que comme un sacrement, croyaient fermement que les bans devaient être lus devant l'assemblée des fidèles.

Certaines villes allemandes imposaient de lourdes amendes à ceux qui se mariaient dans la clandestinité (*Winkelehen*), contractaient des mariages privés ou secrets ou faisaient des fugues amoureuses pour échapper à l'opposition des parents ; mais elles n'en reconnaissaient pas moins ces mariages comme légitimes. En revanche, les membres de la communauté avaient tendance à ne pas les considérer comme tels ; souvent, ils contestaient la légitimité des enfants nés de parents qui s'étaient mariés en privé. En Angleterre, certains ecclésiastiques offraient des mariages à prix réduit pour les mariages clandestins sans publication de bans et sans cérémonie rituelle. Quand ces derniers furent proscrits par la Loi sur le mariage de 1753, de nombreuses personnes pauvres d'Angleterre suivirent l'exemple des autres Européens de condition modeste en se contentant de vivre ensemble comme mari et femme.

Le statut de personne mariée permettait de mettre en pratique des dispositions du contrat de mariage. La nouvelle mariée apportait un trousseau et des objets ménagers, par exemple, un bon lit, des casseroles en étain ou une vache, voire une petite fortune en argent comptant, tandis que le nouveau marié apportait les outils du métier qui lui permettrait de faire vivre la maisonnée, par exemple, de quoi faire de la menuiserie, ou cultiver des terres, ou effectuer des investissements. Toutefois, la relation d'héritage ainsi que le « douaire », la portion de biens légalement réservée à l'épouse, pour le cas où elle survivrait à son mari, ne prenaient effet qu'après une nuit de noces réussie. En harmonie avec le caractère public du mariage, les résultats de la nuit de noces étaient scrutés de près par la communauté. Après avoir fêté, célébré, dansé et souvent raconté des histoires grivoises, les invités gardaient à l'œil les nouveaux mariés qui les quittaient pour se diriger vers la chambre nuptiale. C'est à ce moment que la couronne virginale de la mariée lui était retirée pour être remise, par son père ou un membre de sa parenté, au nouveau marié ; tous ceux qui s'étaient réunis pour la noce souhaitant qu'elle perde sa virginité au plus tôt. Si elle n'était effectivement plus vierge le lendemain matin, on lui remettait son « cadeau du matin » (le douaire), une somme d'argent qui resterait en sa possession. (Les veuves qui se remariaient n'avaient pas droit à un douaire, puisqu'elles n'avaient plus de virginité à offrir.)

La nuit de noces était remplie de dangers provenant des esprits malveillants, des mauvais sorts de magie noire jetés par d'anciens amoureux jaloux, sans parler de l'impuissance, ultime motif d'annulation du mariage. Avant la Réforme, les rituels catholiques de purification chassaient les esprits du mal. Après la Réforme, on eut recours à plusieurs stratagèmes, par exemple, se marier après la noirceur, qui fut une tactique utilisée en France. En Allemagne et dans les autres pays, les invités à la noce combattaient les forces du mal en buvant, en chantant et en criant des paillardises. Là où c'était permis, l'Église catholique bénissait le lit et la chambre des nouveaux mariés.

Pendant la nuit de noces, la communauté locale se rassemblait pour célébrer ou blâmer les nouveaux mariés. En France, les *charivaris* (transplantés en Angleterre, et, plus tard, au Canada et aux États-Unis sous le nom de *shivarees*) pouvaient être des événements bruyants. Railleurs ou même hostiles, les participants frappaient sur des chaudrons et des casseroles en interpellant bruyamment les femmes et les hommes âgés qui mariaient des jeunes, ou les veuves et les veufs impatients qui se mariaient alors qu'ils portaient encore le deuil de quelqu'un ; on leur infligeait une punition en les forçant à passer la nuit debout, sous les huées.

(Susanna Moodie, une immigrante britannique, décrit son premier charivari canadien en 1834, une cacophonie terrifiante faite de métal frappé contre du métal, de bruits de cors, de tambours, de violons fêlés et de coups de fusil. Un voisin lui apprit que le charivari était « une coutume bizarre » que les Canadiens anglais avaient empruntée aux Français et où les fainéants locaux se déguisaient, noircissant et masquant leur visage, enfilant leurs vêtements à l'envers (le dos sur le devant) et portaient « des chapeaux grotesques [...] ornés de plumes de coq et de clochettes »[8]. Comme en Europe, ces charivaris pouvaient être fatals. Lorsqu'un esclave s'enfuit au Canada et y maria une Irlandaise, une cohue composée notamment des fils de familles les plus en vue fit irruption dans sa maison, le tirant de son lit pour le promener sur un madrier. Nu dans la nuit glaciale, le nouveau marié mourut entre les mains de ses persécuteurs. Concernant la persistance du charivari en Louisiane, au début du XXe siècle, un observateur note que « c'est une question d'inégalité, ou de manque d'équilibre, qui permet le *charivari*. Un veuf de cinquante-huit ans prend une épouse qui en a dix-huit. Ha ! ha ! ha ! Il peut s'attendre au tintamarre, celui-là ! Vous ne pensez pas ? »)

Lorsque les époux étaient bien assortis, les charivaris étaient grossiers mais joyeux. Dans certaines régions de la France rurale, la tradition (qui existe encore) voulait que les célibataires invités à la noce, ivres, fassent irruption dans la chambre nuptiale pour tirer les nouveaux mariés de leur lit et les jeter sur le plancher. Ils offraient alors au couple un drôle de cadeau : un pot de chambre rempli de champagne et de chocolat, symbolisant l'urine et les fèces, qui étaient ensuite dévorés par tous les participants[9]. À une époque antérieure, le pot de chambre contenait un poulet rôti, des œufs et une poupée, symboles de la sexualité et de la fertilité. Cette coutume remontait au Moyen Âge et s'expliquait par le besoin communautaire de contrôler le processus du mariage, notamment le caractère convenable du choix des époux, lequel était confirmé par les relations sexuelles. En Angleterre, les invités en liesse escortaient le couple jusqu'à son lit en faisant des farces vulgaires ; le matin suivant, on réveillait les époux avec de la musique forte et des badineries.

Les charivaris qui survenaient après le mariage avaient pour but d'humilier les épouses dont le comportement offensait la communauté. Les victimes préférées de ces charivaris étaient les maris battus par leur femme. Avec le temps, comme de nouvelles notions de vie privée se développèrent, les nouveaux mariés de la bourgeoisie préférèrent passer leur nuit de noces dans un lieu secret, loin des curieux.

Les mariages célébrés à l'église : sur le porche, dans la cour ou à l'intérieur

Le mariage était le seul des sept sacrements à ne pas nécessiter la participation sacerdotale et l'invocation religieuse. Le consentement des époux était suffisant, même si, à partir du milieu du XIIe siècle, il fallait également que les époux se déclarent mutuellement : « Je te prends pour mari » et « Je te prends pour femme ». Au XVIe siècle, époque de la Réforme, dans tout l'ouest de l'Europe, l'Église, l'État et les réformistes se livrèrent bataille sur la question de savoir si le mariage était un sacrement, s'il était de nature spirituelle ou civile. Bien que la vaste majorité des gens l'ignorât, l'objet du litige était le lieu où se déroulait la cérémonie du mariage ainsi que la liturgie. Du XIVe au XVIe siècle, l'échange public des vœux sur le porche de l'église était à la fois la coutume et la mode du temps. La Réforme, cherchant à débarrasser le mariage des effets contaminants du mélange des intérêts purement économiques avec la cérémonie religieuse, fit passer les mariages du porche de l'église à l'intérieur sacro-saint de l'édifice.

La nature des fiançailles se modifia aussi progressivement. Traditionnellement, les couples fiancés ou engagés l'un envers l'autre parlaient de leur conjoint en disant « mon homme » ou « ma femme ». Même s'ils ne se *comportaient* pas tout à fait comme s'ils avaient été mariés, ils avaient des rapports sexuels et habitaient ensemble. Toutefois, comme le remarque l'historienne Christine Peters, à la fin du XVIIe siècle, les fiançailles étaient « dans une grande mesure, usées jusqu'à la corde[10] », la principale raison étant que, de plus en plus, les fiancés ne se rendaient plus jusqu'au mariage à l'église.

Chez les Anglais prospères, les noces étaient la manière pour les époux de dire qu'ils consentaient à se marier, à l'image des fiançailles traditionnelles. Toutefois, l'exécution des arrangements financiers et la cohabitation ne suivaient pas toujours immédiatement. Il arrivait souvent que les futures mariées retournent chez leurs parents ; le mariage était mené à bonne fin plus tard seulement, lorsque leurs maris les amenaient « à la maison ».

Même si la Réforme départagea les domaines du sacré et du séculier, les gens continuèrent à célébrer leur mariage avec des noces qui mêlaient les aspects religieux et séculiers, comme à l'époque pré-réformiste, quand les prêtres bénissaient parfois les fiancés ou les anneaux. Ils donnèrent également des significations religieuses à des coutumes qui étaient auparavant séculières : les prêtres servaient du vin à la place des « philtres d'amour », la musique d'orgue venait se substituer aux cors et aux tambours, et les sermons de mariage continuaient de prôner la soumission de la femme et de souligner les horreurs de l'adultère.

Un mariage protestant

Au cours des siècles, tous ces développements et raffinements — pour ne rien dire des variations suivant les régions, les pays, les religions et les classes sociales — contribuèrent à changer la signification religieuse et politique du mariage et même, dans une moindre mesure, la face de l'Europe, ainsi que, plus tard, les mariages nord-américains. Les fréquentations, les noces et le mariage de Felix et Madlen Platter, un couple ayant vécu au milieu du XVIe siècle, sont bien documentés.

Cette intéressante étude de cas montre comment un couple de Suisses calvinistes appartenant à une classe professionnelle ascendante célébra ses noces[11].

Thomas, le père de Felix Platter, était imprimeur autodidacte et professeur dans un pensionnat. Il entraperçut Madlen Jeckelmann pour la première fois lors d'une visite chez le père de cette dernière, qui était chirurgien. Même si Felix n'avait encore que quinze ans, Thomas décida que Madlen, une adolescente aussi timide que jolie, serait son épouse. Il entama donc les négociations avec le Dr Jeckelmann sur les dispositions du mariage et les deux hommes échangèrent de petits cadeaux.

Felix, qui était heureux d'apprendre qu'il était engagé, s'empressa de remplir la condition stipulée par le Dr Jeckelmann en cherchant à s'établir professionnellement. Avec l'aide de Thomas, Felix s'inscrivit à la faculté de médecine de l'université de Montpellier, de réputation internationale. Lorsqu'il retourna à Bâle en 1557, il avait en poche ses diplômes de baccalauréat et de maîtrise. Mais comme Madlen et lui n'avaient pas été officiellement présentés l'un à l'autre, Madlen continuait de s'enfuir lorsqu'elle le croisait dans la rue. Felix respectait sa réserve et le fait que le père de la jeune fille avait insisté sur un strict respect des convenances.

Emmanuel Le Roy Ladurie, le biographe de la famille Platter, distingue trois phases dans l'« offensive » pour obtenir la main de Madlen : la présentation, la demande en mariage, l'idylle. Les futurs époux furent officiellement présentés l'un à l'autre lors d'un goûter formel à la maison de campagne de Thomas Platter. Le père de Madlen était présent, ainsi que son frère Daniel et sa fiancée Dorothea. Après le repas agrémenté de musique et de danses, durant lequel Felix joua du luth et dansa la gaillarde, une danse athlétique que la reine Elizabeth Ire aimait beaucoup, le groupe s'en retourna à pied à Bâle. « Quand deux jeunes s'aiment et se voient volontiers, conseille Dorothea à Felix et Madlen, il ne faut point attendre longtemps [pour se marier], car un malheur est vite arrivé. » La référence au sexe faisait rougir Madlen. Le soir, Felix, repassant les événements de la journée, se sentit bizarre, « tout chose ».

Au fur et à mesure que l'on entre dans la deuxième phase, Felix et Madlen commencent à établir des rapports plus personnels. Accompagnés de chaperons, ils vont cueillir des cerises. Ils bavardent dans l'intimité de la demeure de Madlen, mais jamais en public. Lorsque Madlen se plaint de ce qu'une veuve, beaucoup plus âgée qu'elle, a le béguin pour Felix, ce dernier rompt tout contact avec la dame. Felix est alors follement amoureux de Madlen, qui répond à ses déclarations enflammées avec une chaleur timide.

Le Dr Jeckelmann fut plus difficile à conquérir. Il demandait des conditions plus avantageuses, exigeant, entre autres choses, que Felix obtienne son doctorat. Il s'inquiétait tellement de la solidité financière de Thomas Platter que l'intervention de plusieurs amis et de parents fut nécessaire pour le convaincre de sceller l'accord. Le mentor de Felix, le professeur Hans Huber, se chargea de présenter la demande de mariage au Dr Jeckelmann, en rassurant ce dernier sur le fait que les terres et les maisons de Thomas Platter valaient plus que ses dettes, qui étaient notoires. Felix dut faire aussi plusieurs promesses. Premièrement, il devrait fermer son pensionnat, car sa femme ne manquerait pas de le trouver trop bruyant. Deuxièmement, Madlen continuerait de gérer la maisonnée de son père en plus de celle de Felix : le Dr Jeckelmann ne voulait pas perdre sa gouvernante ! Troisièmement, Felix devrait remplir toutes les exigences nécessaires à l'obtention de son doctorat.

Felix était à la hauteur, lui qui allait devenir un médecin remarquable et un professeur de médecine. Le 20 septembre 1557, avant son vingt et unième anniversaire, il obtint son doctorat et fut engagé comme professeur à l'université de Montpellier. Le 18 novembre, le Dr Felix Platter accompagna son père chez le Dr Jeckelmann pour signer le contrat de mariage.

Le Dr Jeckelmann avait quatre témoins, les Platter en avaient trois. La rencontre, qui eut lieu dans une pièce adjacente à la cuisine, n'échappa pas à Madlen, l'oreille collée à la cloison ; elle fut acrimonieuse et, pour l'aspirant médecin et son père lourdement endetté, humiliante. La dot offerte par Jeckelmann était chiche et ses exigences financières, écrasantes. En désespoir de cause, Thomas promit qu'en lieu et place d'une contribution en argent comptant, il se chargerait de loger et de nourrir le jeune couple dans sa propre maison, et, comme promis, il fit savoir à ses bruyants pensionnaires étudiants qu'ils devaient partir.

Du point de vue du Dr Jeckelmann, l'entente était avantageuse. Il considérait Felix comme un homme irréprochable, ayant un brillant avenir et de belles relations. Mais Madlen avait d'autres soupirants et, même si elle avait arrêté son choix sur Felix, son père ne voulait pas faire de compromis. Il était certain de savoir ce qui valait le mieux pour elle ; il prenait aussi en compte les dépenses qu'occasionneraient les noces et le fait qu'elle ne pourrait plus se consacrer entièrement aux besoins domestiques de son père. Beaucoup d'autres veufs, peu disposés à se passer des talents de ménagères de leurs filles, leur interdisaient de se marier.

Deux jours plus tard, le 20 novembre 1557, 150 personnes, comprenant des marchands, des artisans, des médecins, des membres du clergé protestant, quelques artistes et quatre membres de la noblesse, furent invités à la noce du 22 novembre. Le 21 novembre, la maison de Thomas Platter est nettoyée à fond, on cuisine des mets délicieux et on enfourne les plats en prévision des festivités du lendemain. Il fallait être à la hauteur des attentes de la communauté et de la nouvelle belle-famille.

Le matin du 22 novembre, Felix s'affuble d'un pourpoint de soie rouge, de pantalons couleur chair et d'une chemise de noce avec courte fraise, épingles d'or et col doré ; il a sur la tête son bonnet doctoral à bordure galonnée de perles et de fleurs. Les vêtements de la mariée sont moins spectaculaires : elle porte une blouse couleur chair, assortie aux pantalons de Felix. Le cortège, conduit par un imprimeur, se rend à l'église. C'est là que le Dr Jeckelmann donne sa fille à Felix, et que les deux jeunes mariés échangent leurs vœux et les anneaux. Après le sermon, tout le monde se dirige vers la maison Platter.

En tout, quinze tables ont été dressées dans la maison. Felix préside la table réservée aux hommes les plus distingués dans une salle, pendant que Madlen trône dans la pièce des femmes de distinction. C'est le début du premier de deux copieux repas. Les hors-d'œuvre comprennent du poisson haché, de la soupe, de la viande et du poulet ; suivent des entrées de brochet bouilli, puis du rôti, des pigeons, des coqs, de l'oie, de la bouillie de riz, de la gelée avec des morceaux de foie, et pour finir, du fromage gruyère et des fruits. Lorsque les invités ne peuvent plus rien avaler, les amusements — le principal élément d'une noce — peuvent débuter.

Les invités pouvaient s'attendre alors à des divertissements offerts par des musiciens itinérants, des clowns, des rimailleurs, parfois même des prostituées, car le moment était venu de tourner le dos au décorum, de faire fi de toutes les inhibitions et de se déchaîner dans les danses, les gestes obscènes et les blagues vulgaires. Nul décret, règlement ou ordonnance n'auraient pu faire disparaître l'intérêt que les gens portaient aux possibilités érotiques et aux réalités sexuelles que le mariage permettait d'évoquer. Cette fois, les invités des Platter et des Jeckelmann eurent droit à un concert donné par les écoliers du pensionnat de Platter. Ensuite, Felix y alla d'un numéro solitaire de gaillarde à la française. Madlen, trop timide pour l'accompagner, préféra le regarder bondir, sauter, puis sautiller pour le plus grand plaisir des invités.

Vint ensuite le souper, un repas copieux qui respectait, pour l'essentiel, le règlement somptuaire. Les hors-d'œuvre, autrement dit : foie de poulet, tripes, soupe à la viande, poulet, furent suivis de carpe bouillie, de rôti, de civets de gibier de la Forêt-Noire, de galettes de poisson ; le dessert étant constitué de pâtisseries, même si le règlement somptuaire ne prévoyait que du fromage et des fruits.

Le soir tombe. Les invités ont trop mangé et trop bu. Il est temps de clore les noces et de consommer le mariage. Felix retrouve Madlen et sert du vin clairet sucré aux matrones qui se sont regroupées autour d'elle pour la réconforter et la conseiller. Puis, au milieu des commentaires joyeusement suggestifs des invités, le jeune ménage se rend dans un galetas tout en haut de la maison. Felix et Madlen restent là un moment à grelotter, assis sur le bord de la couche. Pendant un court moment, ils se demandent s'ils devraient suivre l'exemple des parents de Felix et attendre pour avoir des relations sexuelles. La froideur de cette nuit de novembre emporte la décision, et ils décident de se mettre au lit.

Mais ils ne sont pas tout à fait seuls. La mère de Felix, heureuse que son fils ait finalement réussi à épouser Madlen, monte lourdement l'étroit escalier, puis s'installe aux latrines, à deux pas de leur chambrette nuptiale. Elle manifeste son bonheur en chantant à tue-tête. Du coup, Madlen se trouve prise d'un irrésistible fou rire.

Le mariage Platter-Jeckelmann soulève plusieurs questions portant sur les principaux enjeux du mariage et sur son évolution. Au moment des âpres discussions autour du contrat de mariage, puis de l'échange des vœux et des anneaux, ces protestants ont-ils jamais pensé que le mariage, après le passage de la Réforme, s'était transformé en une union qui ne serait plus exclusivement dominée par des considérations économiques? Madlen pensait-elle ou résistait-elle à la structure patriarcale qui accordait à son père non seulement le droit de la donner, mais également celui de continuer à retenir ses services comme gouvernante de sa maisonnée, en dépit de la charge de travail accrue qui allait en résulter pour elle? Comment se fait-il que Felix ne mentionne que la blouse de couleur chair que Madlen portait à leur mariage, en négligeant de décrire le reste de sa tenue? Pourquoi ce jeune marié, qui décrit en détail sa propre garde-robe nuptiale, semble-t-il si peu intéressé par ce que porte son épouse? Les invités à la noce, qui étaient séparés suivant des considérations de sexe et de classe, ont-ils été heureux ou inquiets lorsqu'on leur a offert des pâtisseries, même si celles-ci n'auraient en principe pas dû figurer au menu?

L'Amérique du Nord

En Amérique du Nord, les unions pouvant être définies comme mariages étaient aussi difficiles à cerner qu'en Europe, et beaucoup d'entre elles se formaient sans bénéficier de noces. L'union libre, qui prendrait plus tard le nom d'union de fait, était répandue. (Le divorce libre l'était tout autant.)

Il existait une foule de raisons pour se marier sans passer par les formalités officielles. D'abord, de nombreuses personnes ignoraient tout des mesures législatives qui, au fil du temps, rendirent nécessaires les certificats de mariage, la publication des bans et les cérémonies de mariage. Ces personnes supposaient que le consentement mutuel légitimait le mariage; elles estimaient qu'à l'image de ce qui se passait en Europe, le fait que leur communauté pouvait témoigner de leur union constituait une preuve suffisante de leur mariage. Une autre croyance commune était que la conception d'un enfant par un couple de personnes constituait un mariage. En 1728, un aumônier officiant en Caroline du Nord et à la frontière de la Virginie fut appelé pour baptiser plus d'une centaine d'enfants, sans qu'on lui demande de marier leurs parents. Son supérieur en conclut que « le mariage est un contrat séculier en Caroline[12] ».

Le mariage libre avait aussi d'autres causes. Souvent, les autorités religieuses ou séculières n'étaient pas disponibles pour accomplir les rites. Au Texas, les catholiques qui n'avaient pas accès aux services d'un prêtre se mariaient « par lien » lors de cérémonies improvisées. Les non-catholiques qui n'avaient pas accès à un pasteur se contentaient de se lier mutuellement par une promesse en présence d'amis. En 1791, le futur président Andrew Jackson épousa Rachel Donelson Robards — qui n'était pas encore divorcée — aussi simplement. Par la suite, son premier mari obtint le divorce en prétextant son adultère avec Jackson.

Le désaveu des unions libres, du moins chez les Blancs, avait des conséquences terribles, celles de rendre illégitimes un très grand nombre d'enfants. Ces désaveux se produisaient rarement. Suivant l'historienne américaine Nancy Cott, « la maxime *semper praesumitur pro matrimonio* [la présomption est toujours en faveur de l'union matrimoniale] orientait et résumait la pensée des juges[13] ». Cette présomption allait jusqu'à englober les mariages où un des partenaires avait déjà été marié à quelqu'un d'autre, pour autant que cette personne maintenant étrangère était divorcée ou décédée. Certaines autorités législatives reconnaissaient des cérémonies de mariage tenues dans des circonstances qui se révéleraient plus tard frauduleuses, pour autant que les époux se fussent mariés en toute bonne foi.

Aux États-Unis, la grande exception était le mariage mixte. S'il s'avérait que le conjoint d'une personne de race blanche n'était pas entièrement blanc, les lois et les communautés outragées s'empressaient de tout faire pour que la relation prenne fin, imposant des amendes, un divorce forcé ou des attaques collectives. La guerre civile et l'émancipation des Noirs alimentèrent la terreur blanche du « mélange des races », les mariages mixtes suscitant l'hystérie et des réactions violentes.

Dans une certaine mesure, les mariages mixtes entre Blancs et autochtones suscitaient les mêmes réactions ; les organisations gouvernementales, telles que la Compagnie de la Baie d'Hudson, les interdisaient. Pour les hommes blancs qui se livraient au commerce de la fourrure dans l'arrière-pays, un mariage chrétien était hors de question s'ils étaient «engagés» avec des femmes autochtones. Ces hommes devaient se contenter de suivre *la façon du pays*, c'est-à-dire les coutumes autochtones. Le futur mari devait demander aux parents de sa future épouse la permission de la marier. Sinon, comme le remarquait un vieux commerçant, «celui qui prend une fille de ce pays sans le consentement de ses parents court le danger de se faire casser la figure[14]». Le prétendant devait également négocier le prix de la mariée, qui pouvait aller jusqu'à un cheval. Après avoir effectué son paiement, il fumait du tabac dans une pipe d'usage rituel, qu'il partageait avec la parenté de sa belle ou avec les membres de la tribu. Les membres de sa parenté préparaient la jeune femme à son rôle d'épouse, ils la lavaient et lui mettaient de nouveaux vêtements. Son fiancé — qui était maintenant un «homme à squaw» — l'accompagnait à la maison où ils vivraient en couple, unis par les coutumes autochtones.

Jusqu'à quel point ces mariages étaient-ils valides? Jusqu'au XIXᵉ siècle, plusieurs hommes blancs mariés à des autochtones se considéraient comme légalement mariés; du reste, les tribunaux anglais tendaient à leur donner raison sur ce point. Lorsque leurs employeurs tentaient de les forcer à se départir de leur femme indienne, jugée embarrassante, plusieurs refusaient en défendant vaillamment la légitimité de leur mariage. Cependant, lorsque les commerçants étaient des employés de la compagnie et non des entrepreneurs indépendants, le moment de la retraite était aussi, souvent, celui où ils mettaient fin à leur relation.

Certains maris répondaient à la répulsion de la société pour leur femme indienne en se réfugiant en territoire indien. D'autres préféraient «passer la main» et se débarrasser de leur femme devenue encombrante en la refilant aux nouveaux arrivants qui n'avaient pas encore de femme, pour que l'un d'eux l'épouse à son tour. D'autres se contentaient de prendre la fuite pour disparaître dans le monde des Blancs. Quelques juges impartiaux tentèrent de contraindre les maris blancs de marier légalement leurs femmes indiennes et de leur donner le tiers de leurs biens. Mais il était rare que cela se produise; le plus souvent, les femmes abandonnées prenaient leurs enfants métis et retournaient dans leur tribu, qui les accueillait et les acceptait tous sans les stigmatiser.

En 1824, à Green Bay, au Michigan, un juge américain en tournée, l'honorable James Duane Doty, réunit un grand jury qui inculpa trente-six hommes de la ville pour fornication, et deux pour adultère. La plupart d'entre eux plaidèrent coupables; pour ne point avoir à payer d'amende, ils se présentèrent devant un juge de paix afin de légitimer leur union avec leur femme indienne. Deux maris refusèrent d'obtempérer, déclarant qu'ils n'étaient coupables de rien. Leur mariage était légal puisqu'il avait été célébré selon les coutumes indiennes et qu'ils étaient pères de nombreux enfants.

Cependant, John Lawe refusa de se repentir ou de changer de conduite; il continua de vivre avec Therese Rankin jusqu'à la mort de celle-ci, près de vingt ans plus tard. Lawe avait dégoté une perle: Sophia Therese Rankin, ou Ne-kick-o-qua, qui était la petite-fille d'un Ottawa important dont la politique était de marier ses filles et ses petites-filles à des commerçants en fourrure blancs en leur octroyant une concession de terre. Mais, comme Lawe le disait à un ami métis en se lamentant, «le bon vieux temps, c'est fini: ce joyeux règne a pris fin et ne reviendra jamais[15]».

En Amérique du Sud, le mariage légitime était interdit aux esclaves noirs. Étant donné qu'ils n'avaient aucun statut juridique comme personnes, leur consentement n'avait aucune valeur devant la loi. De plus, comme les exigences de leurs maîtres avaient préséance sur tous les aspects de leur vie, il leur aurait été impossible de remplir des obligations de nature conjugale. En fait, les propriétaires blancs n'osaient permettre à leurs esclaves d'avoir un mariage légitime, de peur qu'on y voie une forme d'affranchissement, car les cérémonies chrétiennes supposaient, dans une certaine mesure, que les esclaves avaient une âme comme les autres[16]. Les colons blancs avaient aussi conscience des problèmes complexes de droit de propriété que les mariages entre esclaves soulevaient, par exemple, lorsque des esclaves appartenant à différents maîtres se mariaient, ou lorsqu'un esclave épousait une personne de race noire ou un métis. Contrairement aux esclaves non mariés, qui pouvaient être vendus ou loués sans problème, les couples mariés voulaient se rendre visite et exigeaient qu'on ne les sépare pas pour les vendre à d'autres propriétaires, comme cela se produisait si souvent. La question de la propriété des enfants naissant de ces unions pouvait aussi engendrer des tensions entre les propriétaires d'esclaves.

Les esclaves se mariaient quand même, par choix ou par obligation, mais leurs unions n'avaient aucune existence juridique et elles n'étaient pas approuvées par l'Église. Après une période de fréquentations, les esclaves demandaient à leurs maîtres la permission de se marier. Lorsque les deux futurs mariés avaient des maîtres différents, cela engendrait des problèmes complexes ayant trait à la propriété des esclaves. Certains propriétaires se montraient conciliants avec leurs esclaves, comme ce fut le cas sur la plantation de Mary Boykin Chesnut, en Caroline du Sud. Elle écrit : « Lorsque Dick épousa Hetty, la maison Anderson était juste à côté. Les deux familles s'entendirent pour vendre Dick ou Hetty, suivant ce que préféreraient ces derniers. Hetty refusa catégoriquement, et les Anderson vendirent Dick pour lui permettre d'être avec sa femme. » Voilà qui était bien, mais comme le compte rendu de Mary Chesnut le révélait clairement, les Anderson avaient dû faire un grand sacrifice, « car Hetty n'était qu'une femme de chambre, alors que Dick avait été formé comme majordome ; madame Anderson avait déployé des efforts sans fin pour lui enseigner le service dans la salle à manger. Et bien entendu, si les Anderson avaient refusé de vendre Dick, Hetty aurait été bien obligée d'aller chez eux. Madame Anderson fut donc outrée de l'ingratitude de Dick quand elle apprit qu'il voulait les quitter[17]. » Les propriétaires d'esclaves qui acceptaient de subir de tels inconvénients pour faciliter le rapprochement de leurs esclaves amoureux étaient très rares.

Les couples d'esclaves qui appartenaient à des maîtres différents pouvaient tout au plus espérer un arrangement « au loin » qui leur permettrait de se rendre visite ; encore devaient-ils demander à quelqu'un d'intercéder en leur faveur auprès de leur propriétaire. (La question était encore plus litigieuse si un esclave demandait en mariage un homme ou une femme libre.) Si la permission était accordée, une cérémonie, souvent présidée par le maître, pouvait marquer l'heureux événement. Après avoir été déclarés unis, les nouveaux mariés sautaient ou passaient par-dessus un balai[18]. En règle générale, la cérémonie avait lieu lorsque les travaux agraires marquaient un temps d'arrêt, pendant la période des fêtes de Noël ou en juillet. S'ensuivait une fête dans les quartiers des esclaves, en l'honneur des nouveaux mariés.

On estime qu'environ 10 % des esclaves étaient contraints de se marier contre leur gré par les propriétaires des grandes plantations ou les gérants désireux d'augmenter le nombre de leurs esclaves au moyen de la reproduction. Une ancienne esclave d'Alabama, Penny Thompson, se rappelle que « le plus souvent, les maîtres et les maîtresses se contentaient de choisir un homme pour une femme en disant à la femme : "Dis oui", puis à l'homme : "Dis oui", sans se soucier de ce qu'ils pensaient. Ensuite, ils leur lisaient un passage de la Bible et leur disaient : "Maintenant, vous êtes mari et femme"[19]. » Parfois, la préférence de l'esclave mâle prévalait, si son maître consentait à ce qu'il marie une femme qui, elle, n'avait pas nécessairement les mêmes sentiments pour lui. Qu'à cela ne tienne, la femme n'avait pas droit au chapitre. Lizzie Grant, une ancienne esclave de Virginie-Occidentale, raconte qu'il arrivait à ses maîtres de pourchasser les esclaves « pour les forcer à vivre ensemble et les élever tout comme on élève du bétail de nos jours [...]. Ils ne se souciaient aucunement de nos sentiments, n'y songeant même pas[20]. »

Mais les unions entre esclaves se formaient aussi dans l'amour le plus profond. Après son émancipation, l'ancienne esclave Laura Spicer réussit à retrouver son mari, qui avait été vendu à un propriétaire lointain et avait dû la quitter, elle et leurs enfants, quelques années auparavant. Son mari lui répondit en lui envoyant une lettre d'amour profondément triste :

> Je t'aime autant que je t'aimais le jour où je t'ai vue pour la dernière fois. [...] Tu sais que nous n'avons jamais souhaité cette séparation, qu'elle ne fut jamais de notre faute. [...] J'aurais préféré qu'il m'arrive n'importe quoi plutôt que d'être séparé de toi et des enfants. [...] Elle n'est pas encore née, la femme dont je me sentirais aussi proche que je me sens de toi. [...] Mon amour pour toi n'a jamais baissé. [...] Je me sens comme si tu étais toujours ma chère femme adorée, comme au premier jour[21].

En raison de l'esclavage, les unions entre esclaves étaient intrinsèquement instables, et les propriétaires blancs mettaient abruptement fin à deux unions sur cinq en vendant un des époux. L'historienne Wilma Dunaway estime que, dans le Sud supérieur, à la fin de la guerre civile, la moitié des familles esclaves avaient souffert de mariages brisés ; plusieurs de ces familles étaient maintenant dirigées par des femmes. (Les maisonnées des Noirs mélangeaient savamment ceux qui étaient apparentés et ceux qui ne l'étaient pas, les enfants des mariages antérieurs, les orphelins qu'on avait adoptés, ainsi que les personnes âgées. Plusieurs maisonnées abritaient au moins deux familles.) L'«absence structurelle des pères noirs», qui s'expliquait par les mariages avec des personnes qui vivaient au loin, ou parce que les pères étaient employés ailleurs ou qu'on leur attribuait des tâches qui les éloignaient de chez eux, érodait les mariages entre esclaves. Il arrivait souvent que les époux séparés soient contraints de prendre un nouveau conjoint. Certains acceptaient bien leur nouvelle situation, comme le mari de Harriet Tubman, John, un homme libre qui refusa de venir la retrouver dans le Nord sous prétexte qu'il préférait rester dans le Sud avec sa nouvelle femme, Caroline, et leurs enfants. Les espoirs de Laura Spicer furent aussi réduits en miettes, car, dans sa lettre d'amour, son mari lui exposa sa nouvelle situation matrimoniale: «Je viendrais bien te rendre visite pour te voir, mais je sais que tu ne pourrais le supporter. [...] j'ai maintenant une autre femme et je suis très désolé, oui, je le suis tellement.» Incapable d'abandonner sa nouvelle famille, Spicer, profondément peiné, dit à Laura: «Je t'en prie, marie-toi», et «envoie-moi quelques-uns des cheveux des enfants[22]».

Durant la période de reconstruction qui suivit la guerre civile, les hommes affranchis qui vivaient en couple se présentèrent en masse pour légaliser et enregistrer leurs mariages. Un capitaine de l'armée de l'Union note que «les noces, ces temps-ci, sont très populaires et très nombreuses chez les gens de couleur[23]». Les officiers de l'armée, les missionnaires et les représentants officiels présidaient à des mariages de masse. Les législateurs acceptaient de valider les unions contractées entre esclaves si le mari et la femme continuaient d'habiter ensemble. En 1866, dans dix-sept comtés de Caroline du Nord, par exemple, plus de neuf mille couples enregistrèrent leur mariage.

La nature de l'esclavage et la manipulation par les Blancs des unions entre esclaves créèrent un énorme bourbier juridique et moral: si les unions entre esclaves pouvaient être validées rétroactivement, ceux qui avaient plus d'un conjoint devenaient-ils bigames? Lorsqu'un esclave avait été marié plusieurs fois, lequel de ses multiples mariages était le plus légitime? «Chaque fois qu'un nègre se présente devant moi avec deux ou trois femmes qui toutes ont des prétentions sur lui, je le marie à celle qui a le plus d'enfants nécessiteux, car, autrement, elle se retrouverait à la charge du Bureau», rapporte un employé du

Bureau des affranchis[24]. Conscients des circonstances extraordinaires dans lesquelles, souvent, avaient été formées les unions contractées par les Noirs, les juges qui œuvraient à la reconstruction se montraient indulgents pour la «bigamie» afro-américaine. En règle générale, ils appliquaient la règle de la poursuite de la cohabitation pour déterminer si un mariage devait être validé.

Cérémonies de mariage

Suivant les époques et les régions, les cérémonies de mariage se présentaient différemment, influencées qu'elles étaient par les goûts et les ressources des gens. Il n'y avait pas vraiment de norme générale. Jusqu'à la fin du XVIIIe ou au début du XIXe siècle, le commun dénominateur fut le consentement des parents (requis par la loi) et le certificat de mariage. En règle générale, on publiait les bans de mariage. À partir du milieu du XVIe siècle, la plupart des mariages chrétiens en Amérique du Nord s'inspiraient de l'une ou l'autre version de la célébration du mariage tirée du *Livre des prières publiques* de l'Église d'Angleterre, ou des vœux (pratiquement identiques) adoptés par les Églises protestantes; les autres formes de cérémonies correspondaient à la liturgie du mariage catholique romain.

Au milieu du XVIIIe siècle, la célébration des mariages était une pratique de plus en plus courante. Mais le coût était un aspect très important, les personnes pauvres qui n'optaient pas pour le mariage privé n'ayant pas toujours les moyens de s'offrir une cérémonie de mariage même la plus simple. Le plus souvent, elles se contentaient donc de publier les bans, d'échanger les vœux (ou les deux), puis d'aller vivre ensemble. De leur côté, les gens plus riches organisaient des cérémonies de mariage très fastes, qui avaient lieu habituellement chez eux, pour célébrer leur union et divertir leurs invités d'une manière appropriée à leur niveau social et à leur fortune.

Le costume de la mariée pouvait être simple ou luxueux, suivant les ambitions, le statut social et les moyens de sa famille. En Europe, les femmes de l'aristocratie portaient des robes spectaculaires faites de tissus très dispendieux — velours, soie damassée, voire satin — entrelacés de fils d'or ou d'argent qui les faisaient briller légèrement. On choisissait les couleurs les plus profondes et les plus riches —

rouge, indigo ou noir — que seuls les gens fortunés pouvaient se procurer. Les tenues sans prétention étaient dédaignées au profit des jupes amples et froncées à la taille, des larges manches et des traînes longues de plusieurs mètres, faites pour qu'on les remarque. Les bordures de fourrure et les bijoux, qui, souvent, faisaient partie de la dot et étaient cousus directement sur la robe, complétaient l'ensemble.

Les robes de mariée avaient leur propre histoire. Les membres de la famille royale et les nobles lançaient les modes et établissaient les critères de goût. Lors de son mariage avec Charles le Téméraire en 1468, Marguerite de Bourgogne (ou d'York) était vêtue d'une robe incrustée de joyaux si lourde qu'on dut la porter jusque dans l'église. Son diadème, qui avait presque 5 pouces (12 cm) de haut, était une création magnifique constellée de perles et garnie d'une merveilleuse émaillerie de roses blanches, symbolisant la maison de York. Son nom y était gravé en émail rouge, vert et blanc, avec des nœuds de Salomon et les initiales C et M en or (le diadème est encore exposé à la cathédrale d'Aix-la-Chapelle).

Les femmes nanties en imitaient d'autres beaucoup plus riches qu'elles en utilisant des quantités effarantes de tissus, qu'elles garnissaient de fourrures de renard ou de lapin, moins dispendieuses, et en portant tout ce qu'elles avaient de bijoux présentables. Celles qui avaient moins de moyens se faisaient une robe de lin ou de laine, plus douce que la bure qu'elles portaient habituellement. Elles teignaient ce vêtement au moyen d'une teinture végétale, puis cherchaient à lui donner plus de style en faisant des manches flottantes et ajoutant des traînes, peu pratiques sans doute, mais tellement belles et tellement prestigieuses. Pour celles qui étaient économes ou qui avaient des contraintes financières, une nouvelle robe qui serait, des années durant, leur « meilleure » robe constituait une dépense raisonnée, des couleurs ternes étant choisies pour que les taches ne se voient pas trop. Le gris était courant, le blanc était franchement trop salissant. Les plus pauvres portaient les vêtements qu'elles avaient, quels qu'ils soient.

Les traditions qui traversèrent l'Atlantique suscitèrent un certain nombre de superstitions concernant le choix des couleurs : le bleu, couleur de la robe des mariées romaines et de la Vierge Marie, symbolisait la pureté et la fidélité ; les mariées portaient le bleu pour avoir l'assurance que leurs maris n'iraient pas voir ailleurs. Le rose était joli, mais ne portait pas chance ; le rouge était aussi scandaleux que la lettre écarlate. Le jaune était à la mode au XVIIIᵉ siècle, mais le vert évoquait les fées et le verdoiement de la chute de pluie qui pouvait ruiner la cérémonie. Le tissu de laine écossais brun était courant, même si on ne l'aimait guère. Le gris était fréquent, considéré comme intelligent et utile, convenant particulièrement à une mariée qui avait connu un deuil. Les rubans noués en nœuds de Salomon suffisaient à rendre spéciale une robe ordinaire ou usée. À la fin de la cérémonie, les invités tiraient sur les rubans et les ramenaient chez eux comme cadeaux. Au XIXᵉ siècle, les fleurs avaient remplacé les rubans. Les mariées s'en servaient pour parer leurs cheveux et les portaient comme bouquets.

Vers la fin du XVIIIᵉ siècle, les tissus faits à la machine, typiques de la Révolution industrielle, et les fines mousselines indiennes, qui étaient bon marché, devinrent les tissus de prédilection pour les robes des mariées. À la toute fin du XVIIIᵉ siècle, le blanc marial commença à s'imposer, même si la couleur argent combinée au blanc et complétée d'une cape de couleur demeura classique. Lors de son mariage au mois de mai 1816 — dont il a beaucoup été question à l'époque — la princesse Charlotte portait un lamé d'argent sur un jupon argenté, avec un ourlet brodé de fleurs et de clochettes, également en lamé d'argent. En 1840, la reine Victoria instaura la tradition du mariage en blanc à l'occasion de son mariage avec son Albert adoré ; la cérémonie fut aussi somptueuse que solennelle, et se déroula devant un large public. Malgré une pluie torrentielle, des milliers de personnes se rassemblèrent, des heures à l'avance, pour surveiller l'arrivée de la procession nuptiale jusque dans la chapelle royale du palais Saint-James. À dix heures, reflétant l'impatience des nombreux badauds et spectateurs munis d'un laissez-passer (ces derniers, au nombre de 2 100, attendaient dehors), une fanfare entonna le reel irlandais « *Haste to the Wedding* » [Hâtez-vous d'aller aux noces]. À midi, après qu'un salut de vingt et un coups de canon eut annoncé que Victoria venait de monter dans sa calèche, la foule, trempée mais déterminée, accueillit joyeusement l'arrivée des participants au mariage. Le Prince Albert et son entourage arrivèrent les premiers, au son des trompettes et des tambours. Après avoir salué officiellement les dignitaires de la famille royale et de l'Église, ils attendirent l'arrivée de la future mariée. Au son des accents de la musique, Victoria et ses nombreux domestiques firent lentement leur entrée dans la chapelle.

La robe nuptiale, toute de satin blanc, de Victoria était garnie de fleurs d'oranger doucement odorantes. La traîne, taillée dans le même tissu, faisait cinq mètres et demi et était portée par une douzaine de demoiselles d'honneur. Ses cheveux s'ornaient d'une simple couronne de fleurs d'oranger, à laquelle était attaché un voile de dentelle Honiton incrusté de diamants, de plus d'un mètre, qui enveloppait ses épaules et son dos (soixante et un ans plus tard, il lui servirait de linceul). Le volant de la robe était fait de 3,66 mètres de dentelle Honiton ; il fut confectionné spécialement pour Victoria par deux cents denteliers du village de Beer, et coûta plus de 1 000 £. Victoria portait des chaussures plates à bouts carrés et à semelles de cuir, ornées d'un petit nœud et de six bandes de ruban ; comme le reste de son costume, elles avaient été fabriquées en Grande-Bretagne. Victoria avait dessiné les robes de ses demoiselles d'honneur ; elles étaient « toutes habillées de blanc avec des roses blanches qui étaient du plus bel effet », écrit-elle dans son journal intime[25]. Le Prince Albert avait créé les broches en or — en forme d'aigle, elles étaient serties de turquoises, de perles, de rubis et de diamants — que la reine offrit à chacune de ses demoiselles d'honneur, instaurant ainsi une autre tradition, celle d'offrir des cadeaux à celles-ci.

Après une cérémonie remplie d'émotion, où le psaume 67 fut chanté, Victoria et Albert sortirent de la chapelle, sous le soleil qui perçait à travers le brouillard et la pluie. Suivant le souvenir de la duchesse douairière, Lady Sarah Lyttelton, les yeux de la nouvelle mariée étaient « gonflés de larmes, mais son visage exprimait une grande joie ; le regard de confiance et de bien-être qu'elle jeta au prince lorsqu'ils quittèrent les lieux comme mari et femme faisait plaisir à voir[26] ».

Ces détails furent rapportés par des centaines de journaux et de magazines, lus et reproduits, commé peut-être jamais auparavant, par des centaines de milliers de futures mariées partout dans l'Empire et au-delà de ses frontières. Ce que cet intérêt accru pour l'habillement, la musique et la cérémonie entourant le mariage mettait en évidence, c'était que ce dernier gagnait en importance ; plus le mariage devenait important en lui-même, plus les gens s'intéressaient à la célébration du mariage plutôt qu'au mariage en tant qu'institution censée durer toute une vie. (La deuxième partie de ce livre montrera comment la culture actuelle nous rend aveugles aux réalités et aux détails pratiques du mariage en mettant l'accent sur la cérémonie du mariage.)

Le mariage de Victoria fut une source immédiate de «traditions». Certes, elle n'était pas la première femme d'ascendance royale à se marier en blanc, mais sa robe nuptiale, vue par des milliers de personnes et reproduite dans les croquis des journaux, les reproductions couleurs des magazines et une foule de gravures populaires, s'imposa partout comme un modèle auprès des futures mariées et de leurs parents. C'est ainsi que le blanc s'imposa comme *la* couleur des robes nuptiales, en dépit des photos de famille montrant les mariages d'ancêtres serrant de petits bouquets et portant des costumes aux couleurs foncées, et même si le blanc était la couleur traditionnelle du deuil pour les membres de la famille royale. En réalité, le blanc de la robe de Victoria serait plutôt considéré de nos jours comme de couleur crème, car, à cette époque, on ne connaissait pas les produits de blanchiment.

En choisissant de porter des fleurs d'oranger, symbole de pureté et de fertilité dans la Chine traditionnelle, Victoria incita des millions de mariées à en porter, et à les considérer comme des éléments essentiels de l'étiquette. Celles qui ne pouvaient se procurer des fleurs fraîches et odorantes utilisaient des reproductions en cire. Grâce à la reine Victoria, ces accessoires floraux devinrent tellement omniprésents que l'expression «cueillir des fleurs d'oranger» devint synonyme de «chercher une femme».

La splendeur du mariage public de Victoria et Albert, avec son cortège de porteuses de traîne, sa grande pompe, sa cérémonie, sa musique ainsi que la lente marche le long de l'allée, transforma les mariages européens aussi bien que ceux de l'Amérique du Nord, en leur communiquant une influence théâtrale et en forçant les mariées à se hisser au niveau de nouvelles normes en matière d'habillement et de présentation, lesquelles se muèrent presque immédiatement en tradition. Il en résulta, comme le remarque Stephanie Coontz, que des «milliers de femmes de la classe moyenne suivirent son exemple, faisant du jour de leur mariage l'événement le plus éblouissant de leur vie[27]».

Une autre tradition nuptiale, «quelque chose de vieux, de neuf, d'emprunté et de bleu», est souvent interprétée comme représentant la famille et le passé (ce qui est vieux), la nouvelle vie qui commence (ce qui est nouveau), la chance dans la vie de couple (ce qui est emprunté), et la couleur de la cape de la Vierge Marie, symbolisant la pureté et la fidélité. Autrefois, le bleu était aussi souvent la teinte que l'on choisissait pour la robe nuptiale. Ce qui est moins connu est que ce dicton est tiré d'un poème qui se termine par «Et une pièce de six pence dans son soulier», un symbole de prospérité qui s'avérait particulièrement efficace si la pièce argentée était portée dans le soulier gauche.

La tenue du marié importait également, au point de rivaliser avec celle de la mariée. Suivant l'exemple de celle-ci, il portait ses plus beaux vêtements, son costume (de laine, de laine peignée ou même de cachemire) et sa chemise (en lin, en coton ou en soie) reflétant sa situation économique. S'il avait un gilet ou une cravate, il ne manquait pas de les porter également. Les hommes qui avaient les moyens de s'offrir une tenue de mariage optaient pour des couleurs fortes : bleu, vert ou lie-de-vin. Durant la seconde moitié du XIXe siècle, le marié qui avait de la finesse se faisait plus discret, portant une veste noire ou bleu marine, des pantalons gris assortis à une chemise et une cravate blanches.

La mode nuptiale masculine évolua lentement jusqu'en 1930, alors qu'elle adopta le veston de cérémonie en drap et à revers de soie (connu sous le nom de «tuxedo» en Amérique du Nord et de «smoking» en Europe), considéré jusqu'alors comme approprié à des événements moins officiels. (En 1866, le fils d'un magnat du tabac surprit les invités du bal d'automne du Tuxedo Park Country Club, à Tuxedo (New York), en portant un veston de cérémonie noir sans queue de pie qui était la copie conforme d'un des vestons du prince de Galles. Ce style se popularisa et les Nord-Américains baptisèrent ce veston *tuxedo*.) Les mariés qui manquaient de moyens ou qui ne souhaitaient pas porter ce genre de veston optaient pour un costume de couleur sombre. Au milieu du XXe siècle, les locations de tuxedo permettaient aux hommes pas très riches de se payer une tenue de mariage luxueuse.

Dans les siècles qui suivirent la production par Van Eyck d'une œuvre merveilleusement belle mais mystérieuse et intrigante pour le monde de l'art, les cérémonies de mariage prirent de plus en plus d'importance, jusqu'à devenir le point culminant du processus conduisant au mariage. Par ailleurs, les traditions nuptiales étant de plus en plus associées à l'amour — l'amour romantique, érotique et éternel —, l'idéal du mariage enraciné dans l'amour subit lui aussi une évolution.

CHAPITRE 4

L'amour et la sexualité dans le mariage

L'amour et l'affection

Qui, dans le vaste monde, était plus éclairé sur les choses de l'amour et du mariage que Jane Austen? Son père, recteur d'une paroisse anglicane, père de huit enfants, devait arrondir ses revenus par des activités de fermier et de précepteur auprès d'étudiants en pension chez lui.

Jane était donc très au courant des réalités sociales et économiques de son époque, et particulièrement du peu de possibilités qui existaient pour les femmes. Dans sa vie personnelle comme dans *Sense and Sensibility* [*Raison et sentiments*] (1811), *Pride and Prejudice* [*Orgueil et Préjugés*] (1813), *Mansfield Park* (1814), *Emma* (1815), *Northanger Abbey* [*L'abbaye de Northanger*] et *Persuasion* (1817), elle s'intéressait au conflit entre le nouveau respect qu'on manifestait pour le mariage fondé sur l'amour et le vieux dilemme, souvent chargé de moralité, créé par la dépendance économique et juridique des femmes.

Chez elle, Jane Austen avait la vie la plus heureuse possible, pleine de camaraderie et de stimulations intellectuelles. Sa sœur Cassandra était sa meilleure amie. Ses frères étaient aimables et dévoués. Ses parents étaient affectueux et ils l'encourageaient. Elle participait pleinement à la vie sociale de sa famille et était la tante préférée des enfants de ses frères. Elle était une couturière exceptionnelle et une virtuose de la broderie sur satin. Elle jouait du pianoforte et chantait. Elle lisait des livres écrits en anglais ou en français et savait dessiner.

En secret, elle écrivait aussi des histoires qu'elle ne faisait lire qu'à sa famille ; une vieille porte grinçante la prévenait de l'approche des domestiques ou des visiteurs. Dans un monde où les hommes éprouvaient de la répugnance pour les femmes trop intelligentes, personne ne savait à quel point Jane Austen pouvait l'être !

À la fin de son adolescence, Jane était une candidate potentielle pour le marché du mariage, en tant que fille bien élevée et accomplie d'une famille distinguée. Dotée d'un bon naturel, elle était également très jolie : une jeune femme fit la remarque qu'« elle et sa sœur sont deux des plus jolies filles d'Angleterre[1] ».

Jane était particulièrement férue de danse, un art dans lequel elle excellait, suivant le souvenir d'Henry, son frère préféré. Dans le cercle social d'une famille où les contraintes financières des parents ne leur permettaient pas de lancer leurs filles comme débutantes, les rencontres sociales fréquentes étaient un lieu propice à la recherche d'un mari. La danse était souvent de la partie, ou bien sous forme de gigue impromptue après un souper de fête, ou bien lors de bals dans les salles de réunion locales. Comme le remarque un personnage de *Pride and Prejudice* [*Orgueil et Préjugés*], « l'amour de la danse conduit immanquablement à tomber amoureux ».

C'est ce qui arriva à Jane, qui se rendait souvent aux danses du jeudi soir en compagnie de ses parents. Au cours des fêtes de fin d'année de 1795, elle connut une brève histoire d'amour avec Tom Lefroy, un neveu de son voisin en visite chez son oncle avant de se rendre à Londres pour y étudier le droit. L'excitation de Jane à propos de leur relation filtre dans ses lettres à Cassandra : « J'ai presque peur de te dire ce que mon ami irlandais et moi avons fait. Tu peux imaginer tout ce qu'il peut y avoir de plus dévergondé et choquant dans la manière de danser et de s'asseoir ensemble », s'exclame-t-elle dans une de ses lettres[2].

La joie qu'ils avaient à être ensemble ne devait pas durer longtemps. Remarquant l'intensification de leur relation, la famille de Tom s'empressa de l'expédier ailleurs avant qu'il ne lui arrive malheur. Les Lefroy avaient le plus grand respect pour le lignage de Jane et pour sa belle personnalité, mais il y avait d'autres considérations plus importantes. Tom n'avait pas d'argent personnel et il dépendait d'un grand-oncle qui finançait ses études et qui, plus tard, l'aiderait à entreprendre une carrière juridique. Comment aurait-il pu marier Jane, qui n'avait ni dot ni perspective d'héritage? Jane n'a pas laissé de notes nous permettant de savoir si elle a souffert ou si elle a été déçue du départ de Tom. Sa biographe Deidre Le Faye pense que ses sentiments devaient «osciller entre l'amusement flatté et l'appréhension devant la perspective excitante d'un engagement romantique[3]».

Elle eut ensuite une deuxième «histoire d'amour avortée» avec un homme qui était, selon Cassandra, tellement charmant, tellement beau et tellement élégant que si jamais un homme pouvait conquérir le cœur de Jane, ce serait lui. Ils firent connaissance dans une région de villégiature située près de la mer; quelque temps avant son départ, il lui dit qu'ils se reverraient bientôt. Mais peu après, les sœurs de Jane apprirent qu'il était mort subitement. Son neveu écrivit: «Je crois que si jamais Jane a été amoureuse, ce fut de ce gentleman inconnu[4].»

Les années passèrent, plaisantes et fructueuses, mais Jane ne pouvait jamais oublier que son célibat représentait un fardeau financier pour sa famille. Elle écrivit une chanson où elle se moquait gentiment d'une Maria pleine d'humour, belle et grande, «un joli cœur d'un certain âge», qui «après avoir vainement dansé à plusieurs bals» et «n'ayant presque plus rien à miser pour trouver un mari», épousa «un monsieur Wake dont on pouvait penser qu'elle ne l'aurait probablement pas accepté lorsqu'elle était plus jeune». Plus sérieusement, Jane avertit sa nièce que «les femmes célibataires ont une fâcheuse tendance à être pauvres — ce qui est un argument de poids en faveur de l'union matrimoniale[5]».

Jane se plia à cet argument... pendant vingt-quatre heures. En décembre 1802, Harris Bigg-Wither la demanda en mariage et, bien qu'elle ne l'aimât point, elle accepta sa proposition. Harris était un ami de la famille qu'elle connaissait depuis l'enfance, «un homme corpulent, pas très beau, qui parlait peu et bégayait lorsqu'il essayait de parler, qui se montrait agressif dans les conversations et qui manquait presque complètement de tact». Par contre, il devait hériter d'un vaste domaine patrimonial; si Jane avait été sa femme, elle aurait pu procurer une vie confortable à ses parents, fournir une demeure permanente à sa sœur Cassandra, qui était encore célibataire, et elle aurait même pu aider ses frères. Mais une journée après avoir accepté sa proposition, elle revint sur sa décision, *parce qu'*elle ne l'aimait pas, justement. Elle ne regretta pas son choix, et, des années plus tard, elle supplia sa nièce, qui avait reçu une proposition de mariage, de « ne pas s'engager plus loin et de ne pas penser à l'accepter à moins d'aimer vraiment cet homme. Tout vaut mieux, ou il n'y a rien de pire à endurer, qu'un mariage dépourvu d'affection[6]. »

L'époque où l'amour était mal vu

De tout temps, l'amour passionnel a pu surgir, même dans des mariages conclus dans les conditions les plus pragmatiques. Pourtant, lorsque tel était le cas, cet amour était dénigré comme peu convenable, assimilé à la concupiscence et considéré comme pouvant corrompre un bon mariage. « Rien n'est plus impur que d'aimer sa femme comme si elle était une maîtresse », tonnait le penseur romain Sénèque. À Rome, en 184 avant Jésus-Christ, le politicien, général et écrivain Caton expulsa du Sénat un sénateur qui avait eu l'audace d'embrasser sa femme en plein jour, devant leur fille.

Loin de remettre en question la perception que l'amour est synonyme de concupiscence, les théologiens chrétiens la renforcèrent en enseignant que les femmes étaient par nature des séductrices lascives et volages. Pour saint Jérôme, qui lutta énergiquement contre la tentation, les femmes étaient sexuellement insatiables ; il soutenait que si on succombe à leur désir, « il prend feu [...] débilite l'intelligence de l'homme et absorbe toute pensée qui ne nourrit pas la passion qu'il alimente[7] ».

L'introduction par l'Église du consentement mutuel comme trait caractéristique du mariage ne réussit pas à changer la perception de l'« amour », vu comme une sensation ravageuse ou un sentiment destructeur ne pouvant servir de base à l'union matrimoniale. La cause de l'amour ne fut pas aidée non plus par la peste noire de 1348, qui n'entama pas beaucoup le droit des parents de décider du mariage de leurs enfants, même si elle mina le fondement de la société féodale en faisant un très grand nombre de victimes. Tant que la propriété et les considérations financières restaient primordiales, elles ne pouvaient que l'emporter sur l'impératif de l'amour comme fondement du mariage. Comme l'a dit l'historien Brent Shaw, « l'institution du mariage était inextricablement liée au vocabulaire de la propriété, à des mots qui n'étaient pas uniquement des métaphores fortuites[8] ».

Par exemple, on parlait des femmes comme de «biens personnels» et les mariages étaient des «contrats». L'historienne Amanda Vickery ajoute: «L'épaisseur du registre des loyers d'un homme était l'aphrodisiaque ultime[9].»

Le statut subordonné des femmes explique en grande partie le temps que le mariage a mis avant de se définir comme une union fondée sur l'amour. Tant que les hommes contrôlaient les biens familiaux, y compris les économies de leur femme, tant que les femmes n'avaient aucun statut juridique indépendant de celui de leur mari, tant que la *couverture* (ou protection) juridique ensevelissait les femmes sous l'identité de leurs maris, tant que les maris s'engageaient à protéger et à supporter leur femme et que les femmes s'engageaient à obéir à leur mari, le mariage pragmatique éclipsa le mariage enraciné dans l'amour. «Le corps du mariage devait reposer sur son squelette économique aussi bien que sur la fidélité sexuelle», écrit la juriste Nancy Cott[10].

Les gens moins riches pensaient la même chose du mariage. Dans la France de 1700, par exemple, le prieur de Sennely-en-Sologne écrivait que ses paroissiens «se marient par intérêt financier plutôt que pour suivre une inclination quelconque. Lorsqu'ils se mettent en quête d'une épouse, la plupart d'entre eux demandent seulement à combien de moutons s'élèvera sa contribution au mariage. Les femmes et les filles qui ont perdu leur virginité ne sont pas exclues de la recherche. Tous les jours, on voit un homme prendre une femme misérable, mise enceinte par quelqu'un d'autre, et l'homme est prêt à adopter l'enfant en échange d'une somme modeste[11].»

Ce qui protégeait également le mariage des ravages de l'amour était le fait notoire que les maîtresses, avec lesquelles les maris *pouvaient* avoir une relation passionnée qui aurait été considérée comme inconvenante à l'intérieur du mariage, avaient très peu ou pas du tout de droits. En règle générale, leurs enfants restaient illégitimes, traités en bâtards par une société soucieuse de protéger le mariage de l'érosion interne que l'amour pouvait inspirer. Ce qui n'aidait pas les choses était que, en dépit des spectaculaires efforts d'Henri VIII, il était pratiquement impossible de changer d'épouse ou de se débarrasser de sa femme en divorçant. Avec leurs maîtresses, les hommes pouvaient se laisser aller à la passion érotique sans que leur mariage ou la position sociale de leur femme légitime en souffrît trop.

Au xvie siècle, la Réforme protestante ainsi que la Contre-réforme catholique instituée en réponse à la première amenèrent des changements radicaux dans le mariage. Les nouvelles confessions religieuses réformées rejetèrent la doctrine catholique romaine, en vigueur depuis longtemps, de la supériorité du mode de vie célibataire. Après des années d'interdiction du mariage des prêtres, elles permirent à leurs pasteurs de se marier. Ce changement spectaculaire survenait après des centaines d'années où les nombreuses conjointes de prêtres avaient vécu comme des concubines de bas étage et élevé des enfants stigmatisés comme bâtards. Le plus célèbre religieux à se marier fut l'ancien moine Martin Luther, qui, en 1525, à l'âge de quarante-deux ans, épousa Catherine de Bore, une ancienne religieuse de vingt-six ans qu'il aida à s'échapper d'un couvent cistercien en la dissimulant, avec onze de ses consœurs, dans une voiture transportant des harengs. Un des étudiants de Martin ironisa : « Un chariot rempli de vestales vient tout juste d'arriver en ville, toutes plus soucieuses du mariage que de la vie. Que Dieu leur accorde des époux ou ça ira mal[12]. »

Le mariage de Luther légitima le mariage clérical comme jamais auparavant. Mais il ne commença pas comme un mariage d'amour. Étant une ancienne religieuse, Catherine avait un triple choix : retourner au couvent dont elle s'était enfuie, retourner dans sa famille ou se marier. Voulant à tout prix éviter la première option et peu encline à revenir auprès d'un père qui l'avait envoyée vivre dans un pensionnat pour la mettre ensuite au couvent, et qui, de surcroît, s'était remarié un an après la mort de sa mère, elle décida de se marier. Elle tomba amoureuse de Hieronymus Baumgartner, mais la famille noble et conservatrice de ce dernier refusa qu'il épouse une ancienne religieuse et le fiança à une autre femme. Par la suite, Catherine implora Luther, qui s'activait à trouver des maris pour les religieuses qu'il avait encouragées à abandonner leur cloître, de ne pas la marier à l'homme qu'il avait trouvé pour elle, le chiche (selon elle) pasteur Kaspar Glatz. Elle se disait prête à marier l'ami de Luther, Nicholas von Amsdorf, ou Luther lui-même.

Luther n'avait pas prévu se marier, mais au début de 1525, il surprit un de ses amis en lui annonçant : « Si je peux y parvenir avant de mourir, j'épouserai ma Katie pour contrarier le démon, pour peu que j'entende dire que les paysans continuent de se [rebeller]. » (Il souhaitait aussi satisfaire la volonté de son père, qui craignait l'extinction de sa descendance masculine.) Luther dit plus tard : « Je n'ai jamais aimé ma femme, que je soupçonnais d'être fière (ce qu'elle était), mais Dieu voulait que je prenne en pitié cette pauvre fille abandonnée, et il a fait en sorte que mon mariage fût plutôt heureux[13]. » Le mariage fut célébré lors d'une petite cérémonie privée au domicile de Luther ; il fut si précipité que son proche ami, le théologien Philip Melanchton, s'en plaignit : « De manière inattendue, Luther a épousé Bora, sans même prévenir ses amis. » Deux semaines plus tard, les Luther organisèrent une célébration publique.

Sans début romantique, le mariage de Luther, qui produisit six enfants en bonne santé, évolua vers une relation qui fut immensément satisfaisante : « Je n'échangerais pas ma Katie contre la France ou Venise », confiait Luther à un ami. À un autre, il disait : « Katie, ma chère côte [...] est, grâce à Dieu, gentille, obéissante et accommodante en toute chose, et ce au-delà de mes espérances. Je n'échangerais pas ma pauvreté pour la richesse d'un Crésus. » Catherine lui rendait la pareille, et après la mort de Luther, elle dit à sa belle-sœur : « Je suis en vérité tellement triste de ne pouvoir parler de toute la peine que j'ai à qui que ce soit, je ne sais plus comment je suis ou comment je me sens. Je ne peux ni manger ni boire. Ni encore dormir. Si j'avais possédé puis perdu une principauté ou un empire, je ne me sentirais pas aussi mal que je me suis sentie quand notre Seigneur Dieu m'a repris [...] ce cher et excellent homme[14]. »

Le mariage des Luther avait aussi une puissante dimension érotique que Martin conciliait avec sa conviction que la sexualité dans le mariage était un remède contre un péché plus *grave*, puisque même les époux chrétiens avaient des relations sexuelles comme s'ils étaient prisonniers de crises épileptiques qui les rendaient imperméables à toute pensée ayant Dieu pour objet. Il les enjoignait de ne pas se déshabiller pour ensuite agiter leurs sens, et certainement pas de transformer le « lit sans tache du mariage » en « un tas de fumier et une porcherie, avec des acrobaties ou des positions inhabituelles[15] ». Par ailleurs, il croyait que les femmes avaient autant besoin de satisfaction sexuelle que les hommes, et, dans les derniers mois de sa vie, il regrettait de devoir en priver Catherine du fait qu'il soit devenu impuissant.

Un de leurs étudiants pensionnaires se rappelle que, lors d'un dîner, un invité avait demandé à Catherine si elle aimerait retourner à sa vie de religieuse dans son ancien couvent. « Non! Non! », s'exclama-t-elle. « Et pourquoi pas? » insista l'invité. Martin intervint alors, répondant à la question par une autre question : « Pourquoi, croyez-vous, les femmes n'ont-elles pas choisi la condition de vierge? » La tablée resta silencieuse, et tous ceux qui étaient présents eurent un petit sourire[16]. Pourtant, la grande affection que Luther éprouvait pour Catherine — « mon petit amour », « prédicatrice, brasseuse, jardinière et tout ce qu'elle peut être d'autre » — n'entamait pas sa conviction que le mariage d'amour était dangereux, et que les parents avaient le droit d'empêcher leurs enfants de se marier par amour. Lorsque son propre neveu se fiança sans le consentement de sa famille, Martin promit d'écrire aux parents de la jeune fille pour les rappeler à l'ordre. En même temps, il dénonçait la coutume voulant que les parents forcent leurs rejetons à accepter des mariages arrangés avec des personnes qu'ils n'aimaient aucunement.

L'accent mis sur ce que Luther appelait l'amour nuptial — qui survient après le mariage plutôt qu'avant ce dernier — et sur l'autorité des parents relativement aux mariages de leurs enfants — persistait en Europe de l'Ouest aussi bien qu'en Amérique du Nord. Les sermons décrivaient l'amour entre mari et femme dans des termes qui seraient associés de nos jours à l'affection ou à une grande tendresse. « Les gens valorisaient l'amour pour autant qu'il avait une fin légitime, écrit Stephanie Coontz. Mais il est étonnant de voir à quel point beaucoup de gens le considéraient encore comme un terrible inconvénient[17]. »

Pour commencer, l'amour pouvait compromettre l'équilibre du pouvoir entre les époux, en affaiblissant les maris souffrant du mal d'amour et en donnant un mauvais exemple aux autres maris. L'amour avait peu de place dans une institution où les femmes qui se querellaient avec leurs maris dévoyés étaient fustigées comme provocatrices plutôt que prises en pitié comme victimes. Pour certains maris, le donjuanisme était un mode de vie et les femmes raisonnables savaient qu'elles n'avaient pas d'autre choix que de l'accepter. Le même argument valait pour les femmes battues. Elles étaient censées accepter le droit, voire le devoir de leur mari de les « corriger », tant qu'il n'en résultait pas pour elles une mutilation ou la mort. L'historienne

Amanda Vickery écrit : « On peut entrevoir le potentiel de violence et de cruauté du mariage à la lecture des plaintes de la minorité d'affligées qui demandèrent réparation auprès des tribunaux ecclésiastiques, et des dépositions recueillies lorsque des hommes de la noblesse poursuivaient les amants de leurs femmes dans le but d'obtenir une compensation financière[18]. »

La croissance de l'amour

Au XVIIe siècle, quelques dizaines d'années après qu'Elizabeth Ire eut déclaré : « L'affection est un faux sentiment ! », l'amour — ou l'affection — fut considéré comme une composante essentielle du mariage ; on conseillait alors aux maris et aux femmes de « s'aimer mutuellement ». La plupart des couples de la haute société ignoraient ce conseil ; pour eux, les considérations dynastiques continuaient de prévaloir dans le choix d'un conjoint. Sir Edward Coke, juriste de renom, en fit la preuve lorsqu'il attacha sa fille à une colonne de lit et la battit jusqu'à ce qu'elle consente à marier l'homme qu'il avait choisi pour elle. Quant aux gens de la petite noblesse ou de la classe moyenne, ils commencèrent à accorder un plus grand rôle à l'inclination personnelle ou à l'amour.

En Nouvelle-France, le voyageur suédois Pehr Kalm était surpris d'entendre les jeunes filles égayer leurs tâches ménagères avec des chansons qui répétaient à l'envi les mots *amour* ou *cœur*[19]. Les *Filles du roi*, ces exilées, reluquaient aussi vers l'*amour*, mais elles avaient été recrutées pour un mariage expéditif ; du reste, leurs futurs maris avaient été prévenus que « tous les compagnons volontaires et tous ceux qui ont l'âge requis pour se marier [devaient] être mariés quinze jours après l'arrivée des *Filles*, sous peine d'être privés de tous leurs droits de pêche, de chasse et de commerce avec les Indiens[20] ». Mais les *Filles* ne répondirent pas à l'impatience des officiels en se précipitant dans le mariage ; comme le montre l'examen de leurs contrats de mariage par l'historien Yves Landry, elles se marièrent en moyenne dans les cinq mois suivant leur arrivée et non dans les quinze jours prescrits.

Après leur arrivée en Nouvelle-France, les Filles du Roi étaient dirigées vers des couvents où des religieuses les surveillaient. Peu après, les officiers supérieurs de la colonie et les femmes de la société organisaient une cérémonie où les *Filles* rencontraient les hommes célibataires. La mère supérieure des Ursulines, Marie de l'Incarnation, approuva la manière dont les *Filles* évaluèrent les hommes, qui avaient au moins dix ans de plus qu'elles. Leur premier souci était de savoir si l'homme possédait un endroit où vivre ; « elles agissaient sagement, car les hommes qui n'étaient pas établis devaient affronter beaucoup de souffrances avant de pouvoir jouir d'une vie confortable[21] ». Mais les *Filles* tenaient également compte de leur attirance pour les hommes ; en réalité, plusieurs d'entre elles résilièrent des engagements pris trop rapidement sous prétexte qu'« il n'y [avait] plus d'affection entre eux », puis se fiancèrent à un autre homme. Quelques-unes changèrent d'idée plus d'une fois, reniant le nouvel accord pour marier plus tard quelqu'un d'autre[22]. Il faut dire aussi qu'elles ne suivaient l'inclination de leur cœur que si l'homme était satisfaisant sous les autres rapports.

Au cours du siècle suivant, les philosophes du siècle des Lumières étudièrent le mariage en utilisant le filtre de la raison ainsi que le principe nouveau et passionnant de la poursuite du bonheur. Leurs idées, qui pénétraient peu à peu la conscience populaire, venaient adoucir les anciennes perceptions rigides concernant le rôle de l'amour. Dans la France des années 1770, les couples mal assortis appliquèrent la théorie à leur réalité personnelle : la proportion de ceux qui demandaient l'annulation de leur mariage en prétextant l'absence d'amour dans leur couple passa en quelques décennies de moins de 10 % à plus de 40 %. En Angleterre, l'amour gagna du terrain en tant que caractéristique légitime du mariage. Par exemple, Thomas Blundell assura sa fille Molly qu'« il ne la force[rait] pas à se marier, et encore moins à épouser quelqu'un qu'elle n'aimerait pas, la condamnant à être misérable tout au long de sa vie [...]. Tout ce que je demande est qu'il soit un gentilhomme ayant du bien, un homme de bon caractère et catholique[23] ».

Néanmoins, pendant une bonne partie du XVIIIe siècle, il y eut une forte résistance contre l'importance accrue qu'on voulait donner à l'amour. Les remarques caustiques de la jeune aristocrate française Geneviève de Malboissière à son amie Adélaïde Méliand reflètent la subtilité de l'interprétation de la place appropriée de l'amour à l'intérieur comme à l'extérieur du mariage. « Imagine, écrit-elle, Monsieur de Lavigny est encore amoureux avec sa femme. Quelle passion durable après dix mois de mariage et de vie commune ! Ils seront un exemple pour la postérité[24]. »

Quant à Elizabeth Parker, une dame de la noblesse anglaise, elle était déchirée entre son désir d'épouser l'homme sans argent qu'elle aimait et son devoir d'obéissance envers ses parents, qui s'opposaient à ce mariage. « Chaque parent, disait son amoureux, l'air songeur, prend le plus grand soin de marier son enfant là où se trouve l'argent, sans prendre en considération l'inclination qui est [la] seule défense du bonheur[25]. » Il en coûta à Elizabeth sept années de stratégies et de souffrances pour réussir à obtenir que son père consente à son mariage.

D'autres femmes luttaient âprement pour éviter d'épouser des hommes qu'elles n'aimaient pas ou qui leur répugnaient. Frances Burney pleura amèrement, arrêta de manger et supplia son père à genoux de lui permettre de vivre avec lui plutôt que de la marier à l'homme répugnant (selon elle) qu'il avait choisi pour elle. Sa famille finit par capituler. Plus tard, Frances tomba amoureuse d'un émigré français très pauvre, qu'elle épousa, et elle échappa à la misère avec ce que lui rapporta la publication de son roman *Camilla, or a Picture of Youth* [*Camille, ou un portrait de jeunesse*], traitant d'amour frustré et d'appauvrissement.

Toujours en Angleterre, le mariage conventionnel d'Anne et William Gossip avait réuni les fortunes de leurs familles, mais il leur inspira aussi un amour profond qui se maintint leur vie durant. Après vingt-six ans de mariage, Anne écrivit à William : « Toi que j'aime mille [fois] plus que moi-même ou que toute autre chose au monde. » Quant à William, il lui répondit ceci : « Mon cœur s'ouvrira de lui-même devant l'objet de son désir[26]. » Toutefois, lorsque leur fils et héritier, George, épousa secrètement une femme jolie, mais de classe sociale inférieure, William le déshérita. L'amour était très bien, mais seulement dans le cadre d'une union convenable. Comme l'écrit l'historienne Amanda Vickery, « l'affection mutuelle couronnant un mariage avantageux était une bénédiction qu'on accueillait avec bonheur, mais la passion immodérée conduisant les couples à ne faire aucun cas des autres critères était considérée comme de la quasi-folie[27] ».

Au fur et à mesure que le XVIIIᵉ siècle s'écoulait, l'idée de se marier par amour fit son chemin dans la pensée populaire, même si l'amour en question n'était pas tant une passion qu'une solide affection et une camaraderie qui nourriraient des émotions positives et feraient cesser la méchanceté et la violence qui perturbaient tant de mariages. Comme l'écrit Stephanie Coontz, « la mesure d'un mariage réussi ne dépendait plus de l'importance de l'entente financière en jeu, du nombre de nouvelles relations acquises grâce à la belle-famille ou du nombre d'enfants engendrés, mais la question était de savoir jusqu'à quel point une famille répondait aux besoins affectifs de ses membres[28] ».

La réciprocité et l'empathie devenaient de nouvelles normes. Cependant, comme les épouses restaient financièrement et juridiquement dépendantes de leurs maris, l'idée que l'amour était la chose la plus importante dans le mariage était quelque peu étouffée par d'autres considérations. Ainsi, en 1811, dans *Raison et sentiments*, un roman de Jane Austen, Marianne Dashwood, une adolescente peu fortunée, la plus jeune de trois sœurs, ne peut s'imaginer épouser un homme ayant un « revenu » inférieur à 2 000 £ par année, afin de pouvoir soutenir un « effectif convenable de domestiques, une calèche ou deux et des chiens de chasse ».

Les hommes étaient également animés par ce genre de considérations. George Du Maurier, un artiste et écrivain sans argent, était l'exemple d'un homme de la classe moyenne empêché de se marier. Au début des années 1860, Du Maurier mit fin à ses fréquentations avec la très convenable Emma Wightwick au moment où l'entreprise familiale de cette dernière s'écroula. Toutefois, comme il l'adorait, il se remit bientôt à la courtiser. Ils se fiancèrent et décidèrent de se marier le jour où il aurait réussi à amasser 1 000 £. Comme le temps passait, il réalisa l'impossibilité d'amasser une telle somme. Sa santé et son équilibre mental en souffrirent. Sa mère lui conseilla de prendre une maîtresse pour calmer son anxiété, mais George refusa, disant qu'il considérait « toutes les femmes sauf une comme des gorilles[29] ». Le père d'Emma sauva la situation en ramenant le montant à 200 £. Grâce à cette réduction, George retrouva la santé et finit par épouser Emma.

Tant que les dots, les considérations financières et sociales ainsi que le consentement parental dominèrent le processus matrimonial, le mariage d'amour évolua plutôt comme un idéal littéraire que comme une réalité. Alice Catherine Miles, qui se montra entreprenante dans sa recherche d'un mari, comme nous l'avons vu au chapitre 2, avait l'attitude typique de la classe privilégiée anglaise de son époque. Tout en essayant de tirer leur épingle du jeu dans le marché du mariage, Alice et ses amies découvraient l'amour et en discutaient librement. «L'amour dans une maison simple, envahie par les roses, est une très belle chose en théorie, écrit Alice, mais tu peux être sûre d'une chose, l'amour dans un palais est encore plus amusant. [...] L'amour est une chose charmante en elle-même, qui donne certainement à la vie une saveur délicate et insurpassable, mais comme dans le cas d'une sauce finement préparée, tu dois également avoir tous les autres ingrédients sous la main. Autrement, tu cours à l'échec.» À sa chère amie Aggie, Alice écrit ceci: «Certaines amours doivent pouvoir entrer dans un poudrier, mais comme le levain des Écritures, il suffit d'une petite quantité pour faire lever toute la pâte.» Lorsqu'Edith Wood, qu'on disait «extrêmement» jolie, accepta un mariage sans amour avec «un vieux bouseux de l'Essex ayant entre 45 et 50 ans, mais possédant une ravissante propriété libre de toute charge ainsi qu'un revenu annuel de 12 000 £», Alice fut ravie pour son amie[30]. De son point de vue, un revenu annuel de 12 000 £ était une carte maîtresse qui l'emportait quotidiennement sur l'amour.

Chez les Nord-Américains de la classe bourgeoise et des classes supérieures, l'argent, les propriétés et les attentes financières étaient tout aussi prioritaires, mais une culture des relations sociales prudentes et d'attentes communes donna à l'amour une plus grande place dans l'organisation des mariages. La routine de la vie familiale laissait place à des relations sociales intenses — visites, thés, dîners, danses, cueillette de petits fruits, pique-niques, promenades en traîneau, réunions à l'église, activités bénévoles — qui s'inscrivaient toutes dans un réseau social hautement policé de parents, amis et connaissances.

Rares étaient les personnes extérieures au groupe qui pouvaient franchir ces barrières invisibles, solidement cimentées par la préoccupation commune d'assurer la sécurité de ceux qui étaient à l'intérieur du périmètre, particulièrement les jeunes gens ayant l'âge des fréquentations. Dans un cercle de jeunes mutuellement compatibles, qui se rencontraient presque toujours en groupe, les couples badinaient et développaient des amitiés particulières sans avoir besoin d'être étroitement surveillés par les parents. Les jeunes n'étaient pas pressés, préférant laisser à l'amour le temps de s'enraciner avant de prendre la décision de s'engager sérieusement avec quelqu'un.

En Virginie, par exemple, Elizabeth Gamble rejeta la première proposition de William Wirt (« j'ai attaqué et j'ai été terrassé [...]. Pauvre de moi ! » confiait le soupirant éconduit à un ami), puis sa deuxième (cette fois, « si gentiment, si doucement, de manière angélique ») et sa troisième proposition, jusqu'à ce qu'elle finisse par admettre qu'il avait une place « très profonde dans le secret de son cœur » et qu'elle accepte de s'unir à lui[31]. Dans le Haut-Canada, Mary Gapper ne consentit à épouser Edward O'Brien qu'après avoir réalisé qu'elle gagnerait à « posséder un cœur capable de partager toutes mes intentions et mes sentiments, et qui éprouve pour moi une affection qui colle tellement à mon humeur que j'imagine parfois que c'est moi qui la commande[32] ». Le système fonctionnait tellement bien que la plupart trouvaient un époux ou une épouse dans leur propre communauté et dans leur confession religieuse. Les autres allaient jeter leurs filets plus loin ou ne se mariaient jamais.

En Amérique du Sud, notamment, l'amour romantique était considéré comme le cordage de sécurité d'une vie convenable, une assurance que, dans une société patriarcale où la condition d'épouse place normalement la femme dans une situation vulnérable, cette dernière serait traitée avec respect par un mari aimant. Cette perception du rôle de l'amour était si claire dans l'esprit des gens que plusieurs femmes refusaient de se marier si elles n'étaient pas certaines que l'homme qui leur demandait la main était motivé par l'amour qu'il éprouvait envers elles. « Je vois tellement de couples mal assortis que j'en suis presque découragée », écrivait une jeune femme. Une autre constatait qu'en se mariant, son amie avait « pris une décision irrévocable, qui scelle son avenir. Son bonheur est désormais entre d'autres mains[33]. »

Une jeune femme belle et intelligente, désignée sous le nom de « Mademoiselle Toombs », courtisée et aimée par de nombreux soupirants, conçut une stratégie qui devait lui permettre de prendre la mesure de ses propres sentiments. « Ainsi, lorsqu'ils seraient assis tous deux près du luminaire, elle regarderait son soupirant en se questionnant intérieurement : "Serais-je prête à passer pour toujours les longues soirées d'hiver à réparer tes vieilles chaussettes après m'être assise ici ? " Jamais, répondait l'écho. Non, non, mille fois non ! Et c'est ainsi que chaque soupirant devait céder la place au suivant[34]. »

Lorsque l'amour et l'argent n'étaient pas tous deux au rendez-vous, les parents exprimaient leur conviction que les ressources financières étaient primordiales. Parfois, il arrivait que leurs rejetons se rebellent. En 1817, à Montréal, Cécile Pasteur déplut à sa mère et à son frère en « congédiant » un soupirant très riche, mais qu'elle n'aimait pas. « Je ne donnerai jamais ma main sans donner mon cœur », déclara-t-elle[35]. Au Texas, Lizzie Scott brava ses parents en épousant Will Neblett, qui était sans le sou.

D'autres acceptaient des mariages sans amour mais qui leur apportaient une sécurité financière. Après qu'une de ses amies eut fait un tel mariage, Mary Hallen, résidente du Haut-Canada, se lamenta : « Je ne peux rien imaginer de plus épouvantable. Mais les goûts des gens ne sont pas tous les mêmes, et j'ai entendu dire que ce genre de mariage peut s'avérer plus heureux qu'un mariage d'amour. Cependant, je ne peux le concevoir, et je pense que l'expérience est beaucoup trop lourde de conséquences pour être tentée[36]. » La sudiste Marry Shannon déplorait le mariage sans amour d'une certaine demoiselle Georgiana à un monsieur Brown, « ou plutôt à ses sacs à argent ». Une autre jeune femme se jurait que « l'adversité ne [la] pousse[rait] pas à [se] marier pour plaire à Mammon[37] ». Les femmes qui estimaient que l'amour était un outil essentiel pour renforcer leur pouvoir dans une relation où l'équilibre des forces était intrinsèquement à l'avantage des hommes luttaient de toutes leurs forces pour repérer cet amour et le nourrir chez leurs maris potentiels. Les romans d'amour contribuaient aussi à leur communiquer l'idée que l'amour grandissait alors qu'un mariage sans amour était avilissant.

L'amour dans l'aristocratie et la haute bourgeoisie

Aucune difficulté financière ne menaçait l'Américaine Mary Westcott et le Canadien français Amédée Papineau, lorsqu'ils tombèrent amoureux l'un de l'autre, mais leur allégeance religieuse — elle était presbytérienne et lui catholique — menaçait de les séparer. Des années passèrent avant leur mariage. L'histoire de leurs fréquentations extrêmement compliquées illustre bien les valeurs sous-jacentes du système, et la manière dont elles servaient les intérêts des classes supérieures des deux pays. Le dénominateur commun était le statut social et la richesse qui en était l'âme.

Séduisante et cultivée, Mary Eleanor Westcott était la fille unique de James Westcott, veuf et commerçant résidant à Saratoga Springs, dans l'État de New York, et de sa seconde épouse, Mary. Quant à Louis-Joseph Amédée Papineau, il était le fils aîné de Louis-Joseph Papineau, avocat, dirigeant politique et seigneur, dont les conceptions économiques et sociales conservatrices et patriciennes entraient en conflit avec son républicanisme anti-impérialiste et son anticléricalisme virulent. Après la défaite militaire des Patriotes en 1837, Papineau s'enfuit à Saratoga Springs, où le rejoignit son fils Amédée, étudiant en droit, qui était aussi recherché par les autorités pour sa participation à la rébellion. Amédée, qui parlait couramment l'anglais, reprit ses études de droit et gagna sa vie en enseignant le français à la Wayland Academie, une école pour jeunes filles.

Durant les deux années qui suivirent, Amédée évolua dans le même cercle social que Mary. Il entretint une amitié avec la famille de cette dernière, qui justifia sa présence aux funérailles du jeune frère de Mary, décédé à l'âge de douze ans. Mais ce n'est que le 1er décembre 1840, au moment où il devait partir pour la France rejoindre sa famille qui s'était établie sur le continent, qu'Amédée réalisa qu'il était amoureux de Mary. Il avait vingt-deux ans et elle dix-neuf. Après des adieux déchirants, le jeune couple se contenta de s'écrire de longues lettres et de s'envoyer des coupures de journaux jusqu'au moment où Amédée retourna à Saratoga, en juin 1843. Avant son retour, Mary lui communiqua son sentiment pour lui, et il s'en réjouit en écrivant dans son journal intime: «Oh! Quel homme heureux je suis[38]!»

Mais leurs retrouvailles à Saratoga furent de courte durée, et particulièrement difficiles après que James Westcott eut appris la nouvelle de leur relation. La principale peur de Westcott, partagée par sa femme, était qu'en épousant Amédée, Mary fût contrainte d'abandonner sa foi et sa pratique presbytérienne, qui seraient ridiculisées par les Papineau, des catholiques. De plus, il était très peu disposé à voir partir sa fille pour Montréal, elle dont il se sentait si proche, surtout après la perte de son fils. Il n'ordonna pas aux amoureux de cesser toute relation, mais il décréta qu'ils devraient mettre leur amour à l'épreuve et attendre encore cinq années, durant lesquelles ils ne devraient correspondre ensemble que de manière occasionnelle. Mary fit don à Amédée d'une boucle de cheveux et lui promit qu'elle l'aimerait éternellement. Elle l'avertit aussi qu'elle ne lui pardonnerait aucune infidélité. « Mon âme est tellement triste », se lamentait Amédée. Dans un poème intitulé « Adieu Mary W. », il écrivit : « Je dois chercher mon lot sur une autre terre,/ Et m'évertuer, chère Mary, à ne pas t'aimer[39]. »

De retour au Bas-Canada, où on lui avait pardonné son passé politique, Amédée travailla comme protonotaire à la Cour du banc de la reine de Montréal[40]. Se pliant au commandement de James Westcott, il se contenta d'une rare correspondance avec Mary, canalisant son désir vers la poésie. De son côté, Mary était si déchirée qu'elle pensa rompre avec lui, surtout en raison de leurs confessions religieuses divergentes. Elle se demanda si elle l'aimait vraiment, décida que oui, tout en se tourmentant pour la peine que son mariage avec un étranger catholique ne manquerait pas de causer à ses parents. Finalement, avec l'assentiment de son père, qu'il lui donna à contrecœur, elle s'engagea à épouser Amédée. « Ainsi, ma chère enfant, lui écrivit sa belle-mère,

> tu as franchi l'étape la plus importante dans la vie d'une femme ; je pense qu'il est un des hommes les plus désirables que j'ai rencontrés depuis de nombreuses années ; comme homme et comme gentilhomme, il atteint très exactement ma cible [...] ; en fait, s'il avait été mon propre fils, je ne sais pas ce que j'aurais pu souhaiter d'autre pour lui que ce qu'il semble être, *sauf pour ce qui est de sa religion* [...]. Je pense que son éducation et ses connaissances sont supérieures ; mon souhait et désir le plus sincère est que tu sois heureuse [...]. Tu dois essayer de t'établir fermement dans ta foi protestante ; étudie-la de près, car tu auras besoin de solides remparts pour te protéger de leurs incursions. [...] Madame P. a un frère qui est prêtre. Ils sont tellement furtifs et astucieux, ils ne reculent devant rien pour gagner un prosélyte — c'est ce que j'ai dit à Monsieur P. Ta famille et tes amis considéreront Mary comme une hérétique ; comment nous sentirons-nous, crois-tu ? [...] il a dit : vous vous trompez grandement, mes parents sont très libéraux, ils ne sauraient avoir de tels sentiments, ni aucun autre membre de ma famille[41].

La lettre de la belle-mère de Mary nous aide énormément à comprendre pourquoi cette dernière a tellement lutté contre ses sentiments.

Dans une lettre à Amédée, elle le supplie de la comprendre et d'essayer de lui communiquer quelque chose de son expérience.

> Je n'étais l'objet, il est vrai, d'aucune influence ouverte, bien que je ressentisse toujours les effets d'une influence plus puissante et plus dangereuse, sans cesse tiraillée entre mes sentiments personnels et mon devoir filial [...] je n'osai examiner ma conscience; pendant des mois, je ne pus communier avec mon esprit. Peut-être ne me comprenez-vous pas? Je crois que quiconque n'a pas traversé cette épreuve ne peut prétendre me comprendre. Je vous écrivis que je devais dévoiler sur-le-champ à mes parents mes sentiments, etc., mais [...] je ne pouvais me résoudre à prononcer les mots qui éveilleraient le lion dans le cœur de ceux qui m'aiment[42].

Comme si les suspicions profondément enracinées de sa belle-mère envers le prosélytisme des prêtres catholiques et son évidente ignorance de l'anticléricalisme des Papineau n'étaient pas des obstacles suffisants, le père de Mary sortait le grand jeu dans sa campagne incessante de chantage émotionnel. Quand, après des années d'attente sur des charbons ardents, Amédée proposa que le mariage ait lieu sans tarder, Westcott refusa tout net. « Le contenu [de votre lettre] provoque chez moi une foule d'émotions douloureuses. Quel qu'en soit le moment, me séparer de ma fille me briserait le cœur, mais la date que vous mentionnez, tellement rapprochée, je ne peux même pas l'envisager. » Et il ajoutait : « Mary est le seul enfant qui me reste. Je dois, pour une fois, exercer, résolument, un contrôle qui bientôt, ne sera plus mien[43]. » Lorsqu'Amédée — poussé par la jalousie ou la mauvaise humeur — demanda à Mary si elle l'aimait plus que son père, elle lui fit des reproches : « Si j'avais eu des sœurs, s'il y avait eu quelqu'un qui puisse prendre ma place, j'aurais pu agir de façon courageuse et indépendante, mais ce n'est pas le cas. Vous ne pouvez imaginer à quel point mon père a besoin de moi pour tirer plaisir de la vie quotidienne », lui écrit-elle[44]. Sans surprise, Amédée dut accepter la décision de James Westcott de repousser le mariage d'un an, jusqu'au 20 mai 1846.

Au début du mois de mai, Amédée fit un bref voyage à Saratoga Springs où lui et Mary, escortés de plusieurs amis agissant comme témoins, signèrent un contrat de mariage en vertu duquel chacun des époux conservait ses biens propres. En cas de décès d'un des deux époux, son conjoint recevrait un revenu annuel de 600 $. Peu de temps après, Amédée regagna son emploi à Montréal.

Le 19 mai, Amédée était de retour à Saratoga Springs avec son père et son frère Lactance. La cérémonie de mariage fut on ne peut plus simple. Amédée ayant échoué dans ses efforts pour obtenir de l'évêque de New York une dispense pour un mariage catholique, c'est le révérend A. T. Chester, pasteur presbytérien, qui officia. La cérémonie eut lieu dans le salon de la famille Westcott, et fut bouclée en quinze minutes. On exécuta rapidement les gestes rituels associés au mariage. Amédée offrit un anneau à Mary, et ils unirent leurs mains. Une courte prière suivit l'administration du sacrement, puis les invités commencèrent à fêter les nouveaux mariés. Lactance, qui était le témoin ou garçon d'honneur d'Amédée, distribua des tranches du gâteau de mariage. Mary remit des fleurs aux femmes présentes. Les invités mangèrent, burent, puis firent leurs adieux au nouveau couple et à leurs familles. Le voyage nuptial — qui n'était pas une lune de miel — débuta alors.

Après la cérémonie du mariage, beaucoup de couples se rendaient directement dans leur nouvelle demeure pour y commencer leur vie conjugale. D'autres restaient avec leur parenté ou allaient visiter des amis qui n'avaient pu se rendre à la cérémonie. Ils étaient peu nombreux à choisir la lune de miel, plus intime et offrant la possibilité de se retirer discrètement. L'idée de jeunes mariés voyageant seuls était étrangère à une vision du monde où le mariage ne se contentait pas d'unir deux personnes, mais aussi leurs familles. Par contre, un voyage nuptial permettait au couple de faire l'expérience de la condition maritale et, en même temps, donnait aux autres la possibilité de les percevoir comme un couple marié. Les parents pouvaient forger des relations plus profondes avec le conjoint de leur enfant et avec sa famille. Mary et Amédée, qui avaient à cœur ces valeurs fondamentales, entreprirent joyeusement leur voyage nuptial en compagnie des parents de Mary et du père et du frère d'Amédée.

Le groupe nuptial fit sa tournée, parfois réuni, parfois scindé en petits groupes. Amédée et James Westcott visitèrent des chantiers de construction et eurent des activités commerciales, tandis que Louis-Joseph et Lactance Papineau faisaient un détour par New York. Mary fit un peu de tourisme et de magasinage, parfois en compagnie d'Amédée, parfois avec ses parents. Au cours d'une de ces excursions, son père lui acheta un piano Chickering en bois de rose pour la somme astronomique de 450 $. Le voyage nuptial se termina avec un dîner d'adieu arrosé au champagne sur un bateau à vapeur en route pour Montréal. Puis c'est en essuyant leurs larmes que les Westcott dirent au revoir à leur fille.

Le journal intime d'Amédée dépeint le voyage nuptial comme une série d'excursions touristiques et de rencontres; en dépit de ses aspects poétiques, ce voyage n'avait rien de très romantique à ses yeux. De son côté, Mary, dans les lettres qu'elle écrivit à ses parents, parle de la peine qu'elle a ressentie en les quittant « pour ne plus jamais revenir » plutôt que de sa joie d'épouser celui qu'elle aimait; mais un déjeuner romantique en compagnie des amis d'Amédée à St. John's eut vite fait de sécher ses larmes. Elle se réfugia ensuite dans l'angoisse, vite dissipée, d'avoir à commencer sa nouvelle vie en tant que Mary Papineau.

Ses lettres à ses parents, où elle relatait les plus petits détails de sa vie occupée, les rassurèrent. Comparée à Saratoga Springs, lente et pleine de dignité, Montréal était très impressionnante. Julie Papineau ravit sa nouvelle belle-fille, laquelle parlait un excellent français, en l'accueillant chaleureusement et affectueusement. « Je ne me suis jamais sentie aussi à l'aise dans ma chère maison qu'au sein du cercle familial dont je fais maintenant partie, écrit Mary avec enthousiasme. Chaque chose est si clairement comprise et faite si simplement que l'on se sent immédiatement chez soi[45]. » Une semaine durant, des visiteurs — plus d'une centaine — introduisirent Mary dans le monde des Papineau; puis un bal fut organisé en l'honneur de son mariage. Pour être sûre que Mary brillerait au milieu de la société, Julie lui fit don d'une « splendide robe de soie de brocart »: rehaussée par des bijoux précieux, elle ne pouvait être surpassée par nulle autre. Le mariage de Mary Westcott et d'Amédée débutait ainsi sous les meilleurs auspices; il se poursuivit jusqu'à sa mort en 1890.

D'une certaine façon, le mariage Westcott-Papineau était une histoire d'amour qui s'amorça dans l'incertitude, se développa de manière tortueuse (voire au milieu de « tortures ») et finit par s'imposer comme une union à vie. Il est certain que la relation de Mary et d'Amédée s'appuyait sur la sphère de leur affection mutuelle et de leur attirance sexuelle réciproque. Mais si puissant qu'ait été leur amour, il ne les conduisit au mariage que parce qu'ils venaient tous deux de milieux compatibles. Saratoga Springs était une des agglomérations les plus riches et les plus urbaines de New York, les Westcott faisant partie des citoyens les plus en vue. Les Papineau, grands seigneurs et professionnels de premier plan, étaient non seulement riches, mais socialement et politiquement influents. Les deux familles avaient les mêmes critères sociaux et les mêmes goûts en matière de culture ; ils valorisaient l'éducation, parlaient l'anglais et le français, s'habillaient et décoraient leurs maisons de manière similaire. Ils étaient aussi compatibles du point de vue politique, puisque les républicains ne voyaient aucune contradiction entre leurs principes réformistes et leur mode de vie privilégié.

Mais les différences existaient. Pour les Westcott, le catholicisme d'Amédée était une gigantesque pierre d'achoppement. Pour les Papineau, le fait que Mary soit presbytérienne importait peu, du moins sur le plan théologique, parce que Louis-Joseph avait renoncé au catholicisme dans lequel il était né, même s'il continuait de croire en Dieu. En dépit des peurs de la belle-mère de Mary, les Papineau n'exercèrent aucune forme de prosélytisme ; Amédée et Mary se rendaient aux offices de leurs églises respectives, apparemment sans qu'aucun conflit surgisse. Les autres principales différences concernaient la nationalité et le lieu géographique, mais elles furent facilement surmontées par des séjours longs et fréquents dans la famille. Ainsi, avec la carte de l'amour, les deux jeunes gens fusionnèrent leurs milieux respectifs, lesquels étaient beaucoup plus compatibles que différents. Une fois qu'ils furent mariés, il était de l'intérêt de tous de faire en sorte que la nouvelle alliance fonctionne sans à-coups.

Un mariage confédéré, septembre 1861

Dans le Sud américain sécessionniste, un autre mariage, inspiré lui aussi par l'amour, se forgea dans le milieu traditionnel et le réseau social de la communauté sudiste[46]. Rebecca « Decca » Coles Singleton était une beauté sudiste fiancée à Alexander Cheves Haskell, un soldat chrétien dévoué qui faisait partie du personnel du brigadier-général Maxcy Gregg. Decca et Alex, qui appartenaient tous deux à des familles éminentes, se fréquentèrent en bénéficiant de la sécurité de leur milieu social. Mary Boykin Chesnut, dont le mari, James, était également un brigadier-général confédéré, décrit les progrès de leur amour romantique en temps de guerre : « Decca, écrit-elle, était la pire fille amoureuse qu'elle ait jamais vue ». De son côté, Alex était un soupirant tenace : expédiant lettre après lettre à sa belle, il la suppliait de l'épouser au plus tôt en prétextant, comme le dit Chesnut, le fait qu'« en temps de guerre, les événements humains, particulièrement la vie, sont très incertains ».

Decca pleura des jours durant, puis elle accepta d'épouser Alex sur le champ. Ils firent des plans : la cérémonie de mariage, qui aurait lieu à Charlottesville, en Virginie, serait suivie d'un déjeuner chez le grand-père de Decca, puis d'une « petite tranche de lune de miel » à Richmond. « Le jour arriva, écrit Mary Chesnut. Le repas de mariage était prêt, de même que la future mariée dans sa robe nuptiale, mais pas d'Alex, et pas de garçon d'honneur. Hélas, telle est l'incertitude de la vie de soldat. La future mariée ne dit rien, mais elle pleura comme une Madeleine. »

Alex arriva à l'heure du repas avec son garçon d'honneur et une explication qui sécha les larmes de Decca : des circonstances sur les-quelles il n'avait aucun contrôle l'avaient retardé. Après que les amou-reux furent revenus d'une courte promenade, Decca demanda à Mary Chesnut d'aller quérir le pasteur. « J'ai l'intention de me marier aujourd'hui, dit-elle avec insistance. Alex dit que j'ai promis de l'épouser aujourd'hui. » Mary objecta que la soirée était trop avancée, mais Decca, « ce petit esprit positif », répondit : « Ça ne me dérange pas. J'ai promis à Alex de l'épouser aujourd'hui et je le ferai. Faites venir le révérend Robert Barnwell. » Mary Chesnut capitula, « trouva Robert après mille inconvénients, et la belle, exquise dans sa mousse-line suisse — la même robe qu'elle portait le jour de ses fiançailles — fut mariée ».

Cette nuit-là, Mary Chesnut prêta sa chambre aux nouveaux mariés, afin qu'ils puissent dormir seuls. Le lendemain, à l'aube, ils prirent le train pour aller passer quelques jours à Richmond. « Si bref est le temps qu'on peut allouer à une lune de miel en temps de guerre », écrit Mary.

Un an plus tard, Decca donna naissance à une fille. Quelques jours plus tard, pleurant de chagrin — car elle ne doutait pas qu'Alex fût mort sur le champ de bataille, tout en disant avoir eu « des mois de bonheur » —, elle s'éteignit, pressant contre son cœur plusieurs de ses lettres non décachetées. Elle fut enterrée dans « la petite robe blanche » qu'elle avait portée à l'occasion de ses fiançailles et de son mariage.

L'amour dans la classe ouvrière

Les ruminations d'un vieux fermier qui se maria à trois reprises, la première fois par commodité et les deux autres fois par amour, sont pragmatiques et teintées de cynisme. La première femme de Sam, qui était aussi sa cousine, « n'était pas très jolie, mais elle était bonne, travailleuse [et avait de bonnes perspectives d'héritage]. [...] Elle avait beaucoup d'affection pour moi, et je pensai que je ne pouvais rien faire de mieux que d'en faire ma femme. C'est très bien de se marier par amour [...] quand un gars en a les moyens ; mais un petit capital n'a rien de méprisable ; il contribue grandement à rendre une maison confortable. » Après la mort en couches de sa femme, Sam fut passionnément amoureux. « Il y avait une jolie diablesse de fille dans notre village, mais elle était aussi un peu instable. Quand mes copains s'aperçurent que je lui courais après, ils me dirent — " Sam, tu ferais mieux de conduire tes cochons à un autre marché. La fille a des problèmes du côté des superstructures ". » Mais Sam, qui était « désespérément amoureux », ne tint pas compte de leurs conseils. Trois jours après leur mariage, sa magnifique nouvelle femme se trancha la gorge, préférant « s'enlever la vie plutôt que de vivre confortablement avec moi ». Bien que ce suicide ait terni sa réputation auprès des femmes mariables, Sam se maria à nouveau, par amour, à « une excellente femme[47] ».

Contrairement à Sam, les femmes luttaient contre le nouvel idéal d'une union affective durable. Elinore, une jeune aide domestique, fut abasourdie lorsqu'elle apprit qu'un ancien camarade de travail avait fait publier les bans de leur mariage sans avoir obtenu son consentement. Selon sa patronne, « elle n'éprouvait aucune sorte d'amour pour lui, mais il lui plaisait assez pour qu'elle l'épouse[48] ». Quant à Elinore, qui était courtisée publiquement et d'une manière dramatique, il lui suffit de quelques jours de réflexion pour prendre sa décision. Craignant les commérages que l'impudence de son soupirant pourrait entraîner si elle le repoussait, et impressionnée par sa détermination, elle accepta sa demande en mariage.

Elinore et les autres travailleuses — de même que les hommes qu'elles épousaient, pour la plupart d'entre elles — risquaient gros. À l'image de leurs compatriotes plus privilégiées, elles étaient pleinement conscientes que la société attendait d'elles qu'elles se marient, puisque cette même société était structurée autour des familles mariées. Elles étaient conscientes, aussi, de l'accent mis de plus en plus sur l'amour dans le mariage. Dès lors, il s'agissait pour elles de trouver des partenaires convenables qu'elles aimeraient et qui les aimeraient en retour.

Les hommes et les femmes de la classe ouvrière prenaient davantage le contrôle de leurs vies ; du même coup, l'autorité de leurs parents diminuait peu à peu. Les villes florissantes, pleines d'usines avides et de familles bourgeoises, demandaient de plus en plus de travailleurs, lesquels arrivaient de la campagne aussi bien que de la ville pour travailler dans les usines, les boutiques et les maisons privées. Le travail pour un salaire journalier commença à remplacer le système de l'apprentissage. Les hommes n'avaient plus besoin d'attendre d'hériter d'un champ ou d'un commerce. Les femmes qui gagnaient et géraient leur propre argent étaient moins dépendantes de leurs parents. Au fur et à mesure qu'elles accumulaient un trousseau constitué d'articles ménagers et d'un petit pécule, elles pouvaient élaborer concrètement des plans d'avenir. En règle générale, le mariage venait en haut de la liste.

La plupart se mariaient dans leur communauté ou leur groupe, avec un fils ou une fille de la famille d'un ami ou d'un voisin, qui leur avait été suggéré(e) par leurs parents, ou avec un ou une collègue ou une personne de métier qu'ils avaient connue au travail. L'amour ou une forte attirance étaient pris en compte, mais étaient rarement des facteurs décisifs. Par exemple, on avertissait les jeunes filles de ne pas confondre l'amour « romantique » ou « irrationnel » avec le genre d'affection durable que le mariage exigeait. On les invitait plutôt à choisir un conjoint qui répondrait à leur besoin d'une vie familiale et qui reconnaîtrait leur valeur personnelle comme travailleuses salariées.

Les familles qu'ils fondaient s'écartaient du vieux modèle de la famille paysanne, qui cherchait à produire pratiquement tout ce qu'elle consommait. En Amérique du Nord, chez ceux qui avaient de l'argent, la femme à la maison devint peu à peu un symbole de statut social, car elle témoignait de la capacité de son mari de gagner la vie du ménage. Il y avait aussi beaucoup de femmes pauvres qui restaient à la maison, car le travail qu'elles y effectuaient — jardinage, barattage, couture et réparations, marinage et conserves, fabrication de savon et de chandelles — avait une plus grande valeur pour leur famille que ce qu'elles auraient pu gagner en travaillant à l'extérieur. L'argent gagné par les enfants en âge de travailler viendrait plus tard parachever cet arrangement.

Les exigences de la routine quotidienne mettaient à rude épreuve et oblitéraient parfois l'idéal d'une union d'affection durable entre époux qui s'aimaient et se respectaient mutuellement. Il ne s'agit pas de dire que le mariage n'était jamais fondé sur l'amour ; il pouvait arriver qu'il le soit. Mais le déséquilibre du pouvoir entre hommes et femmes, privant en pratique les femmes de toute autonomie personnelle, faisait de la plupart de ces mariages « un exercice de pouvoir à l'état brut[49] ». Beaucoup de femmes étaient victimes de violence physique et psychologique, certaines mourant parfois des suites de leurs blessures. Pourtant, dans de tels cas, l'opinion publique avait tendance à blâmer la femme et l'autorité judiciaire allait dans le même sens. Comme le soulignait un avertissement, souvent réimprimé, à une jeune fille en 1777, « dans la destinée d'une femme, le mariage est la phase la plus difficile : il la fixe dans une condition qui peut être la plus heureuse de toutes ou la plus misérable[50] ».

Ce dur rappel de la vulnérabilité des femmes mettait le rôle de l'amour marital en perspective, au moment même où l'idéal du mariage comme union d'affection durable entre époux faisait son chemin dans la culture populaire. Le mariage des sudistes Elizabeth et William Wirt mettait timidement en œuvre le nouvel idéal. Lorsque William s'absentait pour vaquer à ses affaires, ils s'écrivaient beaucoup, mais il était clair que c'est Elizabeth qui était responsable du bonheur conjugal. En tant que femme mariée, on s'attendait à ce qu'elle dissimule toute trace de chagrin. Or, William craignait qu'Elizabeth, qui se décrivait elle-même comme « extrêmement malheureuse », n'en fût pas consciente. Il écrit : « Je ne peux réprimer l'appréhension que je ressens, que […] tu feras des comparaisons entre la liberté dont tu as déjà joui […], les grands espoirs de ton jeune cœur palpitant […] et la réalité qui a mis un terme à ces espoirs […]. Ne te dis pas "Et maintenant, tout cela est terminé — je suis une femme mariée et une mère"[51]. »

Dans une société qui considérait le mariage autant comme une responsabilité civique que comme une nécessité personnelle et qui, par conséquent, méprisait les célibataires, l'amour coexistait (et parfois rivalisait) avec des considérations économiques et des pressions familiales sur le chemin menant à l'autel ; l'amour était de plus en plus associé au mariage. Au fur et à mesure que s'imposèrent les modèles de la femme mariée restant à la maison et de l'homme soutien de famille, la maison fut idéalisée comme un havre de paix pour les maris fatigués, un sanctuaire dirigé par les femmes qui prodiguaient « un amour désintéressé [...], prêtes à tout sacrifier sur l'autel de l'affection[52] ». Au lieu (ou en plus) d'être des camarades de travail, la femme et son mari devaient être l'un pour l'autre des âmes sœurs. Dans la littérature — sinon dans la vie réelle —, le mariage devint une fin heureuse plutôt que le récit de toute une vie. L'immortelle héroïne Jane Eyre exprime ce sentiment lorsqu'à la fin de sa poignante histoire, elle annonce triomphalement : « Et, lecteur, je l'ai épousé. »

L'ange de la maison

Au fur et à mesure que la littérature et la culture populaire percevaient la maison de manière sentimentale et la reliaient au mariage, l'expression « *Home Sweet Home* » [« Ah ! mon doux foyer »] en vint à résumer un mode de vie idéal. Une sous-culture se développa pendant que les doyens de la vie de famille prêchaient leur vision de ce qu'une femme au foyer exemplaire devait faire et la manière dont elle devait s'y prendre pour le faire. L'idée était que la bonne épouse avait les compétences domestiques et répondait aux critères moraux qui font d'une maison un foyer ; la femme qui réussissait à se transformer elle-même en « ange de la maison » était récompensée par l'approbation de sa société, ainsi que par les éloges et la protection de son mari.

La glorification sirupeuse des épouses était résumée par un admirateur, le mari-poète Coventry Patmore, dans un très long poème intitulé *L'ange de la maison* (1854). Son approche mystique de l'amour lui valut un vaste lectorat, le titre de son livre poursuivant des générations de femmes. Felix Vaughan, le mari du poème, réfléchit sur l'ordonnancement divin de l'amour par le biais de la nature, qui distingue « toute chose en "lui" et "elle", / Et, dans l'arithmétique de la vie, / la plus petite unité est une paire ». Il appelle sa bien-aimée Honoria « oh, mon étrange et douce moitié ».

Par ailleurs, Felix établit clairement qu'il a pris soin de bien choisir l'objet de son amour avant de tomber amoureux — « Ah la chère, la bonne fille ! elle n'a/ Que trois mille livres jusqu'à maintenant ;/ Encore des au revoir » — et qu'il n'a pas hésité à se conformer aux conventions en demandant au père de sa chère Honoria de lui accorder la main de sa fille. Le père d'Honoria lui permit de courtiser sa fille, mais il fit dépendre son consentement de l'amour qu'Honoria devrait développer pour son soupirant. Malgré cela, étant père de trois filles non mariées, il était ravi des revenus appréciables de Felix, de ses propriétés et de ses perspectives d'avenir.

À la fin du XIXe siècle, la longévité croissante projeta une nouvelle lumière sur l'amour. En 1711, en Angleterre, les hommes mouraient en moyenne à trente-deux ans. En 1831, l'espérance de vie se situait à quarante-deux ans et à la fin du XIXe siècle, elle était légèrement inférieure à soixante ans. Les mariages étaient touchés, en ce sens qu'ils duraient plus longtemps : alors qu'ils ne dépassaient pas quinze ans au XVIIIe siècle, ils duraient, à la fin du XIXe siècle, deux fois plus longtemps.

On peut en dire autant des mariages contractés en Amérique du Nord, où l'espérance de vie fit également un bond. Elle se situait entre vingt et trente ans pendant la période coloniale, alors que des maladies comme la rougeole, la variole et la dysenterie étaient endémiques dans la population, déjà affaiblie par d'autres infections et parasites. À la fin du XVIIIe siècle, l'amélioration de la santé publique était telle qu'un jeune homme blanc de dix ans avait une espérance de vie de presque cinquante-sept ans. (Au même moment, les jeunes Afro-Américains de sexe masculin, souvent esclaves, avaient une espérance de vie évaluée à trente-trois ans, c'est-à-dire une espérance de vie de 40 % inférieure à celle des Blancs.)

C'est grâce, en grande partie, à l'amélioration des pratiques médicales, au régime alimentaire, au logement, à la santé publique et à l'hygiène personnelle que le XXe siècle a connu la plus extraordinaire croissance de l'espérance de vie de l'histoire de l'humanité, passant de quarante-six ans à soixante-quatorze ans pour les hommes et de quarante-huit ans à quatre-vingts ans pour les femmes.

Étant donné que les époux vivaient plus longtemps, les mariages connaissaient eux aussi une durée plus longue. À une époque où la perception du mariage était teintée de sentimentalisme, les années et souvent les dizaines d'années que durait une union pouvaient, sans la présence de l'amour, être ressenties comme une éternité.

Mariage et sexualité

La perception sentimentale du mariage et la sanctification du royaume de l'épouse dissimulaient beaucoup de sous-entendus. Une femme angélique était censée dépendre de son mari pour son bien-être ; en retour, son mari devait agir en son nom à elle dans les domaines de l'économie et de la politique (il votait alors qu'elle n'en avait pas le droit, par exemple). Si elle avait affaire à un mari récalcitrant ou difficile, elle devait répondre par sa supériorité morale ; on lui conseillait, par ailleurs, de dissimuler son intelligence derrière un rire de gamine. (Une femme intelligente « peut être admirée, mais elle ne sera jamais aimée », rappelait un père attentionné à son adolescente passionnée de lettres classiques[53].)

Mais la coexistence de la vénération et de l'infantilisation avait tendance à désexualiser l'ange du foyer. En effet, comment éprouver un désir sexuel pour un être qui ne se trompe jamais, qui est toujours prêt à se sacrifier et qui se tient loin des passions ? Ainsi, avec la prolongation des fiançailles et le régime ambigu qui ratifiait la chasteté des femmes mais non celle des hommes, des légions d'hommes s'approchaient du lit conjugal forts de leur expérience sexuelle et de leurs attentes, alors que leurs femmes, qui étaient (le plus souvent) vierges, les attendaient en tremblant, craignant la violation imminente que représentait pour elles l'acte sexuel ou espérant en finir au plus vite.

La sexualité était formulée dans des termes contradictoires qui pouvaient semer la confusion et choquer aussi bien que ravir ceux qui les entendaient. Le sexe était synonyme de plaisir pour les hommes, mais de douleur pour les femmes. À une époque où la prostitution était florissante, les maladies vénériennes se propageaient rapidement, estropiant leurs victimes aussi bien que leurs enfants. L'acte sexuel faisait intervenir des parties du corps normalement associées à des odeurs désagréables. Le devoir moral d'une femme, entériné par la loi, était de s'y soumettre. Un mari pouvait faire un procès à sa femme, si cette dernière refusait les rapports sexuels, mais une femme n'aurait jamais pu entamer une action en justice pour viol conjugal.

Le régime deux poids deux mesures permettait aussi aux hommes d'avoir des aventures extraconjugales, de fréquenter des prostituées ou, pour ceux qui pouvaient se le permettre, de prendre une maîtresse. Quant aux femmes, elles devaient demeurer chastes, car la légitimité de leur descendance en dépendait. Le résultat était que la bonne épouse était censée tolérer l'acte sexuel sans en jouir, en visant uniquement la satisfaction des besoins sexuels de son mari. Les ouvrages médicaux et la littérature populaire justifiaient cette vision des relations sexuelles convenables ; l'orgasme féminin était censé être plus froid, plus calme que celui de l'homme ; sans être dépourvu de passion, il n'était pas essentiellement motivé par le besoin sexuel, comme c'était le cas pour l'homme. (Le bon mari ne devait pas essayer d'entraîner sa bonne épouse dans le genre de préliminaires et de jeux sexuels qu'il pratiquait lors de ses rencontres avec ses maîtresses, voire avec des prostituées.) S'il arrivait — à la surprise de la bonne épouse, stupéfaite ! — que la femme éprouve une excitation totalement inattendue, elle s'inquiétait de savoir si elle était avilie, diminuée moralement ; de nombreux maris d'ailleurs partageaient ce sentiment. L'un d'eux confia à Marie Stopes, dont le livre *Married Love* [*Amour conjugal*] fut d'abord interdit aux États-Unis, que l'orgasme de sa femme l'avait effrayé parce qu'il « pensait qu'elle avait une espèce de crise[54] ».

Une des conséquences de cette culture sexuelle désaccordée était que certains maris arrivaient à peine à avoir des relations sexuelles avec leur bonne épouse. Marie Stopes se souvient d'un homme de sa connaissance qui, « après avoir mené une vie dissolue, rencontra une femme qu'il révérait et adorait. Il l'épousa, mais préserva sa " pureté ", sa différence par rapport aux autres femmes qu'il avait connues, et n'eut jamais de relations sexuelles avec elle. »

Dans le sud des États-Unis, la question avait des relents racistes qui prenaient racine dans l'esclavage. Les hommes blancs préféraient satisfaire leurs pulsions sexuelles auprès des femmes de couleur plutôt que de leur femme. Jusqu'à l'abolition de l'esclavage, ils suivirent la « tradition » voulant qu'un homme perde sa virginité aux mains d'une femme noire, généralement une esclave. « Tenez, Monsieur, si vous pouviez voir [les hommes blancs] se faufiler la nuit, essayant d'entrer dans les maisons des négresses, vous seriez étonné», déclara un mulâtre, peu de temps après son émancipation[55]. Par la suite, les hommes blancs dénichaient et violaient les femmes de couleur, empoisonnant la vie de famille de ces femmes ainsi que la leur. Willie Morris, un écrivain du XXe siècle originaire du Mississippi, avait douze ans lorsqu'il réalisa que les femmes blanches, elles aussi, avaient une sexualité. Selon un observateur, la femme blanche «n'était pas censée savoir qu'elle était vierge jusqu'au jour où elle cessait de l'être[56]».

Au cours de la période de l'esclavage, les femmes blanches se vengèrent de multiples façons, y compris en faisant fouetter ou en vendant les femmes esclaves qui avaient la préférence de leur mari. Cependant, la plupart feignaient d'ignorer qui était le père des enfants à la peau claire de leur maisonnée, même ceux auxquels avaient donné naissance les concubines attitrées (pour qu'elles soient toujours sexuellement accessibles) de la grande maison des maîtres. Les femmes blanches acceptaient le régime deux poids deux mesures — sur le plan du sexe comme de la race — implanté dans leur culture, adouci par quelques «privilèges», grâce aux lois notamment qui protégeaient leur statut d'épouses et refusaient de considérer comme légitimes les enfants de leur mari nés de relations illicites. En décrétant que les rejetons des esclaves avaient le même statut que leur mère, ces lois apportaient une solution au problème épineux de nombreux mulâtres — qui représentaient 12,5 % de la population afro-américaine en 1860 —, même si elles allaient à l'encontre de la *common law*. (Certains mulâtres avaient été engendrés par des femmes blanches ayant des amants noirs ou, plus rarement, des maris de race noire.)

Il serait facile de penser qu'avec le régime deux poids deux mesures en matière de sexualité et en raison de la répression que subissait un si grand nombre de femmes, l'Amérique du Nord devait fourmiller de femmes frustrées sexuellement. Pourtant, nombre de femmes prenaient plaisir au sexe conjugal, au même titre que leurs maris. Robert et Eliza Hoyle, lui un veuf dans la cinquantaine avec trois enfants, elle, une femme de trente-huit ans, ont eu, semble-t-il, une vie sexuelle satisfaisante (et féconde), dont elle disait en riant qu'elle «troublait son repos». Quant à l'épouse de guerre confédérée Ellen Shackelford Gift, elle taquinait son soldat de mari: «J'étais tellement heureuse que tu sois drogué ou "Shanghaïsé" — leur code pour désigner le sexe — lors de ta dernière visite, et n'était-ce pas là une douce petite visite, finalement, très cher[57] ? »

Une autre femme de confédéré, Jane Goodwin, envoya à son mari soldat une lettre tellement érotique qu'elle relève de la pornographie privée :

> [As]-tu déjà permis à ton esprit d'explorer les scènes d'amour et de plaisir de la première nuit d'opérations, qui ne fut observée et appréciée que par nous [...]. James, mon cher époux, pense à la première fois où nous nous sommes retirés, l'un après l'autre, vers la couche de minuit, pour y jouir des plus grands flots de plaisir que l'âme et le corps aient jamais connus. [...] Bientôt, je sentis que ma forme délicate était embrassée par une autre, gigantesque et robuste pour un oreiller, tandis que l'autre caressait fébrilement mon épaulement petit mais ferme [...] devenant plus aventureux, tu dirigeas ta droite vers le bas tu sais où [...] pour mieux évaluer la position et la force de ma généreuse batterie, qui t'a si souvent soulagé et donné du plaisir. Tes paroles, si singulières pour un quaker : Jane, relève ta robe de nuit, écarte tes jambes largement et reçois la semence de Jacob au nom du Seigneur. James [...] obtiens une permission [...], je pense qu'une certaine portion de cela est nécessaire à la vie. [...]. Tu ne rencontreras qu'une difficulté en chargeant ma batterie — tu pourrais manquer de munitions [...], ne crains rien [...] des renforts peuvent être amenés toutes les douze heures. [...]. Tu as chargé à plusieurs reprises à notre satisfaction à tous les deux sans jamais avoir souffert de l'amputation d'un membre [...] écris-moi bientôt[58].

Jane Goodwin n'était certainement pas la seule à se délecter des rapports sexuels et à les utiliser pour que son mari absent reste relié à elle. Mais d'autres femmes, innombrables, étaient terrifiées à l'idée d'une nouvelle grossesse ou horrifiées en voyant des amies récemment mariées mourir en couches — dans le Sud d'avant la guerre de Sécession, leur taux était le double des femmes du Nord — et elles assimilaient le sexe avec l'accouchement et la mort potentielle, une puissante combinaison de facteurs négatifs qui l'emportait largement sur les joies passagères des rapports sexuels. Lizzie Nesblett, qui avait déjà donné naissance à cinq enfants, écrivit une lettre de désespoir à son mari : « Cette horreur constante, qui ne cesse jamais, de la grossesse, se glisse entre moi et mon désir, mon envie de te voir et de t'étreindre par le cou une fois de plus, donc mon désir est freiné[59]. »

D'autres femmes, qui avaient peu d'attentes en matière de plaisir sexuel, restaient silencieuses. Un contingent de femmes blanches de classe moyenne, qui réagissaient peut-être à la perception populaire du plaisir de la femme comme perversion, accueillaient l'absence d'une sexualité satisfaisante comme preuve de leur légitimité en tant que gardiennes de la morale. Elles acceptaient le fait que la procréation, comme objectif du mariage, devait donner lieu à une certaine dose de sexe, mais elles frémissaient devant les conséquences du sexe pour le sexe, ou comme un moyen de favoriser une plus grande intimité.

Lorsque des maladies réelles ou simulées tenaient les époux à distance, certaines femmes savouraient le répit que leur donnait l'absence de rapports sexuels. Harriet Beecher Stowe, une femme petite et épuisée par la tâche, celle d'élever des enfants dans des conditions économiques difficiles, prolongea son séjour au sanatorium Brattleboro où, en compagnie de sa sœur Catherine, elle logea dans une maison sise rue du Paradis (au nom prédestiné), fit des « cures d'eau », s'adonna aux exercices de plein air et passa des heures à converser avec d'autres femmes. Après avoir rendu visite à sa femme, Calvin Stowe pesta contre sa privation sexuelle et « la misère d'avoir à dormir dans un autre lit, dans une autre chambre ou même dans une autre maison, et d'être avec toi comme si tu étais ma sœur, une vieille fille flétrie, au lieu d'être la femme de mon cœur. [...] *cette apparence de mariage sans le pouvoir qui va avec* est pour mon esprit, de toutes les choses méprisables, la plus indiciblement méprisable ». Il n'avait pas eu de relations avec elle depuis sa dernière fausse couche, qui remontait à un an, et il s'en plaignait amèrement, affirmant que « c'est assez pour tuer n'importe quel homme, particulièrement un homme comme moi ». Insensible à son appel, Harriet demeura dix-huit mois à Brattleboro. « Il y a des années que je n'ai pas profité de la vie comme je l'ai fait ici », disait-elle[60]. Neuf mois après être retournée chez elle, elle donna naissance à un garçon.

Certaines femmes évitaient toutes relations sexuelles avec des hommes ; elles restaient célibataires et habitaient le plus souvent la maison de leurs parents ou de leur parenté. D'autres se satisfaisaient d'une vie tranquille avec d'autres femmes, exprimant leurs sentiments et leurs désirs derrière des portes closes, des lesbiennes avant la lettre. La mentalité victorienne approuvait les amitiés romantiques entre jeunes filles, où celles-ci exprimaient les sentiments qu'elles éprouvaient les unes pour les autres dans le langage le plus extravagant; elles s'embrassaient et se caressaient mutuellement. Que faisaient-elles, après tout, sinon se livrer à des répétitions en vue du mariage, le plus grand drame de la vie d'une femme? (Henry Wadsworth Longfellow répondit à cette question de pure forme dans *Kavanaugh*.)

Après qu'Henry James eut observé dans *Les Bostoniens* que la version adulte de ces amitiés romantiques était très courante en Nouvelle-Angleterre, on les désigna sous le nom de mariages bostoniens. Ces derniers étaient des relations amoureuses entre femmes; en règle générale, elles étaient chastes et les femmes qui s'engageaient dans de telles unions exerçaient généralement une profession et restaient célibataires. La différence entre les amitiés romantiques et les mariages bostoniens était la cohabitation, qui, en elle-même, ne suscitait aucune suspicion d'homosexualité. Les vieilles filles et les veuves nord-américaines qui devaient se débrouiller seules mettaient souvent en commun leurs ressources en vivant ensemble. Après que la guerre civile américaine eut laissé derrière elle d'innombrables veuves et célibataires, l'aspect pratique de partager leur lieu de résidence, pour ces femmes sans lien de parenté et sans attaches, fut reconnu et accepté.

Enveloppés dans cette respectabilité sociale, les mariages bostoniens prospéraient. En l'absence de mâle contrôlant, ils fournissaient une structure et un milieu domestique où les femmes pouvaient atteindre leurs buts personnels. Certaines femmes souhaitaient simplement passer leur vie ensemble. D'autres avaient des aspirations professionnelles ou artistiques. «Hors de la noirceur du XIXe siècle, écrit Lillian Faderman, elles créèrent miraculeusement une nouvelle définition de la femme, laquelle, malheureusement, fut de courte durée, celle d'une femme qui pouvait faire n'importe quoi, être ce qu'elle choisissait d'être et aller où bon lui semblait[61].»

Certains mariages bostoniens avaient pour cause le refus de subir les contraintes d'un mariage hétérosexuel plutôt qu'une orientation homosexuelle. Une femme artiste commet une «faute morale» en se mariant, écrit Harriet Hosmer, sculptrice du XVIIIe siècle, car il est évident que soit sa maisonnée, soit son art, en souffrira, faisant d'elle une artiste médiocre ou une piètre mère. «Je voue une querelle éternelle au nœud indissoluble», déclara-t-elle. Pourtant, certaines femmes tissaient de tels liens indissolubles entre elles.

Diversité et caprices de la sexualité conjugale

Pour les épouses ou pour les femmes qui espéraient se marier, la notion de satisfaction sexuelle féminine était une source d'angoisse. Admettre que l'orgasme féminin était un élément essentiel à la satisfaction sexuelle signifiait que les femmes qui n'avaient pas d'orgasmes étaient malheureuses, et que leurs maris étaient peut-être des amants incompétents. (Cela signifiait également que les femmes devaient savoir ou apprendre ce qu'étaient les orgasmes.) En outre, si le sexe faisait partie intégrante de l'amour romantique et était de plus en plus invoqué comme motif important pour se marier, les épouses insatisfaites avaient le droit de se plaindre. Si leur malheur était légitime, il était raisonnable qu'elles envisagent une vaste gamme de solutions pour mettre fin à cet état. Les implications étaient tellement horribles, notamment le divorce comme conséquence logique de l'absence d'amour conjugal, qu'elles faussèrent les discussions sur la sexualité et sa signification jusqu'à ce que la révolution sexuelle aille directement à l'essentiel en simplifiant, permettant et pardonnant.

La fidélité sexuelle était un autre sujet de dispute. Un régime ambigu se montrait tolérant pour les célibataires qui avaient des rapports sexuels avec des prostituées, et se montrait moins indulgent envers les maris qui avaient des aventures extraconjugales. Par ailleurs, l'homme qui avait exercé des pressions sur sa fiancée pour qu'ils aient des relations sexuelles préconjugales pouvait mettre fin à leur engagement en alléguant qu'elle était une femme impure ; toute femme qui trompait son mari était dénoncée avec véhémence. La principale justification de ce régime deux poids deux mesures était que la fidélité de la femme était le fondement de la paternité du père, sans parler de la loyauté et de l'obéissance que la femme devait à son mari. (Nous savons maintenant, grâce à l'analyse de l'ADN et à un certaine nombre de données, que nous sommes au moins 10 % à ne pas être les enfants biologiques de nos pères. Les règles de droit ont prévu cette éventualité en accordant aux maris la paternité de tous les enfants nés pendant la durée du mariage.)

Une recherche de 1929 présentait en détail les attitudes de 2 200 femmes concernant le mariage et la sexualité. La plupart d'entre elles étaient des femmes blanches, bien éduquées, financièrement à l'aise, mariées ou célibataires. Comme elles étaient nées pour la plupart avant 1890, leurs réponses reflétaient les attitudes et les valeurs de l'époque victorienne et postvictorienne, ce qui signifie qu'elles avaient tendance à être plus ouvertes que les femmes qui avaient vécu au début du XIXe siècle.

Parmi les femmes mariées, 90 % dirent que les pulsions sexuelles de leur mari étaient plus fortes ou égales aux leurs ; 33 % seulement des femmes prétendirent que leurs pulsions sexuelles étaient plus fortes que celles de leur mari ; 40 % des épouses et 64,8 % des célibataires se masturbaient, même si les deux tiers d'entre elles considéraient cet acte comme « moralement dégradant ». Les 12 % de femmes qui disaient n'avoir aucune sensation ou expérience sexuelle prétendaient être des plus heureuses. Un peu plus de la moitié des femmes célibataires avaient eu « des relations affectives intenses » avec d'autres femmes ; plus de la moitié d'entre elles considéraient leur comportement comme ouvertement homosexuel.

Dans le but de composer « un index des sentiments et des pensées courantes, une réflexion sur les mœurs d'aujourd'hui et d'hier » en matière de sexualité, Katharine Davis posa aux femmes célibataires les questions suivantes :

Croyez-vous que les rapports sexuels sont nécessaires à une bonne santé physique et mentale ? (NON : 61,2 %)

Y a-t-il des circonstances qui justifient qu'un jeune homme ait des rapports sexuels avant le mariage ? (NON : 79 %)

Y a-t-il des circonstances qui justifient qu'une jeune femme ait des rapports sexuels avant le mariage ? (NON : 80,5 %)

Y a-t-il des circonstances qui justifient qu'un homme ait des rapports sexuels avec une autre femme que son épouse ? (NON : 75,8 %)

Y a-t-il des circonstances qui justifient qu'une femme ait des rapports sexuels avec un autre homme que son mari ? (NON : 79,2 %)

Les rapports sexuels entre mari et femme dont le but n'est pas la procréation sont-ils légitimes ? (OUI : 84,6 %)

Les résultats de l'enquête de Katharine Davis confirment les informations glanées dans les correspondances épistolaires, les mémoires et les témoignages de contemporains sur les attitudes des femmes du XIXe siècle à l'égard de la sexualité conjugale. Une de ces attitudes consistait à nier et à refouler les pulsions sexuelles. Les orgasmes féminins étaient particulièrement effrayants. Marie Stopes, dont le mariage fut annulé après cinq ans pour cause de non-consommation, comparait le désir de la femme à « une marée sexuelle rythmée », accompagnant un « désir périodiquement récurrent[62] ».

La fréquence des relations sexuelles conjugales était une question de nature délicate. Même si des penseurs modérés comme Luther recommandaient que les couples dans la fleur de l'âge aient des relations trois fois par semaine, le Mouvement pour la pureté morale en Amérique du Nord, fondé dans les années 1830, préconisait de réduire la fréquence des relations sexuelles à une fois par mois et uniquement dans le but de procréer. Le Dr John Harvey Kellogg, auteur de *Plain Facts about Sexual Life* [*Faits bruts concernant la vie sexuelle*] et inventeur des céréales Corn Flakes de Kellogg, conçues pour être nourrissantes tout en étant si fades qu'elles engourdissaient toutes les papilles gustatives, décrivait l'acte sexuel comme « l'acte reproducteur [...] le plus épuisant de tous les actes ». Pour ne pas courir le risque de s'épuiser, bien qu'il ait été marié, Kellogg observa l'abstinence sexuelle durant toute sa vie.

La masturbation, cet acte d'amour de soi-même qui démontrait ce que le sexe conjugal, souvent, ne parvenait pas à prouver, à savoir que les femmes pouvaient atteindre l'orgasme et même s'en délecter, devint une préoccupation sociale pressante. La masturbation était condamnée comme immorale, perverse, pouvant causer la faiblesse d'esprit, l'aliénation mentale, la consomption pulmonaire, la cécité, la lâcheté, l'incapacité de regarder les gens en face, la mélancolie, la trichoptilose (cheveux fourchus), la constipation, l'épilepsie, l'apoplexie, la paralysie, le vieillissement prématuré et même la mort (probablement bienvenue). Un livre qui décrivait la masturbation comme le « pire des péchés de l'homme, le pire des vices [causant] incomparablement plus de dilapidation sexuelle, de paralysies, de maladies ainsi que de pertes du sens moral que toutes les autres dépravations sexuelles réunies » se vendit à plus d'un demi-million d'exemplaires[63]. *Our Family Physician* [*Notre médecin de famille*], un manuel de santé populaire publié en 1871, qui fut largement consulté et réimprimé à de nombreuses reprises, prévenait ses lecteurs qu'« il n'y a probablement aucun vice qui soit plus nuisible au corps et à l'esprit. [...] l'homme devient à tout point de vue une épave, physiquement, moralement et mentalement[64] ».

Un vaste marché se développa, proposant des instruments et des médicaments pour maîtriser la masturbation ou l'étouffer dans l'œuf. (Même les pollutions nocturnes étaient dangereuses.) Il y avait notamment des « alarmes à érection, étuis péniens, mitaines de nuit, arceaux de lit pour écarter les draps des organes génitaux, entraves pour empêcher les filles d'étendre les jambes[65] ». Certains parents inquiets improvisaient en attachant les mains de leurs enfants derrière leur dos ou à une colonne de lit. Les plus fanatiques avaient recours à des camisoles de force.

Aussi étonnant ou aussi contre-intuitif que cela puisse paraître, au milieu du siècle de la « phobie de la masturbation », la masturbation clinique, administrée par le médecin, se fit jour comme un traitement contre l'« hystérie » féminine, un terme utilisé pour désigner de nombreux « troubles féminins », y compris l'absence d'orgasme[66]. À une époque où le respectable *British Medical Journal* débattait, comme il le fit en 1878, de la question de savoir si un jambon touché par une femme ayant ses menstruations pouvait devenir avarié, et rendait une décision affirmative, les orgasmes féminins, à l'exemple des menstruations et de la ménopause, étaient perçus comme des crises.

Rachel Maines, une chercheuse qui s'est intéressée à l'histoire de la masturbation, estime qu'environ 50 % des femmes occidentales ne parvenaient pas à l'orgasme pendant la pénétration vaginale. Toutefois, vu que l'éjaculation au cours des rapports sexuels était « reconnue » comme devant satisfaire à la fois l'homme et la femme, et vu que penser qu'un homme était un amant inepte constituait une hérésie, les symptômes féminins — leur incapacité à atteindre l'orgasme ou la satisfaction sexuelle, c'est-à-dire leur hystérie — étaient considérés comme relevant de la pathologie, médicalisés et traités.

Les traitements comprenaient l'hydrothérapie, avec de puissants jets d'eau soufflés sur les organes génitaux, ou un médecin exécutait une « stimulation vulvaire » en conduisant (ou en tentant de le faire) une femme jusqu'à l'orgasme pour soulager son hystérie. Mais les médecins considéraient ces massages pelviens comme fatigants et fastidieux, et beaucoup grommelaient que le pénis du mari aurait dû faire l'affaire. En 1880, le Dr Kelsey Stinner inventa le premier vibrateur à piles pour que les femmes puissent se soigner elles-mêmes à la maison (et pour libérer ses collègues). Bien que les premiers vibrateurs fussent gros, peu commodes et chers, le «vibromassage médical» devint très répandu et facilement accessible. Les stations de vacances de luxe offraient des vibrateurs musicaux, des vibrateurs à contrepoids, des fourches à vibration, des fils de bobine ondulés dits vibratiles, des vibrateurs accrochés par des chaînes au plafond, des vibrateurs fixés à des tables et des modèles montés sur pied ou sur roulettes[67].

En 1902, la compagnie Hamilton Beach breveta le premier modèle électrique destiné à la vente au détail. Le vibrateur devint le cinquième appareil électroménager après la machine à coudre, le ventilateur, la bouilloire et le grille-pain; il précédait de dix ans l'aspirateur et le fer à repasser. Les fabricants masquaient les connotations sexuelles de leurs vibrateurs avec une terminologie médicale, les décrivant comme des appareils destinés à produire non pas des orgasmes mais des «paroxysmes hystériques» qui soulageaient l'hystérie pathologique. Les annonces publicitaires publiées dans des magazines féminins aussi lus que *Needlecraft*, *Woman's Home Companion*, *Modern Priscilla* ainsi que le catalogue de Sears, Roebuck, parlaient d'auto-assistance vivifiante, promettant le repos, la force, le rajeunissement et audacieusement, la «délivrance». Ces annonces publicitaires ne disparurent que dans les années 1920, lorsque les vibrateurs commencèrent à être associés à la pornographie.

Les femmes n'étaient pas seules à être victimes de l'angoisse sexuelle. L'impuissance masculine, occasionnelle ou chronique, était non seulement gênante sur le plan de l'intimité, mais elle constituait également une honte pour la collectivité. Dans de nombreux pays, les mariages non consommés pouvaient être annulés, la première cause de non-consommation étant l'impuissance masculine. (Dans le droit canon, la femme impuissante était décrite comme «si étroite qu'elle ne saurait être suffisamment élargie pour lui permettre d'avoir des rapports sexuels avec un homme», mais les annales ne signalent aucun cas de poursuite judiciaire.) Au milieu du xvie siècle, certains ecclésiastiques, décrétant que les hommes impuissants qui se mariaient s'attaquaient à l'autorité de l'Église, leur demandèrent avec insistance de faire la preuve qu'ils pouvaient avoir des érections et des éjaculations. L'érection d'un accusé fut rejetée en raison de sa «tension, dureté et longue durée». D'autres furent invalidées comme simples conséquences d'une forte envie d'uriner.

La Révolution française mit fin à ces procès humiliants, mais non à la honte de l'impuissance et à son association implicite avec l'infertilité. Voici un extrait d'*Onania* (1712), de John Marten, auteur populaire du xviiie siècle qui fut à l'origine de la croisade européenne contre la masturbation :

> Car l'érection et la rigidité suffisantes de la verge constituent la principale compétence pour l'accomplissement de la fonction du mari, de même que l'éjaculation régulière par le canal de la verge érigée. [L'homme impuissant], improductif et incapable d'engendrer […], est un membre inutile du pays où il réside, quelqu'un que le beau sexe devrait éviter, à moins que ce ne soit pour le dévisager, le montrer du doigt en éclatant de rire derrière leurs éventails, car il ne saurait être apte à la conversation, à laquelle elles sont tellement sensibles, et qui leur donne tant de ravissement et de plaisir[68].

L'impuissance était à la source de nombreux écrits médicaux, qui pouvaient être sérieux, mais parfois charlatanesques ; d'innombrables recettes étaient suggérées pour mettre fin à cette calamité : cordial pour les nerfs, sirop botanique, baume de Gilead, cures galvaniques, prescriptions médicales comme les bains de siège à l'eau froide, les saignées, les remèdes purgatifs, les injections douloureuses ainsi que des bougies à sonde conique pour l'exploration de l'urètre. Au xviiie siècle, le chirurgien anglais John Hunter nia que la masturbation puisse causer l'impuissance, déclarant qu'elle pourrait être provoquée par l'amour propre des hommes, angoissés à l'idée de déflorer une vierge. Par exemple, les hommes qui avaient eu des rapports avec des prostituées pouvaient devenir impuissants en raison de la culpabilité éprouvée à l'idée d'avoir des relations sexuelles avec leurs épouses immaculées et insensibles à leurs approches. (Une de ces femmes lisait pendant l'acte sexuel, ne s'arrêtant que pour demander à son époux s'il avait terminé. Quelques livres plus tard, les pulsions érotiques de son mari s'étaient amenuisées au point qu'il était devenu presque impuissant.)

La pruderie et la frigidité des femmes étaient également désignées comme causes possibles de l'impuissance masculine. Une femme pouvait adopter une attitude passive dans les rapports sexuels de crainte de révéler sa nature trop bestiale, ou, ce qui était plus courant, pour limiter les naissances. L'appétit sexuel insatiable des femmes pouvait également causer l'impuissance masculine. La vue et l'odeur du corps de la femme pouvaient produire le même effet. Comme

Charles Kingsley le confiait à sa femme, Fanny, il devrait apprendre à « supporter la flamme de ta beauté nue. Tu ne sais pas à quel point il est fréquent qu'un homme soit frappé d'impuissance dans son corps et son esprit lors de sa nuit de noces[69]. »

Inversement, la laideur, « une vulve flasque ou un vagin très dilaté » — pour ne rien dire des menstrues, des odeurs corporelles ou des fausses dents — pouvaient miner la puissance sexuelle d'un homme. C'est ce qui arriva à John Ruskin, un écrivain du xixe siècle, dont la femme Effie (toujours vierge) obtient une annulation de mariage pour cause d'impuissance. Lorsqu'il s'était étendu près d'elle sur leur lit nuptial, un aspect du corps nu d'Effie l'avait dégoûté ; ou c'était peut-être le fait qu'à la différence des sculptures grecques qu'il affectionnait tellement, Effie avait des poils pubiens ou, plus vraisemblablement, avait ses règles.

Ou peut-être la faute d'Effie était-elle due à une « hygiène féminine » déficiente. Si elle avait vécu quelques dizaines d'années plus tard, elle aurait pu prendre connaissance du numéro de juillet 1933 du *McCall's Magazine* — ou d'une centaine d'autres sources — pour apprendre que « moins de mariages s'empêtreraient dans un dédale de malentendus et de tristesse si plus de femmes connaissaient et pratiquaient l'hygiène féminine intime ». Ce qu'elles devaient faire était de nettoyer leur vagin avec Lysol, la douche qui plairait à la méticulosité féminine et qui conjurerait la grossesse. Utilisé de manière régulière et appropriée — le fabricant promettait d'exposer ce point plus en détail dans une brochure qui leur serait expédiée sous une simple enveloppe —, Lysol garantissait « santé et harmonie » tout au long du mariage[70]. Avec ce « pouvoir de plaire » désormais à sa portée — sur la tablette des produits de nettoyage pour la maison — l'épouse en difficulté pouvait mettre fin aux mauvaises odeurs associées au processus de vieillissement, rallumer le feu de l'amour romantique et cesser d'être la cause de l'impuissance de son mari.

Aussi répugnantes que leurs femmes aient pu leur paraître, les hommes étaient aussi responsables de leurs flasques performances : l'alcool, le tabac, les mauvaises pensées, les drogues, la masturbation et la nourriture trop épicée étaient également à blâmer. Les maris étaient bombardés d'annonces vantant les mérites de la cure Therapion, de la ceinture électrique du D^r McLaughlin ou de la phosphodine de

Wood. En 1898, la découverte de la radioactivité par Pierre et Marie Curie conduisit quelques charlatans audacieux, comme William J. A. Bailey, à commercialiser la « radiumthérapie » pour traiter l'impuissance et d'autres maladies. Bailey, un décrocheur ayant abandonné ses études à Harvard, et déjà mis à l'amende pour avoir vanté les mérites aphrodisiaques d'une pilule de strychnine, se réorienta pour vendre son Radithor, de l'eau en bouteille contenant une bonne dose de radium, comme cure contre l'impuissance et la diminution de l'appétit sexuel. Mais sa compagnie dut fermer ses portes lorsqu'Eben M. Byers, un millionnaire américain de la sidérurgie, également champion de golf amateur et connu pour fréquenter la haute société, eut trouvé la mort en 1932 après avoir ingurgité des litres de Radithor et s'être tapé une dissolution osseuse. « L'eau de radium fut très efficace jusqu'à ce que sa mâchoire tombe », commenta le *Wall Street Journal*, qui n'hésita pas à mettre la nouvelle en manchette.

En dépit de la mauvaise publicité faite au Radithor, les hommes (suivant l'expression heureuse du poète romain Ovide) « aussi mous que la laitue d'hier » poursuivirent leur vaine recherche de potions, baumes ou attelles de pénis. (Combien plus simples et métaphoriques étaient les anciennes cures populaires européennes : un mari regardant à travers l'anneau de mariage de sa femme ou par le trou de serrure d'une église !) Des médecins respectables proposaient également des traitements, mais seulement, comme le déplorait le Dr Irvin S. Koll, après que « le charlatan, le guérisseur spirituel et le scientifique chrétien se furent déjà essayés sur lui [le patient] ».

L'ouvrage magistral de Koll, *Diseases of the Male Urethra Including Impotence and Sterility* [*Maladies de l'urètre masculin, comprenant l'impuissance et la stérilité*] (1918) est un dur rappel de ce que ce traitement nécessitait. Koll incitait les médecins à reconnaître l'urgence de redonner aux hommes leur puissance masculine, afin que « les mariages stériles deviennent féconds et [que] diminuent les nombreux cas d'infidélité conjugale dus à l'effroyable impuissance de l'homme affecté ». L'impuissance était une « vraie pathologie » qui conduisait à la maladie mentale et même au suicide. En outre — et combien cela ne devait-il pas réconforter ceux qui cherchaient une cure —, « les patients ne doivent pas être renvoyés avec une exhortation à "oublier ça", avec une pilule soi-disant aphrodisiaque qui ne vaut rien, ou traités par introduction d'une sonde dans l'urètre ou par une irrigation rectale à l'eau glacée ».

Les conseils prodigués par Koll rappelaient l'ère victorienne : cautérisation, injection ou sondage de l'urètre. Ces « cures » qui prenaient racine dans la croyance que l'impuissance était causée par la masturbation, « l'habitude vicieuse de s'assouvir dans le *coitus interruptus* », et autres excès sexuels, faisaient souffrir et punissaient ceux qui en étaient victimes. Pendant qu'un médecin masturbait l'épouse « hystérique » jusqu'à ce qu'elle atteigne l'orgasme, un autre insérait un endoscope ou une seringue remplie d'une substance caustique dans le pénis du mari impuissant, lui faisait un massage de la prostate en passant par le rectum, lui administrait un suppositoire rectal, et lui prescrivait des bains de siège chauds deux fois par jour.

Les aléas de la guerre, qui blessaient ou émasculaient des milliers d'hommes, étaient responsables de la plupart des cas rangés sous la catégorie d'impuissance dans les registres militaires. Durant les expéditions militaires, les fantassins devaient se mettre à genoux, s'asseoir ou se coucher sur le ventre pendant la bataille ; ils étaient souvent blessés aux fesses, aux organes génitaux, aux reins, à la vessie, à la prostate, à l'urètre, au pénis ou aux testicules, le cordon spermatique pouvant être perforé par des balles ou des fragments d'os. Jusqu'au milieu du xixe siècle, par exemple durant la guerre de Crimée, de telles blessures étaient le plus souvent mortelles. Toutefois, pendant la guerre de Sécession, les médecins américains réussirent à sauver un grand nombre de soldats.

L'un d'entre eux était un simple soldat de la huitième division d'infanterie de l'Ohio, qui fut retrouvé sur le terrain après la bataille de Cold Harbor, le 3 juin 1864 : « Blessé par balle dans la partie gauche du scrotum ; la balle a ricoché, atteignant les testicules, l'urètre et le rectum. [...] Le testicule droit est absent ; fistule urétrale persistante ; incontinence urinaire et douleurs aiguës à l'exercice ; écoulement occasionnel de matières provenant de l'urètre ou du rectum ; invalidité totale[71]. »

Pendant la guerre de Sécession, on recensa des milliers de blessures semblables ; les dysfonctions sexuelles suivant des blessures pelviennes étaient aussi courantes que non traitables ; les dossiers de la National Archives Pension sont remplis de rapports sur des cas « d'impuissance et de dépression liés à la perte de la fonction sexuelle ». La persistance de la souffrance, de la tristesse et de la frustration doit avoir assombri de nombreux mariages où les époux tentaient de maîtriser le naufrage sexuel des vétérans.

La culture populaire, qui assimilait l'impuissance à l'infertilité et qui mesurait la valeur d'un homme à sa capacité d'avoir des érections, contribuait aussi à culpabiliser les hommes impuissants. Comme l'écrit l'historien Kevin J. Mumford, « les boniments de vendeurs sur les remèdes contre l'impuissance signalent l'émergence progressive d'une nouvelle norme en matière de sexualité masculine — "force et pouvoir gigantesques", "organes turgescents" et "puissance sexuelle" — qui serait de plus en plus centrale dans la construction de la masculinité[72] ».

Sexualisation du mariage

Le nouveau siècle accéléra la transformation du mariage. Le mouvement des suffragettes, qui s'est développé dans la foulée de l'abolitionnisme du XIXe siècle, présentait aux femmes des visions et des priorités différentes, en démasquant l'iniquité de la politique sexuelle domestique. L'ange du foyer sortit de la maison comme un ouragan pour aller piqueter devant les bureaux du gouvernement en exigeant le droit de vote pour les femmes. Les épouses comme les célibataires en avaient assez de leur impuissance politique.

Les journaux et les magazines montraient des photos et des caricatures de policiers transportant des femmes respectables de classe moyenne vers la prison, et celles de gardiens les forçant à s'alimenter pendant leurs grèves de la faim. La colère du public devant les mauvais traitements qu'elles subissaient apporta un soutien important aux suffragettes.

Au début des années 1900, l'idéal sentimental de l'homme et de la femme vu comme celui de deux êtres séparés et complémentaires commençait à tomber en ruines. La Première Guerre mondiale intensifia le processus d'intégration des sexes lorsque les femmes occupèrent les emplois laissés vacants par les militaires ; elles manifestaient ainsi leur présence dans la communauté. Les suffragettes, qui étaient des femmes provenant, la plupart du temps, de la classe moyenne, souvent protestantes et bien éduquées, utilisèrent à leurs fins la rhétorique habituelle en prétendant que leur supériorité morale et leur instinct maternel auraient une bonne influence sur la sphère politique masculine, comparable à celle que cette morale et cet instinct avaient eue sur la vie familiale. Elles soutenaient qu'en accordant aux femmes le droit de vote, la famille comme la société s'en trouveraient renforcées grâce à un train de mesures privilégiant le bien-être de l'enfance, l'éducation, la réforme agricole, la tempérance, la pureté morale et l'application des principes chrétiens.

Dans la seconde décennie du xxᵉ siècle, les Nord-Américaines commencèrent à obtenir le droit de vote : au Canada, les Manitobaines furent les premières à voter en 1916 ; le droit de vote fut acquis au niveau fédéral en 1919 (dès 1917, les femmes qui avaient des proches parents engagés dans les forces militaires pouvaient voter à leur place), et finalement au Québec, en 1940. Aux États-Unis, l'État de Washington accorda aux femmes le droit de vote en 1910 et le gouvernement fédéral lui emboîta le pas en 1920, lorsque le neuvième amendement fut ratifié.

La libération sexuelle était également dans l'air. En 1916, Margaret Sanger ouvrit la première clinique anticonceptionnelle. Sa mère, une catholique dévote qui avait subi dix-huit grossesses et élevé onze enfants, n'avait pas eu accès à la planification des naissances. Margaret Sanger écrivit aussi des livres très prisés, comme *What Every Girl Should Know* (1916), [*Ce que toute jeune fille devrait savoir*], qui abordait directement les menstruations et la sexualité des adolescentes, et *What Every Mother Should Know* (1917) [*Ce que toute mère devrait savoir*] ; elle agit comme cofondatrice et éditrice du périodique mensuel *The Birth Control Review and Birth Control News*.

Margaret Sanger défendait la contraception non pas pour faciliter les rencontres sexuelles aveugles, mais comme une manière d'amener les femmes au travail à prendre le contrôle d'elles-mêmes, au lieu de se laisser écraser par les grossesses à répétition. Les femmes avaient un tel besoin d'informations concernant la contraception qu'entre 1921 et 1926, elles bombardèrent Margaret Sanger de lettres : un million !

L'intérêt que la nouvelle femme de 1900 portait à la sexualité était plus hédoniste que celui de Margaret Sanger. Cette nouvelle femme ne craignait pas de parler ouvertement de passion sexuelle, et il lui arrivait d'y succomber. Ses vêtements restreignaient moins ses mouvements que les tenues que sa mère avait portées. Après la Première

Guerre mondiale, elle arborait des vêtements non conventionnels, portait ses cheveux mi-courts, s'aplatissait les seins au moyen de bandes, portait des jupes courtes, dénudait ses jambes et ses bras, se mettait du rouge à lèvres et du fard à joues, et fumait des cigarettes. Elle «sortait» avec des garçons, parfois les embrassait ou échangeait avec eux des caresses. Elle terminait son secondaire et poursuivait parfois ses études au niveau collégial ou universitaire. Elle pouvait aspirer à un emploi de professionnel, mais il était peu probable qu'elle l'obtienne. Elle accordait plus de valeur à la réalisation de soi et à l'autodétermination qu'à une morale altruiste et élevée. «La voilà qui arrive en courant, quittant sa prison et descendant de son piédestal; elle a perdu ses chaînes, sa couronne, son auréole et se contente d'être vivante», à la grande joie de l'écrivaine Charlotte Perkins Gilman.

La nouvelle femme critiquait le mariage, le considérant comme une institution bourgeoise minée par la tyrannie masculine, ce qui ne l'empêchait pas de se marier, dans l'espoir et l'expectative du bonheur et de l'amour. Grâce à la contraception, elle pouvait contrôler sa fertilité. Si elle était malheureuse, elle pouvait divorcer. Toutefois, malgré son rejet de la ségrégation sexuelle héritée de l'époque victorienne, la nouvelle femme restait une épouse dépendante d'un mari soutien de famille. De fait, comme l'écrit la juriste Nancy Cott, «la bonne aubaine que représentait l'union d'un mari pourvoyeur et d'une épouse dépendante était devenue l'enjeu public le plus important du mariage[73]».

Cependant, de nombreuses personnes craignaient que l'institution du mariage soit sur son déclin. Quelqu'un d'aussi noble (et de surcroît passionnément amoureux) que Theodore Roosevelt était scandalisé de voir que l'absence d'amour puisse mettre fin à un mariage. L'amour, dans ses dimensions érotiques aussi bien que romantiques, était devenu une partie intégrante du mariage, si bien que celui-ci croulait sous son poids.

Lorsque Roosevelt perdit Alice, sa bien-aimée, l'amour passionné qu'ils avaient partagé était devenu courant chez les couples mariés. De plus en plus de gens refusaient de se marier pour des raisons de commodité; comme Jane Austen, ils étaient persuadés que «tout doit être préféré ou supporté plutôt que de se marier sans affection». Après des millénaires, le caractère central de l'amour dans le mariage s'imposait de plus en plus.

CHAPITRE 5

Le mariage à l'intérieur de quatre murs

Le logement et l'économie domestique

Les voisins de Martha Coffin Wright la considéraient comme «une femme très dangereuse». Pour des gens opposés à la liberté des esclaves et aux droits des femmes, sa présence constituait, en effet, quelque chose de menaçant. Elle assistait à des réunions anti-esclavagistes et les présidait à une époque où des gardes armés étaient nécessaires pour se défendre des bandes d'émeutiers esclavagistes; elle collaborait aussi à des publications politiques et abolitionnistes comme *The Liberator*. Elle accueillait des abolitionnistes noirs dans sa maison, et cachait les esclaves fugitifs qui se dirigeaient vers le nord en empruntant le chemin de fer clandestin; par la suite, elle noua une amitié étroite avec Harriet Tubman, une Afro-Américaine qui vint en aide à de nombreux esclaves. Avec sa sœur aînée, Lucretia Mott, Martha participa à l'organisation en 1848 de la Convention de Seneca Falls pour les droits des femmes, à laquelle elle participa, enceinte depuis plusieurs mois de son septième enfant.

En dépit de son vif enthousiasme pour la justice sociale, Martha Wright était aussi une bonne épouse qui se pliait aux conventions de sa société en matière de tâches ménagères. Parallèlement à ses lourdes responsabilités de bénévole, elle devait élever quatre enfants (les trois autres étant décédés), gérer la maisonnée et gagner de l'argent. «La seule manière est de manger vite et de travailler, balayer, épousseter, laver et habiller les enfants, faire du pain d'épices, rapiécer et raccommoder », écrit-elle. Le travail de maison était sans fin. Contrairement à la situation de son mari sur son lieu de travail, la femme,

> au milieu d'une clameur incessante, doit reprendre la routine des tâches ménagères laissées en plan la veille — elle doit nettoyer les mêmes visages, refaire les mêmes lits, balayer les mêmes pièces, régler les mêmes disputes et querelles à la cuisine entre les [...] petites filles et les petits garçons déchus de *son Adam* ; et au milieu de toutes ces occupations, elle doit trouver le temps de coudre, de coudre et de coudre les innombrables vêtements dont a besoin la famille.

> Permettez-lui de [...] terminer à temps pour habiller son visage stressé et las d'un de ces « sourires rayonnants » si indispensables pour conserver la bonne humeur de son seigneur suzerain. Lui aussi a dû affronter des difficultés [...], mais elles ne sont pas le genre de difficultés insignifiantes et mesquines qui minent l'esprit et la vie de la partenaire qu'il a choisie.

Le mari profite de son repos nocturne, alors que sa femme « se lève fatiguée et défraîchie, pour reprendre la même routine[1] ».

Martha n'était pas mécontente : elle était aimée de son époux et elle était une épouse aimante. David lui écrivait : « Avant, je ne savais pas à quel point je t'aimais, ma chérie, mais ton absence laisse un tel vide dans mon existence. » (Peter Pelham, son premier mari qui mourut alors qu'elle était une jeune mère de dix-neuf ans, avait été plus ardent : « Je n'avais jamais aimé avant de te connaître [...], beauté unie à l'esprit et au goût. ») Toutefois, même dans la plus aimante et la plus amicale des relations de couples, à l'image d'innombrables femmes de la classe moyenne, Martha était « trop occupée à vivre[2] ».

Malgré la présence d'une aide domestique qui la soulageait d'une petite partie de sa charge de travail, Martha était continuellement épuisée, particulièrement par ses enfants « bruyants et tapageurs » et par les interminables travaux de couture, si essentiels. « Le bébé ne dort pas assez longtemps pour que je puisse prendre une aiguille à coudre plus d'une journée sur sept », écrit-elle à Lucretia. Et pourtant, elle devait se débrouiller pour fabriquer tous les vêtements dont sa famille avait besoin, ainsi que des sacs à main, tricoter des chaussettes et des chapeaux, sans oublier le linge de maison. Parlant d'une de ses connaissances, enceinte de son quinzième enfant, elle disait : « Je crois qu'elle finira par se suicider[3]. »

Lorsque Martha se rendit à Boston pour aider Lucretia à l'occasion de la naissance de son quatorzième enfant, et qu'elle contracta une pneumonie typhoïde qui lui fut fatale, son amie intime et collègue militante pour les droits de la femme, Susan B. Anthony, eut beaucoup de peine : « Je ne peux y croire ! Une femme lucide, vraie et dont le dévouement dépassait presque celui de toutes les autres femmes ! » Tout au long de sa vie, Martha fulmina contre les attentes de la société à l'endroit de la bonne épouse, ce qui ne l'empêcha pas d'y satisfaire, tout en trouvant le moyen de rester « une femme très dangereuse » à la recherche de la justice sociale.

Lorsque les nouveaux mariés commençaient à vivre ensemble, leurs arrangements concernant le logement et l'économie domestique avaient une influence profonde sur leur mariage. Les Européens, qui referaient plus tard l'Amérique du Nord à leur propre image, faisaient passer la sociabilité avant l'intimité. À la fin du Moyen Âge, les habitations urbaines avaient des pièces d'habitation aux étages supérieurs, alors que le rez-de-chaussée était réservé à la conduite des affaires. La coutume de garder les animaux de ferme dans un bâtiment adjacent à la maison était en voie de disparaître. Le bois, les foyers et les cheminées remplaçaient les planchers de terre, les foyers ouverts et les trous du toit aspirant la fumée. Les habitations à deux étages devenaient courantes. Les fenêtres des maisons étaient vitrées. Après le grand incendie de Londres, en 1666, ceux qui en avaient les moyens reconstruisirent leur maison en brique et en pierre plutôt qu'en bois.

Les familles médiévales comprenaient, à titre de membres secondaires, des domestiques sans lien de parenté avec la famille, des apprentis, des pensionnaires ainsi que des « malheureux » — des orphelins, des personnes âgées, des personnes handicapées — qui leur avaient été confiés par les autorités locales. Lorsque les parents vivaient jusqu'à un âge avancé, ce qui était peu fréquent, ils habitaient eux aussi avec leurs enfants. Les apprentis, les journaliers, même les enfants de l'aristocratie et de la noblesse envoyés dans d'autres familles pour qu'ils y acquièrent une expérience du monde dans lequel ils devraient évoluer, vivaient et dormaient tout près de leurs maîtres.

Comme John Dod et Robert Cleaver l'observaient dans leur livre, qui fut réimprimé à maintes reprises, *A Godly Form of Household Government: For the Ordering of Private Families, According to the Directions of God's Word* (1621) [*Une forme divine de gouvernance de la maisonnée ou Pour la mise en ordre des familles privées, suivant les directives de la Parole de Dieu*], les maîtres et les maîtresses agissaient comme des pères et des mères auprès de leurs domestiques et apprentis, s'engageant à leur fournir de la nourriture, des boissons et un logement de qualité ; à les réconforter, à les soulager et à les chérir lorsqu'ils étaient malades comme lorsqu'ils jouissaient d'une bonne santé ; et à les « corriger » lorsqu'ils avaient commis une faute.

En retour, les domestiques et les apprentis devaient se montrer heureux d'obéir à leurs maîtres, être courtois et avoir un comportement d'une grande moralité. S'ils s'étaient exprimés avec colère, ils devaient demander pardon. Ils ne devaient pas s'enfuir. Ils devaient faire tout ce qu'on leur demandait de faire, à moins que ce ne soit « malhonnête, contraire à la loi, malicieux, injuste ou impie, auquel cas ils ne devaient point obéir ».

Les résidents de ces maisonnées contrastées finissaient par avoir un degré élevé d'intimité. Lorsqu'ils devaient uriner ou déféquer, ils utilisaient les pots de chambre dont étaient équipées la plupart des pièces de la maison, et ils respiraient les mauvaises odeurs de chacun. Ils ne prenaient pas de bains fréquents, leur hygiène personnelle était déficiente, ils changeaient rarement de vêtements ; les riches comme les pauvres étaient infestés de poux et de puces. Ils avaient peu de possessions ou de meubles, à l'exception des tables à dîner. Chez les familles prospères, les jeunes enfants jouaient dans la cuisine ou dans la cour ; les plus vieux étudiaient sur la table de la salle à manger.

Dans les maisons de grande dimension, les pièces avaient plusieurs fonctions. Dans les maisons plus petites, une ou deux pièces servaient pour tous les résidents et toutes les activités, y compris la cuisine, le travail et le sommeil. Les lits, souvent garnis d'un rideau, étaient placés là où on pouvait les loger ; pendant que certains dormaient, les autres poursuivaient leurs activités dans la même pièce. Les lits étaient aussi des espaces partagés, les couples étant couchés à côté de leurs enfants, des membres de la maisonnée avec lesquels ils n'avaient aucun lien de parenté, des invités ou des voyageurs.

Ce manque total de vie privée rendait difficile sinon impossible l'intimité conjugale. Les divers résidents s'entendaient parler ou se disputer ; ils intervenaient parfois, par exemple, lorsqu'une femme était maltraitée. Ils étaient au courant de ce que les autres habitants de la maison faisaient, et savaient qui les visitaient. Ils étaient au courant des relations sexuelles des autres résidents. Même si certains penseurs, par exemple, le théologien puritain William Perkins, avaient commencé à enseigner que « le lit nuptial est réservé à une seule société secrète et isolée, celle du mari et de la femme », le respect de la vie privée était rare[4]. La maisonnée de Martin Luther ne comprenait pas seulement sa femme Catherine et leurs six enfants, mais un flot constant de pensionnaires, son neveu Andraesel ainsi qu'un des neveux de Catherine. Suivant l'historien Philippe Ariès, « on vivait mêlés les uns aux autres, maîtres et serviteurs, enfants et adultes dans des maisons ouvertes à toute heure aux indiscrétions des visiteurs[5] ».

Les premiers colons européens transportèrent avec eux cette forme de maisonnée en Amérique du Nord, où les lits communs étaient courants, où les enfants s'instruisaient sur les rapports sexuels par l'observation et où la vie personnelle de chacun était mise à nu devant tous les autres membres de la maisonnée. Lorsque les colons voyageaient et qu'ils s'arrêtaient dans une auberge, ils partageaient leur lit avec leurs compagnons de voyage, de parfaits étrangers jusqu'à ce qu'ils s'étendent côte à côte pour la nuit.

L'immigrante britannique Mary O'Brien fut contrainte de partager sa maison de ferme exiguë du Haut-Canada avec ses travailleurs domestiques alors qu'elle passait déjà ses journées à les surveiller. À contrecœur et en se plaignant qu'ils « étaient indiscrets », elle suivit la coutume nord-américaine consistant à accueillir ses « aides » à la table familiale.

Au XIXe siècle, de nouveaux idéaux sur le respect de la vie privée apparurent, influençant la construction des habitations — du moins, celles de ceux qui en avaient les moyens — des deux côtés de l'Atlantique. Les maisons de grande dimension étaient maintenant divisées en quatre zones : les chambres des domestiques, celles des adultes de la famille, celles des enfants et, finalement, les grandes pièces où tout le monde pouvait se rassembler. Les corridors, qui n'existaient pas jusque-là, permettaient aux gens d'entrer dans une chambre sans avoir à passer par une autre. Un escalier de service permettait aux domestiques de transporter du bois ou du charbon à l'abri des regards de la famille ou des invités. Les salles de bains ou toilettes permettaient de faire ses besoins en privé. Les sonnettes à fil permettaient aux domestiques de répondre jour et nuit, même s'ils étaient à distance ; ils n'avaient donc plus à se tenir ou à dormir près de leurs maîtres. L'adultère pratiqué dans les chambres à coucher devint une affaire moins risquée.

Comme l'architecte Robert Kerr l'observait en 1840, « la famille constitue une communauté et les domestiques, une autre. Quelle que soit la considération qu'ils se témoignent mutuellement, du fait qu'ils habitent la même maison, chaque classe a le droit de fermer sa porte pour jouir de son indépendance. Ce qui se passe d'un côté ou de l'autre de cette frontière doit être invisible et inaudible de l'autre côté. Des deux côtés, on accorde une grande valeur au respect de cette vie privée[6]. »

Mais la grande majorité des habitations nord-américaines ne pouvaient intégrer des aires privées à leur structure physique de fonctionnement. Les familles rurales partageaient leur espace avec les domestiques, souvent des femmes, dont le salaire s'élevait à quelques dollars par mois, plus la chambre et la pension. Dans le Haut-Canada comme dans la plupart des régions de l'Amérique du Nord, « lorsqu'une fille arrivait pour occuper son emploi, elle devenait immédiatement un membre à part entière de la maisonnée de son employeur » ; elle travaillait avec eux, occupait une partie de leur espace physique et s'adaptait à leurs conditions de vie. Les relations entre un employeur et ses domestiques étaient si étroites qu'elles semblaient calquées, dans une certaine mesure, sur les liens de parenté.

À l'exemple de la femme dont elles partageaient la maison, elles se percevaient elles-mêmes comme des femmes au foyer qui auraient un jour leur propre maison ainsi que des aides domestiques. Ces femmes au foyer apprenties contribuaient, avec leurs employeurs, à démocratiser les normes nord-américaines. Comme le remarquait Anne Langton, une immigrante britannique, « les dames de maison sont aussi occupées que les domestiques qui astiquent les meubles. [...] vous ne perdez aucunement leur respect dans ces efforts. [...] dans ce pays, les domestiques seraient surpris et se sentiraient quelque peu maltraitées si, lorsqu'il y a davantage de travail, nous restions assises au salon. Elles sont portées à penser qu'il est tout à fait juste que nous fassions notre part[7]. »

La vie privée avait peu de place dans ces vies partagées où employeur comme employés pouvaient difficilement dissimuler certains aspects de leur vie, y compris l'état de leur mariage. Les couples n'avaient d'autre choix que de se conduire du mieux qu'ils pouvaient dans ces conditions de vie communautaire.

En milieu urbain, il était plus facile de jouir d'une certaine intimité, même si les maisons bourgeoises avaient habituellement des aides domestiques. Ceux qui vivaient dans la maison avaient leur propre chambre, où ils pouvaient se retirer lorsqu'ils n'étaient pas en service. Ceux qui travaillaient dans des maisons plus modestes vivaient à l'extérieur et rentraient chez eux le soir. Toutefois, même dans les maisons plus grandes, on sacrifiait une part de l'intimité au profit de certaines coutumes comme celle d'offrir gîte et couvert ainsi qu'une formation aux hôtes payants ou aux assistants professionnels. Pendant une bonne part du XIXe siècle, les Nord-Américains pratiquèrent une forme modifiée de l'apprentissage à l'européenne, avec des maîtres artisans ou des hommes de métier qui prenaient comme apprentis des jeunes à qui ils dispensaient une formation durant quatre ou cinq ans. En retour, les apprentis vivaient avec eux, et on leur confiait habituellement certaines corvées domestiques.

Dans le sud de l'Amérique, les propriétaires d'esclaves n'accordaient aucune valeur au respect de la vie privée et ne le pratiquaient donc pas. Les premières maisons de plantation, souvent construites sur le modèle des maisons coloniales de la Nouvelle-Angleterre, avec une grande salle commune et un parloir ou salon, imposaient, selon Gerald L. Foster, architecte et universitaire, un « manque d'intimité [qui] reflétait en partie les rapports relativement informels qui existaient entre les membres de la famille, les domestiques et les esclaves à la fin du XVIIIe siècle et au début du XIXe siècle[8] ». Jusqu'à la Guerre de Sécession, on trouvait de nombreuses maisons de ce genre, vastes et élégantes.

Au XIXe siècle, Elizabeth et William Wirt avaient cinq esclaves dans leur maison de Norfolk, en Virginie. Elizabeth « rassemblait ses esclaves assistantes » — trois femmes — qui s'adonnaient à ses côtés à des travaux de tissage, tressage et couture, pendant que deux esclaves cochers s'occupaient des animaux et des jardins[9]. (Les commis juridiques de William vivaient également avec eux jusqu'au moment où ils devenaient avocats.)

Les maisons de plantation du Sud débordaient d'esclaves — « ils sont dans le parloir et dans nos chambres et partout », écrivait la New-

Yorkaise Sarah Hicks Williams à ses parents, à propos de la Caroline du Nord. Les esclaves vivaient et dormaient dans toute la maison, y compris sur le plancher de la chambre à coucher de leurs maîtres et maîtresses, ce qui leur permettait de répondre immédiatement à toute demande : apporter un verre d'eau, ouvrir ou fermer une fenêtre, ou encore écraser un moustique. Un ou deux esclaves avaient librement accès aux chambres des membres de la famille blanche ; ils y entraient pour allumer le feu matinal ou faire d'autres tâches sans déranger les maîtres. Les Blancs censuraient rarement leurs paroles ou leurs gestes en présence de leurs esclaves, dont la race et le fait qu'ils leur appartenaient les rendaient invisibles et pratiquement négligeables[10].

Ce manque d'intimité avait une dimension sexuelle. Comme les autres Nord-Américains, les familles blanches privilégiées du Sud fondaient leur mariage sur le genre de vie domestique conjugale qui remplaçait les anciens modèles. Ces familles étaient excessivement centrées sur les enfants et s'efforçaient de les préparer du mieux qu'elles pouvaient en envoyant une forte proportion de garçons au collège et un bon nombre de filles aux écoles pour jeunes femmes. Pourtant, les liens unissant mari et femme, ainsi que leur idéal de famille nucléaire, étaient constamment mis à mal par les infidélités des maris qui s'appropriaient le corps des femmes noires.

« Comme les patriarches d'autrefois, nos hommes vivent tous dans une seule maison avec leur femme et leurs concubines ; les mulâtres qu'on peut voir dans chaque famille ressemblent en partie aux enfants blancs, écrit Mary Boykin Chesnut, épouse d'un planteur de la Caroline du Sud. N'importe quelle dame saura vous dire qui est le père des enfants mulâtres de tout un chacun, à l'exception de ceux de sa propre maisonnée. Les siens sont tombés du ciel, semble-t-elle penser[11]. » La présence quotidienne de ces enfants et de leurs mères était une des conséquences les plus irritantes des mœurs sexuelles alimentées par le racisme et du manque profond de vie privée dans les habitations du Sud.

Cette sociabilité forcée s'étendait aux baraquements ou aux regroupements de cabanes dans lesquels vivaient la plupart des esclaves. L'architecture de ces cabanes sordides, attenantes à l'imposante Grande Maison, supposait une signification très différente de la nature du mariage et des finalités des enfants et de la famille. Les maisons des esclaves, pitoyables et insignifiantes, consistaient habituellement en une seule pièce, où les Blancs logeaient le plus grand nombre de Noirs possible. « Ils ne faisaient pas particulièrement attention au nombre de personnes qu'ils mettaient dans une pièce », se rappelait l'ancien esclave John Van Hook. Un autre ajoute que des familles sans lien de parenté étaient entassées « dans la même cabane, autant qu'ils pouvaient en mettre, les hommes et les femmes mélangés ensemble[12] ». Les couples d'esclaves, que leur union ait été volontaire ou qu'elle leur ait été imposée, devaient s'accommoder de cette absence totale d'intimité.

Le culte de la vie domestique

Au XIXe siècle, dans les habitations nord-américaines de la classe moyenne, l'idée de vie privée commençait à prendre racine et se reflétait dans les nouveaux modèles de maisons résidentielles. Généralement, celles-ci avaient une véranda sur le devant, un vestibule, puis un parloir ou des salons où on pouvait recevoir les invités, qui devaient être tenus à l'écart de la cuisine ou de toute autre aire de « service », ainsi que des chambres qui se trouvaient habituellement à l'étage. Les maisons plus vastes avaient également une pouponnière, une bibliothèque, qui avait souvent sa propre entrée latérale, pour le mari, ainsi qu'un petit salon pour sa femme. Au lieu des anciennes chambres communes, les enfants avaient dorénavant de jolies chambres individuelles qui devaient les éloigner de la recherche de « plaisirs et d'excitations ni aussi sains ni aussi raffinés que leurs parents le souhaiteraient[13] ».

L'expansion des villes nord-américaines et la rareté concomitante des terres entraînèrent la construction d'habitations encore plus densément peuplées que les étroites habitations en rangées qui étaient répandues à Philadelphie, New York, Montréal et Toronto : des appartements pour les classes aisées, des logements de qualité minimale pour les pauvres. Dans la seconde moitié du XIXe siècle, même les Nord-Américains de la classe supérieure vivaient dans des immeubles d'habitation à l'européenne. Spacieux et élégants, ils maximisaient l'utilisation du terrain en fournissant des jardins, des aires d'entreposage, des commerces au rez-de-chaussée, les derniers dispositifs en matière de plomberie et de chauffage, ainsi que des concierges pour surveiller les allées et venues à l'intérieur de l'immeuble. Comme les résidents des maisons unifamiliales, ceux qui habitaient ces appartements adoptaient le modèle du mariage complémentaire du mari pourvoyeur et de sa femme ménagère, leur demeure reflétant cette situation en réservant au moins une pièce à la femme de maison (qui « ne travaillait pas », mais n'arrêtait pas de coudre, de broder, etc.) et une autre à son mari.

Les changements intervenant dans la société — les écoles qui se chargeaient de l'éducation, autrefois réalisée à la maison, les usines et les commerces remplaçant la maison comme lieu de travail, les asiles et les établissements correctionnels qui veillaient au bien-être collectif — avaient une grande influence sur ce qui se passait dans les demeures nord-américaines. L'architecture nord-américaine, reflétant ces changements, contribua à former le modèle du mariage d'un soutien de famille et d'une ménagère, chacun d'eux ayant des responsabilités déterminées. Les femmes devaient créer un havre de paix pour leurs maris qui rentraient fatigués du travail, ainsi qu'un doux nid pour leurs enfants, qui, autrement, auraient pu être tentés par des expériences plus excitantes. Comme l'observait une historienne française, la signification d'un intérieur « ne renvoyait pas tant au cœur de l'homme qu'à celui de la maisonnée, et c'était là qu'on pouvait faire l'expérience du bonheur ; de même, le bien-être était désormais conditionné par le " confort "[14] ».

Ces habitations reflétaient également le déplacement fondamental qui s'était opéré de la sociabilité vers l'intimité dans une même famille, ainsi que la séparation des sexes. Les maris et les femmes avaient souvent des secteurs distincts. Les membres de la famille respectaient l'intimité de chacun en frappant avant d'entrer dans une pièce. Le nombre de familles qui prenaient des pensionnaires diminua ; cette coutume avait jusque-là permis aux femmes d'augmenter le revenu familial en restant confinées à la sphère domestique. Edith Wharton, une écrivaine de la classe supérieure, accordait une grande valeur à la vie privée, « une des premières nécessités de la vie civilisée[15] ».

Cependant, d'innombrables maisons étaient trop petites, leurs divisions ne permettant pas vraiment de s'isoler. Harriet Beecher Stowe se désolait de cette situation et s'en plaignait à son mari : « Si j'entrais dans le salon pendant que tu y étais, j'avais l'impression de te déranger, et tu sais que tu le pensais toi aussi[16]. » Le bruit, lui aussi, limitait la possibilité de s'isoler : la progéniture d'Harriet étudiait, jouait, faisait du piano et était le plus souvent dans ses jambes ; lorsqu'elle essayait de s'accorder quelques minutes de répit, l'un d'eux secouait le loquet de sa porte close. Harriet manquait de solitude ; elle cherchait continuellement à avoir du temps à elle, mais, comme dans tant d'autres demeures, la réalité était bien loin de l'idéal.

Dans cette optique, la nouvelle maison tournée vers l'intérieur était également l'atelier de la femme, le lieu où « elle devait vivre, et aimer, mais aussi [celui] où elle devait prendre soin [des autres] et travailler dur », comme le notait un observateur de l'époque. « Ses heures, ses jours, ses semaines, ses années s'écoulent à l'intérieur de ses limites jusqu'à ce qu'elle devienne un accessoire fixe et révéré, encore plus indispensable que la maison elle-même[17]. » La vie de femme mariée était centrée sur la maison, le mari et les enfants ; elle se déroulait dans le confort familier de la vie privée domestique.

Ce nouveau culte de la vie domestique donnait un nouveau rôle aux femmes de la classe moyenne ; elles devaient être les gardiennes de la maison, être chastes et accomplies dans l'économie domestique et le soin des enfants, de bonnes épouses régnant sur leur poulailler, lequel devait être propre, joyeux, avec des séparations bien nettes. Même si elles n'allaient pas travailler dans des bureaux, des usines ou des champs pour gagner un salaire, les bonnes épouses des classes privilégiées devaient, elles aussi, travailler : « se mettre en ménage » ou s'installer dans une maison ne signifiait pas seulement économiser, mais également gagner de l'argent. En Virginie, par exemple, sans sortir de chez elle, Elizabeth Wirt travaillait comme aide-commis de son mari, en plus de superviser une chaîne de montage hautement organisée qui produisait une vaste gamme de conserves et de produits alimentaires frais, ainsi que des vêtements. La sudiste Louise Winifred « Loula » Kendall oublia son troisième anniversaire de mariage parce qu'elle était « trop occupée à faire du saindoux et de la chair à saucisse toute la journée [...]. Adieu sentiments, poésie, beauté et composi-tions florales ! », commenta avec regret la belle, qui était autrefois obsédée par le romantisme[18].

Les bonnes épouses qui ne fabriquaient pas elles-mêmes leur coton et leur lin ou qui ne tissaient pas la laine dont elles avaient besoin, n'en

devaient pas moins coudre les vêtements de la famille. Un commerçant de tissus et articles de mercerie du Haut-Canada disait qu'il ne
vendait pas de vêtements, car les femmes les confectionnaient elles-
mêmes. Eliza Hoyle, une femme du Haut-Canada dont le mari s'absentait souvent pour affaires, devait « recouvrer ses créances, surveiller
ses ouvriers au moulin, superviser les soins à donner au bétail, veiller
à ce que les chevaux soient abreuvés et à ce que les clôtures soient en
bon état, et [en période de rareté prévisible] acheter de l'avoine ou du
foin[19] ». Les femmes propriétaires d'esclaves surveillaient ceux-ci ou
donnaient un coup de main pour tremper des chandelles, fabriquer
des saucisses, coudre les matelas, fabriquer du savon, baratter le beurre,
cultiver et récolter les fruits et les légumes, et faire des conserves.

Certaines femmes gagnaient de l'argent par d'autres moyens,
notamment en écrivant. Harriet Beecher Stowe, dont le roman anti-
esclavagiste *La Case de l'oncle Tom* incita le président Abraham Lincoln à la décrire comme « la petite femme qui a écrit le livre qui a fait
cette grande guerre [civile] », était une de ces mères de famille écri-
vaines. Elle confia un jour à un admirateur : « Comme je me suis
mariée dans le dénuement, sans dot, et que mon mari ne possédait
qu'une grande bibliothèque pleine de livres et beaucoup de connaissances [...], je me disais, lorsqu'on avait besoin d'un nouveau tapis ou
d'un matelas, ou lorsque mes comptes, comme ceux de la pauvre
Dora, ne balançaient pas : je vais écrire quelque chose et ça nous sor-
tira du pétrin. C'est ainsi que je devins écrivaine[20]. »

Les bonnes épouses contribuaient au bien-être de leur famille et
élevaient son niveau de vie en faisant des achats intelligents, en cuisinant, en faisant de la couture et du nettoyage. En prenant pour base
le budget hebdomadaire alimentaire d'une famille qui, en 1851, était
estimé à 4,26 $ par le *New York Tribune*, l'historienne Jeanne Boydston
a établi qu'une femme économe qui achetait en gros, séchait et salait
la nourriture excédentaire, pouvait faire des économies allant de 40 ¢
à plus de 2 $ par semaine, ce qui représentait de 10 à 50 % du budget
alimentaire familial. Par exemple, celles qui avaient des potagers ou des
poules et qui produisaient leur propre fromage économisaient 25 ¢ par
semaine, le prix d'un sac de 10 kg de pommes de terre[21].

Les bonnes épouses étaient également ciblées comme des consom-
matrices importantes et respectées souhaitant profiter des progrès

technologiques qui avaient précédemment révolutionné la société avec des usines et qui, maintenant, produisaient des cuisinières, des aspirateurs ainsi qu'une foule d'autres instruments permettant d'économiser du temps de travail. Cela engendrait de nouvelles demandes et des normes toujours plus élevées ; ce qui, combiné à l'exode des domestiques, faisait plus de travail pour maman.

Les journaux intimes des femmes ainsi que leurs confidences écrites témoignent du fait que le métier de ménagère ne fut jamais facile, comme le souligne Boydston dans *Home and Work* [*Le travail à la maison*]. Les femmes lavaient les vêtements sur des planches à laver, faisaient le repassage avec de lourds fers à repasser, coupaient du bois de chauffage, faisaient du pain, préparaient les repas, faisaient des marinades et des conserves de fruits et de légumes, tissaient la laine, cousaient et réparaient les vêtements, lessivaient les planchers et les murs, pelletaient le charbon, transportaient des seaux d'eau, vidaient les seaux à ordures, soignaient les enfants et les éduquaient, enseignaient la morale et notaient des moments de leur vie dans leur correspondance ou leurs journaux intimes.

Les instruments permettant d'économiser du travail facilitaient ces tâches, voire, comme dans le cas des toilettes, les éliminaient. Mais exception faite des femmes les plus riches, tous les anges du foyer du XIXe siècle devaient acquérir des talents domestiques à faire pâlir une Martha Stewart. « Je ne suis qu'une bête de somme », confiait Harriet Beecher Stowe à une amie[22]. Comme le disait Louisa May Alcott de façon concise, « les travaux domestiques, ce n'est pas drôle ! ».

La nouvelle structure économique, avec des salariés travaillant en usine ou dans des bureaux plutôt qu'à la maison, fit disparaître le repas du midi en famille pour la plupart des gens. Les hommes commencèrent à manger dans des restaurants situés près de leur lieu de travail, qui se vantaient de leur offrir des repas rapides à prix modique. Le soir, lorsque les membres de la famille se rassemblaient, le repas qu'ils prenaient ensemble était le plus important et le plus élaboré de la journée ; il comprenait plusieurs services et du dessert. (Le dimanche faisait exception, avec le repas du midi qui suivait l'office religieux à l'église.)

Ces menus plus sophistiqués eurent pour résultat que les femmes possédant des poêles ne purent plus se limiter aux ragoûts servis en plat unique et aux soupes consistantes. Toutefois, les magnifiques poêles de fonte alimentés au charbon ou au bois étaient extrêmement difficiles à utiliser. Pour les faire fonctionner, la ménagère devait d'abord enlever les cendres de la dernière cuisson, les remplacer par du bois d'allumage et du papier qui lui permettraient de faire un nouveau feu, puis ajuster le registre de tirage et le conduit. Comme le poêle n'avait pas de thermostat, elle devait surveiller la chaleur dégagée, jouer avec le conduit ou ajouter du combustible, s'adaptant aux caprices de l'appareil. Le poêle avait aussi un appétit vorace : environ 50 livres (22,68 kg) de charbon ou de bois par jour. En moyenne, les ménagères consacraient quatre heures par jour à son entretien, y compris le brossage avec une épaisse cire noire qui le protégeait de la rouille, et la vidange du bac à cendres.

Le poêle de Martha Wright était typique : « Et vlan ! le poêle a claqué comme un coup de canon, et maintenant les fenêtres sont ouvertes pour laisser sortir la fumée », se plaignait-elle à sa sœur. « Bang ! Le *maudit* poêle a encore fait des siennes ; j'ai dû faire sortir la fumée, fermer les fenêtres, puis relever la porte du poêle — avant qu'elle ne soit trop chaude — pour le réchauffer à nouveau. Je l'ai pratiquement éteint et il a *répondu en exhalant un nuage de fumée*[23]. » Harriet Beecher Stowe fit sèchement observer que le nouveau poêle étanche à l'air avait « sauvé les gens de tout nouveau désir et mis fin pour toujours à tout autre besoin que l'étroite bande de six pieds de terre qui est la seule propriété inaliénable de l'homme[24] ».

La préparation de la nourriture n'était pas facile ; jusqu'à la fin du XIXᵉ siècle, la majorité des aliments étaient non transformés. Ce n'est qu'en 1897, par exemple, que la compagnie Campbell Soup inventa la soupe en boîte. La ménagère (aidée d'une domestique, si la famille avait les moyens d'en avoir une) devait abattre, plumer et vider les poulets, écailler les poissons, griller et moudre les fèves de café, concasser les pains de sucre, tamiser la farine, en retirer les larves d'insectes, les brindilles et autres impuretés, écaler les noix et épépiner les raisins. Elle devait planifier, préparer, cuisiner et servir les repas de la famille, puis se débarrasser des déchets de cuisine. Elle les transportait sur un site de décharge publique, les donnait à ses cochons ou les emballait pour la collecte par un service de ramassage.

Fatalement, il y avait des échecs. Jacob Riis, immigrant danois et journaliste, décrit la première tentative d'Elizabeth, son épouse bien-aimée, pour rôtir un poulet. «Encore aujourd'hui, je ne saurais dire ce qui s'est passé avec cet étrange oiseau. [...] La peau tirée au maximum sur les os comme la toile tendue par les baleines d'un parapluie, et il y avait tellement de gras dans la casserole que nous ne savions quoi en faire. Mais notre souper de pain et de fromage, ce soir-là, fut un repas de roi.» Lorsqu'un gâteau aux fruits soigneusement préparé refusa de lever, Elizabeth «s'en débarrassa discrètement; mais le lendemain matin, à sa grande honte, qui dure encore aujourd'hui, elle vit sa voisine [...] qui examinait minutieusement le corps du délit dans le récipient à cendres»[25].

Gâcher un plat était un sujet d'inquiétude parmi de nombreux autres. La fumée provenant de la combustion du charbon ou du bois de chauffage, ou des lampes à gaz et des lampes à l'huile imprégnait l'air et recouvrait les tapis, les rideaux, les murs et les meubles de suie noire. Bien que la riche peinture de couleur foncée qui recouvrait les murs dissimulât en partie la saleté omniprésente, il fallait essuyer les globes de lampes, couper les mèches et ajouter du combustible. Il fallait laver les planchers, battre les tapis, laver les fenêtres. Les femmes qui habitaient à l'extérieur de la ville devaient se rendre au puits ou à la source en vue de recueillir l'eau dont elles avaient besoin pour la cuisine et le nettoyage. Par exemple, en Caroline du Nord, en 1886, la ménagère type devait effectuer cette corvée de huit à dix fois par jour. En moyenne, elle parcourait ainsi 238 km et transportait 36 tonnes d'eau par année.

Mais aussi ardus que fussent le nettoyage, la cuisine, le transport de l'eau et les autres corvées domestiques, les femmes du XIXe siècle craignaient plus que tout «la tâche herculéenne» de la lessive, que Rachel Haskell, une ménagère du Nevada, décrit comme «la grande terreur domestique de la maisonnée[26]». La lessive consistait à laisser tremper le linge sale toute la nuit, pour ensuite le frotter sur une planche à laver, le savonner avec de la soude caustique, irritante, puis le brasser dans une cuve d'eau bouillante, le rincer, le passer au bleu, le tordre et finalement l'étendre pour qu'il sèche. Certains vêtements devaient ensuite être repassés; les cols et les crinolines étaient empesés. Experte dans l'art de l'entretien ménager, Catharine Beecher donnait ce conseil : « *Mardi* est consacré au lavage, *mercredi* au repassage. *Jeudi*, le repassage est terminé, les vêtements sont pliés et rangés et tous les morceaux qui ont besoin d'être raccommodés sont déposés dans le panier à raccommodage et reprisés[27]. » En fait, cela supposait que le savon et l'amidon étaient déjà fabriqués. (La recette de savon dur de Beecher exigeait quatre heures de brassage fréquent et comportait d'autres étapes le jour suivant. La fabrication de l'amidon nécessitait d'abord plusieurs jours de trempage de blé non moulu, qu'il fallait brasser et égoutter, puis faire sécher au soleil, ce qui prenait encore plusieurs jours.)

Un immigrant norvégien remarqua avec étonnement que la ménagère nord-américaine « doit faire tout le travail que la cuisinière, la bonne et la femme de ménage effectueraient dans une maison de la classe supérieure. Elle doit faire son travail en plus de l'ensemble du travail qu'effectueraient ces trois domestiques en Norvège[28]. » Lorsqu'il visita les États-Unis, Francis Grund, un écrivain européen expatrié qui était également pédagogue, estima que les femmes américaines étaient en mauvaise santé en raison de « la grande assiduité avec laquelle les Américaines remplissent leurs devoirs de mères. Elles ne sont pas sitôt mariées qu'elles commencent une vie qui les garde dans un isolement relatif ; une fois mères, elles n'existent plus pour le monde[29]. » Lydia Maria Child, écrivaine, abolitionniste et réformiste, faisait le compte des activités de l'année : repas : 360 ; petits-déjeuners : 362 ; balayage et époussetage du salon et de la cuisine : 350 fois ; remplissage des lampes : 362 fois ; balayage et époussetage de la chambre et de l'escalier : 40 fois[30].

Les travaux ménagers faisaient partie intégrante des devoirs conjugaux de la femme de maison ; ils avaient une grande importance, que soulignaient les livres de conseils, les livres de cuisine, les chroniqueurs de journaux et de magazines, ainsi que les livres proposant des modèles de maisons, qui établissaient et décrivaient à la lettre la manière correcte de gérer une maison. Bien qu'elle ne fût pas mariée (son fiancé avait péri dans un naufrage), Catharine Beecher publia, pendant la « folie des manuels », qui dura de 1840 à 1860, onze manuels. Son principal ouvrage, publié en 1841, *Treatise on Domestic Economy* [*Traité d'économie domestique*], fut adopté par les écoles publiques du Massachusetts. Réimprimé à de nombreuses reprises, il instruisit des générations de femmes sur leurs devoirs de ménagères.

Le *Traité* de Catharine Beecher comprenait des instructions sur l'entretien ménager, terriblement exhaustives et impitoyablement détaillées, accompagnées d'assertions générales sur les responsabilités des femmes comme épouses et mères. Catharine Beecher rejetait les discussions sur l'égalité intellectuelle des hommes et des femmes, qu'elle jugeait frivoles et inutiles, mais elle remettait en question la conception « pernicieuse et erronée », largement répandue, selon laquelle l'entretien ménager était un travail stupide. « Aucun homme d'État se trouvant à la tête des affaires du pays n'a aussi souvent besoin de faire preuve de sagesse, de fermeté, de doigté, de discernement, de créativité et d'une variété de talents que la femme en charge d'une grande maisonnée[31] », écrivait-elle. Elle reconnaissait aussi que les femmes devaient adapter leur entretien ménager à leur situation : une femme pauvre ayant une grosse famille pouvait être excusée d'avoir à négliger certains aspects de l'entretien ménager, mais elle devait faire tout son possible pour nourrir et habiller sa progéniture « comme si elle vivait dans l'abondance au milieu d'une petite famille[32] ».

Pour Catharine Beecher, l'aménagement matériel des habitations était si essentiel à une vie convenable qu'elle intégra à son livre une section « Sur la construction des habitations ». En 1869, elle publia *American Woman's House* [*La maison de la femme américaine*] avec sa sœur Harriet Beecher Stowe, la femme et la mère consommée qui avait écrit *La Case de l'oncle Tom* d'une main et mis au four des fèves et du pain d'épices de l'autre, avec des enfants pendus à ses jupes et des chiens courant de-ci de-là. Une maison trop vaste entraînait une charge de travail excessive pour la ménagère. Pour lui éviter d'avoir à monter et à descendre les escaliers, Catharine Beecher proposait d'éliminer l'escalier des domestiques ainsi que la cuisine au sous-sol, et de réunir le salon, la cuisine et la pouponnière au même étage. Pour obéir aux préceptes de la vie privée, elle conseillait aux femmes de renoncer aux aides domestiques dans la mesure du possible en effectuant elles-mêmes les tâches ménagères et en demandant à leurs enfants de les aider.

Les anges de la maison, ces idéalités du culte de la vie domestique, établirent la norme pour toutes les femmes vivant en Amérique du Nord. En plus d'être des sanctuaires pour leurs maris et leurs enfants, leurs demeures, qu'elles géraient à la perfection, devinrent un élément caractéristique de la prospérité nationale définissant l'identité de la classe moyenne. Les maris de ces anges, qui avaient la responsabilité de subvenir aux besoins de leur famille et de la protéger, se sentaient investis de pouvoir dans la mesure où le culte de la vie domestique leur conférait une autorité sur leur maisonnée. Cet arrangement réciproque incitait les femmes à chercher à atteindre la perfection domestique comme moyen de conserver l'amour et le respect de leur mari, qui restait leur principale protection dans un monde toujours pétri d'inégalité.

Les femmes qui vivaient dans des faubourgs moins opulents et plus vastes — qui proliférèrent à la fin du XIXe siècle, au moment où les chemins de fer permirent aux gens de faire la navette entre la ville et leur lieu de résidence —, essayaient, elles aussi, de se montrer à la hauteur des idéaux du culte de la vie domestique. À vrai dire, l'historienne Margaret Marsh considère que ce culte était «localisé surtout dans les faubourgs, représentant la convivialité de la famille et de la communauté, contrairement à une société urbaine qui promettait la réussite personnelle, l'anonymat et l'excitation[33]». Un sous-thème de la croissance des faubourgs était le malaise que suscitait l'arrivée dans les villes des immigrants et des Afro-Américains. Même si elles se sentaient en sécurité, les femmes des faubourgs souffraient plus de la solitude et de l'isolement que leurs sœurs vivant en milieu urbain. Cependant, leurs maris, souvent aliénés dans leur milieu de travail, se consolaient avec les maisons et les lots à jardiner qui étaient pour eux de petits rappels de leur vigoureux passé agraire. En faisant d'eux les seigneurs de ces petits manoirs, le culte de la domesticité les aidait à repenser le sens de la virilité.

Pour les femmes de la classe moyenne, il était beaucoup plus difficile de se conformer au modèle de l'ange du foyer. Dans le Dakota du Nord, Emilie Schumacher, une femme à la maison victorienne typique de la banlieue rurale, devait cuisiner, cuire au four, nettoyer, laver, repasser, raccommoder, jardiner, mettre en conserve des légumes et des fruits en prévision de l'hiver et recevoir. Elle devait aussi ramasser et vendre ses œufs, s'occuper des poules et des cochons, traire les vaches, séparer la crème du lait, baratter le beurre, faire fondre le lard et gérer une vaste maison[34]. Après la mort de sa mère, Hamlin Garland, de l'Iowa, évoquait le souvenir de «l'héroïsme joyeux de sa routine quotidienne [...]. Lorsque je pense aux longues années de son travail de bête de somme, je me rappelle qu'elle se levait tôt pour reprendre la ronde infinie du lavage de vaisselle, du barattage du beurre, de la couture et de la préparation des repas ; je réalise aujourd'hui, beaucoup plus que je ne le faisais à cette époque, que dans tout cet esclavage, ma mère n'était qu'une des nombreuses autres martyres. Toutes les femmes du voisinage avaient la même vie[35]. »

Beaucoup de fermières, ainsi que la majorité de leurs enfants, aidaient au travail dans les champs et à la ferme. Les enfants se levaient à l'aube, ou même avant, pour vider les pots de chambre, nettoyer les bottes, enlever les crottins dans les étables, aller chercher du bois et de l'eau et désherber les jardins. Ces corvées passaient avant tout le reste, même pour les enfants qui n'avaient que cinq ans. « Après que le dernier ballot eut été battu et que le dernier sillon eut été retourné, ils pouvaient aller à l'école, s'ils le souhaitaient », écrit l'historienne Elizabeth Hampsten, dans *Settler's Children* [*Les enfants des colons*][36].

La vie familiale dans une ferme nord-américaine était façonnée par l'acharnement de la dure besogne et par le spectre ou l'esclavage de la pauvreté. Hamlin Garland, par exemple, écrivait : « Quand je pense à notre maison, je ne me souviens de rien qui était beau, de rien. » Sa mère, accablée par la lutte pour nourrir et habiller ses enfants, « n'exprimait jamais ses sentiments profonds. Elle embrassait rarement ses enfants[37]. » D'autres femmes pouvaient manifester plus de tendresse que madame Garland, mais aussi « épuisées [qu'elle] par le travail », elles passaient la majorité de leur temps à travailler et à surveiller plutôt qu'à jouer et à parler avec leurs enfants. Une femme se rappelle que les enfants n'« étaient extraordinaires » que le jour de leur anniversaire[38]. Trop souvent, l'ange de la maison était complètement épuisé.

Défier le culte de la domesticité

Charlotte Perkins Gilman a écrit sur le travail des femmes en adoptant une perspective irrévérencieuse, très différente de celle de sa tante Catharine Beecher. Loin de vénérer l'abnégation de la bonne épouse, Charlotte la stigmatisait comme « une norme primitive de l'éthique domestique » qui corrompait les relations conjugales. Les femmes non payées fouillaient timidement dans les poches de leurs maris pour leur voler de l'argent parce qu'elles n'avaient pas le choix, et bien que

« la maison regorgeât de patience, de pureté, d'activité, d'amour [...],
il y avait moins de justice, moins d'honneur, moins de courage, moins
de vérité[39] ».

Charlotte Gilman rêvait d'« une relation pure, durable, monogame
entre les sexes [...] sans avoir à graisser des pattes ou à acheter un
conjoint, sans les chaînes de la dépendance économique de femmes
prisonnières de leur maison[40] ». Pour mettre fin à cette « ordonnance
du chérubin dans la cuisine » qui obligeait les femmes dépendantes à
faire la cuisine familiale, elle suggérait d'habiter des appartements en
milieu urbain avec salles à manger communes, mais sans cuisines
séparées. « N'est-il pas temps d'abandonner l'idée que le chemin qui
mène au cœur d'un homme passe par son estomac, et d'emprunter
une route plus élevée? [...] Le cœur doit être approché par des voies
supérieures. « Exception faite des « cuisinières nées », la cuisine devrait
être laissée aux spécialistes ayant reçu une formation. Les appartements sans cuisine seraient nettoyés, encore là, par des professionnels,
épargnant à la « femme, la délicate, la belle, la bien-aimée épouse et
mère vénérée [...] tout ce qui est bas et crasseux [...] la graisse, les
cendres, la poussière, le linge sale, et le fer à repasser noir comme de
la suie ». Les soins à apporter aux enfants seraient prodigués par des
nourrices professionnelles et des professeurs. Les femmes comme les
maris partiraient tous les matins pour aller gagner leur vie et suivre
leurs intérêts. Ils vivraient confortablement dans le respect de leur vie
privée et leur mariage évoluerait comme une union où la femme se
trouve « près de l'homme comme l'amie de son âme et non la servante
de son corps ». La plupart des femmes choisiraient un travail compatible avec leur maternité; quelques-unes persisteraient à opter pour
des métiers plus dangereux, comme « acrobates, dresseuses de chevaux, ou matelotes[41] ».

Activiste sociale éminente et féministe de premier plan, Charlotte
Gilman proposait une analyse limpide et incisive du mariage et de la
culture familiale. À la fin du XIXe siècle et au début du XXe, ceux-ci
étaient très bien établis dans toute l'Amérique du Nord; il n'y avait
aucun engouement pour les appartements ou les maisons sans cuisine.
Charlotte Gilman s'attira tout de même un vaste lectorat, et incita les
gens à repenser beaucoup d'aspects du mariage et de la vie familiale
qui semblaient immuables.

Des couples de la classe moyenne adoptaient, par commodité ou par conviction, des arrangements, qui, d'une certaine façon, ressemblaient aux idéaux de Charlotte Gilman; ils prenaient pension dans des «hôtels» résidentiels qui offraient des repas en commun, servis à des heures précises dans la salle à manger. Mary et Amédée Papineau, par exemple, commencèrent leur vie conjugale à l'Hôtel Donegani de Montréal, dans une suite de trois pièces qu'ils meublèrent eux-mêmes. Ils prenaient leurs repas à l'hôtel, qui leur étaient servis dans leur suite; mais ils les trouvaient si peu appétissants que la mère d'Amédée leur offrait souvent une nourriture plus savoureuse. Avant la fin de l'année, le jeune couple avait emménagé dans sa propre maison.

Dans ces hôtels-résidences, seuls les maris sortaient pour aller travailler; les femmes restaient habituellement dans leur chambre, lavant, repassant et raccommodant les vêtements. «J'ai toujours observé que les dames qui étaient pensionnaires passaient plus de temps à travailler sur les collerettes et les jupons que les autres femmes», écrivait la romancière et réformiste Frances Trollope. Cependant, les maris semblaient insensibles aux parures de leurs femmes et passaient très peu de temps dans leur chambre ou dans le salon commun. Comme l'observait cette écrivaine, ils préféraient trouver des excuses pour sortir le soir «par affaires», pendant que leurs femmes délaissées étaient confinées à des rôles d'une «lamentable insignifiance[42]».

Mariages dans la classe ouvrière

Comme les salaires étaient habituellement trop modestes pour soutenir une famille, la version ouvrière du culte de la vie domestique n'était pas centrée sur le modèle de l'homme soutien de famille et de la femme ménagère. L'objectif était plutôt de donner une sécurité financière à la famille, de la garder intacte et, si possible, d'améliorer les conditions de vie des enfants ainsi que leurs perspectives d'avenir.

Cet effort comportait différentes activités complémentaires plus ou moins lucratives; en réalité, c'était celui des deux conjoints qui avait l'occasion de le faire qui s'en chargeait. Ainsi, la récupération pouvait rapporter 50 $ par année (une catalogne pouvait valoir 50 ¢, un vieux manteau plusieurs dollars, quelques pelletées de farine retirées d'un baril endommagé dans les docks, près de 1 $. Les femmes prenaient des pensionnaires, qui leur versaient environ 130 $ par année (ainsi, Peter Pelham, le premier amour et mari de Martha Wright, fut le pensionnaire de sa mère, qui était veuve). Elles faisaient du travail à la pièce chez elles (une couturière pouvait gagner environ 2 $ par semaine). Lorsque les propriétaires des usines et des ateliers clandestins commencèrent à recruter des femmes, beaucoup s'empressèrent d'aller travailler, même si leur salaire était inférieur à celui des hommes.

Les enfants devaient faire leur part. Leurs mères leur montraient comment aider dans le travail à la pièce et comment prendre soin de leurs frères et sœurs plus jeunes. On les envoyait trimer dans les usines, les ateliers clandestins, les moulins, les mines, ou comme domestiques. Et lorsqu'ils rentraient à la maison, ils devaient remettre leurs gages à leurs parents. Lorsque les réformateurs de la société luttèrent pour relever l'âge minimum du travail des enfants, ceux qui s'y opposèrent le plus vigoureusement furent les parents. L'éducation leur paraissait être un pari à long terme, alors que le travail salarié, si faiblement rémunéré fût-il, amenait de l'argent sonnant dans les coffres de la famille.

Les lieux d'habitation de la classe ouvrière devaient être multifonctionnels. Le jour, les tables servaient d'instruments de travail ; le soir, la famille les libérait pour manger. Les « chambres à coucher » étaient partout : dans les couloirs, les cuisines ou les salons ; les lits de la famille et des pensionnaires étaient rangés à l'écart durant la journée et ressortis le soir pour la nuit.

Les immeubles locatifs étaient la pire sorte d'habitation. Dans son exposé d'enquête sur les logements insalubres de la ville de New York, Jacob Riis, auteur de *How the Other Half Lives* [*Comment l'autre moitié vit*] (1890), les décrit comme étant « les foyers de crise des épidémies qui causent la mort des riches comme des pauvres, les pouponnières du paupérisme et du crime qui remplissent nos prisons et nos tribunaux de police, qui envoient une lie de quarante mille naufrages humains à l'asile ou dans des maisons de correction, qui expulsent […] un demi-million de mendiants […], qui forment une armée permanente de dix mille clochards ». Riis concluait que les logements insalubres des immeubles locatifs « apportent une contagion morale qui tue la vie familiale », et que « c'est là leur plus grand crime, qui est inséparable du système ».

Les premiers logements du genre furent aménagés dans de vastes maisons ayant appartenu à des propriétaires de la classe moyenne qui avaient immigré vers les vertes banlieues. Leurs « vastes pièces furent divisées en plusieurs pièces plus petites, sans tenir compte de la lumière ou de la ventilation » ; comme les mansardes et les caves, elles étaient louées à des immigrants qui cherchaient désespérément un logement. Les propriétaires exploitaient leurs locataires en leur demandant des loyers relativement élevés pour ce que la Society for the Improvement of the Condition of the Poor [Société pour l'amélioration des conditions de vie des pauvres] décrivait comme « de vieux immeubles bancals, des logements insalubres surpeuplés donnant sur des cours crasseuses, des sous-sols obscurs, humides [infestés de rats], des mansardes dont le toit fuit, des ateliers, des remises et des étables transformées en logements [...] à peine convenables pour loger des animaux[43] ».

Ces taudis rapportaient tellement que les propriétaires ajoutaient des étages, construisaient dans les espaces réservés aux jardins, divisaient les propriétés en unités toujours plus petites et entassaient un nombre toujours plus grand de locataires : dix familles pouvaient vivre là où deux familles avaient vécu à une époque antérieure. Riis visita une pièce de 3,5 m par 5,8 m qui n'avait que deux lits comme ameublement et qui était occupée par cinq familles totalisant vingt personnes des deux sexes. Au début du xxe siècle, la ville de New York représentait le district le plus densément peuplé au monde : 112 000 personnes au km^2. Les porcs erraient dans la rue, où leur purin s'accumulait en tas. L'air était si pollué que les enfants mouraient (au moins un enfant suffoqua « dans l'atmosphère viciée d'un appartement non aéré[44] »).

Dans les autres villes américaines et canadiennes, ce type de logements modelait les mariages et la vie de famille des résidents. La réformatrice sociale Margaret Byington décrit la vie dans un logement de deux pièces à Pittsburgh :

> La cuisine, mesurant peut-être 4,5 m par 3,6 m, était remplie de la vapeur s'échappant d'une grosse cuvette installée sur une chaise au beau milieu de la pièce. La mère essayait de faire la lessive tout en empêchant le plus âgé de deux bambins de trébucher dans la cuve d'eau bouillante qui se trouvait sur le plancher. D'un côté de la pièce, il y avait un gros lit bombé, avec une couette comme toile de matelas et une autre comme couverture ;

près de la fenêtre, une machine à coudre, dans le coin, un orgue — tout cela près de l'inévitable cuisinière où mijotait, à la place d'honneur, la soupe du soir. À l'étage, dans la deuxième pièce, un pensionnaire et l'homme de la maison dormaient. Deux autres pensionnaires étaient au travail, mais ils seraient à la maison le soir pour dormir dans le lit laissé vacant par les deux autres[45].

Avec les pensionnaires, les voisins, la minceur des murs et les toilettes communes, la vie dans ces logements était notoirement dépourvue d'intimité et rappelait les conditions de vie au Moyen Âge. Mais contrairement à leurs ancêtres du Moyen Âge, les locataires de ces logements avaient au moins une petite idée de ce qu'était la vie privée, et ils réalisaient à quel point cet idéal était absent de leur vie. Et s'ils n'en étaient pas conscients, l'opinion publique de la classe moyenne l'était, exprimant des plaintes outragées devant l'indécence et l'impudeur résultant de la cohabitation des familles avec des pensionnaires sans lien de parenté. Ce manque d'intimité absolu « fait tomber les frontières du respect de soi et mène à la débauche », déclarait l'Association new-yorkaise pour l'amélioration des conditions de vie des pauvres[46]. Dans les procès de divorce de la classe ouvrière, par exemple, les témoins n'hésitaient pas à fournir des rapports sur les relations intimes du couple, que les femmes de la classe moyenne qui étaient malheureuses en ménage auraient préféré passer sous silence.

En dépit des conditions de vie extrêmement difficiles de la classe ouvrière — dont elle n'était peut-être pas consciente —, les réformateurs essayaient d'imposer à celle-ci les valeurs du culte de la vie domestique, ainsi que les valeurs associées d'efficacité, d'ordre et d'autodiscipline. Ils faisaient également la promotion de l'accession à la propriété, un rêve commun à tous les immigrants en dépit des obstacles qui pouvaient empêcher sa réalisation. Un manuel d'anglais destiné aux nouveaux arrivants, *English for Foreigners*, décrivait en ces termes la demeure américaine idéale : « Voici la famille, qui se trouve au salon. La famille se compose du père, de la mère et des enfants. Le père est en train de lire. Le père est le mari. La mère est en train de coudre. La mère est la femme du mari. Le père et la mère sont les parents. [...] La famille constitue le foyer[47]. »

À la fin du XIXᵉ siècle, le salaire des travailleurs de sexe masculin augmenta avec l'accroissement de la demande d'ouvriers qualifiés dans le secteur industriel et l'arrivée des syndicats. Par conséquent, plus de femmes demeurèrent à la maison. Les salaires de celles qui travaillaient (surtout dans les bureaux et les magasins de détail) restaient peu élevés. Plusieurs femmes estimaient qu'après avoir payé les frais de garde pour leurs enfants, il leur restait un bien maigre profit. Comme leurs enfants plus âgés soit fréquentaient l'école soit travaillaient (ou étaient contraints de le faire), ils n'étaient plus disponibles pour s'occuper de leurs jeunes frères et sœurs. En faisant des achats intelligents, en cuisinant et en boulangeant au lieu d'acheter des produits préparés, une ménagère permettait à sa famille de vivre mieux et en particulier d'avoir un régime alimentaire plus nutritif et savoureux sans que cela entraîne des coûts supplémentaires. Si elle était victime de violence conjugale ou si elle craignait de l'être, comme c'était le cas de tant de femmes, elle pouvait toujours espérer qu'une demeure plus confortable réduirait ces risques. En devenant ménagère, elle pouvait contribuer à améliorer la position sociale de son mari et de sa famille; le fait d'avoir un salon où celui-ci pouvait trôner était un symbole tangible de réussite.

Ce choix comportait des risques et des dangers. La ménagère dépendait du salaire de son mari et elle était à la merci de son caractère, surtout s'il buvait. En période économique difficile, elle ne pouvait rien ajouter au salaire de son mari. Mais puisque l'art ménager était considéré comme une vocation valable, et que les services qu'elle rendait étaient difficilement remplaçables, elle jouissait d'une certaine influence et d'un pouvoir de négociation dans la relation conjugale. Dans la classe ouvrière comme dans les classes plus privilégiées, le culte de la vie domestique avait pris racine et il se propageait.

CHAPITRE 6

Allez et multipliez-vous :
Les enfants au cœur du mariage

Le mariage comme union procréatrice

Le 30 novembre 1809, à l'heure du dîner, l'empereur Napoléon Bonaparte informa l'impératrice de sa décision de divorcer. Il avait toléré de son épouse, et lui avait même pardonné, ses infidélités, ses mensonges, ses grossesses simulées et ses extravagances. Cependant, même si son amour pour Joséphine était grand, il voulait une femme capable de lui donner des enfants ; or, Joséphine était devenue stérile. Lorsqu'elle entendit l'horrible nouvelle, elle lança un cri de désespoir et s'évanouit.

Lors de la cérémonie du divorce, Napoléon réitéra son amour à celle qui ne serait bientôt plus impératrice : « Loin de trouver à me plaindre, je ne peux au contraire que me féliciter de la dévotion et de la tendresse de ma femme bien-aimée. Elle a embelli treize années de ma vie ; sa mémoire restera toujours gravée dans mon cœur. »

Joséphine répondit que, puisqu'elle ne pouvait donner à son « auguste et cher mari [...] les enfants qui auraient servi les besoins de ses politiques et les intérêts de la France, elle était heureuse de lui offrir la plus grande preuve d'attachement et de dévotion qui existe sur cette Terre ».

Joséphine, veuve et mère d'un fils et d'une fille, avait caché à Napoléon, et cela depuis plusieurs années, le fait qu'elle était devenue stérile, blâmant l'incapacité de ce dernier à procréer et feignant d'avoir tour à tour des grossesses et des fausses couches. Mais la naissance récente de Charles, comte Léon, fils de Napoléon et de sa maîtresse adolescente Éléonore Denuelle, apportait la preuve incontestable des mensonges de Joséphine[1].

Sa situation difficile était classique. À l'image d'innombrables autres femmes, elle était victime du fait que les enfants étaient considérés comme partie intégrante du mariage. Sous le régime du code Napoléon, la stérilité n'était pas un motif de divorce. Toutefois, du point de vue de Napoléon, il s'agissait d'un motif impérieux, à tel point qu'aussitôt après s'être séparé de Joséphine, il épousa l'archiduchesse Marie-Louise d'Autriche, qui avait dix-huit ans et qui se révéla bientôt fertile.

La plupart des cultures et des religions supposent que le mariage doit aboutir à la procréation. Le judaïsme, le christianisme et l'islamisme ne tarissent pas d'éloges sur le bonheur d'avoir des enfants. La Genèse (*Gn* 22,17) promet aux patriarches que leurs femmes « multiplieront leur postérité comme les étoiles du ciel et comme le sable qui est au bord de la mer ». Le Deutéronome (*Dt* 7, 12-14) va dans le même sens : « Tu seras béni plus que tous les peuples ; il n'y aura chez toi ni homme ni femme stérile. » Quant au Prophète, il décrit une « progéniture digne » comme « un bouquet de fleurs doucement odorantes que Dieu répartit entre ses serviteurs ».

Les enfants sont engendrés par les rapports sexuels, qui, suivant l'enseignement de la plupart des religions, doivent être précédés par le mariage. Nombre de théologiens sexophobes vont plus loin, déclarant que les époux doivent avoir des rapports sexuels *uniquement* dans le but de procréer, et jamais pour satisfaire le simple désir sexuel. Suivant l'exemple de l'Église catholique romaine dont elle s'était pourtant séparée, l'Église anglicane du XVIe siècle, par exemple, voyait dans la procréation le premier objectif du mariage, le deuxième étant la lutte contre la concupiscence et le troisième l'amitié. De son côté, l'Église orthodoxe enseignait que le premier objectif du mariage était l'amour et l'aide mutuelle, la retenue sexuelle et la reproduction de la race humaine étant secondaires. Comme le disait saint Jean Chrysostome, « le mariage n'entraîne pas nécessairement la procréation [...] la preuve en est le grand nombre de mariages qui ne peuvent engendrer des enfants. D'où on peut conclure que la première raison du mariage consiste à régler la vie sexuelle, surtout maintenant que l'espèce humaine a peuplé toute la terre ».

Les puritains, dont la théologie et le mode de vie ont eu une influence si forte en Amérique du Nord, faisaient également passer la sociabilité mutuelle, l'appui réciproque et le confort bien avant la procréation. Dans *Matrimoniall Honour: or, the Mutuall Crowne and Comfort of Godly, Loyall, and Chaste Marriage* [*L'honneur conjugal ou la couronne commune et la manière de se conduire dans un mariage divin, loyal et chaste*] (1642), le pasteur Daniel Rogers écrit: « Le mari et la femme doivent être comme deux tendres amis, engendrés sous la même constellation, pénétrés de la même influence céleste que ni l'un ni l'autre ne saurait expliquer, sinon pour dire que la miséricorde et la providence les ont d'abord faits comme ils sont, puis les ont assortis; ils disent, vois, Dieu nous a choisis l'un pour l'autre dans ce vaste monde[2]. »

L'accouchement

Toutes les femmes ne désiraient pas avoir des enfants, et beaucoup d'entre elles auraient souhaité avoir moins d'enfants. Cela s'expliquait en partie par l'expérience de l'accouchement. Comme un proverbe africain le disait bien, « une femme enceinte a un pied dans la tombe [...] ». L'accouchement pouvait être la « livraison » directe d'un enfant en santé. Mais jusqu'à ce que les sages-femmes et les médecins saisissent toute la portée de la découverte de Louis Pasteur en 1881, à savoir que les microbes causent l'infection, ils manipulaient leurs patientes en train d'accoucher sans s'être nettoyé les mains, qui étaient dans un état dégoûtant. Donner naissance à un enfant sonnait donc souvent le glas pour la mère, l'enfant ou les deux. Au XVIIe siècle, Elizabeth Joceline, craignant, comme tant d'autres femmes enceintes, que l'accouchement ne mette un terme à sa vie, écrivit une lettre d'outre-tombe à son enfant qui n'était pas encore né. Neuf jours après la naissance de sa fille, Elizabeth Joceline mourait. Au XVIIIe siècle, les complications liées à l'accouchement tuaient une femme sur cinq qui avaient entre vingt-cinq et trente-quatre ans. En Amérique du Nord, au milieu du XIXe siècle, au moins 4 % des femmes vivant au Sud et 2 % des femmes vivant au Nord mouraient en couches[3].

L'élite n'était pas épargnée. En 1817, les Anglaises furent choquées d'apprendre que la princesse Charlotte, qui avait vingt et un ans et était la fille unique du roi George IV, était décédée cinq heures après avoir accouché d'un enfant mort-né. Tout le pays fut dans le deuil et, trois mois plus tard, Sir Richard Croft, le médecin qui s'était occupé d'elle, se suicida.

La peur très réelle que les femmes avaient de mourir en couches renforçait le désir de beaucoup de filles privilégiées du Sud de retarder autant qu'elles le pouvaient le moment du mariage. Laura Wirt, dont la mère avait grandement souffert au cours de ses nombreuses grossesses, fut horrifiée par la mort d'une amie peu après son accouchement. « Il était affreux de voir à quel point la maladie et la mort l'avaient changée », écrivait-elle. Les jeunes femmes se tenaient au courant de leurs relations mutuelles, les classant en différentes catégories, suivant qu'elles étaient mariées ou décédées. « J'ai beaucoup pensé à la mort, écrivait Carline Brooks Lilly, future mère, en 1839. Le tombeau a chassé les autres pensées de mon esprit et, lorsque je repose sur la poitrine de mon mari affectueux, la question surgit tout à coup : où vont-ils m'enterrer[4] ? »

Aux États-Unis, la mère de Mary Westcott Papineau était morte en couches. Quant à Mary, elle vivait maintenant au Bas-Canada. Sa santé était mauvaise au moment de son premier accouchement. Celui-ci fut si difficile que le médecin en service avertit ses proches qu'il devrait sacrifier l'enfant pour sauver la vie de Mary — une procédure que sa mère avait dû endurer avant elle. Lorsque le médecin leur annonça finalement la bonne nouvelle que Mary et sa fille nouveau-née étaient vivantes et qu'elles se portaient bien, Amédée et le père de Mary versèrent des larmes de soulagement.

En plus des infections, les femmes pauvres et mal nourries qui allaitaient et se retrouvaient à nouveau enceintes manquaient de calcium ; le pelvis déformé par le rachitisme, elles souffraient l'agonie lors de leurs accouchements. Cela fut particulièrement vrai après la Révolution industrielle, qui poussa un très grand nombre de femmes à aller travailler en usine et créa de nouvelles habitudes alimentaires. Les travailleurs, qui avaient de longues heures de travail ponctuées de courtes pauses, se nourrissaient chichement de collations de thé sucré et de pain qui les stimulaient pendant un court moment ; mais comme ces aliments étaient dépourvus d'éléments nutritifs essentiels, ils finissaient par miner leur santé. Les soins obstétricaux pouvaient aussi être dangereux ou entraîner le décès de la patiente. Les césariennes, qui furent pratiquées avec succès à partir de 1793, sauvèrent quelques femmes dont les os étaient pauvres en calcium, mais causèrent la perte d'autres femmes. Sir Richard Croft ne pratiqua pas une césarienne sur la princesse Charlotte parce qu'il croyait qu'elle n'y aurait pas survécu. Les accouchements étaient si risqués que de nombreuses femmes recevaient la Sainte Communion avant de commencer le travail conduisant à la mise au monde de leur enfant.

L'accouchement était souvent un événement public : les voisins, les sages-femmes ou les médecins, les amis et la parenté se rassemblaient autour de la femme qui allait accoucher. Les maris étaient censés se tenir à proximité, prêts à aider, mais en Angleterre et en Amérique du Nord (dans une mesure moindre), leur présence était considérée comme funeste et déplacée. La reine Victoria, quant à elle, semblait dire qu'ils devraient être témoins de la souffrance de leur femme : « Oh ! ces hommes égoïstes qui sont la cause de toutes nos misères, si seulement ils savaient ce que leurs pauvres esclaves doivent endurer », écrivait-elle[5].

Quelques fois, des maris apportaient leur aide. En 1739, William Gossip tint compagnie à sa bien-aimée Anne pendant qu'elle luttait, et il assista Monsieur Dawes, médecin, pendant les quarante-neuf heures et demie d'« un travail extrêmement douloureux, pénible et dangereux », au cours duquel Monsieur Dawes dut utiliser son « instrument pour mettre l'enfant en pièces et le faire sortir de [cette] manière ».

> Ce fut une opération pénible et terrible où le chirurgien s'est plus vite lassé de la faire souffrir qu'elle-même ne s'est lassée de souffrir [...] des tourments tels qu'il est étonnant que la nature humaine puisse y survivre. Il [...] pénétra l'abdomen de l'enfant avec son instrument, puis il retira les intestins et autres viscères et brisa une partie de ses côtes ; cette évacuation laissa un espace vacant dans l'utérus, ce qui lui permit d'insérer ses mains entre le ventre de l'enfant et les côtés du ventre affaissé, et il put ainsi attraper les pieds de l'enfant [...] et retirer les restes de son cadavre mutilé, sauf un bras [...] qui avait été tranché aussitôt que la mort de l'enfant avait été constatée. Ses restes brisés ont été enterrés près des restes de mes enfants[6].

Edmund Peel, un officier de la marine stationné à Sherbrooke (Québec), non seulement assista à l'accouchement, long et douloureux, de sa femme Lucy, mais il fut ensuite des jours durant, s'exclama Lucy, « [mon] père, ma mère, mon frère, ma sœur, mon infirmière et mon mari ». Edmund avait fait ce qu'il considérait comme son devoir de mari. Il estimait que ce n'était « rien de moins qu'une fausse délicatesse qui pouvait inciter un homme à s'absenter à un moment où sa présence et son soutien sont les plus nécessaires; c'est une chose terrible que de voir une femme souffrir ainsi[7] ».

Heureusement, les accouchements pouvaient aussi se passer sans histoire ou être des événements heureux. Nouvellement père, William Ramsden, par exemple, rapporte jovialement que « la coquine — sa femme Bessy — a l'air mince et provocante et le gosse, gras et en santé »[8].

La dépression postpartum faisait aussi des victimes. Ellen Stock, une Anglaise du XIXe siècle, souffrit d'une « grande dépression morale » qui retarda son rétablissement suite à son accouchement; d'autres femmes luttaient des mois durant pour retrouver leur équilibre émotionnel. Amanda Vickery écrit que « même pour des mères de famille expérimentées, les suites d'un accouchement restaient difficiles à prévoir[9] ». Dans sa maison isolée du Haut-Canada, Susanna Moodie eut affreusement mal aux seins et resta « étendue sur le dos comme un serpent écrasé, incapable de bouger ou même d'être soulevée vers l'avant sans pleurer de la manière la plus pitoyable[10] ». Lorsqu'enfin le docteur arriva, il lui perça le sein et de la matière infectée en jaillit. Les seins engorgés et infectés faisaient partie des maladies associées aux relevailles qui tourmentèrent les femmes pendant une bonne partie du XXe siècle encore.

Jusqu'au XXe siècle, il arrivait souvent que les parents doivent enterrer des bébés. Bien que des historiens influents comme Philippe Ariès, Lloyd deMause et Lawrence Stone aient prétendu que les parents réagissaient avec indifférence ou un chagrin muet, une nouvelle génération de spécialistes soutient que le haut taux de mortalité infantile n'émoussait pas la peine des parents. L'Américaine Elizabeth Prentiss était inconsolable après avoir perdu son nouveau-né ainsi que son fils de trois ans. « Mains vides, mains vides, un corps épuisé jusqu'à la corde, et un désir inexprimable de fuir un monde qui me réservait tant d'expériences amères. Que Dieu me vienne en aide, mon bébé, mon bébé! Aidez-moi, mon Dieu, j'ai perdu mon petit Eddy[11]! »

Après avoir perdu ainsi son premier-né, un fils, Mary Papineau écrit :
« Le choc a été si terrible, soudain et écrasant que je ne peux encore
réaliser pleinement ce qui s'est passé […] et mon pauvre cœur se
désole de plus en plus[12]. »

Les maris partageaient la douleur de leurs femmes. Après qu'Elizabeth, sa fille de huit mois, fut décédée, Martin Luther écrivit qu'il avait
été intensément malade : « Mon cœur était devenu doux et faible ; je
n'aurais jamais pensé qu'un cœur de père pût souffrir à ce point pour
son enfant[13]. » Plus de dix ans passèrent avant qu'il ne se retrouve au
chevet de Magdalena, sa fille agonisante de treize ans. À genoux près
de son lit, il pleurait amèrement en priant que Dieu lui accorde un
sursis, mais elle mourut dans ses bras. Cependant, se consolant en
pensant qu'elle allait vers Dieu, il dit à son enfant mourante : « Chère
fille, tu as un autre Père au ciel, et c'est vers Lui que tu iras[14]. » Comme
des millions d'autres parents endeuillés qui trouvaient du réconfort
dans les sermons qui leur recommandaient la résignation devant les
voies insondables de Dieu, Martin Luther cherchait à accepter la mort
de Magdalena en s'abandonnant à la volonté miséricordieuse de Dieu.

À la mort d'Agnès, leur fille de seize ans, William et Elizabeth
Wirt, qui avaient déjà perdu plusieurs autres enfants, se concentrèrent
sur l'espoir d'une réunion dans les cieux : « Elle a quitté ce monde — et
l'affection que j'éprouvais pour elle l'a suivie. C'était le plan du Ciel
— je le vois et le sens aussi clairement que si cela m'avait été révélé par
un ange —, comme si l'ange qu'est devenue ma fille avait eu la permission de me faire cette révélation », écrit William à un ami[15]. Lorsque
la photographie eut pris son essor au XIXe siècle, les parents trouvaient
une consolation dans l'exposition rituelle de photos de leurs enfants
décédés.

Contraception et avortement

Il y avait d'innombrables raisons pour limiter le nombre d'enfants par
famille. Un enfant qui naissait dans une famille pauvre pouvait
compromettre la survie des enfants plus âgés. La présence d'un trop
grand nombre de filles pouvait écraser la famille sous la charge financière des dots à réunir pour elles. Aux époques où le taux de mortalité
était élevé, les parents ne pouvaient supporter une mort de plus. Les

femmes (et les maris empathiques) vivaient dans la crainte d'une infection postpartum qui pouvait être fatale. De nombreuses femmes avaient en horreur les grossesses à répétition. La reine Victoria, qui était privilégiée et jouissait d'une bonne santé, était «furieuse» que ses deux premières années de vie conjugale aient été «littéralement gâchées» par des grossesses qu'elle comparait à «être comme une vache ou un chien[16]».

Contrairement à la célèbre et prolifique reine, les classes les plus riches — ou, à tout le moins, leurs représentants de sexe masculin — avaient tendance à apprécier la venue d'un grand nombre d'enfants. La classe moyenne et la classe ouvrière, cependant, préféraient en avoir moins et faisaient tout leur possible pour éviter la fécondation. Certaines coutumes commodes ne portaient pas ce nom, mais étaient bien des méthodes de contraception efficaces. En incitant les femmes à attendre au moins dix ans après l'apparition des premières règles pour se marier, tout en jetant l'opprobre sur les rapports sexuels avant le mariage, on réduisait du tiers la période de procréation d'une femme. Le tabou sexuel s'opposant aux rapports sexuels avec une femme qui allaitait contribuait à espacer les grossesses. (La lactation avait en elle-même une action contraceptive durant six à douze mois.)

Beaucoup plus efficace, le coït interrompu était une pratique courante. Toutefois, une Anglaise frustrée du xviie siècle déplorait que son mari «ne se conduisait pas au lit comme il sied à un homme marié [...] ; ce qui devrait être semé dans la bonne terre se perd à l'extérieur de son corps, et, de plus, lorsqu'elle était enceinte, il menaçait de l'éviscérer[17]». Le sexe anal était si courant qu'il provoquait l'ire des théologiens, qui le condamnaient parce qu'il visait le plaisir et non la contraception.

Des dispositifs de contraception étaient utilisés, même si la plupart étaient peu fiables ou embarrassants. Des pessaires grotesques comme «la racine d'iris introduite dans le vagin ou fumigée en dessous[18]» et des éponges ayant une certaine efficacité devaient servir de barrières contre la fécondation. (Dans les années 1860, les femmes vivant au Nord durent improviser ou trouver des méthodes alternatives, car l'approvisionnement en éponges de Floride fut interrompu.)

Jusqu'au xixe siècle, la plupart des barrières contraceptives étaient peu fiables; en règle générale, on les associait à la prostitution et leur premier objectif était de prévenir les maladies vénériennes plutôt que les grossesses. L'écrivain français Jean Astruc décrit un des premiers dispositifs inventés en Angleterre, comme « un petit sac, fait d'une mince vessie, qu'ils appellent un *condom* », suivant le nom de son présumé inventeur le colonel Cundum[19]. Fermant avec des rubans, le condom était aussi dispendieux qu'il était inconfortable. Charles Goodyear et Thomas Hancock inventèrent le caoutchouc vulcanisé en 1843, mais ce n'est qu'en 1876, lors de l'Exposition mondiale de Philadelphie, que les condoms de caoutchouc connurent du succès.

L'échec global de la contraception inspira une vaste gamme d'agents abortifs qui étaient censés mettre un terme aux grossesses non désirées. Les mixtures d'herbes sous forme de breuvages, les comprimés, les suppositoires, les douches vaginales et les amulettes préparées à partir de recettes trouvées dans des livres ou héritées du folklore étaient très répandus. Un remède anglais, « un morceau de la cosse ou de l'enveloppe [du poivre de Guinée], verte ou séchée [...], inséré dans le ventre de la mère après l'accouchement », la rendra stérile de façon permanente[20]. L'ergot, connu en Allemagne sous le nom de *Kindesmord* (*infanticide*), était employé à des doses presque mortelles pour stimuler l'utérus jusqu'à l'avortement[21]. Dans le Sud, la racine de coton était utilisée comme agent abortif, répandu, semble-t-il, chez les esclaves et plus tard chez les femmes blanches, particulièrement après la guerre civile. D'autres méthodes — dangereuses — étaient la dilatation du col de l'utérus avec des plumes d'oie ou la seringue utérovaginale de Chamberlain. Plus lente et plus sûre était la « bougie d'agrandissement, un cylindre d'algues séchées en forme de crayon [...] inséré dans l'utérus et gardé en place pour la nuit », qui gonflait et dilatait progressivement l'utérus au fur et à mesure que le dispositif absorbait l'humidité[22]. Les dispositifs d'aspiration, une « bougie galvanique » électrisée et les divers autres dispositifs électriques étaient atrocement douloureux et on les employait sans anesthésie.

Les gens de l'époque appelaient avortement le fléau des célibataires ou des veuves séduites ou trahies qui se désespéraient à la perspective d'être mères sans être mariées. Mais une étude des journaux intimes et de la correspondance révèle que les femmes mariées, qui pouvaient plus facilement simuler une fausse couche, pratiquaient également l'avortement du fœtus en ayant recours à des agents abortifs ou à la chirurgie. Les maris étaient souvent complices, racontant de «belles histoires sur les maladies de leur femme» et les aidant à se procurer auprès d'apothicaires compréhensifs les mixtures abortives ou les «pilules féminines» qui déclenchaient les règles. Le biographe de Ralph Josselin, pasteur anglican du XVIIᵉ siècle, soupçonne que les nombreuses «fausses couches» de Jane Josselin étaient en fait des avortements dont Ralph était complice. Edward Stanley, un autre mari anglais, félicita sa femme Henrietta, mère de neuf enfants, pour avoir provoqué un avortement au moyen d'«un bain chaud, une très longue marche et une grande dose [de médicament][23]».

Certains maris américains étaient tout aussi obligeants. Lorsque Fanny Sheppard, sa jeune femme de vingt-trois ans et mère de ses deux jeunes fils, lui écrivit qu'elle était à nouveau enceinte, le général confédéré Dorsey Pender invoqua «la volonté divine», mais il se procura aussi des pilules auprès du médecin de sa compagnie pour la «délivrer»[24]. (De deux choses l'une : ou bien les pilules ne furent pas efficaces, ou bien Fanny refusa de les prendre, car Stephen Lee Pender naquit sept mois après la mort de son père en 1863.) En Amérique du Nord comme en Europe, les couples qui souhaitaient limiter les naissances s'appuyaient aussi bien sur une méthode rythmique d'abstinence périodique fondée sur l'hypothèse erronée que l'ovulation se produit juste avant ou pendant les règles, comme c'est le cas chez les chiens et les autres mammifères. (Cette idée fausse fut abandonnée en 1920.) D'autres stratégies prétendaient déloger le sperme pour empêcher la fécondation : les femmes chevauchaient leurs maris pendant les rapports sexuels ou, après le coït, éternuaient le plus fort possible.

Globalement, la régulation des naissances était peu fiable, les grossesses non désirées étant courantes. En tout état de cause, la plupart des dispositifs de contraception — sauf pour ce qui est de l'éternuement, évidemment — nécessitaient la coopération du mari, ce que plusieurs d'entre eux refusaient. Même si Elizabeth Wirt, de santé fragile, était trop souvent enceinte et même si William craignait qu'elle ne puisse survivre un jour de plus, il la féconda à nouveau presque immédiatement après qu'elle eut donné naissance à un enfant. L'opinion d'Elizabeth, suivant laquelle les grossesses fréquentes étaient une «malédiction que nous avons héritée de la pauvre Ève [et qui terrifie] les pauvres femmes», n'ébranlait pas William, qui ne lui laissait « aucune échappatoire » ni aucun choix en la matière[25].

Toute une industrie ciblait directement les femmes enceintes au moyen d'une large publicité dans les journaux et les magazines féminins. Un collaborateur du *British Medical Journal* découvrit qu'en Grande-Bretagne, plus de la moitié des annonces de journaux qui prétendaient soulager les indispositions féminines temporaires, retirer les impuretés ou soigner d'autres états maladifs, proposaient en réalité des agents abortifs et des services d'avortement. En Amérique du Nord, ces produits étaient vendus à pression ; on vantait souvent leur prétendue origine française ou européenne, qui était censée les qualifier comme supérieurs. Les pilules lunaires de Madame Drunette, les pilules régénératives françaises du Dr Peter, les pilules périodiques françaises du Dr Monroe (très prisées par l'aristocratie française, suivant la publicité qu'on en faisait), les pilules portugaises femelles du Dr Melveau et les Perles de santé du Vieux Docteur Gordon (fabriquées à Montréal) étaient toutes catapultées sur les femmes enceintes, accompagnées d'une contre-indication — « une bénédiction pour les mères ; [...] les femmes enceintes ne devraient pas les utiliser, car elles provoquent automatiquement une fausse couche », déclarait solennellement une des annonces[26].

Certaines potions ne provoquaient pas de fausse couche, d'autres étaient efficaces au point d'être dangereuses. Ely van der Warkle, un obstétricien américain du XIXe siècle, découvrit que les produits contenant du savinier, une espèce de genévrier horizontal, causaient, entre autres symptômes, « de violentes douleurs à l'abdomen, des vomissements, de violentes évacuations, du ténesme [de violentes envies d'aller à la selle], des obstructions urinaires [miction douloureuse, goutte à goutte], des chaleurs et brûlements dans les intestins, le rectum et l'anus, des intoxications, de graves maux de tête, le visage en feu[27] ». Les agents abortifs étaient si dangereux que les premières lois américaines sur l'avortement étaient rattachées à la réglementation sur l'usage des poisons.

La difficulté de provoquer une fausse couche conduisit à l'avortement « chirurgical », qui était sans doute la principale forme de régulation des naissances. L'avortement était un secret de polichinelle ; il déchaîna un débat furieux sur la question de savoir à quel moment le fœtus se « transformait » en un être vivant. Les médecins et les écrivains penchaient vers le moment de la conception. Quant aux femmes, en règle générale, elles supposaient que la vie a besoin de quelques semaines avant de prendre racine. Comme l'écrit Angus McLaren, spécialiste de l'histoire de la sexualité, l'avortement, compte tenu des préoccupations relatives à la santé et des problèmes financiers, « avait un rôle beaucoup plus important dans le contrôle de la fertilité humaine qu'on a pu généralement le croire [...]. Les femmes ne sont pas passives en regard de leur fertilité ; elles veulent la contrôler et elles sont prêtes à se donner beaucoup de mal pour y parvenir[28]. » En 1866, le Dr Edwin M. Hale de Chicago rapporte qu'au moins 10 % des femmes mariées ont subi un avortement, et que pas moins du quart des grossesses se terminent par un avortement. De nombreux médecins et sociétés médicales corroborèrent ces statistiques dans des études indépendantes. Même si les femmes prenaient des risques pour leur santé et qu'il n'était pas rare que certaines y laissent leur vie, elles persistaient. Une conséquence, comme l'écrit l'historien Colin Heywood, est que « la reproduction à des niveaux qui approchent ce qui est biologiquement possible a constitué l'exception plutôt que la règle en Occident[29] ».

Les services des avorteurs pouvaient être dispendieux : entre 10 et 50 guinées (de 15 $ US à 75 $ US) en Angleterre, ce qui représentait au moins 5 % du revenu annuel d'une famille modeste de la classe moyenne. La fourchette des prix était tout aussi importante en Amérique du Nord. Un vieil avorteur demandait 10 $, payables en versements échelonnés. En 1870, à Syracuse, van der Warkle rapporte que des avorteuses utilisant de l'eau avaient « réussi le tour de force de l'auto-cathétérisme de la cavité utérine » ; leurs honoraires étaient si bas que « le luxe d'un avortement est maintenant à la portée d'une domestique[30] ». Par contre, en 1854, Ann Caroline Lohman, qui se faisait appeler Madame Restell, une des avorteuses les plus prospères, exigeait la jolie somme de 50 $ pour ses services.

Lohman était une femme mariée et une immigrante anglaise qui s'était installée aux États-Unis. Elle avait commencé sa carrière en proposant des agents abortifs et des avortements dans la ville de New York. Plus tard, elle prit le nom de Madame Restell à cause de sa consonance française, offrit ses services comme « médecin féminin » et, dans les années 1840, ouvrit des succursales à Boston et à Philadelphie[31]. Contrairement à ses concurrents, qui préféraient employer un euphémisme en parlant d'«acte médical», ses publicités proposaient l'avortement comme une solution pour les pauvres gens qui «travaillent péniblement pour vivre et qui vivent pour travailler péniblement», ainsi que pour les veuves miséreuses qui avaient déjà trop d'enfants: «Est-il souhaitable ou même moral pour des parents d'accroître leur famille sans tenir compte des conséquences pour eux-mêmes ou du bien-être de leurs enfants, alors qu'un remède simple, facile, sain et assuré est à notre portée?» (Elle organisait aussi des adoptions pour les enfants non désirés de femmes célibataires qu'elle prenait en pension jusqu'à leur accouchement.)

Les femmes, surtout celles qui faisaient partie des classes supérieures et privilégiées, affluaient vers elle. Elle s'enrichit — à un moment, sa fortune était estimée à 800 000 $ — et se mit à satisfaire ses rêves d'ascension sociale en faisant l'acquisition d'un domaine, de vêtements à la mode et en singeant le style de vie de ses clientes. Sans formation, elle était pourtant habile et intelligente, et lorsque ses potions étaient inefficaces, elle pratiquait un avortement chirurgical. Elle avait des normes de propreté satisfaisantes et on ne rapporte aucun cas de cliente qui serait morte entre ses mains, même s'il dut y en avoir. Une étude moderne estime que «ses avortements étaient probablement un peu plus sécuritaires que les accouchements», au moins pour la mère. Restell, qui fut souvent inculpée, fut formellement accusée en 1847 d'avoir pratiqué un avortement sur Marie Bodine, la maîtresse d'un agent d'affaires d'une manufacture. Après un procès à sensation et des témoignages médicaux contradictoires, elle fut condamnée pour un délit moins important. Elle passa une année à la prison de Blackwell's Island, où le gardien la traita si généreusement qu'il fut congédié. Après sa libération, elle reprit son travail et se fit construire une maison bourgeoise.

L'avortement prospérait, mais beaucoup de gens le critiquaient. Certains craignaient que, si les femmes mariées de race blanche, de religion protestante, faisant partie de la classe moyenne ou supérieure, avaient recours à l'avortement pour retarder, espacer ou limiter leurs grossesses, l'Amérique serait envahie par les étrangers catholiques et les pauvres gens, «les ignorants, les inférieurs et les étrangers» qui recouraient beaucoup plus rarement à l'avortement. D'autres craignaient que, si les femmes étaient libérées des conséquences des rapports sexuels, elles deviennent incontrôlables et se mettent à coucher avec n'importe qui. L'Association médicale américaine, nouvellement constituée, s'opposait vigoureusement à ce que des avorteurs non formés exécutent un acte médical; soutenus par l'Église catholique et de nombreuses Églises protestantes, ils commencèrent à exercer des pressions pour que l'avortement fût déclaré illégal. Les féministes condamnaient l'avortement comme une violence de plus sur le corps des femmes, alors que le droit de refuser les relations sexuelles aurait suffi à éliminer la plupart des grossesses non souhaitées. Néanmoins, jusque dans les années 1870, Restell demeura à peu près intouchable. Les poursuivants n'osaient la faire arrêter, de crainte de voir leur propre femme ou leur propre fille identifiées comme ses clientes.

Tout changea avec la transformation des valeurs sociales qui suivit la guerre civile. Anthony Comstock, le chef austère, puritain jusqu'à l'obsession, de la Société pour la suppression du vice, se donna alors pour mission de débarrasser les États-Unis de la documentation « obscène » sur la régulation des naissances et de poursuivre les avorteurs, Madame Restell en particulier. Comstock se vantait d'avoir « mis en accusation suffisamment de personnes pour remplir un train passager de soixante et un wagons, dont soixante d'une capacité de soixante passagers, les soixante premiers wagons étant presque pleins[32] ». C'est en grande partie grâce à ses efforts que le gouvernement fédéral édicta la Loi Comstock de 1873, qui déclarait obscènes tous les dispositifs de régulation des naissances.

En 1878, Comstock piégea Restell en se procurant des contraceptifs auprès d'elle, puis en se présentant chez elle accompagné de policiers et de journalistes comme témoins. Restell, qui était seule et en deuil de son second mari, comprit qu'elle était condamnée. Le 1er avril, quelques heures avant de comparaître devant le tribunal, elle se trancha la gorge.

Le suicide de Restell marquait la fin de l'avortement relativement accessible. (À partir de ce moment, l'Association médicale américaine définit l'avortement comme « un travail de destruction; la destruction de masse d'enfants non encore nés[33] ».) Par la suite, le nombre d'avortements chuta, car Comstock et le mouvement anti-avortement poursuivaient les avorteurs, fermaient les cliniques et continuèrent leur prosélytisme jusqu'à ce que l'opinion publique, qui était restée jusque-là réservée sur la question de l'avortement, bascule de leur côté. Les femmes désespérées continuaient de se faire avorter, mais elles étaient obligées de se contenter des services qu'elles pouvaient trouver ; elles tentaient aussi de gratter, de crocheter, d'arracher ou de corroder le fœtus par elles-mêmes ou avec l'aide d'amis. Les femmes de la classe moyenne qui avaient donné leur clientèle à Madame Restell accouchaient d'enfants qu'elles auraient préféré ne pas avoir.

Il existait une méthode désespérée pour se débarrasser d'un enfant non désiré : l'infanticide. Courant pendant une bonne partie du XIXe siècle, l'infanticide incluait l'abandon du nouveau-né dans un fossé (dans les régions rurales) ou dans un caniveau (dans les secteurs urbains) ; on pouvait aussi « recouvrir » l'enfant, c'est-à-dire l'étouffer. L'infanticide était habituellement considéré comme un péché plutôt que comme un crime, même si des mères célibataires étaient parfois exécutées pour ce motif. Dans les régions où l'infanticide devint un crime capital, les tribunaux avaient tendance à éviter de condamner les accusées en raison de la dureté de la peine encourue.

Nous savons ce que les experts du domaine et les critiques ont dit à propos des méthodes contraceptives et de l'avortement ; certains passages de journaux intimes et de correspondances personnelles nous permettent de savoir comment les hommes et les femmes approchaient la question de la régulation des naissances. Mais nous savons peu de choses sur la manière dont la contraception et l'avortement influençaient la dynamique de la relation entre mari et femme. Nous pouvons seulement imaginer la peur et le désespoir engendrés par les grossesses non désirées, les discussions et les querelles à voix basse, la planification secrète.

L'alimentation des nourrissons

Bien que les douleurs fulgurantes ou étouffées fussent des expériences courantes, la majorité des nourrissons survivaient et devaient donc être nourris ; la plupart étaient allaités par leur mère. (Une cause fréquente de mortalité du nourrisson était une croyance traditionnelle suivant laquelle le colostrum n'était pas nourrissant mais toxique pour l'enfant.) Les directives pour le sevrage variaient beaucoup d'une

région à l'autre et d'une classe sociale à l'autre. Le premier devoir des
mères des classes supérieures était de s'occuper de leurs nouveau-nés,
même si cela signifiait qu'il leur faille négliger leurs maris ou leurs
autres enfants ; plusieurs d'entre elles allaitaient leurs enfants plusieurs
fois par jour, parfois toutes les deux heures, et pendant une période
de deux à trois ans. Les mères qui avaient moins de moyens devaient
souvent composer avec de graves contraintes de temps. Pour que leurs
petits restent tranquilles pendant les longs intervalles de temps entre
les séances d'allaitement, elles avaient recours au laudanum, à d'autres
opiacés ou à des mixtures d'herbes, mais ce genre de soins avait pour
résultat un très haut taux de mortalité infantile.

Certaines femmes étaient trop malades ou affaiblies par l'accouchement pour produire suffisamment de lait. D'autres éprouvaient du
dégoût à la seule pensée d'avoir à allaiter, ou elles n'avaient aucun
intérêt à soumettre leur corps aux exigences de l'allaitement. Les
fermières dont les familles avaient besoin de la force de travail et les
femmes travaillant en usine dont les familles dépendaient du salaire
renonçaient à l'allaitement prolongé et sevraient leurs enfants au plus
tôt pour éviter d'avoir à interrompre leur travail. Le tabou contre les
rapports sexuels pendant la période de lactation incitait aussi les maris
à décourager leur femme d'allaiter ; les femmes qui espéraient empêcher
leurs maris privés de sexe d'aller voir ailleurs accueillaient positivement
toute solution de rechange au lait maternel.

Une des solutions possibles était la bouillie — un gruau de miettes
de pain trempées dans du lait, de l'eau ou du bouillon — servie dans
un petit pot. Le lait de vache ou de chèvre était également utilisé et
servi dans un récipient ou tété directement de la mamelle de la vache
ou de la chèvre-nourrice. Pendant une bonne partie du XVIIIe siècle
encore, jusqu'à ce que des bouillies et des biberons de meilleure
qualité soient disponibles, et que l'allaitement artificiel soit mieux
accepté, beaucoup de nourrissons mouraient de diarrhée bactérienne.
Lorsque le taux de survie s'améliora, un plus grand nombre de pères
s'intéressa à l'alimentation des nourrissons.

Les nourrices — les mères qui allaitaient un autre enfant que le leur
— étaient de loin la meilleure solution de rechange, car elles donnaient
à l'enfant de leurs clients les meilleures chances de survie. La plupart
du temps, lorsqu'une amie ou une voisine acceptait d'allaiter un

enfant à la place de sa mère, la nourrice était une personne qui acceptait ce travail parce que son propre enfant était mort ou que ses besoins passaient après ceux du nourrisson du client payant. (Les nourrices qui avaient de riches clients payaient d'autres nourrices pour nourrir leurs propres enfants.)

Les nourrissons vivaient chez leur nourrice pendant au moins six mois et souvent plus longtemps — la petite Jane Austen, par exemple, vécut dans la maison d'Elizabeth Littlewood, qui fut sa nourrice et s'occupa d'elle, pendant dix mois environ. Contrairement à Cassandra Austen, certaines mères ne pouvaient supporter que leur enfant soit éloigné d'elles ; à l'encontre de l'« expertise » médicale, elles sevraient leurs enfants plus vite que ce qui était généralement recommandé, parfois après sept mois seulement. Les parents plus fortunés qui visitaient les nourrices de leurs enfants faisaient parfois d'horribles découvertes. Une mère affolée du XIXe siècle en fait état : « Lorsqu'il pleurait, elle le secouait ; lorsqu'elle le lavait, elle mettait une éponge dans sa petite bouche, elle poussait avec son doigt (la bête !) dans sa chère petite gorge ; elle disait qu'elle haïssait l'enfant et qu'elle souhaitait sa mort, elle le laissait étendu par terre à crier[34]. »

Le métier de nourrice était éclaboussé par des histoires d'enfants maltraités, mal nourris, négligés ou même échangés. Les défenseurs de l'allaitement recommandaient que les femmes allaitent leurs propres enfants ; cette pratique était considérée comme plus naturelle et préférable à l'utilisation d'une nourrice. Néanmoins, pendant tout le XIXe siècle et une bonne partie du XXe siècle, lorsque plus de gens se tournèrent vers l'allaitement artificiel et où plus de pères se mirent à manifester un intérêt réel pour la question, la coutume de recourir aux services d'une nourrice persista.

En Amérique du Nord, le recours aux nourrices était moins répandu qu'en Europe. Les puritains, par exemple, n'y étaient pas favorables ; ils croyaient que le lait maternel avait des qualités morales, et que les enfants dont les nourrices avaient des défauts de caractère insoupçonnés étaient contaminés par elles. Environ 20 % des Américaines de classe supérieure avaient recours à des nourrices. Même dans le Sud, où on avait accès à un vaste bassin de femmes esclaves contraintes à allaiter, la majorité des Blanches allaitaient elles-mêmes leurs enfants. Elizabeth Wirt, perpétuellement enceinte, ne faisait appel à des nourrices esclaves que lorsqu'elle était trop malade pour allaiter. Sinon, elle endurait des « mamelons très douloureux et [...] d'autres maux [...]. Et esp[érait] être une bonne nourrice pour son petit bébé, qui ne se nourrissait que de son lait[35]. »

Les mères esclaves allaitaient aussi leurs enfants, mais la plupart étaient forcées de reprendre leur travail trois semaines seulement après l'accouchement. Pendant les huit premiers mois suivant la naissance de leur enfant, elles pouvaient le nourrir au sein trois fois par jour ; plus tard, les séances d'allaitement furent réduites à deux fois par jour. Dans plusieurs plantations où travaillaient des esclaves, la politique était de sevrer les enfants noirs aussitôt que possible pour leur donner de la bouillie, même si cela entraînait souvent une perte d'appétit et la malnutrition. Quelquefois, lorsque la vie d'un enfant esclave était compromise parce que sa mère était décédée ou qu'elle n'avait pas suffisamment de lait, sa maîtresse blanche agissait comme nourrice.

Au début du XIXᵉ siècle, alors que les Nord-Américains subissaient l'influence d'une vision idéale de la maternité qui incluait l'allaitement sur demande pendant une période d'au moins un an, les nourrices n'intervenaient que si la mère était décédée, malade ou avait de la difficulté à produire du lait, auquel cas la nourrice habitait chez ses employeurs. Ces nourrices étaient habituellement jeunes, pauvres et célibataires. Elles avaient été contraintes de placer leurs propres enfants dans des hospices d'enfants trouvés, car, comme le dit l'historienne Janet Golden, « le métier de nourrice revenait souvent à échanger la vie d'un enfant pauvre pour celle d'un enfant riche[36] ». Même si les femmes étaient responsables des soins et de l'allaitement des enfants, les maris intervenaient dans la décision d'engager une nourrice ; leurs journaux intimes et leur correspondance sont remplis d'observations concernant les nourrices de leurs enfants ainsi que les problèmes connexes.

Dans le Sud, les Blancs adoptaient l'idéal des familles centrées sur les enfants. Beaucoup d'enfants blancs étaient nourris sur demande jusqu'au moment de leur sevrage, vers deux ans ou plus. Une mère se vantait que son fils nourri au sein était « assez grand pour parler de courses de chevaux, allumer un feu ou nourrir les veaux ». Lorsque les mères blanches ne pouvaient ou ne voulaient pas allaiter leur enfant, on choisissait une mère noire qui devait abandonner son enfant aux soins d'une vieille « nourrice » esclave qui, étant elle-même trop décrépite pour effectuer un autre travail, était chargée de le garder. « Parfois, vous pouviez en entendre jusqu'à cinq ou six qui pleuraient en même temps. Mémé leur donnait un genre de thé pour les faire taire », se souvient un ancien esclave[37].

Au début du xxe siècle, la pasteurisation et la réfrigération transformèrent l'industrie de l'embouteillage. Le lait en bouteille, un lait qui n'était plus immonde, plein de germes et dénaturé, mit fin au besoin de recourir à une nourrice. À la même époque, des « formules » ou préparations pour enfants à partir de lait de vache furent mises au point et l'allaitement artificiel fut de plus en plus répandu. Vantées par des médecins enthousiastes qui en faisaient la promotion auprès de mères sensibles à leur discours, ces formules, portées par leur nom à consonance scientifique et leur facilité d'utilisation, gagnèrent les faveurs du public. Elles libéraient les femmes des contraintes de l'allaitement, et permettaient aux pères de nourrir leurs enfants, même s'il fallut encore des dizaines d'années avant que les attitudes culturelles changent suffisamment pour encourager ce type de comportement.

L'éducation des enfants

Les spécialistes s'entendent pour dire que l'éducation des enfants a toujours été au centre du mariage; mais ils sont en profond désaccord sur la nature de l'enfance au cours de l'histoire. La controverse tourne autour de la question de la continuité par rapport au changement. Philippe Ariès (*L'enfant et la vie familiale sous l'Ancien Régime*), Lloyd deMause (*The History of Childhood*) [*L'histoire de l'enfance*] et Laurence Stone (*The Family, Sex and Marriage in England 1500-1800*) [*La famille, la sexualité et le mariage en Angleterre, 1500-1800*] ont décrit une histoire de l'enfance où la maltraitance, la brutalité et l'absence d'amour dominaient; comme le dit deMause, c'est « un cauchemar dont nous nous sortons à peine. Plus nous remontons dans l'histoire, plus le niveau des soins à l'enfance est bas et plus augmente la probabilité pour les enfants d'être tués, abandonnés, battus, terrorisés et victimes de violences sexuelles[38] ». Ariès croyait que le Moyen Âge n'avait eu aucune notion de l'enfance, et que, par la suite, les enfants avaient été soumis à une discipline plus sévère parce qu'on les percevait différemment. Lui et Stone écrivirent que même les parents qui aimaient leurs enfants ne les traitaient pas avec affection, comme les petites personnes qu'ils étaient. Les mères étaient dépourvues d'«instinct maternel», indifférentes à la mortalité infantile, et elles traitaient les survivants avec une discipline de fer. Les mentalités commencèrent à changer à partir du Siècle des Lumières, alors que les tout-petits furent perçus comme de petits innocents. C'est seulement à ce moment que les parents commencèrent à leur prodiguer de l'amour et que les relations parents-enfants se développèrent, jetant les bases d'une vie de famille plus heureuse et plus permissive.

Des études plus récentes remettent en question ce tableau. Linda Pollock (*Forgotten Children : Parent-Child Relations from 1500 to 1900* [*Les enfants oubliés ou Les relations parents-enfants de 1500 à 1900*] et *A Lasting Relationship : Parents and Children Over Three Centuries* [*Une relation durable ou Trois siècles de relations parents-enfants*]), de même qu'Amanda Vickery (*The Gentleman's Daughter*) [*La fille du gentilhomme*] font partie de ceux qui ont trouvé dans les journaux intimes, les agendas, les autobiographies et autres documents de l'époque la preuve que les parents ont toujours aimé leurs enfants et ont toujours pris soin d'eux. Prenons par exemple le ravissement qu'Ellen Weeton Stock éprouve pour sa toute-petite : «Elle a cent petits gestes engageants. Ses cheveux sont très clairs et bouclés tout autour de sa tête en tignasse ; elle est grasse de partout et si douce. Je l'embrasse souvent pendant la journée, et je ris souvent de ses drôles de petites manières ; son père serait perdu sans elle et je suis certaine que je le serais tout autant. Je souhaite avoir un autre enfant [...] mais chut ! Ne le dis à personne[39] ! »

« En règle générale, la vie des enfants d'autrefois, à partir du XVIᵉ siècle à tout le moins, était relativement agréable, écrit Linda Pollock. Cette constatation est en opposition directe avec l'allégation de la plupart des historiens, qui soutiennent qu'avant le XVIIIᵉ siècle, les enfants étaient mal venus, ignorés et négligés par leurs parents[40]. » Amanda Vickery ajoute : « Bien entendu, [...] le point le plus faible de cette histoire s'est avéré être l'étalage de la misère et de la sévérité opiniâtres caractérisant la famille au XVIIIᵉ siècle — un tableau ridiculement facile à réfuter en présentant les lettres, les journaux intimes et les témoignages qui révèlent un investissement émotif dans les enfants très répandu[41]. »

Certes, l'enfant né de parents minés par la lutte pour la subsistance et la survie quotidienne ne recevait pas les mêmes soins que celui qui était privilégié. La classe sociale, la pauvreté, les crises financières, le caractère illégitime ou ethnique d'une naissance, les déficiences ainsi qu'une foule d'autres facteurs façonnaient la vie des enfants : le nourrisson mourant d'une nourrice désespérée, l'enfant esclave vendu par ses parents, esclaves eux-mêmes, l'enfant illégitime que la bonne société cherchait à oublier, l'enfant pauvre de parents prolifiques (ce dernier immortalisé par le roman de Thomas Hardy, *Jude the Obscure* [*Jude l'Obscur*] sous les traits de « Petit Père le Temps », le fils aîné de Jude qui pendit son petit frère, sa petite sœur puis se pendit lui-même. Il laissa une note disant : « C'est parce que nous sommes trop. » Cependant, il n'existait aucun préjugé culturel s'opposant à un attachement émotif profond pour les enfants, ou contre le fait de leur donner le plus de soins possible.

Pendant des siècles, les parents emmaillotèrent leurs petits pour qu'ils soient au chaud et en sécurité. En les enveloppant dans plusieurs couches de tissus, en supportant leur tête et en attachant leurs membres le long de leur corps, ils croyaient renforcer leurs os et assurer la rectitude de leur posture. L'urine et les excréments qui les souillaient n'étaient pas considérés comme malsains. Beaucoup de mères préféraient sécher les couches mouillées pour préserver les vertus curatives de l'urine. De plus, les bébés emmaillotés ne risquaient pas de s'enfuir en marchant à quatre pattes. Ils étaient protégés des animaux domestiques et des animaux d'élevage, et particulièrement des morsures de porcs. Leurs parents étaient en mesure ainsi de se consacrer à d'autres tâches.

Jusqu'à ce que le XVIIIe siècle érige une barrière de documentation rationaliste et médicale, les traditions populaires et féminines servaient de guides pour l'éducation des enfants. Par la suite, lorsque les médecins se mirent à pontifier et à médicaliser les soins à l'enfant, les mères furent confrontées à des normes différentes et confuses ; beaucoup d'entre elles se sentirent coupables, frustrées et craintives. Au fur et à mesure que la connaissance scientifique du corps humain augmentait, elles abandonnèrent certaines formes traditionnelles de soins à l'enfant, y compris l'emmaillotement des nourrissons.

Comme les mères, les pères se souciaient des poussées dentaires de leurs enfants, qui signifiaient habituellement une nuit sans sommeil pour tout le monde et qui pouvaient rendre malades les nourrissons. « Sa mère et moi avons eu beaucoup d'inquiétude à son sujet », écrit l'un d'entre eux[42]. James Cobden-Sanderson, un artiste britannique privé de sommeil, essayait de relativiser son problème : « J'ai pensé aux innombrables enfants qui, de par le monde, pleuraient au même moment, à tous ceux qui avaient pleuré jusqu'à maintenant et à tous ceux qui étaient destinés à le faire dans les générations futures. Et j'ai pensé qu'il aurait effectivement été absurde de s'en irriter[43]. »

Les parents s'intéressaient profondément au développement de leurs enfants ; ils prenaient en note les premiers pas de leurs tout-petits, leurs premiers mots, leurs blessures et leurs maladies — ces dernières étaient terrifiantes, car le taux de mortalité infantile était élevé à l'époque. « Le coût émotif de la maladie était lourd pour les deux parents, la panique du père étant aussi manifeste que l'angoisse de la mère lorsque la vie de leurs bébés chéris était en jeu », écrit Amanda Vickery[44]. « Je serais prêt à faire un pèlerinage à pied aussi loin que mes jambes voudraient me porter pour que mon petit gars soit guéri », écrit un père affolé du xviiie siècle[45]. William Wirt avait passé « plusieurs nuits d'affilée[46] » au chevet de sa fille malade.

Les moments de détente figuraient aussi dans les carnets personnels des parents, bien que certains pères aient eu un jugement défavorable, car ils considéraient que le jeu distrayait les enfants de leur premier devoir d'apprentissage. Mais la plupart décrivaient avec indulgence les promenades en forêt de leurs enfants, les mariages qu'ils mimaient, les batailles de boules de neige, les sports, les parties de pêche, les fausses funérailles, les maisons de poupée, les parties de boxe, les collections de coquillages, ainsi que les jeux où ils faisaient semblant d'être soldats, allumeurs de réverbères, jardiniers, charbonniers, joueurs d'orgue de Barbarie ou ingénieurs ferroviaires.

L'éducation était la plus grande préoccupation des parents des deux sexes. En règle générale, on enseignait des matières différentes aux filles et aux garçons, mais tous étudiaient la religion. Les filles étudiaient habituellement la broderie, le dessin, la couture, la peinture, le croquis, le chant, la danse, la géographie, l'histoire, l'arithmétique, l'anglais et parfois le français. L'importance d'avoir un bon caractère, synonyme d'obéissance et de docilité, était soulignée ; il était indispensable aussi d'avoir une bonne posture. Les filles des classes privilégiées pouvaient aussi apprendre la peinture inversée sur verre, le travail de la cire et des coquillages ainsi que l'art floral artificiel. Quant aux garçons, ils commençaient par apprendre à lire, à écrire et à compter avant d'étudier, souvent, la géométrie, le latin et le grec. Ils pouvaient aussi étudier les lettres classiques, la géographie et l'histoire modernes, la philosophie, la rhétorique voire la mécanique et l'escrime.

Avant le XVIIe siècle, la plupart des enfants étaient éduqués à la maison, souvent par des précepteurs. Au XVIIIe siècle, certains étaient envoyés à l'école ; là encore, les garçons et les filles n'étudiaient pas les mêmes matières. Beaucoup d'auteurs de journaux intimes se plaignaient de la distraction de leurs enfants, de leur agitation, de leur manque de sérieux et de leur indifférence en matière d'éducation. Quelques chanceux se réjouissaient de la précocité de leurs enfants et de leur maîtrise des matières enseignées.

Les mères et les pères disciplinaient et punissaient leurs enfants. Si l'on en croit les journaux intimes et les autobiographies d'adultes et d'enfants de l'époque, le nombre de parents indulgents était beaucoup plus grand que celui des parents sévères ou des partisans de la manière forte. Les châtiments corporels étaient habituellement utilisés en dernier ressort, après avoir tenté de raisonner les enfants, de les cajoler ou de leur donner de petites punitions — en les privant de dessert ou en les envoyant au lit sans souper. Au milieu du XVIIIe siècle, Fanny Glanville Boscawen, une intellectuelle anglaise réputée, mais bas-bleu, rapporte comment elle se débrouillait avec son petit Billy de quatre ans qui refusait de manger son déjeuner : « Comme nous sommes têtus et effrontés, et à quel point nous pouvons employer les mots "veux pas, peux pas, mangerai pas" [...], la règle et moi sommes allés déjeuner avec lui, et, sans passer à l'acte ou faire quoi que ce soit de semblable, le fond du bol de porridge est assez vite apparu[47]. »

Certains parents essayaient de briser la volonté de leurs enfants, allant jusqu'à gifler des nourrissons, mais ils étaient beaucoup moins nombreux que ceux qui préféraient « choyer et flatter » leurs petits (c'est-à-dire tout leur passer), comme le disait sur un ton désapprobateur le philosophe John Locke, célibataire et sans enfants[48]. En règle générale, les châtiments physiques étaient plus sévères durant lapremière moitié du xixᵉ siècle qu'ils ne l'avaient été au cours des deux siècles précédents ; ils s'adoucirent à nouveau dans la seconde moitié du xixᵉ siècle.

Les maris et les femmes avaient de chaudes discussions autour de la discipline à imposer aux enfants, et ils se témoignaient mutuellement leur sympathie devant l'entêtement et le mauvais comportement de leurs enfants. W. Byrd s'était « brouillé avec [sa] femme pour avoir forcé Evie — leur fille de trois ans — à manger contre son gré ». Un autre père se disait « parfois très déprimé » d'être incapable d'avoir des rapports avec ses enfants et de se mettre à leur place[49]. Certains parents se désespéraient du caractère de leurs enfants, les croyant pervers. La plupart des parents accordaient une importance particulière à l'instruction religieuse ainsi qu'aux joies d'une vie vertueuse. Au xixᵉ siècle, ils cherchaient les moyens de rendre agréable cette éducation à la vertu. Par exemple, un garçon prétendait lire la Bible en entier pour que sa mère le récompense en lui offrant un couteau, un portefeuille et un manteau, alors que son père lui avait promis un dollar.

Dans les colonies d'Amérique du Nord comme en Europe, jusqu'à six ou sept ans, les garçons portaient des robes suffisamment amples et bouffantes pour permettre la croissance et un apprentissage efficace de la propreté ; ces robes étaient plus courtes que la chemise de nuit (l'ancêtre de la robe baptismale actuelle) que les enfants portaient avant de savoir marcher. Avant que les garçons ne portent le pantalon, il était tellement difficile de les distinguer des filles que les photographes ajoutaient des indices visuels : des chiens sautant de joie, des pistolets, des dagues, des chapeaux, des tambours, des cravaches ainsi que d'autres objets associés à la virilité. Souvent, les garçons arboraient la frange, avaient les cheveux séparés sur le côté et portaient des vêtements plus foncés que les filles.

Pour les garçons, le port des hauts-de-chausses ou des pantalons était un rite de passage important ; il marquait la fin de l'« enfance » et correspondait à l'âge de raison, selon la manière de le comprendre dans la plupart des sociétés. Pour les enfants de la classe ouvrière qui n'avaient pas encore d'emploi, les hauts-de-chausses symbolisaient leur entrée sur le marché du travail comme domestiques, travailleurs agricoles ou travailleurs en usine.

Lorsque leurs garçons commençaient à porter des culottes, les pères plus à l'aise financièrement exerçaient un plus grand contrôle sur leur éducation ou leur formation; ils prenaient des arrangements pour les inscrire à l'école ou les confier à des précepteurs. Ce sont les pères qui leur donnaient leurs devoirs à la maison et les corrigeaient. En les encourageant, en tonnant de la voix et en les disciplinant, ils cherchaient à leur inculquer les valeurs d'une bonne éducation. Les garçons apprenaient le latin, le grec, l'arithmétique ainsi que les bonnes manières, dont la danse faisait partie, et plusieurs poursuivaient leurs études à l'université ou suivaient une formation professionnelle. Avec l'essor de la photographie au XIXe siècle, les garçons en culottes étaient souvent photographiés avec leur père.

Pour les jeunes filles, c'est la puberté qui constituait le rite de passage. Lorsque leurs filles grandissaient, les parents attendaient d'elles qu'elles acquièrent le savoir-faire féminin, pour se préparer au jour où elles devraient gérer une maisonnée. Les filles des classes privilégiées commençaient une formation sérieuse en vue de devenir des femmes, ce qui incluait les travaux manuels, la musique et l'apprentissage du français; d'autres se préparaient au travail — rémunéré et domestique — auquel elles étaient destinées. Lors de certaines occasions spéciales, les jeunes filles troquaient leurs tresses contre des coiffures plus formelles et plus relevées, afin d'indiquer leur passage prochain à l'âge adulte.

L'enfance en Amérique du Nord

À travers les immigrants, la littérature et les idéaux sociaux, la manière d'éduquer les enfants en Europe eut une grande influence sur l'Amérique du Nord. Mais les Nord-Américains adaptèrent le modèle européen à leur situation particulière ainsi qu'aux besoins et aux conceptions de leur région du monde. Les puritains, dont l'influence était encore palpable, avaient une influence démesurée. À l'exemple des autres régions du monde occidental, la structure patriarcale donnait aux pères la responsabilité de l'enseignement et de la discipline. Ces responsabilités étaient si importantes qu'en 1646, la Massachusetts Bay Colony et le Connecticut votèrent des lois qui obligeaient les parents à enseigner à leurs enfants les doctrines puritaines sur la peine de mort.

La sévérité des lois de la société puritaine se reflétait aussi dans le fait que la mauvaise conduite des enfants était une préoccupation majeure. Les enfants de plus de seize ans qui frappaient ou injuriaient l'un ou l'autre de leurs parents étaient passibles de la peine de mort, à moins de pouvoir prouver que leurs parents avaient négligé leur éducation ou les avaient battus au point de les mutiler ou de les mettre en danger de mort. Les fils récalcitrants ou rebelles encouraient les mêmes peines.

En réalité, les lois puritaines criaient haut et fort, mais elles mordaient rarement : même les fils les plus honteusement rebelles n'étaient pas pendus. John Porter, un célibataire de trente et un ans habitant à Salem, injuria son père, le traitant de « menteur, singe idiot et tas de merde » ainsi que sa mère (qui puait), qu'il comparait à des « chiottes » ou à une « pissotière » ; il poignarda un domestique, menaça de tuer son propre frère, tenta de mettre le feu à la maison de ses parents et d'abattre leur bétail. Plutôt que d'être pendu haut et court, ce mécréant fut condamné à se tenir debout sous la potence pendant une heure, la corde au cou, portant une affiche qui énumérait ses crimes[50].

Les parents puritains imposaient une discipline sévère à leurs jeunes enfants, mais ne les battaient pas. Un seul enfant, Elizabeth Emerson, onze ans, déposa une plainte pour cruauté parentale en vertu des lois de la Nouvelle-Angleterre, après que son père lui eut donné des coups de pied et l'ait frappée avec un outil servant au battage des céréales. Le père fut condamné pour avoir donné une correction excessive et cruelle, et mis à l'amende. La société puritaine pouvait tolérer les châtiments corporels infligés aux enfants, tant qu'il n'y avait pas d'os cassés, de sang versé ou de lacérations. Les parents infligeaient des châtiments corporels à leurs plus jeunes enfants et aux garçons plus qu'aux filles. (À cette époque, les femmes étaient juridiquement, sinon réellement, exemptées des châtiments corporels ; entre 1640 et 1680, les colonies de Massachusetts Bay et de Plymouth furent les premières à voter des lois protégeant les « femmes mariées [...] des corrections physiques ou des coups de fouet de leurs maris ».

Au moment où les puritains s'établissaient en Nouvelle-Angleterre, les Français créaient une société patriarcale catholique en Nouvelle-France. Au xviiie siècle, le taux de natalité élevé des Canadiens français contrebalançait le taux de mortalité infantile, également élevé. Les adultes aussi mouraient souvent dans la force de l'âge (environ la moitié des adolescents avaient perdu au moins un parent). Les veufs et les veuves se remariaient, et les familles mélangées qu'ils créaient constituaient un trait caractéristique de la société canadienne-française.

Dans cette société rurale, la plupart des enfants vivaient dans des fermes; ils avaient une grande valeur, car ils pouvaient participer aux tâches agricoles et aux corvées domestiques. Ceux qui possédaient une formation la devaient aux ordres religieux catholiques, qui étaient seuls à leur offrir la possibilité de s'instruire. Il y avait un manque d'enseignants pour les garçons, mais les filles profitaient de la bonne organisation des congrégations de religieuses enseignantes et étaient donc généralement mieux éduquées que leurs frères. Les religieuses leur enseignaient la religion, la lecture, l'écriture, la couture et d'autres connaissances convenant à leur future condition de femme mariée ou — car c'était la seule autre possibilité — de religieuse.

Contrairement aux filles, certains garçons poursuivaient leurs études au secondaire, étudiant le latin, la philosophie et la théologie. La plupart des garçons travaillaient à la ferme familiale sous la supervision de leur père, ou comme apprentis auprès d'un homme de métier. Cependant, les enfants pauvres et orphelins qui avaient moins de cinq ans étaient rarement acceptés comme apprentis. On les mettait directement au travail, souvent comme domestiques, et ils ne recevaient pour toute rémunération que la chambre et la pension.

Dans les colonies de Virginie et du Maryland, situées dans la baie de Chesapeake, affectée par les maladies et la turbulence sociale, mais riche de ses cultures de tabac, l'éducation des enfants était fort différente. Les fermiers, les ouvriers et les jeunes fils sans terre arrivaient d'Angleterre en grand nombre, séduits par la propagande qui leur promettait des terres fertiles. Mais le milieu toxique de la côte baignée par les eaux de marée et contaminée par les eaux usées favorisait la prolifération des moustiques et des maladies. Jusqu'au milieu des années 1660, la moitié de la main-d'œuvre anglaise engagée à long terme, représentant la majorité de la population, mourait de la malaria, du typhus ou de la dysenterie dans les trois ans suivant son arrivée.

Cette immigration masculine largement disproportionnée faussait l'équilibre entre les sexes et augmentait les risques de viol et de conception prénuptiale ; on faisait également pression sur les adolescentes pour qu'elles épousent des hommes qui étaient souvent beaucoup plus vieux qu'elles. Les conséquences des « maladies fréquentes, des morts prématurées et de la pénurie de femmes qui limitaient la possibilité pour les hommes de se marier pervertissaient la société de Chesapeake, en en faisant une caricature de la société anglaise que les immigrants avaient laissée derrière eux », comme le fait remarquer l'historienne Lorena S. Walsh[51].

Le taux de mortalité était plus élevé chez les hommes que chez les femmes, ce qui augmentait la probabilité pour les femmes de devenir veuves. Les mariages étaient donc fréquents et les orphelins nombreux. Dans un comté de Virginie, près des trois quarts des enfants de moins de vingt et un ans avaient perdu au moins un parent, et le tiers d'entre eux avaient perdu leurs deux parents. Les enfants, eux aussi, étaient vulnérables aux maladies : contrairement à la situation prévalant en Nouvelle-Angleterre ou en Nouvelle-France, seuls deux ou trois enfants atteignaient l'âge adulte en Virginie. Les mariages en secondes ou en troisièmes noces qui produisaient des maisonnées importantes et complexes étaient exceptionnels. Les maladies mortelles frappaient si souvent que ces familles reconstituées comptaient rarement plus de trois ou quatre enfants. Les représentants officiels de la colonie s'occupaient d'une bonne part des orphelins en leur offrant une formation d'apprenti, ce qui augmentait le nombre d'hommes de métier qualifiés. Une autre conséquence du décès prématuré des parents était qu'il y avait dans ces colonies, plus que dans les autres, un grand nombre de jeunes gens qui devenaient autonomes et parvenaient à l'âge adulte sans avoir subi les contraintes et l'influence d'un père autoritaire. Toutefois, une fraction importante de ces hommes n'héritait pas immédiatement des possessions paternelles. Conscients de laisser derrière eux des veuves relativement jeunes, les maris spécifiaient souvent dans leur testament que leurs fils (et parfois leurs filles) ne pourraient toucher leur héritage qu'après que leur veuve n'aurait plus besoin de subvenir à ses besoins ainsi qu'à ceux de sa famille.

La vie familiale dans les plantations de cette région était également différente. N'entretenant aucune relation avec les jeunes de leur âge, les fils et filles des familles de planteurs grandissaient dans un milieu très serré. Toutefois, la division des sexes était très marquée. Les fils aînés héritaient des biens de grande valeur, alors que les plus jeunes héritaient du reste. Les filles recevaient souvent en héritage des esclaves ou une somme d'argent, mais rarement des propriétés. Elles devaient compter sur leurs futurs époux pour leur subsistance. C'est ainsi que Thomas Jefferson disait à sa fille Martha : « Le bonheur de ta vie dépend maintenant de ta capacité de continuer à plaire à une seule personne[52]. » Le dilemme « argent ou amour » se posait rarement pour les femmes, qui devaient manipuler le marché du mariage pour trouver un partenaire déjà prospère ou ayant au moins de belles perspectives d'avenir ; de leur côté, les hommes avaient une plus grande marge de manœuvre pour suivre leurs propres inclinations.

Les jeunes mâles blancs avaient beaucoup de droits : ils pouvaient boire, assister à des combats de coqs ou des courses de chevaux et avoir des expériences sexuelles avec des femmes noires qui leur appartenaient, étaient à leur emploi ou qu'ils tyrannisaient, ainsi qu'avec des femmes blanches (nonobstant le mythe de la pureté de la femme blanche) qu'ils devaient ensuite marier. (Au milieu du XVIIIe siècle, dans un comté de Virginie, par exemple, un quart, voire un tiers, des nouvelles mariées étaient déjà enceintes.) Leur éducation préparait ces jeunes mâles blancs à leur vie adulte de maris et de pères qui ne se refuseraient rien, tout en étant autoritaires.

L'enfance des esclaves

L'enfance des esclaves était diamétralement opposée à celle de leurs propriétaires blancs. Leur structure familiale était soumise à des attaques constantes. Peu de familles de planteurs respectaient le moindrement les relations et les besoins des familles noires sur lesquelles elles avaient une mainmise légale. Au contraire, elles intervenaient activement dans leurs relations les plus intimes, forçant un homme esclave à prendre deux femmes pour accroître le nombre d'esclaves, remplaçant une épouse se trouvant dans une autre propriété par une autre sur place, encourageant une femme dont le mari était stérile à en trouver un autre en l'envoyant travailler dans une plantation éloignée. La femme d'un propriétaire d'esclaves qui trouvait les mariages « moricauds », « comiques, fous et hilarants », ne faisait probablement qu'exprimer une attitude générale envers les unions entre esclaves[53].

Une bonne moitié des enfants esclaves étaient élevés dans des foyers monoparentaux, dirigés le plus souvent par des femmes. Les propriétaires mettaient abruptement fin à deux mariages sur cinq en vendant les esclaves ou en les offrant comme cadeaux de mariage ou les laissant comme héritage. En Caroline du Nord, une étude des testaments des planteurs montra que, sur quatre-vingt-douze planteurs, seuls huit laissèrent des instructions à leurs exécuteurs testamentaires pour qu'ils préservent l'intégrité des familles d'esclaves. Thomas Jefferson justifia la vente d'un vieil esclave qui allait être séparé de sa famille en disant qu'il était « toujours prêt à respecter les relations sérieuses formées entre ces gens », mais seulement « dans la mesure où cela pouvait se faire de manière raisonnable ». Les planteurs qui étaient accablés par les mères esclaves trop fertiles qualifiaient de « petites pestes » ces enfants esclaves en excédent, et ils s'en débarrassaient en les donnant. Les enfants étaient arrachés à leurs parents et séparés de leurs frères et sœurs. Un des gospels les plus tristes que les esclaves chantaient en travaillant était : « Maman, est-ce que le maître nous vendra demain ?/ Oui, oui, oui !/ Oh ! Prends garde et prie. »

Pour les maîtres blancs, les enfants esclaves étaient des biens personnels chiffrables, une charge ou, beaucoup plus souvent, de futurs éléments d'actif. En 1858, le *Southern Cultivator* publiait cet article d'un auteur non identifié :

> Je possède une femme qui m'a coûté 400 $ lorsque je l'ai achetée en 1827. Je dois admettre qu'elle ne m'a rien rapporté — seulement la valeur de ses victuailles et de ses vêtements. Elle a maintenant trois enfants qui valent plus de 3000 $ et qui travaillent aux champs depuis environ trois ans, suffisamment pour payer leurs dépenses avant d'être des demi-travailleurs, et j'ai aussi le profit de tous les demi-travailleurs. De ses douze enfants, seuls trois garçons et une fille [ont survécu] ; pourtant, en dépit de son mauvais comportement, elle m'a rapporté dix pour cent d'intérêts, car son travail était à moitié bon et je n'obtiendrai pas 700 $ pour elle ce soir. Son fils aîné vaut 1250 $ en argent comptant, et je sais que je peux l'obtenir[54].

À toutes les étapes de la vie d'un enfant esclave, l'autorité parentale était sabotée par les Blancs. Dans plusieurs cas de mariages « au loin », lorsque les maris et leurs femmes devaient vivre séparés du fait qu'ils appartenaient à des propriétaires différents, les femmes étaient le parent principal, alors que les pères étaient des visiteurs occasionnels.

Mais ces mères étaient à la disposition de leurs employeurs, et beaucoup d'entre elles devaient lutter pour arracher au travail le temps de s'occuper de leurs enfants. Rapidement, les enfants étaient introduits dans le monde du travail. «Travail, travail, travail, était, à peu de choses près, le mot d'ordre de jour comme de nuit», se rappelle un ancien esclave, Frederick Douglass. «Nous, les enfants, commencions à travailler dès que nous pouvions marcher», se souvient un autre[55].

Les parents esclaves, toujours soucieux de la présence menaçante des Blancs, invectivaient souvent leurs enfants pour éradiquer tous les comportements susceptibles de faire enrager les propriétaires. «Apprends-leur à être habiles et calmes, et ne leur permets d'être insolents avec personne», recommandait un père absent à sa femme[56]. Mais les Blancs usurpaient constamment leur autorité parentale, punissant eux-mêmes les enfants noirs, qui comprenaient vite que leurs parents esclaves étaient impuissants à les aider. L'esclave Jacob Stroyer essaya de forcer ses parents à intervenir lorsqu'un surveillant le fouetta à plusieurs reprises. «Mon père me dit très froidement: "Retourne à ton travail et sois un bon garçon, car je ne peux rien faire pour toi."» Lorsque sa mère tenta d'intercéder en sa faveur, le surveillant les fouetta tous les deux. Stroyer eut alors la triste vision partagée par des millions d'autres enfants esclaves: «Pour la première fois, l'idée me vint à l'esprit que [...] ni mon père ni ma mère ne pouvaient me sauver de la punition puisqu'ils étaient eux-mêmes soumis au même traitement[57].»

Un ancien esclave se rappelle que son père pleurait après avoir été battu et chantait: «Je suis troublé, je suis troublé, je suis troublé dans mon esprit. / Si Jésus ne m'aide pas, je vais sûrement mourir. / Oh Jésus, mon Sauveur, je vais m'appuyer sur toi. / Lorsque les ennuis s'approchent de moi, tu seras mon véritable ami[58].»

Le taux de mortalité des enfants et des adolescents esclaves était très élevé — le recensement de 1850 établit que les nouveau-nés esclaves avaient un taux de mortalité deux fois plus élevé que les petits Blancs — en raison d'une surveillance inadéquate, de la malnutrition (déjà à l'âge gestationnel), des convulsions, des poussées dentaires, du tétanos, du trismus, des vers, tous liés au sevrage trop rapide, aux maladies comme la tuberculose, le choléra et la grippe, ainsi qu'au surmenage. Les squelettes d'esclaves présentent des os non guéris, brisés par les corrections et le transport de charges trop lourdes. Souvent, le sort des enfants teintait d'amertume les relations entre les parents esclaves et soulignait leur impuissance en tant qu'adultes.

Différences entre milieu rural et milieu urbain

Dans toutes les régions rurales de l'Amérique du Nord, l'enfance était loin d'être un jeu. Au xixᵉ siècle, dans le Haut-Canada, les familles avaient en moyenne cinq ou six enfants. Jusqu'à ce qu'ils soient âgés de cinq ou sept ans, on permettait aux enfants de jouer et de regarder leurs aînés. Ils étaient ensuite mis au travail : ils ramassaient du bois d'allumage et allaient chercher de l'eau ; ils nourrissaient les poulets, ramassaient les œufs et exécutaient d'autres tâches, ce qui permettait aux parents de se consacrer aux tâches plus difficiles ou spécialisées. Les garçons aidaient à la charge de travail de leur famille ou ils étaient « mis dehors » comme apprentis ou commis de ferme. Au fur et à mesure qu'ils se développaient physiquement, ils pouvaient se charger de tâches convenant à des adultes. Parvenus à l'âge de quatorze ans, la plupart des garçons exécutaient les mêmes travaux que les hommes adultes.

Les jeunes filles avaient moins de loisirs : dès qu'elles commençaient à marcher, elles aidaient leurs mères et apprenaient à effectuer des tâches élémentaires. À six ans, elles pouvaient tisser, tricoter, coudre ou s'occuper de leurs frères et sœurs plus jeunes. Quelques années plus tard, elles pouvaient balayer, laver la vaisselle, faire du raccommodage, cuisiner, jardiner et s'occuper des animaux domestiques. Dans toutes les régions de l'Amérique du Nord où les esclaves étaient absents, des filles d'à peine onze ans étaient envoyées travailler dans d'autres familles, où elles apprenaient et effectuaient les tâches domestiques. À seize ans, la plupart des filles accomplissaient les tâches dévolues aux femmes adultes.

Durant la seconde moitié du xixᵉ siècle, les parents de la classe moyenne urbaine se mirent progressivement à considérer le jeu comme une part importante de l'enfance. Mais la plupart des Nord-Américains n'avaient pas les moyens d'offrir ce luxe à leurs enfants. Dans *Settler's Children: Growing Up on the Great Plains* [*Les enfants des colons ou Grandir dans les grandes plaines*], Elizabeth Hampsten raconte l'histoire touchante de l'enfance rurale au cours de la ruée vers les lots de colonisation, telle qu'elle est racontée dans les journaux intimes, les lettres, les manuscrits et les histoires orales. Ces jeunes travaillaient durement et pendant de longues heures à la ferme, au détriment de leurs études. Leurs parents, surtout les pères, pouvaient leur imposer une discipline sévère. Les garçons avaient tellement plus de valeur que les filles que certaines femmes devaient s'excuser de mettre des filles au monde[59].

Et pourtant, un flot de visiteurs européens manifestèrent leur surprise devant l'indépendance, l'indiscipline et l'insolence des enfants nord-américains : les petits Canadiens français qui fumaient la pipe, buvaient de l'eau-de-vie et n'enlevaient pas leur chapeau à l'intérieur, ce qui était un manque de respect envers les femmes ; les jeunes filles qui adoptaient des vêtements normalement réservés aux femmes du monde en Europe, et qui, pour la plupart, étaient des galopines « effrontées, impertinentes, irrespectueuses et arrogantes[60] ».

À la ferme comme à la ville, particulièrement dans les milieux pauvres, la dépendance économique des parents par rapport à leurs enfants minait leur autorité. Par ailleurs, les mauvais traitements (dont le père était habituellement responsable) et la surcharge de travail à la maison, tant à la ferme que dans les emplois payés, incitaient les enfants, surtout les garçons, à s'enfuir. Dans son article intitulé « Runaway Boys » [« Les garçons fugueurs »], l'inspecteur de police new-yorkais Thomas Evans accusa les pères violents d'être la principale cause des fugues de leurs garçons. Les promesses que faisait miroiter l'immensité des terres ou l'activité grouillante de la ville pouvaient donner à un jeune, malheureux ou impatient, suffisamment de résolution pour fuir l'autorité parentale et devenir indépendant, quelles que soient les difficultés qui l'attendaient.

Les enfants de la classe moyenne

Le tremplin qui permit le développement du concept d'enfance fut la chute radicale du taux de natalité qui s'amorça au xixe siècle, lorsque les Nord-Américains entreprirent de limiter les naissances par tous les moyens dont ils disposaient, y compris l'abstinence et l'avortement. Aux États-Unis, entre 1850 et 1900, le taux de natalité passa de cinq à trois enfants par famille. Au Canada, la fécondité diminua également, sauf chez les Canadiens français, dont le taux de reproduction demeurait élevé[61].

Au XIXe siècle, les habitants des villes, qui jouissaient de la situation économique de la classe moyenne, furent à l'origine de ce que nous appelons l'enfance moderne. « Globalement, la période de dépendance de l'enfance fut prolongée, l'éducation des enfants devint plus assidue et consciente, et la formation scolaire fut prolongée », écrit l'historien Steven Mintz[62]. Les mères étaient les premières responsables des soins aux enfants ; même les femmes riches qui avaient des gouvernantes et des domestiques centraient leur vie sur leurs enfants ; celles qui ne le faisaient pas étaient sévèrement critiquées et accusées de négliger leurs devoirs. Les pères s'inquiétaient, donnaient des conseils et parfois apportaient leur assistance à leurs femmes, prêtant main-forte pour calmer un nourrisson en pleurs ou pour soigner un enfant malade. Mais ils savaient aussi que leur premier devoir était de soutenir financièrement et de protéger leur famille, alors que celui de leur femme était d'élever les enfants et de gérer la maisonnée. La paternité venait s'ajouter aux responsabilités conjugales du mari, mais la maternité transformait les femmes. La gestion de leur temps et de leur énergie dictait leurs priorités. Comme le dit Amanda Vickery, « elles faisaient table rase de leur moi passé et de leur vie sociale[63] ».

Le nouvel idéal associé à l'enfance était conçu comme une série d'étapes au cours desquelles les parents dévoués façonneraient le caractère de leur enfant ; comme le disait William Wordsworth, « l'enfant est le père de l'homme adulte ». Étant donné que les enfants, au lieu d'aller travailler en dehors, fréquentaient plus longtemps l'école et vivaient dans la maison familiale jusqu'à la fin de l'adolescence ou au début de la vingtaine, l'ange de la maison qu'était leur mère pouvait les protéger du monde extérieur. Ces enfants qui n'étaient plus tout jeunes prirent de plus en plus de place dans le mariage de leurs parents.

Cette enfance prolongée avait pour but de préparer les enfants à réussir leur vie, les petites filles comme futures femmes (angéliques) au foyer et mères, les petits garçons comme futurs maris et pères pourvoyeurs. Les mères étaient censées encourager leurs filles à cultiver leurs qualités féminines, les pères devant faire de même avec leurs garçons. Les filles caressaient, nourrissaient, lavaient, habillaient, soignaient leurs poupées, qu'elles transportaient avec elles, et étaient souvent seules ; elles aidaient aussi leur mère à cuisiner, à nettoyer la maison, à coudre et à tricoter. Les garçons jouaient au ballon ou avec de petits jeux de construction, ils tiraient des chevaux miniatures, lançaient des billes, conduisaient des voiturettes et acquéraient — habituellement en groupe — un ensemble de compétences et de qualités comme le courage, la ténacité, la force et la domination.

Les mères devaient fournir à leurs enfants les jouets appropriés, par exemple, ceux qui furent présentés au pavillon américain lors de l'Exposition universelle de Vienne en 1873 et qui, suivant un observateur expert dans le domaine, orientaient « l'esprit et les habitudes de l'enfant vers l'économie domestique, l'agriculture et le travail mécanique[64] ». Les jouets introduisaient également les enfants au monde de la consommation, à l'envie d'acquérir de nouvelles choses, une gamme de nouveaux objets devant alimenter, sans jamais le satisfaire, le plaisir d'acheter. (Un jeu de société proposé dans les années 1880 fut baptisé « le jeu des petits acheteurs ».)

Les mères avaient également la responsabilité de trouver et de satisfaire les besoins de leurs enfants en dehors des jouets. À l'époque victorienne, il pouvait s'agir de vêtements à la mode, d'équipements sportifs, de mobilier spécial pour la pouponnière et les chambres d'enfants, de jeux éducatifs, de magazines et de livres intéressants, sans parler de la bonne nourriture et des nouveaux médicaments censés être bons pour les enfants — à une époque où le taux de mortalité infantile était élevé.

Au fur et à mesure que les articles de consommation se multiplièrent, la séparation entre les rôles dévolus aux deux sexes se fortifia, en accentuant l'opposition entre l'enfance et l'adolescence des filles et des garçons. Les filles étaient formées en vue de devenir des épouses et des mères aimantes, alors que les garçons devaient devenir des pourvoyeurs et des protecteurs bienveillants et autoritaires. Les filles (et dans une moindre mesure, les garçons) devaient demeurer chastes et, si possible, ne rien savoir de la sexualité. Pourtant, avant qu'elles ne se marient, il arrivait souvent que les jeunes filles étudient et travaillent. Cela leur donnait un zeste de liberté, hors de la dépendance totale vis-à-vis de leur père. Par contre, on nourrissait ainsi leur ressentiment, car elles savaient qu'aussitôt mariées, elles devraient revenir à une situation de dépendance par rapport à leurs maris.

« En Amérique, observe le visiteur français Alexis de Tocqueville, l'indépendance de la femme vient se perdre sans retour au milieu des liens du mariage. Si la jeune fille y est moins contrainte que partout ailleurs, l'épouse s'y soumet à des obligations plus étroites. L'une fait de la maison paternelle un lieu de liberté et de plaisir, l'autre vit dans la demeure de son mari comme dans un cloître. [...] on lui a appris d'avance ce qu'on attendait d'elle [...] ; le lien conjugal est fort étroit[65]. »

Comme les garçons se transformaient plus rapidement en jeunes hommes, les parents les encourageaient à sortir de la maison pour adhérer à des clubs, des sociétés ou des organisations de toutes tendances : sociales, professionnelles, politiques, récréatives. Les garçons de la classe moyenne étaient attirés par la Bible et les organisations réformistes qui faisaient la promotion de la tempérance ou qui prônaient l'abolition de l'esclavage. Leurs homologues de la classe ouvrière adhéraient à des corps de sapeurs-pompiers volontaires, à des groupes militaires ou à… des gangs de rue.

Les enfants de la classe ouvrière

La nouvelle enfance s'étendit de la classe moyenne à la classe ouvrière, au moins en principe, mais le processus fut lent. Alors que les parents de la classe moyenne s'assuraient que leurs jeunes étudiaient et se formaient en vue de leur avenir, les parents pauvres devaient encore faire travailler leurs enfants afin qu'ils contribuent à la survie financière de la famille. L'expansion de l'industrie et de l'économie de marché, la commercialisation de l'agriculture et l'immigration massive contribuaient à approfondir le gouffre qui existait entre les enfants de la classe moyenne et ceux de la classe ouvrière, qui travaillaient dans les manufactures, les champs, les boutiques ou les maisons, et qui avaient habituellement un autre type de relations avec leurs parents.

Contrairement aux femmes plus à l'aise, les femmes de la classe ouvrière étaient souvent contraintes de travailler, en raison des salaires peu élevés de leurs maris et des emplois cycliques. Les manufactures les incitaient à agir ainsi, en recrutant sans relâche les femmes et les enfants qu'ils payaient encore moins que les hommes. L'Amérique du Nord calquait ses manufactures sur le modèle de la grande industrie anglaise. En 1830, dans le Lancashire, 560 filatures de coton employaient plus de 110 000 travailleurs, dont 35 000 enfants, certains n'ayant pas plus de six ans. À la Chambre des communes, le réformateur William Cobbett déclara que l'Angleterre devait sa supériorité manufacturière à 300 000 petites filles. «Il a été établi, déclara-t-il, que si ces petites filles travaillaient deux heures de moins par jour, notre supériorité manufacturière n'existerait plus[66].»

Durant le dernier quart du XIXe siècle, les femmes et les enfants représentaient 42 % de la main-d'œuvre industrielle de Montréal, et 33 % de celle de Toronto. À la fin du XIXe siècle, dans l'ensemble de l'Amérique du Nord, il y avait un homme pour quatre femmes et enfants travaillant dans les manufactures. Les conséquences de cette situation étaient notamment le sous-emploi ou le chômage des hommes, ainsi que la transformation de l'enfance, du mariage et des familles.

Les réformes nord-américaines sur le travail des enfants étaient calquées sur celles de l'Angleterre. En 1832, l'Association des fermiers, mécaniciens et autres travailleurs de la Nouvelle-Angleterre décida que «les enfants ne devraient pas être autorisés à travailler dans les manufactures du matin au soir, sans aucun moment pour la saine récréation et l'exercice mental [...] [car cela] compromet [...] leur bien-être et leur santé». En 1813, une loi du Connecticut exigeait que les enfants qui travaillaient aient une certaine scolarisation. En 1836, le Massachusetts promulgua une loi exigeant que les travailleurs en usine de moins de quinze ans fréquentent l'école au moins trois mois par année. En 1899, vingt-huit États avaient voté des lois — appliquées de manière inconsistante — qui réglementaient le travail des enfants. Ce n'est qu'en 1938 que le Congrès appliqua le Fair Labor Standards Act [Loi sur les normes de travail équitables] qui fixait à seize ans l'âge minimal pour travailler pendant les heures scolaires, à quatorze ans l'âge minimal pour certains emplois occupés après la journée scolaire, et à dix-huit ans l'âge minimal pour effectuer des travaux considérés comme dangereux.

Les lois canadiennes sur la main-d'œuvre enfantine étaient similaires à celles en vigueur aux États-Unis. En Ontario, la fréquentation de l'école ne fut pas obligatoire avant 1871, lorsque tous les enfants de sept à douze ans furent contraints d'aller à l'école pendant au moins quatre mois par année. Au début du XXe siècle, les lois provinciales — qui n'étaient pas toujours mises à exécution — ordonnaient que les enfants aillent à l'école jusqu'à l'âge de seize ans.

Les relations entre les enfants et leurs parents dans la classe labo-rieuse étaient très différentes de celles qui prévalaient au sein de la classe moyenne, où la femme était enfermée dans son rôle de mère, qui était sa vocation première. Comme en témoignent des centaines de photographies et de rapports, des enfants d'à peine trois ans par-ticipaient au travail à la pièce attribué à leur famille. Les enfants qui travaillaient jouaient rarement, ne faisaient pas d'exercice, la plupart étant privés de lumière solaire et d'air pur. Leur alimentation était souvent déficiente ; des commissions d'enquête parcourant l'Amérique découvrirent que, souvent, ils étaient tout simplement trop fatigués pour manger. Leur santé était mauvaise, mais, comme leurs parents, ils devaient continuer à travailler. Lorsque l'école devint obligatoire, ils étaient souvent absents.

La plupart des enfants d'immigrants travaillaient à la maison ou à l'extérieur. Par exemple, une étude de 1911 portant sur les immigrants polonais révéla que les enfants des travailleurs qualifiés et des tra-vailleurs sans qualifications gagnaient respectivement 35 % et 46 % du revenu de leurs familles. Au fur et à mesure que ces enfants maîtri-saient l'anglais et s'acculturaient, leurs relations avec leurs parents reflétaient les écarts culturels, la frustration et le ressentiment. Pour les filles, ces tensions étaient aggravées par leurs luttes avec les parents, surtout avec leur père, qui tentait de leur imposer des valeurs patriar-cales. Certaines des filles utilisaient leur paye pour se rebeller, notam-ment en faisant pression sur leurs pères pour qu'ils les laissent quelque peu fréquenter l'école.

Les enfants défavorisés comprenaient l'impuissance de leurs parents à les aider et plusieurs d'entre eux faisaient preuve d'initiative. Le « registre des arrestations » du *World* de Toronto rapportait le cas de six petits garçons qui « se présentèrent au quartier général de police [...] en demandant à faire un séjour de trois ans à la maison de correc-tion, afin d'apprendre à lire et de recevoir une formation de métier ». Renvoyés parce qu'ils n'avaient commis aucun crime, ils se présen-tèrent à nouveau avec un traîneau qu'ils prétendaient avoir volé ; et ils plaidèrent coupables. (Le *World* estimait que leurs chances d'être envoyés à la maison de correction étaient très minces[67].)

Incapables de nourrir leurs enfants, certains parents de la classe ouvrière les confiaient aux orphelinats. Contrairement aux parents européens désespérés qui abandonnaient leurs enfants (au début du xixᵉ siècle, c'est le sort qui attendait le cinquième des enfants nés à Paris; le nombre d'enfants abandonnés étant encore plus grand à Saint-Pétersbourg et à Milan), ils tentaient de les placer de la manière la plus sécuritaire possible. De 1860 à 1889, les parents pauvres ou malades de la classe ouvrière placèrent plus de 1000 filles à l'orphelinat Saint-Alexis de Montréal, qui fournissait la nourriture, le logement, l'éducation et d'autres possibilités de formation inaccessibles aux familles pauvres. En 1895, la Protestant's Infants Home de Montréal désigna la « maladie maternelle » comme la principale cause de la présence des enfants dans leur institution. Lorsque les choses allaient mieux ou que les enfants étaient assez vieux pour travailler, les parents reprenaient leurs enfants. Certains enfants ne séjournaient qu'un mois à l'orphelinat; en 1865, la plupart restaient moins d'un an, mais ils revenaient souvent pour un autre séjour. Les veufs et les veuves confiaient aussi leurs enfants à l'orphelinat; les veufs, qui avaient plus de chances de se remarier que les veuves, reprenaient habituellement leurs enfants lorsqu'ils avaient trouvé une nouvelle femme pour s'occuper de leur éducation. Dans les années 1880, Saint-Alexis exigea des mensualités, ce qui incita les familles les plus pauvres à garder leurs filles à la maison.

Mauvais traitements infligés aux enfants

Un grand écart existait entre la manière dont les penseurs ou les intellectuels en vue décrivaient l'enfance et la compréhension des parents. Dans les ouvrages du xviiᵉ siècle, les enfants étaient souvent dépeints comme dépravés; dans ceux du xviiiᵉ siècle, ils semblaient innocents; au xixᵉ siècle, on leur attribuait un mélange d'innocence et de dépravation. Mais quelle que soit la tendance philosophique de leur époque, les parents, dans leur correspondance et leurs mémoires, parlaient de leurs enfants avec beaucoup d'amour, vantant leurs grandes qualités en dépit de leurs défauts.

Les écrits philosophiques dénonçant les mauvais traitements infligés aux enfants eurent une influence sur les exposés historiques. Toutefois, des chercheurs modernes rejettent cette interprétation. Après avoir lu tous les articles du journal *The Times* de 1785 à 1860 rapportant des cas de cruauté envers les enfants, Linda Pollock n'a

trouvé que 385 inculpations pour négligence à l'égard des enfants ou
pour agressions sexuelles, dont 19 cas d'inceste. Bien que de nombreux
cas ne furent pas signalés, il y a peu d'éléments de preuve attestant ce
genre de méfaits passés sous silence. D'ailleurs, le ton et la teneur des
articles du journal *The Times* condamnaient sévèrement la maltraitance infantile. Par exemple, en 1810, une femme jugée pour avoir
«battu et traité cruellement» sa fille de quatre ans échappa tout juste
à la «furie» des femmes présentes dans l'assistance[68]. Dans d'autres
procès, les magistrats, les témoins et le public exprimèrent l'horreur
qu'ils ressentaient devant de tels actes.

Il ne s'agit pas de dire que les mesures de discipline à l'égard des
enfants n'étaient pas plus rigoureuses à l'époque qu'elles ne le sont de
nos jours, mais les mémoires et la correspondance laissent supposer
une réalité plus nuancée : des siècles de discipline modérée, entrecoupée de corrections (le terme pouvant signifier toute punition corpo-
relle allant de la fessée de pure forme à une volée de coups) et de
diverses punitions sévères. Les rapports répétés faisant état de nombreux cas de cruauté parentale dans les classes ouvrières ont également
un certain fondement, mais il semble qu'ils étaient dus au désespoir
plus qu'à la méchanceté.

Des exemples de la manière dont les parents de la classe ouvrière
se débrouillaient sur le plan de l'éducation des enfants montrent
comment, du point de vue de la classe moyenne, des mesures désespérées pouvaient apparaître comme abusives. Il y avait les parents qui
travaillaient et qui, incapables de s'occuper de leurs enfants, leur
donnaient du laudanum ou de l'alcool pour qu'ils se tiennent tranquilles et immobiles pendant les longues heures où ils étaient seuls,
ou qui les laissaient sans surveillance, ou surveillés par d'autres
enfants. C'est le cas décrit dans l'introduction au présent ouvrage,
lorsque Elizabeth C. Watson, qui enquêtait sur les conditions de vie
dans les immeubles locatifs de New York, tomba sur quatre enfants
grelottants et serrés les uns contre les autres dans un couloir glacé.
Leur mère les avait enfermés dehors pendant qu'elle allait porter son
travail à la pièce chez son patron ; autrement, ils auraient pu mettre le
feu à l'appartement, ce qui aurait été pire que d'être enfermés dehors.
Qu'est-ce qu'elle aurait pu faire d'autre, demandait-elle à Elizabeth
Watson. Il y avait effectivement un problème.

Les parents négligeaient leurs enfants pour les maintenir en vie, pour qu'ils aient un toit au-dessus de leur tête et quelque chose à manger. Le manque de temps — pour ne rien dire des contraintes financières — signifiait souvent une nourriture de qualité inférieure. Les mères qui travaillaient à l'extérieur ou qui faisaient du travail à la pièce achetaient des plats bon marché aux vendeurs ambulants ou déléguaient les tâches cuisinières à leurs enfants. Elles détournaient aussi les ressources de la famille en réservant les meilleurs morceaux pour leur mari qui avait besoin, croyaient-elles, d'une meilleure alimentation pour gagner son indispensable salaire. Sous d'autres rapports, les besoins de santé du mari travailleur passaient également avant ceux des enfants ou de la femme, avec des conséquences qui pouvaient être interprétées comme abusives.

Les enfants qui travaillaient, même les petits, étaient plus difficiles à contrôler que ceux qui dépendaient entièrement de leurs parents. Les garçons qui travaillaient dans les mines à côté de leur père étaient un exemple typique. Lorsque les propriétaires de mines comprirent qu'ils pouvaient sauver de l'argent en engageant deux garçons pour chaque homme, ils créèrent de graves tensions entre générations. Dans son ouvrage *Boys in the Pits* [*Les petits mineurs*], une étude sur les garçons de huit à quinze ans qui trimaient dans les mines canadiennes, l'historien Robert McIntosh cite un mineur adulte du XIXe siècle : « Il n'y a pas d'enfants qui travaillent à la mine. Ils peuvent être des enfants lorsqu'ils arrivent [...], mais après une quinzaine de jours, c'est terminé. Ils deviennent alors d'anciens garçons. Ils s'habituent à toute sorte de dangers et d'épreuves[69]. » L'incapacité d'un père à gagner suffisamment pour faire vivre sa famille minait son autorité ; certains pères employaient une force excessive pour contrôler leurs enfants rebelles et pleins de ressentiment.

Les relations des parents avec leurs enfants, lorsque ceux-ci travaillaient, étaient plus tendues que celles qui avaient cours dans les familles de la classe moyenne ; elles étaient plus tendues qu'elles ne l'avaient été lorsque les enfants travaillaient à la ferme ou dans des industries à domicile, sous la surveillance du père. Beaucoup d'enfants en voulaient à leurs parents qui les envoyaient travailler dans les manufactures, les usines ou d'autres lieux ; après des journées de travail épuisant et ingrat, ils n'appréciaient guère de devoir remettre le peu d'argent qu'ils avaient gagné au lieu de le garder pour eux. Ils reprochaient à leurs parents d'être défavorisés.

Les enfants étaient également traumatisés par les conditions de travail abusives. Des enquêtes officielles sur le traitement des enfants travailleurs ont permis d'établir que les enfants canadiens et américains étaient battus, frappés à coups de ceinture et enfermés dans leurs lieux de travail pour qu'ils ne puissent s'enfuir. Certaines manufactures de cigares canadiennes emprisonnaient les délinquants — par exemple, les enfants qui jouaient pendant les heures de travail — dans des «trous noirs» semblables à des cachots. Un fabricant de verre du Massachusetts entoura sa manufacture de fil barbelé pour empêcher les garçons de moins de douze ans qui travaillaient la nuit, transportant des charges de verre brûlant, de s'échapper.

Les employeurs défendaient ces pratiques sous prétexte qu'ils agissaient en lieu et place des parents et que ceux-ci les soutenaient. Alexander McGregor, contremaître d'une manufacture de cigares montréalaise, jurait que les parents lui avaient dit de «retirer tous les vêtements des garçons et de les corriger comme je corrigerais mes propres enfants». Le contremaître d'une autre manufacture de cigares de Montréal témoigna devant la Commission royale sur les relations entre le capital et le travail au Canada (1889), déclarant que «frapper [un enfant qui se conduit mal] avec [un moule de métal] le marque moins que si on utilise la main». Et il ne voyait rien d'indécent dans le fait qu'un contremaître puisse donner une fessée à une fille de dix-huit ans. «Lorsqu'elle est très désobéissante et qu'il y a cinquante ou soixante filles ici, je pense qu'il est tout à fait juste de lui donner une bonne leçon lorsqu'elle le mérite.»

Les enfants étaient mutilés par la machinerie dangereuse et l'absence lamentable de formation. John Davidson, un travailleur du bois ontarien, témoigna au sujet des accidents fréquents dont étaient victimes les garçons qui travaillaient avec la raboteuse, la scie à refendre, la scie circulaire ou la ponceuse. «Ils se font couper les doigts[70].»

Des générations entières d'enfants travailleurs ont dû s'accommoder des conditions difficiles de leur emploi et retenir leur colère envers leurs parents, qui les forçaient à travailler, qui étaient incapables de les protéger et qui les faisaient vivre dans des logements dépourvus de tout confort matériel. Certains, dans les mémoires qu'ils rédigèrent une fois devenus adultes, se plaignirent de l'absence de tendresse maternelle. D'autres comprenaient que leurs parents auraient été incapables de faire les choses autrement ou de leur donner une meilleure vie. Quelques-uns se souvenaient que leurs parents avaient cherché à obtenir un redressement judiciaire contre des employeurs qui les avaient maltraités.

La réformatrice Elizabeth Watson comprit l'absurdité ou, à tout le moins, l'impossibilité de juger le monde des familles défavorisées en le comparant aux privilèges dont jouissaient la classe moyenne et la classe supérieure. Elle demandait comment les influences « bénies » et « bénéfiques » de la maison pouvaient s'appliquer à « ces misérables usines domestiques avec leurs habitants travaillant [...] du petit matin jusqu'à tard le soir en vue de gagner suffisamment d'argent pour survivre ». Elle résume la situation en citant un des petits poèmes tristes que les enfants composaient : « Jack Sprat n'avait pas beaucoup de travail, / Sa femme pouvait en avoir beaucoup plus. / Avec ses enfants, elle travaillait toute la journée/ Simplement pour survivre[71]. »

Les idéaux du nouveau modèle de l'enfance introduit au xixᵉ siècle étaient censés être universels, mais ils s'enracinaient dans le style et les expériences de vie de la classe moyenne et de la classe supérieure. Avec le temps, les classes ouvrières et défavorisées assimilèrent et acceptèrent ces valeurs, mais en raison de l'infrastructure foncièrement différente de leur vie, elles durent adopter une version passablement modifiée. Au centre du problème, il y avait la nécessité pour les femmes et les enfants de travailler. En montrant la nature infiniment complexe de l'enfance et de l'éducation des enfants, les vignettes de ce chapitre permettent d'entrevoir le fonctionnement interne du mariage au moment où la maternité transformait les femmes et modifiait profondément la dynamique de leurs relations avec leurs maris.

CHAPITRE 7

Quand les choses tournèrent mal

Pour le meilleur et pour le pire

En 1805, en Angleterre, une femme misérable — que nous appellerons Alice Teush — présenta une requête au Parlement pour divorcer de son mari méchant et infidèle, qui vivait ouvertement avec sa maîtresse et les enfants qu'il avait eus d'elle. Le cas de madame Teush semblait très clair ; Lord Eldon, le grand chancelier, déclara qu'elle était la femme la plus méritante qu'il ait jamais entendu témoigner. Néanmoins, le Parlement rejeta sa demande. Un collègue d'Eldon, l'évêque de Saint-Asaphe, lui expliqua pourquoi : « Quelle que soit la rigueur que la règle [régissant le divorce] impose à certains individus, tout bien considéré, il serait préférable qu'un tel projet de loi ne soit jamais adopté[1]. » L'adultère était sans doute une mauvaise chose, mais il serait pire encore de permettre à une femme de divorcer de son mari adultère.

En 1832, une autre femme abandonnée et trahie — que nous appellerons Babs Moffat — emprunta la même voie qu'Alice Teush. Bien que monsieur Moffat ait eu sa première aventure extraconjugale le soir même de leur mariage, ce qui avait eu pour conséquence la grossesse d'une de leurs domestiques, le jugement collectif du Parlement fut que Babs devait lui accorder son pardon. Du même souffle, les augustes magistrats ajoutèrent que, si *elle* l'avait trompé *lui*, son mari, on n'aurait pu s'attendre à ce qu'il lui pardonne.

Quelques années plus tard, une autre femme malheureuse prit fait et cause pour le droit des femmes à divorcer et à obtenir la garde de leurs enfants. Caroline Norton était une femme belle et brillante qui était battue par son mari, l'honorable George Norton, un bon à rien, avocat n'exerçant pas son métier. Les mauvais traitements qu'il infligeait à sa femme s'intensifièrent jusqu'à ce que Caroline, enceinte de son quatrième enfant, fasse une fausse couche. En 1836, George la chassa de sa maison, gardant pour lui tout ce qu'elle contenait, y compris les vêtements et les documents personnels de Caroline. Il lui refusa également le droit de visiter ses enfants, qu'il envoya à sa cousine (peut-être bien complaisante) Margaret Vaughan.

George agissait en toute légalité. Comme toutes les femmes mariées, Caroline n'avait aucune identité distincte de celle de son mari. (Les prénoms de mesdames Teush et Moffatt étaient si peu importants qu'ils ne sont pas mentionnés dans leurs instances en divorce.) Étant donné les précédents jurisprudentiels de madame Teush, de madame Moffat et d'autres femmes, les avocats de Caroline lui déconseillèrent d'entreprendre des procédures de divorce. Selon eux, elle ne devait pas chercher à obtenir la garde de ses enfants. Elle ne devait pas refuser de révéler à son mari tous ses revenus et gains, ou ignorer ses assignations à témoigner envoyées à ses domestiques, éditeurs ou banquiers. Elle ne devait même pas assister au procès que George intentait (en vain) contre le premier ministre, qu'il accusait d'avoir couché avec elle.

Jusqu'à l'adoption de la Loi sur les causes matrimoniales de 1857, qui prévoyait un tribunal spécial pour entendre les causes de divorce, seules les femmes qui avaient les griefs les plus extrêmes — et susceptibles d'être prouvés — pouvaient faire appel aux tribunaux pour être libérées de leur mariage ; de 1801 à 1857, seules quatre femmes réussirent à faire accepter leur requête en divorce[2]. Il faut dire que la loi de 1857 donnait aux maris le droit de divorcer de leurs femmes adultères, alors que les femmes qui avaient des maris adultères devaient prouver qu'ils s'étaient *également* rendus coupables d'inceste, de bigamie, de cruauté ou d'abandon du domicile conjugal. (Le sacro-saint régime deux poids deux mesures ne prit fin qu'en 1923, lorsque les femmes n'eurent plus à prouver que leurs maris adultères avaient commis des crimes plus graves encore, mais seulement qu'ils avaient commis l'adultère.)

Toutes les femmes n'accueillaient pas cette nouvelle loi à bras ouverts, car 600 000 d'entre elles signèrent une pétition envoyée à la reine Victoria pour s'y opposer. Beaucoup d'entre elles craignaient que la loi augmente leur vulnérabilité devant les maris qui pensaient déjà au divorce, un sort redoutable! En perpétuant un régime inégal où les hommes et les femmes n'avaient pas les mêmes droits, la loi ne les aidait pas vraiment. D'autres opposants, des hommes comme des femmes, s'emportaient contre l'introduction du divorce et la perte du « mariage indissoluble auquel nous avons adhéré depuis que l'Angleterre est l'Angleterre[3] ». Néanmoins, la loi donna lieu à une ruée vers le divorce : cinquante fois plus d'hommes et de femmes divorcèrent après 1857.

Avant que le christianisme ne réussisse à conquérir et à convertir l'Europe, le divorce existait comme remède pour les mariages ratés. La Grèce antique autorisait les divorces et les remariages. La loi juive donnait aux maris le droit de répudier leurs femmes. La loi romaine prévoyait le divorce et donnait aux pères de famille (les *paterfamilias*) le droit de contraindre leurs enfants à divorcer, à se marier ou à se remarier. À l'époque du déclin de l'empire romain, les lois germaniques considéraient l'incapacité pour une femme d'avoir un enfant, l'adultère de la femme ainsi que l'homosexualité masculine comme des motifs de divorce.

Dans l'Europe chrétienne, l'Église orthodoxe désapprouvait le divorce tout en permettant, à contrecœur, aux époux de divorcer lorsque la « symphonie interne », vitale pour l'unité conjugale, était détruite. Comme le disait saint Jean Chrysostome, « mieux vaut briser l'alliance que de perdre son âme ». La lecture que faisait l'Église d'un passage de l'évangile selon saint Mathieu (« Or je vous dis que celui qui répudie sa femme, si ce n'est pour adultère, et en épouse une autre, commet un adultère » (*Mt* 19,9)) justifiait le remariage. (Il y avait une limite aux remariages : les quatrièmes noces étaient strictement interdites.)

Le grand schisme de 1054 provoqua la séparation de l'Église orthodoxe et de l'Église catholique. Au xiiie siècle, la doctrine catholique suivant laquelle les mariages chrétiens ne prenaient fin qu'à la mort d'un des deux époux était fermement ancrée dans toute l'Europe occidentale. Il y avait des exceptions : les chrétiens abandonnés par des conjoints non chrétiens pouvaient se remarier, les époux n'ayant pas consommé le mariage pouvaient entrer dans un ordre religieux sans le consentement de leur conjoint. Dans certaines circonstances, les mariages pouvaient être annulés, mais cela se produisait rarement. À l'occasion, les tribunaux ecclésiastiques accordaient des séparations aux époux malheureux qui ne pouvaient se réconcilier. Ce fut le cas, en 1442, pour John et Margaret Colwell qui avaient juré qu'« ils préféraient mourir en prison plutôt que de vivre ensemble[4] ».

En 1563, le concile de Trente intégra l'indissolubilité du mariage au droit canon. L'Église alla jusqu'à désapprouver (sans l'interdire) le remariage des veuves, tout en fermant les yeux sur les remariages de veufs avec des femmes qui n'avaient jamais été mariées. L'interdiction du remariage après un divorce découlait d'une interprétation théologique du divorce, de l'adultère et du remariage : comprise dans le contexte des principes judéo-chrétiens, elle faisait « partie des perpétuels efforts déployés par les chrétiens pour concilier la Bible avec leur culture[5] ».

La réforme du mariage

La réforme protestante remit en question la vénération du catholicisme pour le célibat, ainsi que son interdiction du divorce. Martin Luther, cet ancien moine qui avait réussi son mariage avec une ancienne religieuse, considérait la sexualité comme un don de Dieu, tout en rappelant que, en raison du péché commis par Ève dans le jardin d'Éden, toutes les femmes méritaient la punition éternelle de subir les douleurs atroces de l'enfantement. Quant à Jean Calvin, il soutenait que « la virginité était tellement prisée qu'à peine estimait-on qu'il y eut vertu digne d'être comparée à elle » ; pour lui, cette conception de l'Église catholique avait dégradé la dignité et le caractère sacré du mariage[6].

Ces réformateurs ne se ralliaient pas facilement au divorce, mais leur largeur de vue sur la nature des unions conjugales les persuadait de le tolérer dans certaines conditions extrêmes. Luther, dont les doctrines influencèrent les lois du divorce en Allemagne et en Scandinavie au XVIe siècle, considérait que l'adultère de la femme, le refus d'avoir des rapports sexuels ou l'abandon du domicile conjugal brisaient les liens du mariage, et que, si le pardon et la réconciliation échouaient, le mariage devait être dissous, le conjoint « innocent » étant autorisé à se remarier.

Calvin méprisait l'adultère, lui dont les doctrines ont façonné les lois en matière de divorce dans la plupart des autres pays européens et qui eut une influence profonde en Amérique du Nord. « Car dans combien d'autres choses, le mari a l'avantage ; toutefois quant à l'avantage du lit, la femme a semblable droit que lui : car il n'est pas maître de son corps. Et pourtant, quand il aura rompu le mariage en commettant l'adultère, sa femme se trouve en liberté[7]. » Suivant Calvin, si un incroyant abandonnait sa femme ou son mari de confession protestante, on avait également là un motif de divorce. Cependant, il refusait que la cruauté, l'impuissance, la maladie (comme la lèpre) ou l'aversion pure et simple puissent mettre fin à un mariage, et il répondait sans montrer la moindre sympathie à un mari marié à une « femme dure et redoutable » : « Ce sont là les fruits du péché originel et de la corruption qui est en [toi][8]. »

En 1541, des dignitaires invitèrent Calvin à mettre en œuvre la doctrine qu'il avait formulée dans *Institution de la religion chrétienne*. Cela se passait dans la nouvelle ville de Genève, francophone et protestante. Sous sa gouverne, Genève devint le noyau vital protestant de l'Europe ; le réformateur protestant écossais John Knox la décrivait comme « la plus parfaite école du Christ ».

Dans *Adultery and Divorce in Calvin's Geneva* [*Adultère et divorce dans la Genève de Calvin*], l'historien Robert M. Kingdon examine certains des cas de divorce. L'un d'entre eux concernait Pierre Ameaux, un membre en vue du conseil municipal, qui souhaitait divorcer de sa femme Benoite, une riche veuve qu'il avait vraisemblablement épousée pour ses vastes propriétés foncières. Benoite considérait, bien à tort, que, puisque tous les chrétiens faisaient partie du Corps unique du Christ, elle avait le droit de coucher avec tout homme chrétien — mais elle niait avoir fait une telle chose. Accusée puis emprisonnée pour hérésie, Benoite se rétracta et supplia qu'on lui pardonne. Sa demande lui fut accordée à condition qu'elle demande publiquement pardon à Dieu et au tribunal. Pierre et elle furent invités à « vivre honnêtement dans l'état sacré du mariage ».

À contrecœur, Pierre reprit Benoite avec lui, mais il lui rendit la vie si pénible qu'elle s'enfuit chez son frère. Pierre lança une nouvelle procédure en divorce qui aboutit à une nouvelle réconciliation forcée. Des mois plus tard, il réussit sa troisième tentative de divorce en

invoquant le motif d'adultère. La punition de Benoite fut l'emprisonnement à vie dans les fers, à moins qu'elle ne se repente. Avec Benoite
mise à l'écart et enchaînée, Pierre put enfin divorcer et quelques mois
plus tard, il demanda et obtint la permission de « se remarier avec une
autre femme, étant donné que sa [première] femme était une fornica-
trice qui entretenait de fausses opinions et qui avait été condamnée à
la prison à perpétuité ». Un mois plus tard, la famille de Benoite
réussit à la faire libérer en promettant de la confiner à sa chambre,
« afin qu'elle ne fasse pas scandale auprès des autres ». Pierre, qui
s'était remarié, continua de gérer les biens des enfants de Benoite[9].

Calvin intervint directement dans la tentative de son jeune frère
Antoine pour divorcer de sa femme Anne Le Fert, pour cause d'infidélité. En dépit du témoignage puissant de Calvin contre Anne, la
cause se termina par une réconciliation forcée qui dura plusieurs
années. Après la mort de la femme bien-aimée de Calvin, Idelette de
Bure, en 1549, Anne géra la maison commune des deux frères, donna
deux autres enfants à Antoine, et s'occupa des deux enfants du premier
mariage d'Idelette, que Calvin s'était engagé à élever. Mais l'amertume
persista, et en 1557, les deux frères déposèrent une plainte officielle,
alléguant qu'Anne avait pris pour amant un bossu qui avait déjà été à
leur emploi. Anne nia les accusations ; les témoins étaient hésitants. Les
Calvin présentèrent de nouvelles preuves et Anne fut interrogée à
plusieurs reprises, dont au moins deux fois sous la torture.

L'enjeu était élevé, à savoir la peine capitale si elle était déclarée
coupable. Même soumise à la torture — la première fois, on lui attacha
du grillage de fer aux mains et aux poignets pour la faire souffrir ; la
seconde séance de torture reprit ou intensifia cette procédure —, Anne
nia fermement avoir commis l'adultère. Finalement, le tribunal accorda
son divorce à Antoine avec autorisation de se remarier ; Anne fut
bannie de Genève et Antoine put conserver sa dot pour le soutien de
ses enfants. Antoine et Anne se remarièrent tous deux, lui avec la veuve
d'un pasteur calviniste, elle avec un jeune noble qui s'exila avec elle.

Ces divorces nous donnent une idée de la manière dont les autorités
réformistes traitaient les mariages très problématiques. Les tribunaux
examinaient soigneusement les détails les plus intimes de la vie privée ; souvent, ils entendaient les témoignages des témoins oculaires
fournis par les domestiques qui habitaient avec leurs maîtres. Ils uti-

lisaient la torture lors de leurs interrogatoires et obligeaient souvent les couples en guerre à se réconcilier. Ils punissaient l'adultère en exilant ou en fouettant les coupables ; dans les villages isolés, la punition était de neuf jours d'emprisonnement au pain et à l'eau et la mise à l'amende. Parfois, les femmes adultères étaient noyées en public et les hommes adultères, décapités. Mais ce n'est qu'en 1566, deux ans après la mort de Jean Calvin, que Genève édicta une loi qui faisait de l'adultère un crime capital — sauf lorsqu'un mari trompait son épouse avec une femme non mariée.

À l'époque de Calvin, Genève permettait le divorce, habituellement pour adultère ou défection volontaire, et autorisait le remariage. En fait, il était difficile d'obtenir un divorce. Au cours du ministère de Calvin (de 1541 à 1564), seuls vingt-six divorces furent accordés pour cause d'adultère, plus quelques autres pour d'autres motifs. Dans d'autres régions protestantes, le divorce n'était pas plus courant et n'était autorisé qu'en dernier ressort.

Par un étonnant paradoxe, l'Église anglicane était l'exception à la règle voulant que le divorce fût possible. L'Angleterre, en effet, avait rompu avec l'Église catholique romaine suite à la volonté d'Henri VIII d'annuler son mariage avec Catherine d'Aragon. La comptine enfantine « Divorcée, décapitée, décédée, divorcée, décapitée, et la dernière survécut » résume bien les stratégies d'Henri pour mettre fin à ses mariages avec Catherine d'Aragon, Anne Boleyn, Jeanne Seymour, Anne de Clèves et Catherine Howard. (Heureusement pour sa dernière femme, Catherine Parr, il mourut en 1547.) Mais l'Église anglicane qui avait vu le jour parce qu'Henri voulait que son mariage soit annulé demeura si hostile au divorce que, jusqu'à l'adoption de la Loi sur les causes matrimoniales de 1857, l'Angleterre ne connut pour ainsi dire pas le divorce. De 1670 à 1857, 325 divorces seulement furent autorisés, presque toujours à la demande des maris. Les lois sur le divorce étaient si défavorables aux femmes qu'elles étaient peu nombreuses à déposer des demandes en ce sens.

Caroline Norton fut la victime la plus notoire de la position anti-divorce de l'Angleterre, qui s'enracinait dans un régime patriarcal ambigu et dans des lois qui privaient les femmes mariées de leurs biens et même de leur salaire. Caroline Sheridan, petite-fille du dramaturge Richard Brinsley Sheridan, avait dix-neuf ans lorsqu'elle épousa George Norton, un homme incompétent, paresseux et violent. Pour gagner l'argent nécessaire à sa famille nombreuse, Caroline écrivait des articles et des livres. «En sortant de nos querelles orageuses, je retrouvais le courage de travailler à nouveau pour l'aider et pour voir aux intérêts de mes enfants, se rappelait-elle. Je suis restée assise toute la nuit — même quand j'avais un jeune enfant à allaiter — pour terminer une tâche que m'avait confiée un éditeur. Avec ma plume, j'ai réussi à amasser en un an 1 400 £; et [...] j'ai fourni, sans sourciller, l'argent qui serait dépensé pour satisfaire ses plaisirs[10]. »

Privée de l'accès à sa demeure et à ses enfants, humiliée publiquement par les allégations de George concernant son ami et associé politique Lord Melbourne, premier ministre d'Angleterre, qu'il accusait d'avoir eu avec elle des «conversations criminelles» (un euphémisme pour des rapports sexuels adultères), Caroline se résolut à faire campagne pour le droit des mères à obtenir la garde de leurs enfants de moins de sept ans. Grâce à ses efforts, le projet de loi de 1839 sur la garde des enfants en bas âge fut adopté. Malheureusement, cela ne l'aida aucunement. George se contenta de faire disparaître ses enfants en Écosse, où la loi anglaise ne s'appliquait pas. Il ne se laissa fléchir et ne lui permit de voir ses enfants qu'après qu'un de leurs fils fut décédé suite à un accident d'équitation.

Avec l'esprit, la passion et la lucidité qui la caractérisaient, Caroline exerça des pressions pour gagner l'appui des politiciens à la cause des épouses anglaises. Dans une lettre à la nouvelle reine, la jeune Victoria, elle résume à grands traits son argument:

> Je suis, à l'égard de mon mari, dans une position pire que s'il avait divorcé. Si tel avait été le cas, les Anglais sont si généreux qu'un homme au cœur chevaleresque m'aurait peut-être épousée et fait confiance en dépit du nuage injuste qui a terni mon nom. Je ne suis pas divorcée et je ne peux divorcer de mon mari; en outre, je ne peux établir aucune réclamation juridiquement fondée pour ce qui le concerne, lui, ou tout autre être vivant! Ma réputation, mes biens, mon bonheur sont irrévocablement au pouvoir de ce calomniateur, de ce rapace qui défend son droit à se soustraire à ses obligations. Je ne peux me libérer moi-même. J'existe et je souffre; mais la loi me dénie toute existence[11].

La loi niait son existence en raison de la *couverture*, un concept juridique en vertu duquel l'être de la femme fusionnait avec celui de son époux. N'ayant pas d'identité propre, elle n'avait pas le droit de posséder des biens, un salaire ou un corps, et l'idée d'un viol conjugal était inconcevable. Le divorce ne faisait pas que mettre un terme à des mariages défaillants ou permettre à des ex-époux de se remarier. Il libérait les femmes de la *couverture*. Sans divorce, une femme abandonnée ou séparée, comme Caroline, n'avait aucune existence en droit. Sa remarque : « Je ne considère pas qu'il s'agit de MA cause, bien que [...] (malheureusement pour moi) j'en suis une illustration. C'est la cause de toutes les femmes », était une triste déclaration de fait. Lorsque la Loi sur les causes matrimoniales fut finalement promulguée en 1857, plusieurs articles reflétaient les expériences personnelles de Caroline[12].

L'Amérique du Nord

À l'image des autres colonies de l'empire britannique, le Canada était censé suivre les lois sur le divorce de la mère patrie ; seules les colonies de l'Atlantique, économiquement liées aux colonies du Nord des États-Unis, qui étaient plus libérales, adoptèrent des lois sur le divorce : la Nouvelle-Écosse (1761) avec pour motifs de divorce l'adultère ou la cruauté, le Nouveau-Brunswick (1791) et l'Île-du-Prince-Édouard (1837), pour motif d'adultère seulement. Dans les autres régions, la seule procédure de recours qui s'offrait aux colons déçus par leur mariage ou aux conjoints abandonnés était un projet de loi d'initiative parlementaire, lequel nécessitait une sanction royale. La grande majorité des catholiques du Bas-Canada qui souhaitaient mettre fin à leur union dissolvaient leur mariage par prescription légale, ce qui permettait d'éviter la légalisation du divorce. (Une femme qui pouvait faire la preuve de la mauvaise gestion que son mari faisait de ses biens pouvait obtenir un recours en justice sous forme de séparation de biens ; si elle pouvait prouver qu'elle avait été soumise à une maltraitance extrême, elle pouvait demander la séparation de corps.) En 1833, le Haut-Canada retira un projet de loi en vue de légaliser le divorce après avoir reçu un communiqué officiel l'informant que l'Angleterre rejetterait une telle loi, ce qui rendait son adoption inutile.

Le premier divorce à survenir dans le Haut-Canada mit fin au mariage entre John Stuart et la mère de ses enfants, Elizabeth Van

Rensselaer Powell, après que cette dernière fut devenue l'amante du lieutenant John Grogan. Stuart poursuivit Grogan pour dommages-intérêts et obtint 600 £ plus les frais. (Grogan s'en acquitta en vendant son brevet militaire.) Après avoir établi la preuve juridique de l'adultère d'Elizabeth, Stuart entreprit une action en divorce. En février 1840, tout juste avant qu'Elizabeth donne naissance à l'enfant de Grogan, le Parlement du Haut-Canada accepta la demande de divorce. Aussitôt que l'assentiment royal fut obtenu, en 1841, Elizabeth et Grogan se marièrent et tentèrent de réintégrer la haute société de Kingston qui désapprouvait le divorce.

Certaines colonies situées plus au sud avaient une tout autre perception du divorce. Aux États-Unis comme en France, « où la Révolution fut la servante du divorce », écrit l'historienne Norma Basch, dans *Framing American Divorce* [*Une histoire socioculturelle du divorce*] : « Les transformations de la famille et de l'État étaient étroitement liées. Cette convergence pesa sur la manière de penser le divorce des années durant[13]. » Les motifs justifiant la rupture des liens avec l'empire semblaient également valables pour les mauvais mariages.

Le divorce existait même avant la Révolution. Les colonies situées au nord-est avaient les lois du divorce les plus libérales : celles du Connecticut le furent au point d'autoriser environ un millier de divorces de 1670 à 1799. New York faisait exception, en ne retenant que l'adultère comme motif de divorce ; peu de demandes de divorce étaient agréées. Toutefois, en 1813, les femmes battues purent obtenir la séparation juridique. Et, en 1824, les maris purent également se séparer.

Après la Révolution, la plupart des États du Sud prirent des dispositions pour réglementer juridiquement le divorce. Le Maryland donna l'exemple en 1790 ; en 1860, tous les États confédérés reconnurent comme motifs de divorce l'adultère, l'abandon, la cruauté ainsi que d'autres motifs. L'Arkansas décrivait les comportements abusifs, qui comprenaient la rudesse, la vulgarité, le mépris, l'incivilité, le manque de gentillesse « et toute autre manifestation claire de haine profonde, d'éloignement et de séparation, en paroles et en action[14] ». Seule la Caroline du Sud tirait de l'arrière : elle légalisa le divorce en 1872, le révoqua en 1878, puis le légalisa à nouveau en 1949-1950.

Moins limités par la tradition, les États les plus jeunes s'empressèrent, après l'obtention de leur statut d'État, de promulguer des lois plus libérales sur le divorce. En 1852, l'Ohio spécifia dix motifs de divorce. Plus généreux encore, l'Indiana inclut une clause passe-partout englobant « toute autre cause que le tribunal estimerait appropriée pour accorder le divorce[15] ». D'autres États de l'Ouest votèrent des lois semblables, qui comprenaient des articles les déchargeant de l'obligation de peaufiner des dispositions sur le divorce.

Un des aspects les plus significatifs de ces lois sur le divorce était l'obligation de résidence, qui allait d'une année au simple désir de devenir résident, comme c'était le cas en Utah. Pour d'autres États, ces exigences minimales en matière de résidence apparaissaient comme une manière de se soustraire à la volonté des autres États et pays qui avaient des lois plus rigoureuses sur le divorce.

Un exemple célèbre fut celui d'Heinrich Schliemann, un opulent *globe-trotter* européen, d'abord entrepreneur puis archéologue, marié à Ekaterina, une Russe qui refusait de venir vivre avec lui aux États-Unis. « Je préférerais mourir plutôt que d'aller vivre avec toi dans un pays étranger », lui écrivait-elle en 1869. Schliemann retourna seul aux États-Unis, en Indiana, où il acheta une maison, investit dans une entreprise et trouva des témoins prêts à affirmer qu'il avait l'intention de s'établir en Indiana. Puis, à titre de « résident », il divorça d'Ekaterina.

La ruse de Schliemann provoqua l'ire du public. Agacés, les opposants au divorce ou, tout au moins, au divorce « facile », s'attaquèrent aux États qui, comme l'Indiana, encourageaient la décadence, l'immoralité et la destruction sociale. Horace Greeley, rédacteur en chef du *New York Tribune*, reprocha aux lois laxistes sur le divorce d'entraîner les États dans une déchéance comparable à celle de l'empire romain, « disloqué par la moisissure des mères impudiques et des maisons dissolues[16] ». « Le mariage indissoluble constitue peut-être une épreuve imparfaite de l'affection pure et honorable, soutenait Greeley, car toutes les choses humaines sont imparfaites, mais c'est le mieux que l'État puisse faire ; et son renversement entraînerait une débauche générale et une corruption pires que tout ce que ce pays a jamais connu et que peu d'Américains peuvent vraiment imaginer. Nous nous opposons donc inflexiblement à toute extension des privilèges de divorce déjà garantis par nos lois[17]. »

L'idéologie politique du divorce

Beaucoup de gens voyaient le divorce, à l'exemple du mariage, comme un révélateur de la société. Dans l'Amérique d'avant la guerre de Sécession, le « divorce servait de paratonnerre contre les tensions profondes résultant d'un usage positif et négatif de la liberté », écrit Norma Basch[18]. Dans le Sud esclavagiste, qui avait le plus bas taux de divorce aux États-Unis, l'État prenait racine dans la maisonnée patriarcale, où le dirigeant mâle avait autorité sur toutes les femmes, les enfants et les esclaves qui s'y trouvaient. Dans le Sud, les rapports de pouvoir découlant des règles régissant les races et les sexes, voire le système économique, étaient fondés sur la suprématie des Blancs et sur ce que l'historienne Jacquelyn Dowd Hall appelle « le réseau serré du racisme, de la discrimination envers les femmes et des idéologies sexuelles[19] ».

Plus précisément, l'infrastructure de l'esclavage dans le Sud s'enracinait dans la subordination des esclaves mais aussi des femmes, de telle sorte que la libération des uns entraînait celle des autres. De plus, la logique absurde de l'esclavage plaçait la famille blanche si haut que le divorce devenait une force sociale destructive au lieu d'être un mécanisme juridique permettant de séparer des époux malheureux. La Caroline du Sud, par exemple, interdisait le divorce pour quelque raison que ce soit. Parallèlement, certains États du Sud, sensibles à la situation désespérée de certaines femmes, adoptaient des lois de « séparation de corps » ; ces lois, qui prévoyaient une pension alimentaire, permettaient aux femmes blanches de vivre séparées de leur mari tout en demeurant légalement mariées. Le Tennessee et la Caroline du Nord allèrent plus loin en promulguant des lois sur le divorce en 1799 et en 1814, respectivement.

Signe révélateur, les femmes blanches que les maris remplaçaient par des femmes noires et qui, de plus, étaient maltraitées obtenaient souvent le divorce. Le Virginien Jonah Dobyns, par exemple, battait sa femme Sophia, une adolescente fille d'un colonel ; à plusieurs reprises, celle-ci fut forcée de s'enfuir pour retourner chez ses parents. Lorsqu'elle revenait au domicile conjugal, Dobyns la battait à nouveau et menaçait de la tuer. Un visiteur de la plantation témoigna avoir entendu Dobyns se vanter qu'« en son absence, il avait mis une de ses propres négresses dans son lit à elle, ce qu'il referait chaque fois qu'il lui plairait». Le père de Sophia venait de mourir, lui léguant suffisamment d'esclaves pour subvenir à ses besoins ainsi qu'à ceux de ses enfants. Sophia obtint le divorce.

La manière dont Jonah Dobyns traitait sa femme n'était pas rare, comme l'atteste une lecture attentive des requêtes en divorce. La pauvre Virginienne Evelina Gregory Roane, que son mari força à changer de rôle avec sa maîtresse esclave, obtint non seulement l'autorisation de divorcer, mais également celle de se remarier. Suivant plusieurs témoins, sept mois après la naissance de leur premier enfant, Newman Roane avait frappé Evelina, à nouveau enceinte, si sauvagement qu'elle avait fait une fausse couche. En plus de la battre, de l'empêcher de voir sa famille ou de fréquenter l'église et de menacer de la tuer, il avait placé Biney, sa maîtresse, à la tête de la maisonnée, obligeant Evelina à travailler comme esclave sous ses ordres.

Par contre, l'homme blanc qui déposait une requête en divorce n'avait habituellement qu'à prouver que sa femme avait eu des rapports sexuels avec un amant noir — et qu'il n'avait pas approuvé son comportement. L'une après l'autre, les requêtes décrivent une femme dévoyée qui accouche d'un petit mulâtre, ce qui constituait une preuve prétendument irréfutable d'une double faute : l'adultère et la transgression de l'interdit des relations sexuelles interraciales. (Tout valait mieux que de reconnaître qu'un des deux époux avait peut-être du sang africain.) La «couleur foncée» et l'«apparence inhabituelle» de la fille de Peggy Jones trahissaient une paternité noire, qui fut corroborée avec complaisance par les voisins, ce qui permit à Richard Jones d'obtenir son divorce. «À l'étonnement extrême et à l'inexprimable humiliation» de Dabney Pettus, la femme de ce dernier, Elizabeth Morris, «accoucha d'un enfant mulâtre […] que lui avait fait un nègre du voisinage». En 1803, Pettus obtint son divorce. Tabitha, la femme d'Ayres Tatham, accoucha d'un petit mulâtre et il obtint le divorce ; il en fut de même pour Daniel Rose, dont la femme, Henrietta White, accoucha d'un enfant mulâtre après huit mois de mariage ; elle accusa Bob, un des esclaves de son grand-père, de l'avoir forcée à avoir des relations sexuelles avec elle, en la menaçant de faire chavirer ou de ruiner son mariage — sans préciser comment il s'y prendrait — si elle refusait.

Ces divorces résultaient de l'horreur collective devant le remplacement des femmes blanches par des femmes noires, ce qui violait l'intégrité de la race blanche, et devant les femmes qui souillaient leur race, leur lit conjugal et se moquaient des valeurs fondamentales de leur société en donnant leur corps à des hommes noirs et en engendrant des mulâtres. (Pendant ce temps, les hommes blancs pouvaient continuer de féconder des femmes noires et de créer des enfants de sang mêlé en toute impunité.) L'exigence de rigueur imposée aux requérants, même dans de tels cas, montre que l'idée de divorce semait la terreur chez la plupart des sudistes des classes supérieures. « Les parties intégrantes à partir desquelles l'État est constitué ne sont pas des individus, mais des familles représentées par le parent qui les dirige », rappelait le théologien Robert Lewis Dabney[20]. En d'autres termes, le divorce affaiblissait le patriarcat, patriarche après patriarche, et menaçait la structure de la société sudiste.

« Le caractère indissoluble du lien conjugal, la permanence des liens familiaux ainsi que l'ambiance familiale que le sentiment de ce caractère indissoluble engendre menacent de disparaître rapidement », avertissait le *Southern Quarterly Review*, en 1854. Quelques années plus tard, *De Bow's Review* publiait le même genre d'avertissement : « Le danger pour le Sud *au sein de l'Union* vient de la forte influence de l'exemple du Nord [...] ; il est imminent et ne saurait être exagéré. Déjà, le Sud [...] a adopté, dans une proportion effarante, les idées du Nord sur les thèmes du divorce et de l'indépendance des femmes mariées, avec la séparation des biens et les revenus propres à chacun[21]. »

Les Américains vivant au Nord critiquaient le divorce pour des motifs différents. En 1816, Timothy Dwight, recteur de l'Université Yale, déclara que « la progression du divorce, bien que différente suivant les pays, sera en définitive une horreur inconcevable [...] ; un homme vertueux, s'il pouvait encore s'en trouver, chercherait en vain une épouse vertueuse. Partout où il errera, ses yeux ne verront rien que l'avilissement et le harcèlement à visage découvert. Le monde qui l'entoure sera devenu un vaste bordel ; une grande province dans un monde en perdition[22]. » Des mots forts qui rejoignaient beaucoup de gens.

Mais pour la femme battue ou le mari abandonné, pour la femme dont les enfants souffraient de la faim parce que son mari « pourvoyeur » devait remettre son salaire au tenancier de la taverne ou à l'escroc avec qui il jouait aux cartes, pour le mari dont la femme s'exhibait avec ses amants et négligeait ses enfants, le mariage était l'avilissement et le divorce le salut. Les couples sans amour, indifférents ou qui se détestaient jugeaient leur relation en la comparant aux idéaux de l'amour et du mariage fondé sur l'affection réciproque de deux partenaires égaux; c'est pourquoi ils rêvaient d'y échapper. (À la limite, l'écrivain révolutionnaire Tom Paine, séparé de sa femme, désespérait qu'un couple marié puisse être amoureux et heureux, et il croyait que le divorce était la seule façon de mettre un terme à cette misère.) Mais, dans la plupart des États, la primauté de la monogamie l'emportait sur les exigences de l'amour.

Divorce et ivrognerie

Une grande partie de la question du divorce tournait autour de la définition des motifs de divorce. L'adultère de la femme était universellement accepté comme motif suffisant pour séparer ceux que Dieu avait unis. Souvent, il suffisait aussi que l'adultère du mari ou son abandon du domicile conjugal soit avéré, particulièrement si cette situation durait depuis longtemps et était dépourvue d'ambiguïté. D'autres genres de comportements répréhensibles, notamment l'ivrognerie, la cruauté ou la démence, étaient des cas plus litigieux et soulevaient des questions liées à la classe sociale, à l'appartenance ethnique et au sexe. La loi, la coutume et la religion donnaient aux hommes toute autorité sur leurs femmes qui n'avaient guère de recours contre eux, devant même se soumettre à des « corrections » ou à des châtiments corporels. Toutefois, les législateurs, qui appartenaient, pour la plupart, aux classes privilégiées, considéraient que les femmes des classes supérieures ne devraient normalement pas avoir à subir de violence physique. Pourtant, ils ne songeaient pas à étendre cette protection à toutes les femmes; au contraire, ils cherchaient à dissuader les femmes des classes inférieures de demander le divorce sous prétexte que leurs maris les maltraitaient.

Leur position s'expliquait surtout par le fait qu'ils associaient la violence avec l'ivrognerie, qu'ils considéraient comme un trait distinctif des hommes des classes inférieures et des immigrants, qui ruinaient leurs familles en fréquentant ces lieux de perdition qu'étaient les tavernes. La meilleure solution n'était pas le divorce mais la tempérance. En offrant une protection aux femmes et aux enfants et en restaurant la vie familiale, la tempérance réduirait radicalement le nombre de conjoints violents ainsi que le besoin de divorcer.

Cette interprétation sociétale de l'intempérance et de ses répercussions directes sur les individus était en harmonie avec les programmes réformistes axés sur la nature du mariage et de la famille. Le plaidoyer anti-esclavagiste et abolitionniste prônant l'idéal de la morale et la droiture de la famille en tant qu'instruments de la réforme en est un excellent exemple. « Le droit à la chasteté chez la femme, l'amour domestique sans tache, l'autorité des parents sur leurs enfants — la société repose de tout son poids sur ces trois piliers », prêchait l'influent pasteur congrégationaliste Henry Ward Beecher, le frère d'Harriet et de Catherine Beecher.

Avec un enthousiasme égal, le mouvement anti-alcoolique (actif surtout dans la classe moyenne protestante) se donnait pour but de restaurer le caractère salutaire du mariage en éradiquant l'abus d'alcool, plus fréquent chez les maris. En 1830, dans une Amérique du Nord où l'alcool coulait à flot, où la bière était un produit de première nécessité, où le whisky et les autres spiritueux accompagnaient traditionnellement les repas, la consommation dépassait les sept gallons (26,5 litres) d'alcool par adulte annuellement; par ailleurs, la dépendance à l'égard de l'opium et de la cocaïne, faciles à se procurer, était le triple de ce qu'elle est de nos jours. D'innombrables maris (et quelques femmes) alcooliques dépensaient leur salaire en alcool au lieu de payer le loyer et de nourrir leur famille; ils se retrouvaient dans les tavernes, où le jeu et la prostitution constituaient des tentations supplémentaires. Lorsqu'ils rentraient chez eux en titubant, c'était pour battre leurs femmes, leurs enfants et leurs chiens.

Certains critiques du divorce se demandaient si l'alcoolisme était permanent et irréversible. De plus, comme une publication populaire le faisait remarquer, les femmes n'avaient-elles pas le devoir moral et familial de réformer leurs maris ou à tout le moins de tolérer leur alcoolisme? Est-ce qu'une femme vertueuse ne devrait pas se contenter d'« aimer et d'espérer jusqu'à la fin [pour que], lorsque Dieu appose son sceau sur son front, nous sachions la dose d'héroïsme que sa vie comportait[23]? » La solution n'était pas de divorcer, mais d'endurer les maris alcooliques ou, mieux encore, de les convertir, afin qu'ils abandonnent leurs mauvaises habitudes. Naturellement, la sympathie envers les maris qui souhaitaient divorcer de femmes alcooliques était générale ; ces femmes étaient dénoncées comme des souillons qui faisaient honte à leur mari, négligeaient leurs enfants et étaient probablement la cause de graves malformations congénitales.

Par ailleurs, les tracts et les ouvrages de fiction moralistes véhiculaient de plus en plus un message qui rendait implicitement les femmes de maris alcooliques responsables de leur situation difficile. Ces femmes se préoccupaient de la mode plus que de leurs devoirs civiques en servant du vin à la maison, forçant des hommes déterminés à rester abstinents à consommer de l'alcool ou les tentant avec des pêches au brandy. Suivant l'exemple de Margaret Nichols, une femme mariée « maussade, d'humeur changeante, malheureuse », dans *A Story for Wives* [*Histoire des femmes mariées*] de T. S. Arthur, ces épouses poussaient leur mari à boire. Au milieu du xixe siècle, la responsabilité des femmes dans l'alcoolisme de leur mari était devenue une question urgente. Si une femme n'était pas patiente et endurante, si sa demeure n'était pas un gai refuge, que pouvait-elle espérer d'autre ? Certainement pas la libération par le divorce !

Parfois, les femmes dont les maris alcooliques et dangereusement violents pouvaient encore gagner de l'argent obtenaient une séparation juridique et une pension alimentaire. Un juge de la Caroline du Sud estimait que, de 1814 à 1829, les deux tiers de ses causes de pension alimentaire « pouvaient raisonnablement être attribués à l'intempérance[24] ». Très souvent, ces alcooliques devaient être mis en prison pour protéger leurs femmes et leurs enfants, qu'ils risquaient de tuer. Les ouvrages sur la tempérance, faisant état de maris à tendances meurtrières, qui poignardaient, frappaient à la hache, décapitaient et démembraient leurs femmes, alimentaient ces peurs.

À la fin du xixe siècle, la violence familiale attira fortement l'attention du public ; aux États-Unis, les philanthropes créèrent 494 sociétés pour la protection des enfants et contre la maltraitance. L'association des maris violents avec l'abus d'alcool était si forte que plusieurs États promulguèrent des lois qui autorisaient les femmes à poursuivre les tenanciers de tavernes pour dommages-intérêts, si leurs maris les blessaient alors qu'il était sous l'influence de l'alcool. Dans le

Maryland, au Delaware et en Oregon, les maris qui battaient leurs femmes pouvaient être mis au pilori et fouettés.

En dépit de cette nouvelle sensibilité, un grand nombre de ceux qui défendaient le divorce comme solution finale à la brutalité répétée n'en croyaient pas moins que la femme affligée devait endurer une souffrance presque insoutenable avant de mettre fin à son mariage. Avait-elle opposé une douce compréhension à ses colères ? Lui avait-elle préparé une belle demeure ? Était-elle le genre de femme qu'un homme *voudrait* retrouver à la maison ? Si la réponse à ces questions était négative, elle devait chercher dans son cœur le remède à ses propres défauts plutôt que de chercher à échapper à son mariage.

Le divorce et la disparité entre les sexes

Tous n'étaient pas en faveur d'un tel sacrifice ; du reste, la question du divorce divisait le mouvement de défense des droits des femmes. Amelia Bloomer, Elizabeth Cady Stanton, Susan B. Anthony et d'autres porte-parole croyaient que la crainte de voir sa femme (bonne et vertueuse) le quitter ou divorcer, exercer son droit de propriété ou obtenir une pension alimentaire était le meilleur moyen de dessoûler un homme ; elles militaient donc pour l'accès au divorce et à la garde des enfants pour motif d'ivrognerie ou de violences conjugales. « C'est un péché contre la nature, la famille et l'État qu'un homme et une femme vivant ensemble une relation conjugale soient en opposition constante, dans l'indifférence ou le dégoût[25] », soutenait Elizabeth Stanton. Elle considérait le divorce comme un moyen de consolider les mariages ; sa menace devait inciter les maris et les femmes à se montrer à la hauteur de leurs idéaux. Elle remettait en question les valeurs culturelles qui faisaient que le divorce était honteux pour les femmes.

À l'image de l'ivrognerie, le divorce était une question où les disparités entre les hommes et les femmes pesaient de tout leur poids, suscitant de fortes réactions. L'inégalité fondamentale entre mari et femme ainsi que l'omniprésence d'un régime deux poids deux mesures rendaient ardue l'évaluation de ses avantages et inconvénients. Indépendamment des questions de faute et de blâme, le divorce faisait intervenir des droits de propriété et de garde des enfants, et mettait en lumière la position des femmes vis-à-vis des hommes en général et de leur mari en particulier. Partant de ces réalités, les féministes américaines Antoinette Brown et Elizabeth Oakes Smith s'opposaient au divorce en prônant la maîtrise des maris par le renforcement du mariage. L'argument le plus convaincant de tous était présenté par Elizabeth Packard, qui s'opposait au divorce en tant que remède aux dissensions conjugales sous prétexte qu'il dépouillait la femme de son prestige et de sa respectabilité. «Ce que nous voulons, écrivait Elizabeth Packard, qui avait été gravement lésée, c'est une protection à l'intérieur de l'union et non pas [...] une dissolution de cette dernière[26].»

Elizabeth et Theophilus Packard, de quinze ans son aîné, avaient une relation conjugale plaisante mais sans passion qui avait duré vingt et un ans et engendré six enfants. «Avec le temps, nous nous sommes éloignés en esprit au lieu de nous rapprocher, se rappelle Elizabeth. Il décrépissait et mourait — j'étais vivante, je grandissais, je me développais.» Elizabeth était belle, bien éduquée, énergique et passionnée. Lorsque Theophilus l'invita à venir pimenter sa classe biblique de six hommes, plutôt terne, elle accepta dans l'enthousiasme. Influencée par les idées et l'énergie du mouvement féministe, elle parla franchement en classe; prenant plaisir à s'exprimer avec grâce, elle avait la certitude que sa voix comptait et qu'elle devait être entendue. Plus précisément, Elizabeth déclara que la doctrine du péché originel et de l'infériorité de la femme était fausse. Très rapidement, son vibrant discours et ses commentaires provocants attirèrent plus de quarante étudiants dans la classe.

Theophilus réagit aux sorties publiques de sa femme avec mépris et colère, ce qu'Elizabeth interpréta comme un «sentiment morbide de jalousie [provoqué par] l'évolution naturelle de cette puissance intellectuelle en moi [...], craignant que je ne lui porte ombrage». La lutte de pouvoir entre eux commença lorsqu'elle refusa de renoncer aux discussions bibliques en classe.

«Tu iras à l'asile», l'avertit Theophilus. Dans une lettre «confidentielle» à des parents et à des amis intimes, il s'expliqua clairement: «J'ai de tristes raisons de croire que l'esprit de ma femme commence à se détraquer; elle devient démente [lorsqu'elle parle] sur le thème des droits des femmes.» Il dit à Elizabeth que, s'il la plaçait dans un asile d'aliénés, les gens seraient convaincus qu'elle était démente et qu'elle ne valait pas la peine d'être écoutée. «Je dois protéger la cause du Christ!» déclarait-il.

Les lois de l'Illinois étaient favorables à Theophilus; elles donnaient aux maris le droit de faire incarcérer leur femme si le directeur d'un asile d'aliénés de l'État la jugeait «démente ou distraite […] sans qu'il soit besoin de fournir les preuves de démence normalement requises dans les autres cas». Dans les premières heures du matin, le 18 juin 1860, alors qu'Elizabeth était en train de s'habiller, un shérif et deux médecins du regroupement religieux de Theophilus firent irruption dans sa chambre et la déclarèrent démente sous prétexte que son pouls était rapide. Elizabeth déclara qu'elle n'irait pas à l'asile de son plein gré, sans procès. Theophilus lui donna l'heure juste concernant ses «droits». «Tu n'es pas une citoyenne, tant que tu es mariée, tu n'as aucune identité juridique, tu n'as même pas d'âme aux yeux de la loi. Bref, tu es morte en ce qui a trait à toute existence juridique, tant que tu es mariée, et donc tu n'as aucune protection juridique comme femme mariée.» Il ajouta: «C'est pour ton bien que j'agis ainsi; je veux sauver ton âme! Tu ne crois pas au mal radical [le péché originel] et je veux te faire entendre raison.»

Des années plus tard, Elizabeth se rappelait: «C'est ainsi que j'appris ma première leçon au chapitre de la *common law*, qui refuse à la femme mariée le droit d'avoir sa propre identité ou individualité.» L'incarcération dans un asile la priva de ses six enfants, qui avaient de deux à dix-huit ans et qui continuèrent de vivre avec Theophilus. À partir de ce moment, Elizabeth se sentit investie d'une mission qui rappelait celle de Caroline Norton: modifier le statut juridique des femmes et leur donner le droit d'obtenir la garde de leurs enfants, dans un système qui les confiait presque infailliblement aux pères.

Après avoir enduré pendant des années les pratiques courantes à l'époque, comme d'«étrangler les détenus jusqu'à ce que leur visage soit noir et que leur langue pende à l'extérieur de leur bouche» ou de les immobiliser dans des camisoles de force pour ensuite les rouer de coups, Elizabeth réussit à convaincre les administrateurs de l'asile qu'elle était saine d'esprit. En 1863, alors que la guerre civile faisait rage, elle fut libérée et se réfugia dans la maison de sa sœur. Après quatre mois à s'ennuyer de ses enfants, elle retourna chez elle.

Theophilus était impitoyable. Il l'enferma dans la pouponnière, cloua les fenêtres et l'emprisonna pendant qu'il prenait des arrangements pour la placer dans un autre asile. Pour échapper à son courroux, Elizabeth passa un message par la fente de la fenêtre à quelqu'un qui passait par là, lui demandant de le remettre au juge Charles Starr. Après que des témoins eurent déclaré que Theophilus avait « cruellement abusé et maltraité ladite femme », la privant même de vêtements d'hiver, Starr émit un bref d'habeas corpus et ordonna la tenue d'un procès pour déterminer si Elizabeth était ou non saine d'esprit.

Packard c. Packard fut un procès court qui fit sensation. Stephen Moore, un des avocats d'Elizabeth, présenta sa cliente charismatique, qui était belle femme, comme « une [femme] originale, énergique, pensant comme un homme, et sans son jugement supérieur, combiné avec une modestie naturelle, elle se classerait comme une " femme qui sait ce qu'elle veut ". Les choses étant ce qu'elles sont, sa conduite est en parfaite harmonie avec la sphère habituellement occupée par les femmes. » Quant à Theophilus, il était « froid, égoïste, avec des conceptions intolérantes, il a peu de talent et sa physionomie est dépourvue d'expression. Il est têtu et son obstination n'a d'égal que sa bigoterie. » Le jury délibéra pendant sept minutes avant de rendre son verdict : Elizabeth Packard était saine d'esprit.

Mais elle était également une femme séparée de son mari, et il avait la garde de ses enfants. Les plans d'Elizabeth pour son nouvel avenir solitaire n'incluaient pas le divorce, probablement parce qu'elle savait que le seul motif de divorce considéré comme légitime était l'adultère ; or en dépit de tout ce qu'il lui avait fait, Theophilus n'avait pas commis l'adultère. Elle emprunta dix dollars à des amis et se rendit à Chicago, où elle gagna sa vie en écrivant des livres et des pamphlets. Mais à l'exemple de Caroline Norton, elle rappelait à ses lecteurs qu'en droit, son mari pouvait toujours décider de réclamer sa maison et s'approprier tous ses gains.

Pour échapper à une telle injustice et faire en sorte que les autres femmes y échappent également, elle fit des pressions pour que soit adopté son projet de loi « Pour égaliser les droits et les responsabilités du mari et de la femme mariée », centré sur l'amélioration des droits de propriété et de garde des enfants des femmes. Le 24 mars 1869, une version modifiée du projet de loi fut adoptée, autorisant la femme

mariée « à recevoir, utiliser et posséder ses propres revenus, et à intenter des actions pour faire respecter ce droit en son nom propre, libre
de toute interférence de la part de son mari ». Elizabeth s'en réjouit :
« Comme les autres femmes mariées de l'Illinois, je suis dorénavant
protégée par la loi dans mon droit d'avoir ma propre maison, achetée
avec mes propres revenus. »

Elizabeth œuvra aussi pour que les femmes obtiennent la garde de
leurs enfants, un droit qui était presque toujours réservé aux pères.
(Ses enfants avaient maintenant de onze à vingt-sept ans, et les trois
plus vieux habitaient déjà avec elle à Chicago.) Lorsqu'elle intenta une
action pour obtenir la garde de ses trois plus jeunes enfants, ses deux
fils les plus âgés faisaient partie de ses témoins. Lorsque le plus jeune,
Arthur, dit qu'il préférait vivre avec son père, qui l'avait élevé depuis
qu'il avait deux ans, Elizabeth accepta. Mais elle se réjouit lorsque ses
deux autres enfants décidèrent de venir la rejoindre, avec ses autres
enfants, à Chicago.

En 1871, son fils Samuel, qui était désormais avocat, l'aida à rédiger
son projet de loi intitulé « Projet de loi pour égaliser les droits et les
responsabilités du mari et de la femme mariée ». Sous une forme
modifiée, il fut, lui aussi, adopté par le Parlement de l'Illinois. Par la
suite, il y eut une vague de résistance et de lamentations pour la perte
des droits qui avaient appartenu jusque-là aux hommes. Les législateurs réagirent aux interprétations judiciaires, modifiant l'idéologie
ainsi que l'opinion publique pour passer des lois du mariage plus
nuancées. Néanmoins, les lois de 1869 et de 1871 constituèrent des
étapes sur le chemin de l'égalité des femmes et des hommes dans le
mariage, et elles firent en sorte qu'Elizabeth et les autres femmes
mariées se sentent beaucoup plus en sécurité.

Les nombreux écrits d'Elizabeth contribuèrent à l'adoption d'un
ensemble de lois qui portent encore son nom (« Packard Laws ») ; ces
lois interdisent à un mari de placer sa femme dans un asile sans procès
et sans ordonnance d'un tribunal, comme Theophilus l'avait fait.
Elizabeth élabora également une nouvelle conception du mariage, un
partenariat où mari et femme exerceraient les fonctions auxquelles
Dieu les a destinés, elle comme femme au foyer, mère et source d'affection, lui comme protecteur et pourvoyeur. Ils se consulteraient et
chacun écouterait l'autre, sans que l'un ou l'autre tente d'imposer sa

volonté à son conjoint. La force dynamique de cette entente serait l'interdépendance, avec des droits égaux en matière de propriété, de revenus (si la femme avait besoin de travailler), de garde des enfants et de tutelle. Pourtant, la femme demeurait une associée minoritaire qui ne pouvait voter, alors que le mari, soutien de famille, avait ce droit. L'union proposée par Elizabeth était fondamentalement inégale et représentait sa manière de réconcilier ses convictions traditionalistes et progressistes.

Divorces célèbres

À l'image de Caroline Norton en Angleterre, Elizabeth Packard alimenta le phénomène des divorces célèbres ou des mariages manqués. L'appétit du public pour les détails (souvent salaces, toujours intimes) était vorace. Les magazines et les autres médias imprimés se faisaient un plaisir de nourrir cet intérêt, présentant le divorce comme un spectacle, une excursion voyeuriste à travers les malheurs d'autrui. (« J'ai regardé par le trou de la serrure et je l'ai vue étendue sur le sofa — ses vêtements en bas de ses genoux. Il faisait quelque chose avec sa petite culotte — je ne saurais dire quoi[27] », déclara un domestique.) On ne divorçait pas pour rien, et les lecteurs avides voulaient se régaler de la honte de la partie qui avait fauté.

Les articles de journaux qui traitaient de cas de divorce étaient habituellement sympathiques aux femmes. Par exemple, le *New York Times* décrivait la plaignante Mary Bennet, laquelle accusait George, son mari médecin, de chercher à l'obliger à se faire avorter et d'administrer des doses excessives de laudanum à leurs enfants, comme « très jolie […], de courte stature, avec une vivacité d'expression […], une voix au timbre argentin, des yeux foncés et brillants, des cheveux très sombres, des mains délicates et des traits réguliers ». Quant à George, c'était « un petit homme avec des cheveux noirs de jais dressés sur la tête, une grande barbe et une moustache noires, de petits yeux noirs inquiets ». Il parlait comme s'il avait eu « une éponge dans la gorge[28] ».

Mais les tribunaux et l'opinion publique diffamaient les femmes soupçonnées d'adultère, comme Abby Sage, une actrice et écrivaine ayant récemment divorcé de son mari alcoolique et violent, Daniel

McFarland, un avocat dans la cinquantaine. Leur mariage avait pris fin en Indiana, où le divorce était plus facile à obtenir qu'à New York la rigide.

En décembre 1869, McFarland attira dans une embuscade l'amant de son ex-femme Abby, Albert Dean Richardson, trente-six ans, reporter expérimenté du *Tribune*, qui avait couvert la guerre civile, et lui tira une balle dans l'estomac. Peu de temps après, le révérend Henry Ward Beecher, qui était un ami d'Abby, la maria à son amant agonisant. Le mariage — et l'agression qui l'avait hâté — dominèrent les journaux de New York. Soixante heures après qu'ils se furent mariés, Richardson mourut dans les bras d'Abby, et McFarland fut inculpé de meurtre.

Le procès fit sensation. Deux ans et demi plus tôt, McFarland avait tiré un coup de feu et blessé légèrement Richardson au moment où ce dernier raccompagnait Abby à la maison après le théâtre. Néanmoins, ses avocats le présentèrent comme « un homme submergé de chagrin et dépassé par la calamité provoquée par la passion impie, téméraire et illégale d'un libertin éhonté, séducteur de femmes et voleur d'enfants ». Suivant cette version, McFarland n'avait pas assassiné Richardson, il « [l'] avait expédié dans l'éternité ». Les avocats s'arrangèrent également pour que le fils de dix ans de McFarland coure vers son père au tribunal et s'assoie à ses côtés pendant le procès. Le jury de douze hommes, des maris et des pères, délibéra pendant deux petites heures avant de déclarer McFarland non coupable.

Le divorce à l'américaine

Elizabeth Cady Stanton considérait l'acquittement de McFarland comme une mise en accusation des femmes américaines. D'autres y voyaient une mise en accusation du divorce, le révérend Beecher étant sévèrement attaqué dans la presse pour avoir marié la divorcée Abby Sage à son amant mourant. Norma Basch écrivait que la diffamation du révérend Beecher « montre premièrement que les ondes de choc du divorce dépassent de loin les préoccupations doctrinales du christianisme institutionnalisé pour capter l'attention du grand public ; deuxièmement, que la reconnaissance croissante de la dimension sexiste de tous les divorces sans exception — c'est Abby qui avait

déclenché l'action en divorce — portait le débat à un registre entièrement nouveau; et, troisièmement, que [...] l'opposition au divorce
était soutenue par un christianisme presque fondamentaliste[29]».

Cela était particulièrement vrai au moment où la nation américaine
divisée se remettait d'une guerre civile où des centaines de milliers de
gens étaient morts pour conjurer un divorce politique. Elizabeth
Packard avait été claire à ce sujet: le divorce s'enracinait dans un
«principe sécessionniste [...] [qui] mine le fondement même de nos
obligations sociales et civiles[30]».

Un autre argument de poids contre le divorce était qu'il permettait
le remariage, que beaucoup de féministes avaient en horreur, car il
incarnait l'impureté sexuelle et la violation de la monogamie à vie.
Plusieurs adeptes du mouvement féministe rejetaient le divorce, préférant travailler à obtenir le droit de vote pour assurer la stabilité
familiale. Certaines femmes s'opposaient même à cette lutte, comme
Catherine Beecher, qui craignait que le droit de vote pour les femmes
amène la disparition de «toute la sainte protection de la religion,
toutes les initiatives généreuses de la conduite chevaleresque, toute la
poésie de la galanterie romantique», qui étaient les principales armes
des femmes sans défense contre leur statut subordonné[31]. Mais quelles
que fussent leurs idées sur le divorce, la plupart des femmes admet-
taient le besoin de séparer les époux qui se disputaient. La séparation
vécue sur le mode du célibat, avec des dispositions appropriées concernant la division des biens, le soutien financier et la garde des enfants,
était généralement considérée comme une solution acceptable.

En pratique, la séparation financière des biens en cas de divorce
était rarement équitable. «Je suis atterrée par la pauvreté des mesures
de soutien dans les divorces prononcés au XIXᵉ siècle», écrit Norma
Basch[32]. (Elle utilisait cet argument pour prévenir les féministes de
son époque contre une alliance avec les conservateurs qui souhaitaient
revenir à la notion de divorce sans égard aux torts.) Il était également
très difficile de faire exécuter les paiements de pension alimentaire.
Les femmes qui étaient indépendantes de fortune, que leurs possessions fussent importantes ou modestes, ou qui avaient un métier, un
commerce ou des biens s'en tiraient mieux. Dans certains États, New
York par exemple, les femmes qui se séparaient s'en tiraient mieux que
celles qui divorçaient.

Dans le Sud, après la guerre civile, les lois du divorce conservèrent le régime deux poids deux mesures. Par exemple, un jugement de la Haute Cour de la Caroline du Sud déclarait qu'il y avait « une différence entre l'adultère commis par un mari et l'adultère commis par une femme mariée — la différence étant en faveur du mari ». Un mari qui feindrait d'ignorer l'adultère de sa femme se « déshonorerait », alors qu'une femme qui en ferait autant ferait « pitié »[33].

Sous forme de paternalisme chevaleresque, le même régime ambigu amena les législateurs du Sud à consentir aux femmes mariées des droits de propriété. Le républicain J. H. Allen, un législateur sud-carolinien originaire du Nord, avait su trouver le ton juste : « J'en appelle à vous qui avez vécu ici toute votre vie, et vu des femmes victimes de chasseurs de fortunes ; des vauriens et des menteurs qui, après avoir pris possession des biens de leur femme, les ont dilapidés dans le jeu et l'alcool ; une classe d'hommes qui parcourent encore le pays, se vantant de leur intention de marier une plantation, avec en sus la femme à charge[34]. »

La conviction croissante que les femmes étaient moralement supérieures aux hommes, qu'elles étaient naturellement aimantes et tendres, provoqua une modification du droit de garde des enfants ; les juges furent de plus en plus enclins à confier aux femmes divorcées ou séparées la garde des enfants, particulièrement celle des filles ou des jeunes enfants — suivant la doctrine de l'« âge tendre ». L'idée que la perte de la garde des enfants était une manière de punir un comportement ayant conduit à la rupture du mariage aidait aussi la cause des femmes, celles-ci étant le plus souvent celles qui engageaient les procédures de divorce. Un juge de la Cour suprême de l'Alabama déclara : « La loi, en conformité avec la nature, a revêtu l'homme de la plus haute et de la plus vaste autorité pour protéger la femme mariée. [...] Mais lorsque l'amour du mari n'existe plus, la protection de la femme mariée n'est plus assurée. Lorsqu' [...] il est évident que la femme est mise en péril et qu'elle est malheureuse au point de compromettre sa santé et de ne plus pouvoir s'acquitter de ses devoirs de mère, alors les tribunaux interviennent pour sa protection[35]. »

Cependant, cette protection n'allait pas jusqu'à assurer aux femmes mariées un soutien financier adéquat. D'abord, dans les dures années de la reconstruction, les États du Sud se souciaient de réduire les dépenses publiques. Les mères qui avaient le plus de chances d'obtenir la garde de leurs enfants étaient celles qui pouvaient démontrer qu'elles avaient les moyens de les faire vivre.

Le sentiment antidivorce s'intensifia après la guerre civile, mais le divorce en fit autant. De 1861 à 1865, dans tout le territoire des États-Unis, on dénombrait en moyenne 6 510 divorces, séparations ou annulations de mariages par année. Ces chiffres augmentèrent de 60 % dans les deux années qui suivirent la guerre. Suivant l'exemple de son prédécesseur Timothy Dwight, Theodore Woolsey, recteur de l'Université Yale, déplora publiquement la corruption morale dont il observait la progression dans la société d'après-guerre. Des enquêtes officielles furent menées afin d'expliquer pourquoi la république succombait au sort de la Rome antique et des autres sociétés décadentes.

Ce n'était pas la question qu'il fallait poser. Comme les historiens le reconnaissent de nos jours, l'effondrement du mariage est une conséquence fréquente des guerres. Lorsque les hommes rejoignaient leurs unités militaires, laissant leur femme et leur famille à la maison, souvent pour de longues périodes, leurs relations avec elles changeaient. Comme soldats, ils étaient aussi changés par les horreurs, les banalités et les courts moments joyeux — la camaraderie, le sentiment de valeur personnelle — de la guerre. Restées seules à la maison, leurs femmes avaient assumé de nouvelles charges ; exception faite des plus fortunées, la plupart des femmes voyaient peu ou pas du tout leur mari soldat. Leurs mariages, qui s'enracinaient dans un autre mode de vie, s'effondraient dans une solitude qui pouvait être ressentie comme un abandon, sans oublier les pressions financières, les tensions sexuelles et l'insécurité concernant l'avenir.

Beaucoup de soldats étaient blessés. « Si tu étais [...] [ici] et si tu voyais le nombre de soldats malades et handicapés, ton cœur souffrirait. Il en meurt tous les jours », écrivait un soldat de l'Armée de l'Union à la jeune femme qu'il épousa plus tard[36]. Une liste de demandes d'indemnisation accordées à des soldats de l'Armée de l'Union pour invalidité, entre 1862 et 1888, s'élevait à un total de 406 702 : indemnisations pour blessures, indemnisations pour maladies cardiaques, pour maladies pulmonaires, pour amputations, pour surdité, etc.[37]. Les juges qui statuaient sur les demandes, et qui étaient souvent des amputés, rejetaient une plus forte proportion des demandes pour des malaises « invisibles » — par exemple, le syndrome de stress post-traumatique, qui ne fut considéré comme un trouble mental légitime qu'après la guerre du Vietnam.

L'alcoolisme et la toxicomanie opiacée étaient d'autres afflictions acquises à la guerre qui ravageaient les mariages. « Nous avons perdu plus de vies aux mains des vendeurs de whisky que sous les balles de nos ennemis », se lamentait le général confédéré Braxton Bragg. Bien que la vente d'alcool fût interdite, les soldats en achetaient ou en fabriquaient — les soldats de l'Armée de l'Union concoctaient un mélange composé de jus d'écorce, d'eau de goudron, de térébenthine, de sucre roux, d'huile à lampe et d'alcool — et en faisaient une consommation abusive.

Il y avait tellement de soldats des deux camps qui faisaient usage de drogues — morphine, opium ou cocaïne — que la narcomanie était appelée « la maladie du soldat » ou « la maladie militaire ». Lorsque les blessures terribles décimaient l'armée, les médecins militaires soulageaient les blessés avec des injections de morphine. L'intoxication, facile à alimenter à une époque où la drogue était disponible sans restrictions, s'ensuivait souvent. Pire, les tentatives bien intentionnées de guérir une intoxication à la morphine en lui substituant la cocaïne ne faisaient que créer une nouvelle forme de dépendance. À la fin de la guerre, d'innombrables vétérans rentrant à la maison étaient devenus alcooliques, toxicomanes ou les deux.

Des centaines de milliers de soldats, des célibataires sans attaches, mais aussi des maris infidèles, contractèrent des maladies vénériennes, ce fléau du xixe siècle, transmises par les prostituées qui suivaient les camps militaires et qu'on appelait les « rafraîchissements horizontaux », ou attrapées dans les bordels des villes et des villages avoisinants. En 1862, par exemple, la ville de Washington (D.C.) et celle de Richmond en Virginie se vantaient d'avoir 7 500 prostituées travaillant à plein temps. Charles Haydon, du 2e régiment de l'infanterie du Michigan, nota dans son journal intime que plusieurs de ses camarades avaient été « blessés [...] [en] prenant d'assaut une batterie masquée » — une expression désignant les organes génitaux féminins. « Si seulement ils traquaient les rebelles avec l'empressement qu'ils mettent à poursuivre les putains[38]. » Dans l'Armée de l'Union, 73 382 soldats furent traités pour la syphilis, 109 397 pour la gonorrhée[39]. (Le nombre d'hommes malades mais non traités multiplierait ces chiffres par deux.) Les confédérés, ayant moins d'argent et donc moins d'occasions, avaient moins d'infections ; ces dernières étaient pourtant si nombreuses qu'en mai 1864, on ouvrit un nouvel hôpital à Kingston, en Géorgie, pour les traiter.

Les maladies vénériennes étaient chroniques et incurables jusqu'à l'invention de la pénicilline, des dizaines d'années plus tard. Les symptômes comprenaient des testicules et le gland enflés et animés de pulsations, des plaies suppurantes sur les organes génitaux, une miction difficile et douloureuse ainsi qu'une fièvre débilitante. Les symptômes étaient atténués en trempant les organes génitaux dans des bains de chlorate de potassium ou de zinc, ou au moyen de vapeur de mercure. Les injections toutes les heures dans l'urètre pendant douze heures étaient épuisantes, et on pouvait en dire autant des autres formes de traitements courants. Le pire est que ces traitements étaient inefficaces ; les vétérans qui retournaient chez eux infectaient donc leurs femmes, qui développaient des maladies inflammatoires du pelvis qui entraînaient l'infertilité ou des grossesses tubaires.

Avec le temps, les symptômes s'intensifiaient, englobant l'incontinence, la dégénérescence des os et des articulations, l'impuissance sexuelle, la perte des réflexes, l'apparition d'ampoules, d'éruptions cutanées et de tumeurs, la paralysie, la démence et finalement « une mort lente et révoltante. [...] Personne ne connaît le nombre de femmes et de veuves de soldats de l'Armée de l'Union ou de celles des confédérés qu'on enterra pourries et ravagées par la syphilis que leurs maris avaient rapportée à la maison ; ou le nombre d'enfants de vétérans rendus aveugles par la gonorrhée ou dont le développement a été arrêté par la syphilis », écrit Thomas Lowry, spécialiste de l'histoire médicale de la guerre de Sécession[40].

Les hommes démobilisés retrouvaient souvent une vie de famille très différente de celle qu'ils avaient laissée. Beaucoup d'entre eux s'étaient rapprochés de leurs femmes ou des petites amies qu'ils espéraient épouser à travers une correspondance où ils décrivaient leurs expériences, y compris leurs peurs, leurs espoirs et leurs réactions émotives. Newton Scott, soldat de l'infanterie de l'Iowa, avait un rêve modeste : « Si on me laisse la vie, je compte revenir à la maison, voir les gens que j'aime et manger des pêches[41]. »

Mais beaucoup d'autres avaient de la difficulté à rétablir le contact avec des épouses aliénées par des années de séparation et d'épreuves. («Pendant que vous vous amusiez tellement [...], nous, au 4e régiment, tirions sur les rebelles», écrivait Newton Scott[42]. Dans une lettre trouvée sur un champ de bataille, une jeune femme avait noirci trois pages où elle décrivait son nouveau bonnet en le comparant à ceux de ses rivales[43]. Certaines femmes avaient eu des relations extra-conjugales. D'autres, croyant que leurs maris étaient morts au combat, s'étaient engagées avec un autre. Certaines durent se vendre pour survivre: «Je ne suis pas étonnée d'entendre que le général Sherman dit qu'il peut acheter la chasteté de n'importe quelle femme du Sud pour quelques livres de café», notait une femme du Mississippi dans une lettre qu'elle écrivait à son mari[44].

Mais l'augmentation sensible des divorces n'était pas uniforme dans toutes les régions du pays. Le divorce était plus fréquent dans les grandes villes densément peuplées que dans les plus petites villes et les régions rurales. L'Ouest avait le plus haut taux de divorce, le Nord était plus modéré et le Sud avait le taux de divorce le plus bas. Les Blancs du Sud étaient dévastés par leur défaite militaire et par la destruction de leurs biens, leurs «villes brûlées, leurs plantations désertées [et] leurs villages mis à sac[45]». Collectivement amers et outragés par la libération de leurs esclaves et par le fait que le Nord honni et victorieux imposait un nouvel ordre à la place de l'ancien, ils refusaient de divorcer.

Pourtant, l'ancien ordre établi avait déjà commencé à se désintégrer. D'abord, la guerre avait transformé les femmes du Sud, qui avaient survécu en assumant les rôles de leurs maris et de leurs pères absents et en faisant appel à des réserves de force de caractère insoupçonnées. Mais pour les hommes qui rentraient du front, souvent avec des corps malades ou brisés, avec des membres en moins, des organes perforés et un moral à terre, le spectre de ces femmes arborant une nouvelle assurance et autorité pouvait être un coup mortel.

Parce qu'elles comprenaient la situation, ces femmes accueillirent leurs hommes brisés et déprimés comme s'ils étaient toujours les puissants patriarches qu'ils avaient été. Les épouses, les sœurs et les filles étouffèrent leur nouvelle indépendance et s'attelèrent à la tâche collective de restaurer les liens de confiance et de reconstruire leur vie, souvent dans des conditions de pauvreté et toujours dans la confusion. Des femmes de planteurs qui avaient vécu dans l'opulence, comme Mary Boykin Chesnut, devaient emprunter pour nourrir leur famille. Mary Chesnut observait sardoniquement que le retour de Lent était « tout à fait opportun, car nous n'avons rien à manger. Donc nous jeûnons et prions[46]. » Elle et ses consœurs s'occupaient aussi des jardins, élevaient des poulets, enseignaient, mettaient en gage des objets de famille et des articles de maison ; elles gagnaient de l'argent comme elles pouvaient.

Si crucial que fût le besoin d'apaiser l'humiliation collective des hommes, la nécessité de maintenir la solidarité raciale l'était tout autant. Dans la lutte commune contre la liberté des Noirs, la race l'emportait sur l'opposition des sexes, donnant aux femmes blanches une autre raison d'oublier leur liberté pour maintenir l'unité raciale avec les hommes blancs. À la lumière du besoin de renforcer les âmes blessées et les familles souffrantes, le divorce pour des motifs personnels semblait beaucoup moins justifié, ce qui explique que le taux de divorce demeura plus bas qu'ailleurs dans cette partie du pays qui se remettait de la guerre.

Dans tous les États-Unis, ceux qui avaient entrepris une croisade contre le divorce travaillaient d'arrache-pied. Theodore Woolsey, recteur de l'Université Yale, était un des leaders du mouvement ; en 1881, il cofonda la New England Divorce Reform League [Ligue pour la réforme du divorce en Nouvelle-Angleterre], afin de lutter contre le divorce. (En 1885, elle prit le nom de National Reform League [Ligue nationale pour la réforme].) Dans le cadre de leur campagne, les membres de la ligue ciblaient la sexualité, les droits des femmes, les maladies vénériennes, la prostitution, l'alcoolisme et la drogue comme facteurs contribuant à la maladie du divorce.

Pendant ce temps, la « maladie » s'étendait : le département du Travail rapportait que de 1867 à 1886, le divorce avait augmenté de 150 %, alors que la population n'avait augmenté que d'un tiers. D'autres rapports étaient tout aussi inquiétants : entre 1880 et 1890, le divorce avait augmenté de 70 % et, au cours des dix années suivantes, de 67 %. Le taux de divorce était en croissance partout en Occident, mais aux États-Unis, il atteignait des sommets. En 1910, par exemple, il y eut 83 045 divorces aux États-Unis pour une population de 92 millions d'habitants, alors qu'en Angleterre, en Écosse, en France, en Belgique, en Hollande, en Suisse, en Norvège, au Danemark et en Suède, qui avaient une population totale de 108 millions d'habitants, on ne dénombrait que 20 329 divorces.

Le divorce à la canadienne

Les Canadiens, ces voisins du Nord qui ne divorçaient pour ainsi dire jamais, étaient horrifiés par la facilité avec laquelle les Américains divorçaient. Ils avaient suivi de près l'évolution de la guerre civile. Officiellement, ils étaient demeurés neutres, mais, sur le plan personnel, ils se sentaient concernés. La plupart avaient l'esclavage en horreur; toutefois, plusieurs avaient des sympathies ou des intérêts d'affaires communs avec les États sudistes. Après la guerre de 1812 et les Rébellions de 1837-1838, la plupart des Canadiens préféraient la recherche de solutions politiques ou constitutionnelles à la violence et à la guerre. De même, plutôt que de divorcer, ils vivaient ensemble une vie de couple misérable ou se contentaient de se séparer.

Les Canadiens associaient le divorce à l'américaine à l'idée qu'ils se faisaient de la morale suspecte et de la désintégration du tissu social chez leurs voisins du Sud. Le divorce devint une question importante lorsqu'il s'agit de définir la nouvelle nation, créée le 1er juillet 1867, et de distinguer le Canada de ses puissants et souvent autoritaires voisins américains. (En fait, lorsque les Canadiens décidaient de divorcer, ils faisaient un voyage dans le Sud et allaient divorcer aux États-Unis.)

En 1857, la Loi anglaise sur les causes matrimoniales modifia la nature du divorce sur la majorité du territoire de l'empire britannique en instituant des tribunaux de divorce qui remplacèrent le système encombrant des lois d'intérêt privé promulguées par le Parlement. Le secrétaire d'État pour les colonies invita fortement les colonies à adopter un système similaire; plusieurs obtempérèrent, à commencer par l'Australie. Dans tout l'empire britannique, le Canada fut seul à ne pas permettre le divorce juridique, ce qui s'explique en grande partie par sa volonté de se distinguer des États-Unis.

La résistance canadienne résultait en partie seulement de préoccupations morales. Elle s'expliquait aussi par la volonté d'épargner aux provinces un bourbier juridictionnel semblable à celui qu'entraînaient des lois du divorce différentes dans chaque État américain. Le respect des compétences de chacun était une question sérieuse, aussi bien à l'échelle nationale qu'à l'échelle internationale, et elle concernait notamment les divorces de Canadiens prononcés aux États-Unis. En 1867, l'Acte de l'Amérique du Nord britannique déclara que le mariage et le divorce étaient de compétence fédérale, et confia les questions connexes du droit de propriété et des droits civils aux provinces, divisant ainsi la responsabilité législative du droit familial. Le problème de la reconnaissance des divorces obtenus aux États-Unis ou dans d'autres parties de l'empire britannique demeurait entier.

La garde des enfants était un aspect extraordinairement important de la question du divorce. En donnant aux femmes la garde des enfants, la Loi sur les causes matrimoniales de 1857 avait fait naître la peur que des hordes de femmes malheureuses en profitent pour mettre fin à leur mariage. Parallèlement, on craignait que les hommes utilisent leur droit de garde comme une arme, obligeant leur femme à supporter leurs abus sous peine de perdre leurs enfants. La solution était de donner la garde des enfants à celui des conjoints qui avait subi une injustice ou qui était « innocent ».

En pratique, les réformes relatives au divorce avaient peu d'effets concrets tant que les lois ne réformaient pas également le droit des femmes à la propriété. Avant la première réforme du genre, la Loi sur les biens de la femme mariée de 1870, les femmes mariées étaient financièrement et légalement dépendantes de leurs maris : comme Caroline Norton le soulignait avec force, elles n'avaient aucun droit, et même l'argent qu'elles gagnaient en travaillant ne leur appartenait pas. La plupart des femmes qui n'avaient pas de parents pour les aider n'avaient d'autre choix que de rester mariées. Les femmes de la classe ouvrière continuèrent à souffrir ; même après la Loi sur les causes matrimoniales de 1878, qui permettait aux juges de paix de donner la garde des enfants à la femme et d'exiger du mari qu'il les soutienne financièrement, la tendance étant de forcer la réconciliation. En 1886, la Loi sur la tutelle des enfants fut la première à tenir compte des besoins des enfants aussi bien que du comportement des parents dans le mariage ou de leur mauvaise conduite.

Le manque d'empressement du Canada à tolérer le divorce se reflétait dans le très petit nombre de divorces prononcés : de 1867 à 1907, le taux de divorce aux États-Unis (même compte tenu des populations différentes) était de 230 fois supérieur à celui du Canada — ce dernier comptant 431 divorces seulement par rapport à 1,3 million aux États-Unis. « Nous échappons à la plupart des cancers sociaux qui empoisonnent la vie de nos voisins », clamait le *Canadian Methodist Magazine*. En 1910, le président de l'Université McGill attribua une bonne partie du haut taux de divorce des Américains à la folle témérité de l'âme américaine, « le même esprit qui, poussé à sa limite extrême, se manifeste dans les lynchages et les meurtres trouve une expression plus modérée dans l'intolérance qui se manifeste à l'endroit de l'assujettissement dans la famille[47] ». Cependant, même si le Canada se vantait d'avoir un des taux de divorce les plus bas en Occident, le nombre de résidents ontariens qui se présentaient devant les tribunaux de divorce de New York était tel qu'un juge de paix se permit un commentaire désapprobateur.

Le divorce à l'aube du XXe siècle

Jusqu'à la Première Guerre mondiale, le Canada conserva son hostilité vis-à-vis du divorce. Seuls la Nouvelle-Écosse, le Nouveau-Brunswick et la Colombie-Britannique avaient les tribunaux de divorce recommandés par l'Angleterre, et ils accordaient rarement un divorce pour un motif autre que l'adultère. Dans le laps de temps qui sépara les deux guerres mondiales, l'Alberta, la Saskatchewan et l'Ontario instituèrent des tribunaux de divorce. Les gens des autres provinces devaient toujours obtenir leur divorce du Parlement ; la procédure était coûteuse, compliquée et publique et pouvait être tellement humiliante, particulièrement pour les femmes, que plusieurs préféraient vivre en fausses célibataires ou séparées de leur mari. Au lieu de divorcer, beaucoup de couples malheureux se contentaient d'une séparation légale ou informelle. Certains quittaient le foyer conjugal pour se remarier, en espérant que leur bigamie resterait cachée. D'autres choisissaient le divorce aux États-Unis ; ce dernier, même s'il n'était pas juridiquement contraignant au Canada, était ce qui ressemblait le plus à un divorce véritable.

La question des divorces « à l'étranger » restait brûlante, car ceux qui prétendaient résider dans les régions où le divorce était facilement accessible et qui, une fois leur divorce prononcé, redevenaient résidents de leur État ou province d'origine importaient, en fait, une forme de divorce interdite chez eux, et tentaient ensuite de faire valider leur divorce. Cette ruse était utilisée par des Américains aussi bien que par des Canadiens.

Comme ce fut le cas pour les autres guerres, le nombre de divorces augmenta sensiblement après la Première et la Deuxième Guerre mondiale. Avant les guerres, partout en Occident, les lois du divorce étaient libéralisées, et le divorce faisait partie des questions sociales importantes et chaudement débattues. En Angleterre, la moyenne annuelle des divorces passa de 701 entre 1907 et 1913 à 2 740 entre 1918 et 1921. Aux États-Unis, de 1914 à 1921, la hausse annuelle moyenne fut de 40 %. Le Canada conserva un faible taux de divorce, qui s'expliquait en grande partie par le fait que celui-ci était extrêmement difficile à obtenir. Ce n'est qu'en 1925 que les femmes eurent le droit d'introduire des requêtes en divorce dans des conditions égales à celles des hommes. L'Ontario, la province la plus grande, institua des tribunaux de divorce en 1930 seulement.

Les taux de divorce associés aux guerres mondiales étaient en hausse pour les raisons habituelles : un milieu agité qui soumettait les notions de vie et de mort à une accélération et qui poussait de nombreuses personnes à se marier sans préparation, par romantisme ou par patriotisme ; la séparation forcée des époux ; les nombreux cas d'adultère commis par les soldats aussi bien que par leurs femmes. Et comme les couples attendaient de se retrouver, à la fin de la guerre, pour divorcer, le taux de divorce était plus bas en temps de guerre. Mais avec le retour de la paix, le divorce revenait en force et plus les gens divorçaient, moins le divorce paraissait inacceptable.

La crise dynastique de 1936 renforça l'opposition du Canada à un relâchement de ses lois sur le divorce. Le roi Édouard VIII était tombé amoureux de Wallis Simpson, une Américaine divorcée à deux reprises. Cherchant une manière constitutionnelle de l'épouser, il demanda l'approbation du Parlement britannique ainsi que celle de tous les membres du Commonwealth. Mais le peuple britannique et l'Église d'Angleterre lui refusèrent leur appui, et les Canadiens en firent autant. « Le Canada est la portion la plus puritaine de l'Empire », pouvait-on lire dans un compte rendu officiel du gouvernement britannique. De son côté, la « fierté canadienne a[vait] été profondément blessée par les commérages de la presse américaine, qu'elle ressent[ait] comme une intolérable impertinence[48] ».

La presse à potins tournait à plein régime. Wallis Simpson n'était peut-être même pas réellement divorcée de son premier mari, à tout le moins pour l'Angleterre, où l'Église ne reconnaissait pas l'incompatibilité affective comme un motif de divorce. Dans un tel cas, elle était une bigame qui avait deux ex-maris toujours vivants, ce qui l'empêchait de se marier à nouveau. Il y avait des rumeurs concernant sa vie sexuelle active, souvent avec d'autres hommes que le roi. Joseph Kennedy, l'ambassadeur des États-Unis en Angleterre — dont la vie personnelle n'était en rien puritaine — la traita de « gonzesse ». Madame Kennedy refusa de dîner avec elle. Le FBI rapporta que madame Simpson couchait avec von Ribbentrop, l'ambassadeur du Reich, et qu'elle espionnait pour lui. On informa Édouard qu'il ne pouvait l'épouser. Triste, ébranlé mais déterminé dans son amour, il abdiqua. L'empire britannique échappa donc (temporairement) à la honte de voir un roi épouser une divorcée.

Même si la Grande-Bretagne libéralisa ses lois sur le divorce en 1937, le Canada continua de s'en tenir à son conservatisme traditionnel et profondément enraciné. La crise dynastique n'influença pas les États-Unis. Dans ce pays, l'abîme séparant les États adeptes de la ligne dure qui, comme New York, n'accordaient le divorce qu'aux adultères notoires (dont la collusion était connue de tous) et l'État du Nevada, dont les lois en matière de résidence étaient minces et qui avait le taux de divorce le plus élevé au pays, alimentait la polémique autour du problème des divorces à l'étranger. Le gouverneur de l'État de New York, Nelson Rockefeller, se rendit aussi au Nevada pour divorcer.

Durant les années 1960, qui furent des années de mise au point et de réforme, on assista au rabibochage des lois sur le divorce sous de nouveaux motifs. Dorénavant, c'était le divorce sans égard à la faute qui avait du sens. En fait, dès les années 1980, la plus grande partie du monde occidental considérait ce genre de motif comme acceptable. (Pendant un court laps de temps, la France révolutionnaire avait introduit un concept similaire.) On n'avait besoin ni de l'Église ni de l'État pour interpréter l'échec conjugal ; les époux qui divorçaient ne se soumettaient à aucune autorité extérieure. Tout ce qu'ils avaient à faire était de se séparer et de vivre chacun de leur côté pendant une période de temps déterminée, ce qui leur donnait un motif suffisant de divorce. Influencée par l'Église, l'Angleterre réforma ses lois sur le divorce en 1969. En 1980, la plupart des États, y compris New York et la Californie, avaient adopté le divorce sans égard à la faute, ou avaient identifié l'échec du mariage, la séparation de corps, la séparation judiciaire, l'incompatibilité, voire le consentement mutuel comme motifs de divorce. Les années de 1960 à 1980, écrit Roderick Phillips, ont « élaboré une troisième série de lois sur le divorce dans la société occidentale, laquelle faisait suite à la première génération de la Réforme protestante et à la seconde génération du XIXᵉ siècle. Contrairement aux deux premières phases, cependant, la troisième abandonna les préceptes moraux et la responsabilité pour faute[49]. »

Même le Canada finit par libéraliser le divorce. La Loi de 1968 sur le divorce introduisit la notion de rupture permanente du mariage, mais elle conservait les motifs fondés sur la faute, l'adultère, le viol, les actes d'homosexualité, la bigamie, la cruauté et l'abandon, qui pouvaient être invoqués aussi bien par les femmes que par les hommes. Les autres motifs comprenaient : deux ans d'emprisonnement, l'alcoolisme ou la toxicomanie et la non-consommation du mariage. Un juge entendait la cause et se prononçait. La collusion, fréquente sinon universelle, invalidait le processus. Il en allait de même si un des deux époux avait déjà pardonné une infidélité, un abus ou tout autre motif cité dans la procédure de divorce, ou si le juge avait le sentiment que la réconciliation était possible. (La cohabitation pendant plus de trois mois en vue de tenter de se réconcilier annulait la séparation antérieure. Une nouvelle séparation était nécessaire pour servir de motif de divorce.) La première étape d'une action en divorce aboutie était un jugement conditionnel, qui se transformait en jugement irrévocable au bout de trois mois, après quoi les époux divorcés étaient autorisés à se remarier.

En 1985, les motifs sans égard à la faute furent étendus, faisant du divorce un processus moins onéreux, moins redoutable et plus transparent. Cette évolution était due en grande partie à un rapport présenté en 1976 par la Commission de réforme du droit du Canada intitulé *Report on Family Law* [*État du droit familial*], qui soulignait le fait que la nature accusatoire du divorce empoisonnait les questions de garde des enfants et de soutien financier. Bien que le rapport recommandât que la rupture du mariage soit le seul motif de divorce retenu, la loi de 1985 déterminait d'autres motifs permettant d'établir cette rupture : l'adultère et la cruauté physique ou mentale. (À ce moment-là, le mouvement des maisons de refuge pour femmes battues avait commencé à émerger, permettant à certaines femmes et à leurs enfants d'échapper à leurs agresseurs.) Les tribunaux unifiés de la famille avec compétence exclusive sur les questions de droit familial recommandés dans le rapport furent mis sur pied dans certaines régions du pays.

La loi de 1985 énumérait des empêchements au divorce qui reprenaient pour la plupart ceux qui étaient déjà prévus dans la loi précédente : la collusion, le pardon d'un acte de cruauté qui est ensuite cité comme motif, ou l'incapacité d'arriver à une entente raisonnable sur la pension alimentaire des enfants. La nouvelle loi facilitait les divorces qui ne faisaient l'objet d'aucune contestation, lesquels étaient estimés à 85 %. Elle soulignait à quel point il était important de tenter de parvenir à la réconciliation par la négociation et la médiation, ces dernières étant considérées comme une manière beaucoup plus rapide et efficace qu'un procès pour régler les problèmes conjugaux. Elle simplifiait aussi la procédure de divorce en abandonnant les deux étapes du jugement conditionnel de divorce et du jugement irrévocable de divorce.

Au milieu du XIXe siècle, Caroline Norton et Elizabeth Packard convertirent leur douleur privée et leur humiliation publique en se démenant pour favoriser leurs campagnes en vue d'améliorer les droits des femmes à l'intérieur du mariage, y compris leur droit de divorcer et d'obtenir la garde de leurs enfants. Depuis lors, il y a eu des progrès constants dans la manière dont la société occidentale s'est occupée des mariages malheureux. De nos jours, les lois relatives au divorce et à la famille procèdent à une évaluation des problèmes conjugaux et en permettent le règlement, habituellement par séparation ou divorce.

Le divorce a toujours ses critiques, qui reprennent les arguments des siècles passés, à savoir que le divorce est un échec plutôt qu'une solution, que les taux de divorce élevés reflètent la catastrophe morale de notre époque, que la libéralisation des lois sur le divorce encourage et est peut-être même la cause du divorce, et qu'elle va de pair avec la sécularisation du mariage. Certains blâment l'amélioration des droits des femmes et la transformation des rôles qui provoquent la dissolution des mariages ou à tout le moins indiquent une connexion étroite entre la lutte des femmes pour la reconnaissance de leurs droits et l'échec de nombreux mariages.

Mais les lois sur le divorce reflètent de nos jours les idéaux égalitaires ainsi que les droits des enfants qui sont affectés par la rupture (sauf leur droit à une famille intacte). La réconciliation forcée est chose du passé. Il en va de même pour l'interdiction faite aux adultères de marier leurs amants illicites. De plus en plus, la négociation et la médiation sont des outils juridiques pour aborder les conflits conjugaux et le concept de faute, qui était autrefois le fondement de la loi sur le divorce, a été remplacé par son antithèse sans malice : l'absence de faute.

DEUXIÈME PARTIE

Le mariage aujourd'hui et dans l'avenir

Ce que nous croyions être hier
et ce que nous croyons être aujourd'hui

La marche nuptiale des Montréalais évoque plutôt un dandinement nuptial, car la grossesse de la nouvelle mariée fait saillie sous la robe toute simple qu'elle a achetée la veille. Bien qu'elle soit rayonnante, son dos et ses pieds la font souffrir. Mais on ne peut expédier la cérémonie, dont la complexité reflète sa confession juive et la foi musulmane de son époux. Un mois plus tard, leur fille naîtra dans la jolie maison que les parents de la mariée ont amoureusement préparée pour l'arrivée de ce petit enfant naturel de l'œcuménisme.

Dans une ville médiévale fortifiée de l'Allemagne moderne, un affable pasteur luthérien bénit le couple qu'il vient tout juste d'unir, puis il invite l'assistance à partager le gâteau de mariage, dont les couches alternées de chocolat et de vanille symbolisent la peau brune du nouveau marié, originaire de l'Inde, et la peau blanche de son épouse allemande. Deux jours plus tard, les nouveaux mariés et les invités à la noce s'envoleront vers l'Inde, où la blonde épousée portera un sari rouge et or et se parera de bracelets pour la cérémonie de mariage indienne.

À San Francisco, deux couples exaltés arrivent à l'Hôtel de Ville pour nouer le nœud conjugal. Les hommes sont en smoking, les femmes portent d'élégantes robes longues. Deux cérémonies sont prévues, simples mais touchantes, et rares sont les invités qui réussissent à garder les yeux secs. Dans une salle, Jonathan et Diego échangent des vœux, et dans une autre, Christine et Ling-Ling en font autant.

Comme les choses ont changé depuis les temps passés, que la nostalgie nous présente trop souvent dans une lumière dorée! La nature même du mariage est en train de changer. Autrefois interdits, les mariages interraciaux, interreligieux et interethniques sont désormais chose courante, et dans certains pays ou États, les mariages entre partenaires de même sexe et les mariages civils, qui auraient été impensables à une autre époque, sont tout à fait légaux. Beaucoup de couples se contentent de cohabiter, mais ils ont tendance à rompre plus facilement que ceux qui se marient. Par ailleurs, certains célibataires apprécient tellement leur mode de vie que la typologie des familles a été redéfinie pour inclure la personne vivant seule. Et qui n'a pas entendu dire que le mariage n'a rien d'une assurance à vie, puisqu'un mariage sur deux se termine par un divorce?

Pourtant, cet avertissement fréquent, qui alimente notre horreur du divorce, s'appuie sur de fausses prémisses; c'est aussi une des choses qui montrent que nous ne sommes pas tout à fait ce que nous croyons être (ou ce que nous craignons d'être). La statistique faisant état d'un divorce pour deux mariages donne une image fausse de la réalité. Dans le cas du divorce, trop souvent, une analyse trop simpliste des statistiques conduit à des erreurs d'interprétation.

Dans son article « Divorce: Facts, Causes and Consequences » [«Le divorce: faits, causes et conséquences»], la sociologue Anne-Marie Ambert explique ce qu'il en est. «Le *nombre* de divorces dans une année est calculé à partir du *nombre de mariages* qui ont été célébrés durant la même année, écrit-elle. Si le nombre de mariages diminue, comme cela se produit depuis dix ans, on comprend que même si le *nombre* de divorces demeure le même, la *proportion* de divorces augmentera.» Comme Ambert le fait remarquer, il s'agit là d'«une manière de calculer le taux de divorce qui nous induit en erreur». Il est tout aussi trompeur de comparer le taux de divorce au cours d'une année avec le nombre de mariages durant la même année. Par exemple, en 1994, le Canada comptait 2,7 divorces et 5,4 mariages pour 1 000 habitants. «Ainsi, le taux de divorce (le *ratio*) représentait 50 % du nombre de mariages — un faux "fait" […] qui est [souvent] utilisé pour prédire que 50 % des gens qui se marient dans une année finiront par divorcer.»

Les gens qui se marient au cours d'une année sont rarement les mêmes que ceux qui divorceront au cours de la même année. Ambert termine en disant : il est un fait certain « que nous ne pouvons savoir dans quelle proportion les mariages se terminent par un divorce qu'après la mort d'un des deux époux ». Au lieu du « faux fait » qu'un mariage sur deux se termine par un divorce, la vérité est que les Canadiens et les Américains qui se marient pour la première fois seront environ 30 % à divorcer. (Le taux de divorce beaucoup plus élevé aux États-Unis signifie qu'un plus grand nombre de remariages se terminent par un divorce ; les Américains qui se marient pour la première fois ne risquent pas plus de divorcer que les Canadiens[1].)

Mais à cause des faux faits et de notre propension à leur ajouter foi, le divorce est tellement implanté dans la culture populaire que, si on les questionne sur leur état matrimonial, certains célibataires répondent d'un air malicieux : « Je n'ai pas encore rencontré ma future ex-femme. » Les chansons sur le divorce sont légion : « Every Little Bit Hurts » [« Chaque petit rien blesse »], d'Alicia Keys, « D-I-V-O-R-C-E », de Tammy Wynette, ou « You Better Sit Down Kids » [« Les enfants, j'ai quelque chose à vous dire »], de Cher, pour n'en nommer que quelques-unes. Sur le même thème, des écrivains rédigent des articles ou des livres destinés aux adultes comme aux enfants : *I Don't Want to Talk About It* [*Je ne veux pas en parler*], *Two Homes* [*Deux maisons*], ou *It's Not Your Fault, Koko Bear* [*Ce n'est pas de ta faute, mon ourson Koko*]. Les universitaires étudient le divorce ; il y a au moins un périodique spécialisé en la matière, *Journal of Divorce and Remarriage*. Il existe des guides pratiques sur le divorce, des groupes de soutien, et des conseillers spécialisés en matière de divorce répondent aux besoins des gens qui pensent au divorce ou qui sont en instance de divorce.

Même s'il n'est pas aussi fréquent que nous pouvons le croire, le divorce est une réalité. Une de ses conséquences est que les enfants vivant avec leurs parents biologiques sont maintenant une minorité. Une autre conséquence est que, même pour ces enfants habitués à changer de maison, d'amis, de voisins et de famille, le divorce est une source d'anxiété, la « face cachée du mariage[2] ».

Pourtant, des millions de Nord-Américains font fi de l'anxiété collective concernant le lien conjugal ; poussés par leurs convictions, leurs parents, la société ou motivés par la satisfaction évidente que leurs amis et leur famille tirent de leur union, ils décident de se marier. Pour eux, le mariage peut être un engagement religieux, un rempart contre les dures réalités de la vie, un lieu sûr où ils pourront trouver l'affection, la sécurité et, s'ils se sentent attirés par le métier de parents, où ils auront les meilleures chances d'élever des enfants heureux et en santé.

Au moment où ils commencent à planifier leur avenir commun, ces esprits tournés vers le mariage sont courtisés, séduits et souvent aspirés dans le tourbillon de l'industrie du mariage. Il y a, en fait, un immense hiatus entre les lamentations sur le lien conjugal et l'obsession de la culture nord-américaine pour les célébrations qui entourent le mariage. Les magazines, les journaux, les blogues et la télévision salivent autour des mariages de célébrités, prodiguant autant d'attention aux époux en série, Tom Cruise ou Liza Minnelli, qu'à ceux qui se marient pour la première fois. Les photos de mariage de la princesse Diana, en 1981, n'ont rien perdu de leur magie médiatique. Les poupées Barbie Jolie Mariée encouragent les petites filles à planifier des mariages et à participer à des cérémonies de mariage avec une Barbie Jolie Mariée de leur grandeur — ± 1 mètre —, habillée d'une robe longue qu'elle veut bien « prêter » aux fillettes de 4 à 10 ans. Un livret d'instructions sur papier glacé indique tout ce qui est indispensable pour organiser le merveilleux spectacle de leur jour de noces[3].

Pour ceux qui raffolent de mariages, l'irréelle téléréalité les poursuit jusque dans leur salon. *Rich Bride Poor Bride* [*Grand mariage ou petit mariage*] présente les menus détails de la planification d'une journée nuptiale; le scénario tourne autour de l'aspect financier et le dénouement évalue si la célébration du mariage respectait ou non son budget. *Bridezillas* [*Les mariées Godzillas*], avec des épisodes du genre « La vie est une garce et voilà que vous en épousez une », met l'accent sur les préparatifs des fiancées en vue du jour J. Dans sa publicité, la société de production Fox dit que l'émission présente des histoires de « jolis petits cœurs qui se transforment en monstres matrimoniaux [et] en héroïnes de leur propre film d'horreur ». Il est spécifié qu'une mariée Godzilla est « une mariée cramoisie en robe de noces et enragée, qui vomit des injures, brandit le poing et ne se contrôle plus[4] ».

Les cérémonies de mariage fascinent les téléspectateurs. Tous les jours, la chaîne Women's Entertainment Channel présente des heures d'émissions qui traitent des célébrations ayant trait au mariage, y compris *Puppy Weddings* [*Mariages de chiots*], qui présente des toutous en smokings et robes de tulle. La chaîne de télévision Slice présente *Bulging Brides* [*Mariées ventrues*], mettant en scène des entraîneurs personnels (qui se font appeler l'Équipe de rêve) qui soumettent des futures mariées trop replètes à un régime minceur et à des exercices conçus pour elles. *Hitched or Ditched* [*Escortée ou plaquée*] suit des couples dysfonctionnels afin de voir s'ils réussiront à tenir jusqu'à leur jour de noces. La liste se poursuit indéfiniment, sans oublier les grosses productions comme *The Bachelor* et *The Bachelorette* sur les couples (peu nombreux) qui se rendent jusqu'à l'étape de la planification du mariage.

En dépit de l'ubiquité télévisuelle des mariages somptueux et fantastiques, certains couples réels qui se marient une première ou une deuxième fois optent pour des solutions plus simples : mariage civil, mariage religieux simple, célébrations extérieures ou à thème, mariage à l'étranger, avec ou sans groupe accompagnateur, réception au restaurant, dans une salle communautaire, dans un sous-sol d'église ou à la maison.

Toutefois, les mariages extravagants sont plus fréquents. Le mariage est devenu un ensemble industriel de plusieurs milliards de dollars, réunissant de nombreux commerces apparentés : boutiques de mariage, couturiers et vendeurs de robes de mariées, entreprises de location de smokings et de tout l'attirail de mariage, salles de réception, traiteurs, pâtissiers, fleuristes, bijoutiers, photographes, musiciens, disc-jockeys, planificateurs de mariage, sans oublier les fournisseurs de babioles, de cotillons et d'accessoires de fête. Dans *One Perfect Day : The Selling of the American Wedding* [*Le jour parfait : la commercialisation du mariage américain*], Rebecca Mead écrit que « la santé économique [de l'industrie du mariage] dépend de la spirale haussière des perpétuelles attentes relatives au jour de noces [...] ; l'expérience ressentie par la mariée n'est rien d'autre qu'une cristallisation particulièrement aiguë de l'expérience plus vaste de tous les Américains, qui sont immergés dans une culture dont les impératifs dérivent de plus en plus [de ceux] du marché[5] ».

Les noces sont devenues une industrie autoréférente, à un point tel qu'elles semblent avoir perdu tout rapport avec le mariage qu'elles célèbrent. « Le mariage est une arrière-pensée, un résidu, écrit Anne

Kingston, dans *The Meaning of Wife*. Des noces parfaites [fournissent] l'indispensable étayage structurel du mariage parfait. Si vous sautez une étape, si vous oubliez les cartons d'allumettes gaufrés ou si vous renoncez à l'envol de papillons, votre mariage est en péril[6]. »

Quatre-vingt pour cent de ce qu'on est convenu d'appeler les mariages traditionnels se déroulent dans des églises, des synagogues, des temples ou des mosquées. Pour les athées, l'ambiance de ces lieux confère grandeur et gravité à la cérémonie. Pour les croyants, qui considèrent le mariage comme un sacrement, les lieux de culte dégagent une grande spiritualité.

Mais la robe de mariée reste le symbole ultime de la folie nuptiale, une fusion de la fantaisie et de l'extravagance avec la consommation à outrance. Elle métamorphose la fiancée en nouvelle mariée, un être suspendu dans le temps et libéré de la réalité pour finalement se transformer, avant, ou même pendant la lune de miel, en femme mariée. La blancheur de la robe lui donne un ersatz de pureté, sa longueur, une illusion d'opulence. Son voile est un accessoire anachronique qui suggère une timidité affectée; il est souvent surmonté d'un diadème étincelant, sa couronne d'un jour[7]. Après avoir passé son enfance à habiller sa poupée Barbie avec des robes de mariée en polyester ornées de fanfreluches, ou de style Vera Wang avec des touches de noir, la future mariée est enfin prête à revêtir sa propre robe.

Pour de nombreuses femmes, la robe de mariée est un défi personnel. Si la future mariée n'a pas la silhouette aussi svelte qu'un mannequin ou aussi bien faite que la Barbie (laquelle, si elle mesurait 5 pi 6 po [1,67 m] au lieu de 11 po et demi [29 cm], devrait avoir des mensurations de 39-21-33 [99-53-84]), elle peut passer le temps de ses fiançailles à suivre une diète sévère et à faire de l'exercice. Le jour de son mariage est sa date cible, son objectif étant d'entrer dans la robe de mariée qu'elle a choisie. Les magazines et les sites Web consacrés à l'univers du mariage la soutiennent dans ses efforts. Perdez dix ou vingt livres avant le grand jour! En montant à l'autel, soyez la femme que vous avez toujours voulu être (et non celle dont il a demandé la main ou celle qui lui a demandé sa main). Les futures mariées peuvent même se rendre à un camp d'entraînement spécial où, comme les préviennent un site canadien, elles doivent s'attendre « à un épuisement total […], à un entraînement extrêmement dur […] avec des résultats MIROBOLANTS ».

Il se peut que le camp d'entraînement ne suffise pas. Le nez, les lèvres, les oreilles, le menton ou le sourire de la future mariée peuvent avoir besoin d'un ajustement; celle-ci peut avoir besoin d'une augmentation mammaire, d'une liposuccion abdominale ou d'un rétrécissement du vagin. Une chirurgie dentaire, des implants, des broches ou des bandes blanchissantes régleront le problème de ses dents imparfaites. Peu à peu, les futures mariées (et quelques futurs mariés) ajoutent la chirurgie plastique ainsi que d'autres traitements — liposuccion, injections, laser, dermabrasion chimique — à leur liste[8].

Les fêtes nuptiales font plus que soutenir un vaste ensemble industriel. Elles apaisent nos peurs concernant la condition maritale en nous offrant apparemment une manière de perpétuer les traditions qui sont au cœur de notre société, tout en reflétant sa stabilité et sa prospérité. En même temps, elles symbolisent un conflit entre les valeurs d'un passé tel que nous l'imaginons et dont nous avons collectivement la nostalgie, où les relations familiales étaient stables et simples, et les valeurs d'un passé dont nous avons honte, celui d'une société patriarcale marquée par les inégalités, la rigidité et les déchirements.

Les fêtes nuptiales nous forcent aussi à affronter la réalité des remariages, si courants qu'ils ont engendré un nouveau protocole : comment s'habiller pour ses troisièmes noces ? où asseoir une ex-épouse affable, les parents de la future mariée ou les enfants du futur marié ? comment intégrer les enfants des époux, qui assistent à contrecœur au mariage de leurs parents et qui sont mutuellement hostiles ? où asseoir les membres de l'ancienne belle-famille (qui n'est plus très belle) ? quel cadeau faire à cette ixième future mariée ? Ces questions épineuses, qui sont régies par l'étiquette, donnent une idée des champs de mines sur lesquels les mariages modernes sont célébrés, sinon construits.

Notre incapacité collective à rester mariés — et même à se marier tout court — est devenue un thème des sermons dominicaux, des recherches universitaires et des commentaires politiques. Nous défendons notre droit à la satisfaction personnelle, mais nous plaidons coupables lorsqu'il s'agit de reconnaître notre empressement à divorcer. Notre individualité nous réjouit, mais nous nous reprochons d'être égoïstes, superficiels, intéressés, matérialistes et tellement différents (croyons-nous) de nos ancêtres qui se mariaient pour toujours. Nous nous frappons la poitrine en mettant en cause les suspects habituels : la facilité du divorce ; les femmes qui travaillent et le féminisme ; l'avortement et la pilule ; l'insémination artificielle qui permet à des lesbiennes ou à des femmes célibataires de se passer complètement d'hommes. L'irréligion, l'avidité, la paresse, l'hédonisme !

Parallèlement, les dirigeants religieux et politiques, les journalistes et les universitaires étudient et prédisent les conséquences de l'échec appréhendé de l'institution du mariage, et proposent des solutions pour renverser la vapeur. L'Église évangélique et les autres Églises chrétiennes incitent les gens à se marier (il n'est question ici que des mariages hétérosexuels) et à rester mariés. Certains font la promotion du mariage gay en tant que solution de rechange à la dépravation de Sodome et Gomorrhe. Les avant-projets de lois et de règlements des décideurs favorisent le mariage au moyen d'avantages fiscaux et de services de gardiennage. Les chercheurs suivent l'évolution des enfants de parents divorcés, remariés, de ceux qui restent célibataires, des parents qui ont été des enfants adoptés ou de parents gay, leurs rapports alimentant le débat à propos du mariage et du divorce.

En Amérique du Nord, ce débat s'enracine trop souvent dans des suppositions historiques, statiques et romantiques à propos de l'histoire du mariage, dont on brosse le tableau sans tenir compte de l'arrière-fond que j'ai présenté dans la première partie de cet ouvrage : les niveaux élevés d'alcoolisme et de toxicomanie, qui étaient trois fois plus élevés qu'aujourd'hui, l'interdiction des mariages mixtes, l'insuffisance des méthodes de régulation des naissances et, vers la fin du XIXe siècle, leur criminalisation, le haut taux de mortalité des nourrissons et des enfants, le haut taux de mortalité des adultes, rendant les remariages pressants et courants chez les jeunes veuves et les veufs incapables de s'en tirer tout seuls, le chagrin des enfants survivants, qui après avoir perdu leurs frères et sœurs ainsi que leurs parents, devaient habiter avec des beaux-frères, des belles-sœurs et des beaux-parents, tout en subissant un traumatisme lié à la perte des êtres chers, d'une intensité inimaginable de nos jours.

Qu'est-ce que Martha Coffin Wright ou Jane Austen auraient pensé de la manière dont nous nous représentons le monde qui était le leur ?

Mais le « fantasme victorien » a mis du temps à disparaître. Juste avant que le mouvement féministe ne s'impose à la conscience publique en 1963 avec l'essai de Betty Friedan, *La femme mystifiée*, le nouveau média qu'était la télévision présentait des séries télévisées comme *Les aventures de Beaver* et *Papa a raison*. Les parents iconiques de *Beaver*, June Cleaver, une mère à la maison pleine de vivacité, et Ward, son mari affable, ont deux fils qu'ils élèvent et qui partagent leur vie heureuse de banlieusards. Dans *Papa a raison*, Jim et Margaret Anderson vivent à peu près dans les mêmes conditions avec leur fils Bud et leurs deux filles Princesse (Betty) et Kitten (Kathy). D'abord présentée à la radio, la série *Papa a raison* est passée à la télévision en 1954, et de 1954 à 1962, 203 épisodes ont été mis en ondes. Les 234 épisodes de *Beaver* ont été présentés pour la première fois entre 1957 et 1963, et les reprises ont été innombrables.

Au Canada, les versions française et anglaise de *La famille Plouffe* (1953-1959), du romancier Roger Lemelin, mettaient en scène la joyeuse saga d'une famille de la classe ouvrière dans la basse-ville de Québec. Le monde des Plouffe était celui des conducteurs de tramways, des typographes responsables de la composition des journaux, des prêtres qui s'ingéraient dans la vie des gens, des voisins inquisiteurs au moment de la conscription de la Deuxième Guerre mondiale, de la censure et de la militance syndicale. Les femmes exemplaires étaient des mères qui restaient à la maison, leurs maris étant de bons pourvoyeurs et de bons patriarches. La vie était présentée plus crûment que dans les émissions américaines, même si, dans la version anglaise, les jurons et les allusions sexuelles avaient été supprimés. Cependant, en dépit de cette censure (ou peut-être à cause d'elle), les Canadiens anglais préféraient le monde plus aseptisé des *Aventures de Beaver* et de *Papa a raison*.

Les Cleaver et les Anderson personnifient le fantasme moderne du mariage et de la vie de famille à l'époque victorienne ; comme l'historienne Stephanie Coontz l'observe, ces séries « présentent un mélange idéalisé de valeurs qui n'ont jamais coexisté dans aucune famille réelle et qui, dans bien des cas, étaient plutôt contradictoires. […] L'exigence moderne, hybride, voulant que la femme puisse avoir une relation intense et intime avec ses enfants, tout en conservant une relation sexuelle excitante avec son mari, comme au temps de leur jeunesse, est très irréaliste; en fait, elle a produit une bonne dose de stress dans la vie de bien des femmes[9]. »

Chose étonnante, Billy Gray, l'acteur qui jouait le rôle de Bud, est devenu un des critiques les plus corrosifs de la série. « J'aimerais trouver la manière de dire aux enfants qu'il ne faut pas y croire : les dialogues, les situations, les personnages, tout est totalement faux, disait-il en 1983. On a toujours enseigné aux filles à utiliser leurs ruses de femmes, à prétendre d'être sans défense pour attirer les hommes. La série a sa part de responsabilités dans les nombreux problèmes entre hommes et femmes que nous voyons aujourd'hui [...]. Je pense que nous avions tous de bonnes intentions, mais ce que nous avons fait, c'est de propager un canular[10]. »

Le canular correspondait à une certaine description du mariage, dans laquelle on retrouvait la mise en scène d'un intérieur confortable, et la facilité avec laquelle June Cleaver, très soignée de sa personne et portant un joli tablier, nettoyait, cuisinait et dirigeait son petit royaume avec la plus grande satisfaction personnelle. Pourtant, ce canular, ce modèle anhistorique, continue d'influencer notre compréhension historique. Trop souvent, ce genre de notions — et le monde fou des mariages télévisés — oriente nos discussions sur les mariages du passé ou d'aujourd'hui, et nous amène à nous condamner et à penser tristement que nous ne sommes pas à la hauteur. Pourtant, plus nous avons la nostalgie d'un temps passé qui n'a jamais existé, plus nous refusons de voir les possibilités qui existent aujourd'hui. Comme le disait si sagement William Faulkner, « le passé n'est pas mort et enterré. En fait, il n'est même pas passé. »

CHAPITRE 8

Célibataire et souvent seul

« *Nous sommes les morts* »

Tôt le matin, un dimanche du mois de mai 1915, les lieutenants Owen Hague, de la 2ᵉ brigade de l'artillerie de campagne canadienne, et Alexis Helmer, de la 1ʳᵉ brigade, se risquèrent à l'extérieur de leur campement pour aller inspecter une batterie canadienne installée sur la rive du canal de l'Yser, dans les Flandres, à la frontière franco-belge. Ils furent repérés par des artilleurs allemands. Ils n'avaient pas parcouru plus de quelques mètres lorsqu'un obus éclata, fracassant la jambe gauche de Hague et fracturant sa jambe droite. Il fut également projeté 9 mètres plus loin. Il mourut la nuit même, dans un hôpital situé du côté français. Quant à Helmer, il mourut sur le coup, le corps disloqué.

Owen Hague, un jeune Montréalais de vingt-six ans, s'était enrôlé en 1914, tout de suite après avoir obtenu sa maîtrise en sciences de l'Université McGill. Il avait reçu plusieurs mentions élogieuses de la part de ses supérieurs militaires. Helmer, qui allait avoir vingt-trois ans un mois plus tard, s'était également enrôlé après avoir obtenu un diplôme en sciences de l'Université McGill. Il était fiancé à une jeune fille dont il conservait la photographie sur lui.

Helmer et Hague venaient tout juste de subir un des pires combats de la Première Guerre mondiale, dix-sept jours de pilonnage incessant, y compris des attaques au gaz chloré. Le Dʳ John McCrae, chirurgien de la brigade, décrit la bataille d'Ypres à sa mère comme la pire des batailles. « Pendant dix-sept jours et dix-sept nuits, nul d'entre nous, dit-il, n'a pu enlever ses vêtements, pas même ses bottes [...] ; pendant tout ce temps, lorsque j'étais éveillé, les tirs d'artillerie et de fusil n'ont pas arrêté une minute [...]. Et derrière tout cela, il y avait constamment en toile de fond la vue de tous les morts, les blessés, les mutilés, ainsi que la peur sourde que la ligne de défense ne se rompe[1]. »

McCrae était l'ami de Helmer. Ils s'étaient rencontrés à Montréal, où McCrae était aide-pathologiste à l'Hôpital général de Montréal, chargé de cours à l'Université McGill et poète ayant déjà publié. Il avait servi lors de la guerre des Boers, et avait quarante et un ans lorsqu'il s'enrôla à nouveau en 1914. « J'y vais, écrivait-il, parce que je pense que tous les célibataires devraient y aller, surtout ceux qui ont l'expérience de la guerre. Certes, j'ai un peu peur, mais j'aurais encore plus peur de rester à la maison avec ma conscience. » Lorsque Helmer mourut, McCrae attendit que les bombardements incessants se calment quelque peu, puis il demanda à ses hommes de rassembler les morceaux du corps brisé de Helmer et de les mettre dans des sacs de grosse toile. Il leur donna une forme ressemblant à celle d'un corps, qu'il recouvrit d'une couverture et fixa le tout au moyen d'épingles.

« Le lieutenant Helmer a été tué lors de la bataille — un garçon merveilleux, écrit McCrae. La photo de sa petite amie avait un trou au beau milieu, et nous l'avons enterrée avec lui. J'ai procédé au service de mise en terre du mieux que je le pouvais, en me fiant à ma mémoire. » Le jour suivant, il s'assit à l'arrière d'une ambulance ; son regard allait et venait entre les coquelicots secoués par le vent et la tombe toute simple de Helmer. McCrae exprima sa peine d'avoir perdu son ami en écrivant rapidement quelques vers maintenant célèbres, « In Flanders Fields » [« Dans les champs des Flandres »].

Peu de temps après, la santé de McCrae commença à se détériorer ; on pense qu'il était tourmenté par le souvenir de la mort terrible de Helmer. McCrae cherchait souvent la solitude ; il partait pour de longues excursions avec pour seuls compagnons Bonfire, le cheval qu'il avait fait venir du Canada, et son épagneul, Bonneau, un chien errant trouvé sur un champ de bataille. Le 28 janvier 1918, il mourut d'asthme et d'une bronchite chronique, résultant peut-être du gaz chloré absorbé à Ypres, mais aussi du désespoir devant les horreurs qu'il avait vues à la guerre.

En plus de plonger leurs familles et leurs amis dans le deuil, les morts de ces soldats réduisaient sensiblement le nombre d'hommes à marier. Les registres militaires de Hague ne spécifient pas son état matrimonial. McCrae, un médecin distingué, était vraisemblablement un célibataire endurci. Mais Helmer était fiancé, et, dans son pays, une femme apprit qu'elle ne serait jamais son épouse. Plus de 62 000 soldats canadiens sont morts lors de cette Grande Guerre, ce qui a radicalement modifié le rapport des maris potentiels aux femmes à épouser. Comme le célèbre poème de McCrae l'exprime tristement,

Nous sommes les morts. Il y a quelques jours,

Nous vivions encore, sentions l'aube, voyions s'embraser
le soleil couchant

Aimions et étions aimés, et maintenant nous sommes étendus

Dans les champs des Flandres

La pénurie d'hommes, conséquence inévitable de la guerre, n'était qu'une des raisons expliquant le célibat des femmes. Les autres explications comprenaient le manque de dot raisonnable, de relations sociales, de charme, de charisme ou simplement de chance. Les femmes affligées par l'une ou l'autre de ces insuffisances pouvaient tenter leur chance en se mariant avec une personne de classe inférieure — si elles trouvaient un partenaire. Une autre possibilité était le célibat et, de fait, beaucoup de femmes ne se mariaient pas. Au XVIIIe siècle, environ 25 % des Anglaises et 30 % des Écossaises de l'aristocratie restaient seules, le plus souvent à cause de l'impossibilité de réunir une dot suffisante, mais aussi, parfois, par choix. Comme Jane Austen (ainsi que sa sœur Cassandra et leur mère veuve), la plupart de ces femmes vivaient avec leur parenté. Certaines étaient des tantes adorées. D'autres étaient dénigrées et tyrannisées par les membres de leur famille ou par des beaux-frères et des belles-sœurs qui leur rappelaient qu'elles étaient à leur charge.

L'Amérique du Nord avait aussi de vastes contingents de femmes qui, en raison des circonstances ou par choix, ne se mariaient pas. À l'exception du droit de vote, toutes les célibataires de la colonie avaient les mêmes droits que les hommes (la *common law* anglaise était au fondement des lois coloniales de l'Amérique du Nord), et nombreuses étaient celles qui s'en servaient pour se tailler une carrière d'aubergiste, de commerçante, d'artisane, d'infirmière, d'enseignante, de propriétaire foncière, d'écrivaine, d'imprimeuse, de constructrice de navires, de couturière, de cordonnière, de boulangère, de brasseuse, de peintre, de doreuse ou de tapissière, entre autres occupations[2].

Beaucoup de femmes privilégiées, jouissant d'une bonne éducation et de ressources financières, choisissaient aussi de vivre de manière indépendante. Dans les villes actives de Savannah et de Charleston, beaucoup de femmes célibataires réussissaient parfaitement leur vie en faisant du travail communautaire et en s'occupant de leurs relations familiales. Elles étaient respectées, soutenues par les relations affectives et sociales qu'elles avaient avec d'autres femmes, elles-mêmes mariées ou célibataires. Agissant comme « communicatrices, concierges, mères de substitution, servantes de la famille ou femmes pleines de bonté qui faisaient profiter les individus et les organisations de leurs vertus féminines, comme l'écrit l'historienne Christine Jacobson Carter, ces femmes étaient le ciment qui [gardait] les réseaux sociaux de l'élite aussi bien que les familles individuelles intacts ». Travaillant dans le cadre de la suprématie blanche patriarcale, elles se mettaient au service de l'influence sociale et politique de leur parenté[3].

Les femmes célibataires des États du Nord et du Canada se dévouaient tout autant que leurs voisines du Sud; si elles devaient subvenir elles-mêmes à leurs besoins, elles faisaient carrière. Elles s'impliquaient dans les grandes causes de leur époque: l'abolition de l'esclavage, le vote des femmes ou la lutte contre l'alcoolisme, et elles y jouaient souvent des rôles prépondérants. Catharine Beecher, la sœur de Harriet, ouvrit plusieurs écoles de filles; ses livres sur l'administration de la maison et sur l'éducation furent des succès de librairie; elle donna de nombreux cours et conférences. Contrairement à Harriet, dont le mariage l'avait attachée à une vie de maigres ressources comme mère, femme de maison et écrivaine forcée de voler le temps normalement dévolu à ses tâches domestiques pour écrire, Catharine était libre de s'adonner à sa passion pour la vie intellectuelle. Elle avait eu l'expérience de la vie de femme au foyer et de mère après que la mort de sa maman l'eut obligée, à seize ans, à quitter l'école pour élever ses frères et sœurs. Signe révélateur, cette doyenne de l'administration de la maison choisit une vie itinérante, celle d'une éternelle visiteuse qui n'avait apparemment aucun intérêt à se fixer dans la demeure permanente qu'elle décrivait avec tant de compétence.

Comme femme célibataire ayant des ressources financières, Catharine Beecher était sensible à la situation parfois désespérée des femmes célibataires ayant besoin de gagner leur vie. Son opinion, qu'elle exprima dans ses volumineuses publications et dans ses cours et conférences, était qu'elles devaient suivre une formation d'enseignante, incarner un modèle d'esprit civique et veiller au développement moral et intellectuel des enfants.

La Canadienne Margaret Marshall Saunders, auteure de *Beautiful Joe*, le premier roman canadien vendu à plus d'un million d'exemplaires, ne se maria jamais elle non plus. Elle exerça son talent littéraire, tout en incarnant sa compassion pour les victimes d'injustices sociales dans une carrière satisfaisante et profitable. *Beautiful Joe*, une histoire sur un chien terrier maltraité, est simple, touchante et vraie dans une large mesure, si on excepte le fait qu'elle est écrite à la première personne. Son livre, qui fut traduit en dix-huit langues, y compris l'esperanto et le braille, la rendit célèbre. Margaret Marshall Saunders écrivit vingt-trois autres livres qui portaient sur des questions sociales, comme l'abolition du travail des enfants, la suppression des bidonvilles et la reconnaissance de la contribution des femmes à la société. Sans enfants, elle écrivit des livres pour enfants qui entremêlaient la réalité des bidonvilles, le surpeuplement et l'alcoolisme avec un monde fantaisiste où les animaux parlaient et avaient un projet moral.

Pourtant, au moment où des contingents de femmes célibataires avaient des vies aussi satisfaisantes que remplies, le nouveau culte de la domesticité portait aux nues le sentimentalisme de la femme mariée, emprisonnant de plus en plus les femmes célibataires dans des rôles de perdantes socialement inadaptées. Le terme anglais *spinster*, qui fut relevé pour la première fois en Angleterre au xive siècle, désignait une personne qui file la laine. Au xviie siècle, il devint la dénomination officielle de la femme non mariée, et acquit une connotation péjorative. La «vieille fille» ne devait jamais oublier — ni être pardonnée — de ne pas être une femme mariée.

De leur côté, les hommes célibataires étaient rarement stigmatisés, car le régime deux poids deux mesures les protégeait, sauf ceux que l'on soupçonnait d'«inversion», un euphémisme pour les penchants homosexuels. Et même dans de tels cas, les hommes avaient une bonne marge de manœuvre, car jusqu'au XXe siècle, les relations intenses et soutenues entre hommes étaient considérées comme innocentes. Les histoires qui circulent sur Abraham Lincoln et Calvin Stowe montrent à quel point les coutumes et les perceptions ont changé. Les suppositions récentes sur l'homosexualité ou la bisexualité de Lincoln s'appuient sur le fait que, pendant ses années de vaches maigres comme avocat débutant, il faisait des économies en partageant son lit avec un autre jeune homme, Joshua Speed, qui devint son ami pour la vie. Des années après, Lincoln lui écrivit des lettres qu'il terminait par « À toi pour toujours ». En fait, il n'y a aucune preuve qu'il était gay. À une époque où la notion de vie privée s'appliquait avec de nombreuses transgressions, il était courant que des amis — et même des étrangers — cherchent à économiser ou à s'accommoder d'un espace restreint en partageant leur lit. Pour ce qui est de la formule « À toi pour toujours », Lincoln avait l'habitude de l'utiliser, même lorsqu'il écrivait à son associé en exercice du droit ou à un membre du Congrès.

Une anecdote rapportée par le mari d'Harriet Beecher Stowe dans une lettre qu'il lui écrivit lors du long séjour que fit cette dernière dans une station thermale montre bien qu'il était normal de partager son lit. Calvin lui rapporta qu'un certain monsieur Farber, un jeune homme qu'il connaissait, avait été contraint, à la suite d'une maladie des yeux, de remettre son mariage à plus tard. Il décida donc « dans sa petite tête noire frisée de tomber désespérément amoureux de moi, et d'embrasser à qui mieux mieux ma vieille face rude, comme si j'étais la plus belle des jeunes filles et non un vieil homme suranné [...]. Le Seigneur l'a envoyé ici pour me réconforter. Il m'aura ici pour coucher avec lui de temps à autre, et il me dit que *c'est presque aussi bon que d'être marié* — la chère petite âme innocente et ignorante[4] ».

Contrairement à monsieur Farber, qui atténuait sa frustration à l'idée de devoir remettre son mariage en embrassant le vieux Calvin Stowe, d'autres hommes, qui tenaient absolument à se marier (et à avoir des rapports sexuels dans le mariage), languissaient dans leur célibat forcé. Bon nombre d'hommes étaient fiancés, mais ils devaient attendre, pour se marier, d'être bien établis financièrement. En 1857, en Angleterre, une lettre de « Theophrastus » au journal *The Times*, largement citée, déplorait le fait que les « lois » sociales imposées par les 10 000 personnes les plus riches du pays obligeaient des millions de gens de la classe moyenne à retarder leur mariage jusqu'à ce qu'ils puissent se payer une jolie maison, un valet de pied et une calèche. Même les jeunes couples qui souhaitaient commencer leur vie maritale « avec à peine plus que le légendaire pain et fromage » ne prenaient pas le risque de faire honte à leur famille en passant à l'acte. Outre le fait que « le spectacle triste mais familier de deux jeunes amoureux perdant leurs meilleures années avec des cœurs malades d'un espoir trop longtemps ajourné », il y avait le fait que les hommes qui étaient fiancés ne se gênaient pas pour fréquenter les courtisanes et les prostituées, contribuant ainsi à étendre la prostitution et à propager les maladies vénériennes.

Certaines professions ou vocations contraignaient les gens au célibat. La plupart des ordres religieux chrétiens exigeaient que les hommes ou les femmes qui y entraient fassent vœu de célibat. Les femmes (mais rarement les hommes) qui voulaient enseigner ne pouvaient travailler que si elles étaient célibataires, leur vie privée étant surveillée à la loupe pour s'assurer qu'elles restaient chastes. Les domestiques travaillaient souvent dans des conditions qui les forçaient à rester célibataires ; s'ils trouvaient un partenaire ou s'ils se mariaient, ils risquaient de perdre leur emploi. La tradition de l'apprentissage, qui s'érodait, exigeait la même chose des apprentis, jusqu'à ce qu'ils soient devenus des maîtres. La plupart des professions et des emplois de bureau n'exigeaient pas le célibat, mais on s'attendait à ce que les femmes démissionnent aussitôt qu'elles se mariaient. Toutefois, plusieurs d'entre elles dissimulaient leur état matrimonial, se contentant de retirer leur anneau de mariage lorsqu'elles allaient travailler.

Lorsqu'à la fin du XIXᵉ siècle, les débouchés pour les femmes se firent plus nombreux, leurs perspectives de carrière s'améliorèrent, mais cela ne fit qu'augmenter la confusion concernant le mariage. Rien ne saurait mieux illustrer leur situation que les six Clubs Eleanor, qui, de 1898 à 1930, abritèrent des milliers de travailleuses célibataires de la classe moyenne, notamment des sténographes, des commis, des aides-comptables, des secrétaires, des étudiantes et des professeures, qui trouvaient un logement à prix abordable dans ces résidences respectables et sécuritaires où on leur offrait un compromis « entre la sécurité de la famille, une maison, les valeurs traditionnelles, et le nouveau monde en changement». Une ancienne résidente se rappelait: «Je jetai un coup d'œil aux alentours, constatai la tranquillité paisible du parloir, la propreté des chambres; j'aurais pleuré de bonheur devant la chance qui m'avait conduite à une si belle demeure[5].»

Les locataires des Clubs Eleanor étaient conscientes de construire un pont au-dessus du gouffre séparant le passé du présent. Au travail, elles portaient des vêtements chics et des coiffures courtes, se laissant guider par le «credo des femmes d'affaires», vantant les mérites du «travail honnête [...] exécuté par des femmes honnêtes utilisant des méthodes honnêtes», et affichant leur croyance dans «le travail plutôt que dans les pleurs, les encouragements plutôt que dans le dénigrement, et la satisfaction du travail bien fait[6]». Mais de retour dans leur résidence, où un couvre-feu et une surveillance stricte assuraient qu'aucune femme n'accueillait d'homme dans sa chambre, les Eleanor interprétaient et mettaient en scène les contradictions fondamentales de leur vie.

Lors de fêtes enfantines, ces femmes d'affaires bien éduquées se déguisaient en jeunes et tout petits enfants, de sexe masculin ou féminin, et s'amusaient follement. «Nous oubliions notre âge pour retomber en enfance et jouer à saute-mouton», se rappelle une résidente. Elles organisaient aussi des congrès de vieilles filles et de célibataires, où elles portaient de vieilles manches à gigot, des guêpières ou des chapeaux à plumes passés de mode, mettant en scène leur conception de la féminité victorienne. À l'occasion d'un de ces congrès de célibataires, elles discutèrent sur le thème de la zone d'influence féminine: se limitait-elle à la maison ou s'étendait-elle au monde du travail? Lors d'un autre congrès, «Susan B. Antony» se présenta, munie d'un immense couteau à découper, et trancha le gâteau. En 1922, lors d'une farce musicale intitulée «L'Association des vieilles filles», les femmes répondirent tour à tour à un appel avec des citations comme: «Parmi les mots les plus tristes qui aient jamais été écrits, le plus triste est celui-ci: je suis encore célibataire.» Les femmes s'entendaient également pour dire que «le plus grand devoir d'une femme est d'embellir une maison».

Pourtant, les Eleanor célébrèrent deux annonces de mariages véritables en organisant de fausses funérailles, au son de la *Marche funèbre* de Chopin. Pendant que le «notaire» lisait un testament léguant des babioles de petite fille et des lettres d'amour aux consœurs des futures mariées, les Eleanor «pleuraient [...] la perte de deux d'entre elles». Cupidon était un kidnappeur, et un des futurs maris était un «effronté brigand» dont la fiancée était le «butin». Les Eleanor avaient des positions très ambivalentes concernant le mariage. D'une part, elles le définissaient en termes d'amour, de camaraderie, d'acceptabilité sociale et d'une plus grande sécurité financière, le préférant au «bienheureux célibat»; d'autre part, elles le craignaient, car il les obligeait à sacrifier leur indépendance et leur réussite dans le monde du travail.

Les Eleanor étaient placées dans une position idéale qui leur permettait de peser le pour et le contre de la vie de célibataire ou de femme mariée. Leur résidence leur offrait la sécurité et l'amitié avec des femmes semblables à elles, le confort matériel, des activités stimulantes et du soutien dans leur carrière. Si quelqu'un était bien placé pour apprécier le célibat, c'était bien elles; du reste, elles avaient vite fait de se moquer du stéréotype de la femme non mariée, vue comme une pauvre vieille fille désespérant de se trouver un mari. Pourtant, malgré leur confiance en elles-mêmes et leurs emplois lucratifs, les Eleanor personnifiaient la confusion et le conflit intérieur de ces femmes accomplies et réfléchies qui, bien placées pour choisir entre le mariage et le célibat, avaient peur des conséquences de l'un comme de l'autre : le mariage leur paraissait désirable, et, pourtant, elles le célébraient en organisant de fausses funérailles.

Les célibataires de l'Amérique du Nord

De nos jours, la signification du célibat — et donc ses conséquences — est radicalement différente. Le célibat ne se conjugue plus avec une existence solitaire (pas même dans le cadre d'une vie communautaire). Le célibat peut prétendre être synonyme d'*autonomie* ou d'*indépendance*. Il est devenu un mode de vie riche en possibilités de toutes sortes; il s'est débarrassé de ses anciennes connotations tristes et négatives. De plus, être célibataire ne peut plus être défini comme le contraire d'être marié.

Ne pas être marié n'est pas le contraire d'être marié, en tout cas dans le sens traditionnel. De nos jours, des millions d'hommes et de femmes vivent en dehors du mariage, à tel point qu'en Amérique du Nord, la majorité des ménages ne sont plus constitués de couples mariés. Par exemple, aux États-Unis, le recensement de 2005 révélait que 51 % des Américaines et 47 % des Américains ne sont pas mariés. (Au Canada, la proportion est encore plus élevée.) Suivant la spécialiste du mariage Stephanie Coontz, « à l'heure actuelle, les Américains passent en moyenne la moitié de leur vie adulte en dehors du mariage[7] ».

Si on analyse les statistiques du point de vue ethnique, 70 % des Noires, 51 % des Espagnoles, 45 % des Blanches non hispaniques et moins de 40 % des femmes asiatiques n'ont pas de mari. Au Canada, 41 % des Noirs de nationalité canadienne se marient, ce qui est inférieur à la moyenne de tous les autres groupes ethniques, et ils sont plus nombreux à divorcer. Les Noirs canadiens comptent plus de familles monoparentales que tous les autres groupes, avec une moyenne de 27 %, alors que la moyenne nationale est de 15,6 %.

Beaucoup de ces femmes sans mari et de ces hommes sans épouse ne vivent pas seuls. La cohabitation, définie comme la vie commune de deux personnes non mariées, se présente de plus en plus comme une alternative au mariage (l'autre possibilité étant le célibat). Au Canada et dans plusieurs autres pays, la cohabitation a le statut juridique de l'union consensuelle, ou est enregistrée comme union libre. Au moins 12 % des Canadiens vivent en union de fait; au Québec, ils sont 22 %. Aux États-Unis, 8,1 % des ménages sont composés d'hommes et de femmes non mariés. (Pour ce qui est de l'Europe, ils sont 21 % en Finlande et 17,5 % en France.)

La cohabitation précède souvent le mariage. Trois Canadiens sur quatre avaient déjà habité ensemble avant de se marier; un Canadien sur quatre l'avait fait après la rupture d'un mariage, et un petit nombre des deux groupes précédents avait cohabité avant et après s'être mariés. C'est dire que les mariages qui suivent une cohabitation se rompent plus souvent que les autres, sauf lorsqu'un mariage avait précédé la cohabitation.

Peu à peu, la cohabitation remplace le mariage. (Cela explique pourquoi le taux de divorce est stable, voire en déclin : il y a moins de mariages à rompre.) Le Québec rivalise maintenant avec la Suède quant au nombre de personnes qui vivent en union de fait, 45 % d'entre elles n'ayant pas l'intention de se marier. Le phénomène québécois pourrait être lié à l'engagement profond des Québécois en faveur de l'égalité des sexes, la cohabitation apparaissant comme une relation plus équitable que le mariage. De plus, le rejet du mariage fait partie d'une réaction collective contre la puissante Église catholique qui a façonné l'histoire du Québec. Fortement remise en question depuis les années 1960 et la Révolution tranquille, l'Église a perdu beaucoup de son influence. À l'extérieur du Québec, la cohabitation peut également refléter un rejet de la connotation religieuse du mariage.

En Amérique du Nord, beaucoup de critiques estiment que la cohabitation présente une plus grande menace pour le mariage que le divorce, car elle a les mêmes caractéristiques que le premier, tout en ignorant ou en défiant les conventions morales ou religieuses. Par exemple, la culture de la cohabitation hors mariage semble soutenir le bon vieux régime deux poids deux mesures qui accepte les infidélités de l'homme plus facilement que celles de la femme. Suivant une étude canadienne, 41 % des hommes en union de fait, mais seulement 21 % des femmes dans la même situation, ont déclaré que la cohabitation n'entraîne pas le même degré de fidélité sexuelle ou d'engagement que le mariage[8]. La cohabitation fait l'affaire des hommes et des femmes qui hésitent devant l'engagement que représente le mariage. Ce qui soulève des doutes concernant la capacité des êtres humains à contracter des unions monogames. Une question se pose : la longévité moderne s'oppose-t-elle aux unions permanentes ?

La cohabitation est plus simple, plus économique que le mariage, et il est plus facile d'y mettre un terme. Au fur et à mesure que la société se montre plus tolérante à l'endroit des divers modes de vie, et qu'elle n'exerce plus de pressions sur les gens pour les obliger à se marier, la popularité de la cohabitation s'accompagne d'une plus grande acceptation sociale. Les conjoints de fait ne sont plus considérés comme des pécheurs ; en fait, certains pays ou institutions leur accordent des prestations de conjoint. Aux États-Unis, certains États exigent que les contribuables vivant en union de fait paient un impôt sur les gains de leur conjoint, sans toutefois leur permettre de produire une déclaration commune ; d'autres États refusent aux couples non mariés les déductions pour conjoint à charge. Au Canada, le droit fiscal ne discrimine plus les couples vivant en union de fait (parfois, il ne fait plus aucune distinction entre les couples mariés et ceux qui cohabitent ou vivent en union libre). Cette volonté d'éviter toute forme de discrimination a même engendré une nouvelle structure fiscale qui se trouve à avantager les couples non mariés, chaque parent non marié pouvant produire sa déclaration « comme si » un des enfants du couple était à sa charge, ce qui représente une déduction importante pour les parents non mariés qui travaillent tous les deux.

Un autre changement est que la règle de droit ne déclare plus illégitimes les enfants des parents qui vivent en union de fait. Et le nombre de ces enfants augmente. Aux États-Unis, par exemple, où le nombre de mariages diminue alors que les unions de fait augmentent, tôt ou tard, 40 % des enfants vivront avec des parents en union de fait. (Cependant, à un moment donné, ils ne seront que 3,5 % à être dans cette situation[9].) Toutefois, ces enfants ne réussissent pas aussi bien que les enfants dont les parents sont mariés. Cela est probablement dû au fait qu'en Amérique du Nord (mais non en Europe ou au Québec), les parents vivant en union de fait sont souvent moins scolarisés que leurs homologues mariés, la probabilité qu'ils se séparent étant alors plus élevée[10]. Cependant, ce résultat est plus complexe qu'il n'en a l'air, car la cohabitation et le mariage sont souvent interreliés. La plupart de ceux qui se marient ou se remarient ont commencé par habiter ensemble ; environ la moitié des hommes et des femmes qui ont déjà été mariés intègrent à leur nouvelle union des enfants qu'ils ont eus antérieurement, et environ un tiers de ceux qui n'ont jamais été mariés en font autant.

Le célibat et la vie de célibataire

Malgré tous les attraits de la cohabitation, le véritable rival du mariage est le célibat. La cohabitation, bonifiée par les améliorations apportées sur le plan social et juridique, ressemble tellement au mariage qu'on croirait de plus en plus avoir affaire à son frère jumeau. De son côté, la vie de célibataire est très différente, même si, comme le mariage, elle peut durer toute la vie ou s'arrêter brusquement pour faire place — littéralement — à de nouvelles circonstances.

Il y a de plus en plus de respect et d'intérêt pour le célibat, si longtemps dénigré et si souvent perçu comme une existence incomplète, un monde vieillot rempli de toiles d'araignées, celui des Miss Havis-hams et des vieilles filles frustrées ou frigides qui ont échoué dans un monde comblé par les femmes mariées. Le célibat est également dans la mire du milieu universitaire, comme le montrent le Scholars of Single Women Network [Réseau universitaire des femmes célibataires] ainsi qu'un nombre croissant de livres qui brossent le tableau de son histoire et la documentent.

Les chercheurs qui étudient le célibat ont mis au jour un secret profondément caché : dans les siècles passés (vous ne l'auriez jamais appris en lisant la plupart des livres d'histoire), les célibataires étaient omniprésents ; à certaines époques et dans certaines régions, ils comp-taient pour le quart, voire le tiers de la population[11]. Comme nous l'avons vu dans les chapitres précédents, les conditions économiques et les contraintes financières entraînaient le célibat de vastes segments de la population. Aux époques où le taux de mortalité était élevé, les veuves et les veufs étaient souvent très jeunes ; certaines personnes se réjouissaient même de ne pas s'être mariées.

Dans *The Economics of Emancipation: Jamaica and Barbados 1823-1843* [*L'économie de l'émancipation : la Jamaïque et la Barbade, 1823-1843*], par exemple, Kathleen Mary Butler décrit le rôle économique des femmes blanches célibataires après l'abolition de l'esclavage. Contrai-rement aux femmes mariées, elles avaient les mêmes droits de propriété que les hommes et elles s'en prévalaient vigoureusement. Les femmes blanches possédaient 5 % du patrimoine sucrier de la Jamaïque ; certaines étaient de grands propriétaires fonciers qui possédaient plus d'un millier d'acres. Après l'émancipation de la Barbade, elles reçurent des indemnités, achetèrent ou vendirent des propriétés, prêtèrent de l'argent à d'autres planteurs ; elles se débarras-sèrent des domaines qui étaient endettés et exercèrent une énorme influence sur la transformation des plantations sucrières qui passèrent de l'esclavage à de nouvelles formes de production. D'autres recher-ches historiques montrent que de nombreuses veuves ont utilisé l'argent ou les biens dont elles avaient hérité pour vivre de manière indépendante. En règle générale, plus elles étaient riches et moins elles avaient tendance à se remarier.

En Amérique du Nord, dans les premières décennies du XIXe siècle, l'industrialisation et le travail en manufacture permirent aux femmes de participer plus activement à la détermination de leur avenir. Se faisant peu d'illusions sur les réalités de la vie conjugale, certaines décidaient de rester célibataires, sauf si un homme qu'elles aimaient vraiment les demandait en mariage. Celles qui étaient fiancées se disaient souvent « traumatisées par le mariage », suivant l'expression de l'historienne Nancy Cott, souffrant de longues périodes de dépression et de paralysie affective à l'idée de ce qui les attendait[12].

Dans les décennies suivantes, les horizons des femmes s'élargirent, et le mouvement féministe naissant commença à se répandre. Un thème important était « le culte de la félicité du célibat », avec l'idée qu'une femme seule pouvait encore accomplir des actions pieuses et se mettre au service de Dieu. Dans son ouvrage plein d'esprit en deux volumes, *Married or Single?* (1857) [*Mariée ou célibataire?*], Catharine Maria Sedgwick exprimait sa conviction que la vie de célibataire était préférable à un mariage amer. L'ouvrage d'Elizabeth Barrett Browning, *Aurora Leigh*, est un poème épique qui raconte la lutte d'une femme pour se réaliser dans la poésie :

Et je respire à l'aise chez moi. Je laisse tomber ma cape,

Détache ma ceinture, desserre l'attache qui retient

Mes cheveux […] maintenant je peux détendre mon âme !

Nous sommes enterrées vivantes dans ce monde fermé,

Et nous voulons plus d'espace.

D'autres écrivains soutenaient également que le bonheur d'une femme ne dépendait pas nécessairement d'un mari et d'une famille. Louisa May Alcott, qui ne s'était jamais mariée, évoquait « toutes les célibataires occupées, utiles et indépendantes » de sa connaissance ; dans son essai de fiction « Happy Women » [« Le bonheur des femmes »], elle affirmait que « pour beaucoup de femmes, la liberté est un meilleur mari que l'amour ».

En temps de guerre, beaucoup de femmes n'avaient pas à choisir entre le mariage et le célibat, car le taux de décès atteignait des sommets qui les réduisaient à la condition de femme seule ou de veuve. La guerre de Sécession fut extrêmement destructive ; au moins 618 000 Américains moururent des blessures qu'ils avaient reçues sur les champs de batailles, ou de maladies, à la suite d'accidents, lors d'exécutions, par noyade et d'une foule d'autres manières. Le compte des pertes humaines chez les soldats autochtones et afro-américains était encore plus élevé : près d'un tiers des Indiens, et près d'un quart des Noirs. Lorsque les avis officiels de décès commencèrent à leur parvenir, les femmes célibataires comprirent que beaucoup d'entre elles ne trouveraient jamais de mari. Et, souvent, elles ne se plaignaient pas de leur sort.

La Première Guerre mondiale causa la mort d'au moins 62 000 Canadiens et 126 000 Américains. En Angleterre, qui perdit plus de 700 000 soldats, les journaux publièrent des articles avec des titres comme celui-ci : « Problème de surplus de femmes — Deux millions de femmes qui ne pourront jamais se marier. » La Deuxième Guerre mondiale emporta 44 093 autres Canadiens et 405 399 Américains, des hommes en très grande majorité. Des dizaines de milliers d'autres soldats furent blessés dans leur corps ou dans leur âme et souvent rendus incapables de se marier.

Que ce soit en raison de la guerre, d'une vocation, de leur profession, pour des raisons économiques ou par choix personnel, beaucoup d'hommes et encore plus de femmes sont restés célibataires. Jusqu'à présent, leur vécu a été occulté de l'histoire des relations humaines et du mariage. Il est très instructif d'étudier leur vie en cherchant à savoir ce qu'ils ressentaient dans la situation qui était la leur ; il est aussi utile de pouvoir s'appuyer sur la solidité de l'histoire qui nous précède lorsque vient le moment de réfléchir sur les cheminements personnels qui sont les nôtres aujourd'hui. Cette histoire n'est pas nouvelle, mais nous la découvrons. Nous pouvons seulement imaginer la manière dont ce savoir a pu modifier les perceptions des résidentes du Club Eleanor, au XIXe siècle, au moment où, en femmes accomplies et réfléchies, elles affrontaient la confusion et le conflit que leur vie de célibataire — tellement confortable, mais aussi tellement temporaire — leur imposait.

Pour replacer les choses dans un contexte plus précis : l'augmentation actuelle du nombre de célibataires a été présentée, maintes et maintes fois, comme un des phénomènes sociaux les plus importants de la société occidentale. Nous savons maintenant que cela n'est pas vrai. Les célibataires actuels — et la vie de célibataire — ne sont que la version contemporaine d'un phénomène qui a existé dans les siècles passés.

Les nouvelles recherches permettent d'éclaircir une foule de questions, à commencer par les données brutes sur les célibataires : leur nombre, leur sexe et leurs lieux de résidence ; le nombre de ceux qui ne se sont jamais mariés ; la manière dont ils étaient perçus et traités dans leur société ; les politiques officielles et les lois qui les encadraient ; les représentations littéraires et culturelles qui en furent proposées ; leurs conditions d'habitation et leurs choix de logement ; les fonctions qu'ils avaient dans leur famille ; les relations qu'ils entretenaient avec leurs frères et sœurs, leurs parents, les autres membres de leur parenté et les amis de la famille ; la manière dont l'institution du mariage, toujours menaçante, dominait leur vie ; et la manière dont les femmes seules, en particulier, s'en tiraient pendant, après et entre les deux guerres mondiales, alors que le discours contre les femmes célibataires se déchaînait, telle une chasse moderne aux sorcières.

On accorde une attention particulière à la sexualité et aux formes d'expression sexuelle des célibataires. Si tant est qu'il y en eut, quelles formes d'activité sexuelle étaient disponibles ou acceptables ? Jusqu'à quel point l'homosexualité était-elle répandue chez les célibataires ? Que se passait-il en cas de grossesse ? Quel rôle les enfants jouaient-ils dans la vie des personnes seules ? Comment s'occupaient-ils, accueillaient-ils ou adoptaient-ils des enfants ? Dans *The Shadow of Marriage : Singleness in England, 1914-60* [*L'ombre du mariage : le célibat en Angleterre, de 1914 à 1960*], l'historienne Katherine Holden introduit le concept de « réserve familiale », pour décrire le rôle important joué par les célibataires, dont plusieurs étaient très engagées dans les soins et le soutien apportés aux enfants de leur parenté. Cependant, même si leur famille les chérissait et appréciait leur aide, ces « réservistes » avaient souvent le sentiment que leurs relations avec les enfants manquaient de permanence.

Virginia Nicholson, qui a réalisé des entrevues avec des centaines de femmes pour son livre *Single Out : How Two Million Women Survived without Men After the First World War* [*Mises à part ou Comment deux millions de femmes ont survécu sans hommes après la Première Guerre mondiale*], fait une observation : « Ce qui m'a étonnée à propos du " surplus " de femmes dans les années 1920, elles dont les chances de se marier et d'avoir des enfants avaient volé en éclats avec la mort de tant de maris potentiels dans les tranchées, c'est qu'elles ne se résignèrent pas à la solitude. Certaines avaient des liaisons. D'autres faisaient carrière — leur besoin de gagner de l'argent par elles-mêmes produisit une nouvelle sorte de jeunes femmes de carrière, affectueusement parodiées dans le film musical *Thoroughly Modern Millie* [*Millie*]. D'autres trouvaient l'amour dans les bras d'autres femmes — mais leurs vies étaient aussi remplies que si elles s'étaient mariées de manière conventionnelle[13]. »

Ces femmes devaient affronter des vagues de dénigrement fanatique du célibat féminin, mais elles n'étaient pas dépourvues de ressources. En Amérique du Nord, Marjorie Hillis, rédactrice adjointe du magazine *Vogue*, était une figure de proue. Son livre destiné aux « femmes célibataires » et à « celles qui vivent seules » fut un succès de librairie au moment de sa sortie en 1936, et il est encore réimprimé aujourd'hui. *Live Alone and Like It: A guide for the Extra Woman* [*Vivre seule et l'apprécier: Un guide pour les femmes en surplus*] donnait un ton radicalement différent de celui des ouvrages du XIXe siècle sur les vieilles filles, pleins de sympathie, d'humour et de résignation devant les perspectives qui étaient celles des femmes célibataires[14]. Marjorie Hillis avait quarante-six ans lorsqu'elle écrivit ce livre, et elle se maria trois ans plus tard. Elle y présentait les célibataires comme des femmes élégantes et fascinantes qui avaient besoin de quatre jaquettes de lit, sept sortes de boissons alcoolisées et la bonne sorte de cold-cream. Elles pouvaient recevoir à la maison ou fréquenter les cafés. « Vous constaterez vite que l'indépendance, encore plus que la vertu, est sa récompense à elle-même », écrivait-elle.

Dans des chapitres comme « Une femme et son petit alcool », « Le plaisir d'être seule dans son lit » et « Raffinements solitaires », elle invitait les femmes seules à nourrir deux passions, « au moins une qui vous tient occupée à la maison, et une autre qui vous en fait sortir. Il ne suffit pas de les pratiquer en dilettante. Elles seront vraiment inefficaces si vous n'êtes pas la sorte d'enthousiaste prête à rester à la maison, malgré une invitation pressante, pour suivre votre première passion, et à sortir pour suivre votre deuxième passion, qu'il vente, qu'il neige ou qu'il pleuve. »

Publiée en 1937, la suite de *Live Alone and Like It*, qui s'intitulait *Corned Beef and Caviar*, supposait que ses lectrices avaient des bonnes à temps partiel et peu de temps libre, et proposait donc des recettes faisant usage d'aliments en conserve. Pour le repas du soir, après une journée de travail épuisante : bouillon glacé (en conserve), fruits de mer Newburg (en conserve), salade d'endives, gaufrettes Tricot et melon brodé accompagné de cerises. Préparez vite votre repas, mettez une robe d'intérieur et dînez seule. Dans le chapitre « Appâter un homme avec un repas », Marjorie Hillis propose des recettes pour tous les types d'hommes : celui qui suit un régime (consommé), celui qui ne boit jamais d'alcool (des mets à la crème et des desserts), celui qui est au régime sec (des bonbons), le buveur excessif (rien du tout, économisez votre argent), le gourmet (un plat simple, mais extraordinairement bien apprêté), celui qui a des problèmes de digestion (du bouillon de poulet, des bâtonnets de carotte, mousse aux pruneaux, muffins au son). Toutefois, le parfait gentleman pensera à contribuer au repas en apportant un plat ou deux.

Trois quarts de siècle plus tard, les femmes seules sont toujours « mises à part », écrit Bella DePaulo, auteure de *Single Out: How Singles Are Stereotyped, Stigmatized, and Ignored, and Still Live Happily Ever After* [*Mises à part ou Comment les femmes célibataires sont vues de manière stéréotypée, stigmatisées et ignorées, et vivent heureuses jusqu'à la fin de leurs jours*] et de « Living Single » [« Vivre seule »], et chroniqueuse au *Psychology Today*. Les attitudes sociales, la pseudo-science sous forme de « matrimanie », la raillerie, la fiscalité et les tarifs d'assurance discriminatoires, les suppléments pour personne seule dans les hôtels et les remarques insidieuses concernant la frigidité ou le lesbianisme ne sont que quelques-uns des aléas que la femme célibataire doit affronter. Pour leur part, les hommes célibataires sont soupçonnés d'être restés des petits garçons à maman, d'être incapables de s'engager ou d'être homosexuels.

Mais les temps changent grandement, particulièrement pour les femmes. L'égalitarisme sur le plan des droits et de l'éducation a propulsé un nombre toujours plus grand de femmes dans les études supérieures, les professions et le marché du travail. Elles obtiennent plus de prêts, notamment pour lancer leurs entreprises, ainsi que des hypothèques — aux États-Unis, par exemple, 20 % des biens immobiliers sont achetés par des femmes (la part des couples mariés s'élevant à 61 %). Les femmes célibataires peuvent avoir des enfants ou en adopter et les élever seules; elles ne sont plus esclaves de leur horloge biologique. Elles peuvent rester célibataires pour la vie, le temps de faire la transition après un divorce ou le décès de leur partenaire, ou de manière temporaire, jusqu'à ce qu'elles décident que les conditions sont mûres pour la formation d'un couple. Dorénavant, les choix et les possibilités sont si bien implantés dans la société nord-américaine que le célibat est devenu un choix satisfaisant, qui représente une menace sérieuse pour l'institution du mariage.

Pourtant, l'idée du célibat provoque encore de l'inquiétude chez de nombreux hommes et de nombreuses femmes. La preuve vivante qu'apportent les célibataires qui ont réussi — de la personne qui ne s'est jamais mariée à celle qui est heureuse d'avoir divorcé et à la veuve qui vit confortablement — met du temps à calmer ces peurs. Les hommes célibataires pensent encore que le mot de Jane Austen («c'est une vérité universellement admise qu'un célibataire nanti d'une belle fortune doit être nécessairement à la recherche d'une femme») est aussi valide aujourd'hui qu'il y a deux siècles; cette conception est aussi celle des hommes qui sont moins bien nantis. Motivés par des peurs ou des appréhensions qui font partie de leur héritage culturel, les hommes célibataires peuvent résister aux tentatives faites pour les marier. D'autres sont célibataires par méfiance, parce qu'ils n'ont trouvé personne ou pour des motifs (qui seront examinés plus en profondeur au chapitre 14) qui s'enracinent dans le malaise dont souffrent actuellement les jeunes hommes. D'autres encore considèrent qu'être célibataire, c'est être indépendant, et que vivre seul, c'est être libre.

Pour les femmes et pour beaucoup d'hommes, la principale question est celle des enfants. L'adoption est de plus en plus attrayante; depuis quelques dizaines d'années, les agences d'adoption, particulièrement celles qui organisent des adoptions à l'étranger, acceptent les femmes célibataires et, plus récemment, les hommes célibataires. À l'exemple de leurs consœurs mariées, les candidates à l'adoption qui sont célibataires se sont souvent tournées vers l'adoption après l'échec de l'insémination intra-utérine de sperme ou d'ovules provenant de donneurs. «L'élément commun dans la salle était le chagrin», se rappelle Tess Kalinowski, une mère adoptive célibataire, à propos des couples mariés qu'elle rencontra à l'occasion d'un séminaire sur l'adoption[15].

Contrairement à ce que l'on pourrait penser, puisque les parents célibataires ont moins de ressources que les couples, ils ont beaucoup plus de chances de se voir confier les enfants ayant des besoins particuliers. Bien que les célibataires comptent pour moins de 5 % de tous les parents adoptifs, on estime qu'ils reçoivent en adoption 25 % des enfants ayant des besoins particuliers[16]. Même si les préjugés à leur égard commencent à diminuer, les célibataires sont encore pénalisés dans la mesure où on leur demande de porter un plus lourd fardeau que les couples mariés.

Dans *Adopting Alyosha : A Single Man Finds a Son in Russia* [*L'adoption d'Alyosha : un célibataire trouve un fils en Russie*], Robert Klose, professeur de biologie américain, décrit son parcours compliqué pour réussir à adopter un garçon. Sa condition de célibataire compromit le processus, le forçant à déclarer : « Il n'y a personne d'autre, les amis. C'est moi le chat[17] ! » Certains pays refusent les parents célibataires. Klose observe qu'en Thaïlande, par exemple, les frais d'adoption sont moins élevés, mais les célibataires, hommes ou femmes, ne sont pas acceptés.

Klose a également dû justifier sa condition de célibataire. « Le directeur voulait que je vous demande pourquoi vous ne vous êtes jamais marié », lui dit Carl, son agent chargé du cas. Karl lui répondit : « Je n'ai pas fermé la porte à cette possibilité, dit-il. Je suis un homme très indépendant qui est attiré par les femmes très indépendantes. Ce qui n'est pas le meilleur moyen pour réussir. Dans la lutte pour préserver nos objectifs et nos habitudes personnelles, nous finissons par nous séparer pour préserver notre amitié, laquelle, assez bizarrement, persiste invariablement. »

Lorsque Carl se présenta pour inspecter sa maison, Klose était à genoux, en train de nettoyer les plinthes de la cuisine avec un coton-tige. À l'étage, il avait déjà décoré la chambre de son fils tant espéré ; après avoir construit tous les meubles, il avait recouvert le lit d'un édredon agrémenté de super héros et accroché des rideaux ornés de dinosaures. L'histoire fut longue, mais elle finit bien : à trente-neuf ans, Klose adopta Alyosha, un jeune Russe de sept ans. Il réalisa aussi que jusqu'alors, il n'avait pas entièrement réussi à devenir adulte.

Doug Hood, professeur à l'université Yale, avait « quarante-six ans [et] était résolument célibataire » lorsqu'il décida d'adopter un enfant, mais avec une vive inquiétude. « Si des couples dans la trentaine, se dit-il, fréquentant l'église, ayant une cote de solvabilité parfaite et ayant pratiqué pendant cinq ans les rites des cliniques de fertilité doivent marcher sur des charbons ardents simplement pour adopter un enfant, quelles peuvent bien être mes chances ? » Après tout, il n'avait rien d'« un couple sans enfants se tenant par la main, ou d'une femme célibataire se désespérant de ne pouvoir être mère. J'étais un homme célibataire. Il est évident que mes motivations seraient examinées à la loupe. Je ne pouvais pas agir comme une femme l'aurait fait dans un cri du cœur en disant : "Je veux être mère" [...]. Étant un célibataire de quarante ans, je devais convaincre cette agence de mes bonnes intentions — la vérité pure et simple était que je voulais un enfant, et que j'étais prêt à lui servir de mère, sans oublier tout le travail salissant[18]. » (Hood adopta Suki, une petite Chinoise de quatre ans ; elle a obtenu son diplôme d'études secondaires en 2009.)

Tess Kalinowski, journaliste au *Toronto Star*, a également adopté une jeune Chinoise. « Le fait de ne pas être mariée m'avait rarement dérangée, se rappelle-t-elle. Il ne serait pas juste de dire que mon horloge biologique faisait tic-tac. Je ne ressentais aucun besoin physiologique de donner naissance à un enfant, et l'idée que je me faisais d'un enfant n'incluait pas la création d'une copie de moi-même ou d'un partenaire [...]. [Mais] le bruit du temps qui avançait à grands pas commença à se faire entendre autour de mes trente-trois ans. À trente-cinq ans, il était devenu assourdissant[19]. » Dix-huit mois plus tard, ce bruit assourdissant était remplacé par les cris et les rires d'une petite fille.

Pour certaines femmes, la conviction que le mariage est le meilleur encadrement pour l'éducation des enfants est primordiale. Dans un article souvent cité, Lori Gottlieb écrit : « Un des dilemmes les plus compliqués, douloureux et envahissants auquel les femmes célibataires sont confrontées de nos jours est : vaut-il mieux rester seule ou trouver un partenaire ? Mon conseil est celui-ci : trouvez quelqu'un ! C'est bien. Ne vous en faites pas au sujet de la passion ou de l'intensité de la relation. [...]. Oubliez sa mauvaise haleine ou son absence de goût. Car si vous voulez mettre en place l'infrastructure qui vous permettra d'avoir une famille, il faut vous marier avec quelqu'un[20]. »

Le livre de Kay Trimberger, *The New Single Woman* [*La nouvelle femme célibataire*], « une enquête radicale et engageante sur la manière dont les femmes célibataires de plus de trente-cinq ans créent des vies extrêmement satisfaisantes » est frappant, ne serait-ce, déjà, que parce que ce livre devait être écrit. Or c'était effectivement le cas, car l'Amérique du Nord est attachée à une culture mythique de l'âme sœur. Dans son compte rendu de l'ouvrage, le *Publisher Weekly* observe que « la bonne nouvelle en provenance de la planète des " singletons " est qu'en dépit de la masse de messages contraires provenant de la culture ambiante, il est possible pour les femmes de vivre seules en étant heureuses ». Barbara Ehrenreich affirme que « les femmes sont asservies au rêve de l'" âme sœur " depuis trop longtemps ».

Contrairement à l'union de fait, qui ressemble étroitement au mariage, le célibat représente un mode de vie très différent, qui remet en question le mariage au lieu de le reproduire, surtout lorsque les célibataires se mobilisent, expriment clairement leurs besoins, et exercent des pressions politiques. Mais il ne faudrait pas voir les célibataires comme des saboteurs de l'institution du mariage. La société évolue, ce qui favorise l'évolution des modes de vie. En transformant l'expérience du mariage, les célibataires donnent une nouvelle dignité au célibat, une nouvelle respectabilité qui constitue une promesse d'accomplissement personnel.

CHAPITRE 9

Un point de vue homosexuel sur la nature du mariage

Les unions secrètes

Les deux blondes épouses portent des ensembles blancs signés Zac Posen; les anneaux qu'elles échangent ont été créés par Neil Lane. Elles rayonnent de l'éclat que donnent l'amour véritable et la joie de pouvoir épouser l'âme sœur. Le 16 août 2008, après que la Cour suprême de Californie eut décidé que l'interdiction des mariages entre partenaires de même sexe en vigueur dans cet État était inconstitutionnelle, Ellen DeGeneres se maria avec son amante de longue date, Portia de Rossi, dans leur maison de Los Angeles. «J'avais déjà prévu passer le reste de ma vie avec elle. Mais tant que vous ne vous mariez pas, vous ne pouvez savoir. C'est tout simplement merveilleux», s'exclamait Ellen DeGeneres[1].

Portia de Rossi et Ellen DeGeneres faisaient partie des dix-huit mille couples qui s'empressèrent de profiter de la décision de la Cour suprême. Toutefois, le 4 novembre, la Proposition 8 introduisit un amendement à la constitution de l'État de Californie, en ajoutant ces mots: «Seul le mariage entre un homme et une femme est valide et reconnu en Californie.» Portia, qui était mariée depuis trois mois, versa des larmes. Plus tard, en posant devant son portrait de mariage, elle ridiculisa les opposants au mariage gay: «Lorsque je me suis mariée, je pensais à la joie que j'avais de m'unir à ma conjointe pour le reste de ma vie. Je n'ai pas pensé à tous les gens que je blessais en me mariant. C'était très égoïste de ma part.»

Ellen DeGeneres disait à la blague qu'en devenant sa femme légitime, Portia de Rossi « quittait officiellement le marché du [mariage] » et que personne ne pourrait plus l'avoir. « Dorénavant, elle fera la cuisine et le ménage pour moi », ajoutait-elle. Toutefois, leur mariage n'avait pas grand-chose de commun avec l'histoire du mariage. Néanmoins, des témoignages attestent qu'aux époques et dans les régions où l'opinion publique était plus neutre sur la question de l'homosexualité, dans l'Égypte ancienne, dans plusieurs cités grecques et dans l'Empire romain, les unions et peut-être même les mariages entre partenaires de même sexe existaient. Le Sifra, un commentaire sur le Lévitique datant du IIIe siècle et souvent cité dans le Talmud, défend aux Israéliens d'imiter les pratiques attribuées aux Égyptiens :

Que feraient-ils ?

Un homme marierait un homme et une femme marierait une femme ; un homme marierait une femme et sa fille ; une femme serait mariée à deux hommes.

Voilà pourquoi il est dit : « vous ne suivrez pas leurs lois ».

Dans la Grèce antique, les pères pouvaient consentir à des unions quasi conjugales entre leurs fils et les hommes qui les désiraient. De même, à l'époque de la dynastie Ming (1368-1644), dans la province chinoise du Fujian, des femmes s'unissaient à des jeunes filles lors de cérémonies, et les hommes faisaient de même avec des garçons. Ces relations prenaient fin quelques années plus tard, les conjoints adultes aidant alors leurs jeunes partenaires à trouver des personnes du sexe opposé avec lesquelles se marier.

Au début de l'empire romain, on trouve quelques mentions de mariages entre partenaires de même sexe. Suétone, historien et biographe romain, rapporte que l'empereur Néron tenta de transformer le jeune Sporus en femme en le castrant. Il épousa le jeune homme mutilé suivant les rites traditionnels, et le traita ensuite comme s'il était sa femme. (Néron avait précédemment assumé le rôle d'épouse en prenant son sommelier, l'affranchi Pythagoras, comme mari.) Martial, poète satirique — qui était probablement bisexuel — et commentateur social, rapporte comment « Le barbu Callistratus épouse le vigoureux Afer, suivant la loi qui unit communément l'homme et la femme. Les flambeaux sont allumés, le voile nuptial couvre la tête des époux […], la dot même est convenue. En est-ce assez, ô Rome? Attends-tu des fruits d'une pareille union?»

En 117 avant Jésus-Christ, le poète satirique Juvénal critiqua sévèrement l'aristocrate Gracchus qui avait épousé un joueur de cor.

> Gracchus a donné une dot de quatre cent mille sesterces à un joueur de cor: pardon, l'instrument était peut-être un cuivre droit. Les tablettes ont été scellées; on a dit «Bonne chance!» D'innombrables convives s'asseyent. La nouvelle mariée est étendue sur les genoux de son époux. […] Il prend les passementeries, et les longs vêtements, et le voile jaune, cet homme qui, portant les anciles, les boucliers sacrés que balance la courroie mystérieuse, a sué sous leur poids.

> Ô père de la ville, comment les pâtres du Latium en sont-ils venus à ce sacrilège? Comment, Gradivus, pareille démangeaison a-t-elle mordu tes petits-fils? Voici qu'un homme, illustre par la naissance et la fortune, se livre à un homme, et tu n'agites pas ton casque, tu n'ébranles pas la terre de ta lance, tu ne te plains pas à ton père? […]

> «J'ai des devoirs à rendre demain, au lever du soleil, dans le vallon de Quirinus.» Quel est le motif de ces devoirs? «Tu me le demandes? J'ai un ami qui prend un mari, et il n'admet que quelques invités.» Que seulement notre vie se prolonge: nous verrons, oui, nous verrons de pareilles choses se faire publiquement; on désirera qu'elles soient inscrites dans les actes[2].

La littérature de l'époque décrit aussi des relations lesbiennes, mais on fait rarement état de mariages, probablement parce que les femmes n'avaient pas suffisamment d'influence et de pouvoir pour faire en sorte qu'ils se produisent. Ce sont surtout les hommes assez puissants pour faire fi de la désapprobation ou même du dégoût de la société à leur égard qui contractaient des unions homosexuelles; mais de telles unions ont des racines anciennes, bien que fragiles — et plutôt suspectes, diraient certains spécialistes[3].

Dans le passé, beaucoup d'homosexuels ne se percevaient pas comme tels; ils n'avaient pas un concept clair de l'homosexualité. Ce qui est certain, c'est que beaucoup de lesbiennes et de gays mariaient des partenaires de sexe opposé en tentant de s'adapter au moule hétérosexuel qui était la norme de leur société. Ou ils restaient célibataires et vivaient chastement, ou ils avaient des relations clandestines avec d'autres homosexuels, ou, dans le cas des hommes gays conscients de leur situation, ils fréquentaient publiquement des femmes dont la présence suffisait à rassurer la société sur leur hétérosexualité.

Certains de ces mariages, au moins, étaient, comme dit le présen-
tateur américain Keith Olbermann, « des simulacres de mariages, des
mariages de convenance ou simplement des mariages d'ignorance ;
pendant des siècles, des hommes et des femmes ont vécu dans la honte
et la tristesse ; en se mentant à eux-mêmes et en mentant aux autres,
ils ont brisé d'innombrables vies en plus de la leur, de celle de leur
conjoint et de leurs enfants, tout cela parce qu'un homme ne pouvait
marier un homme, et parce qu'une femme ne pouvait marier une
femme[4] ».

Jusqu'à tout récemment, la réalité était que, loin d'avoir des droits
— la Mattachine Society, la première organisation nationale de défense
des droits des homosexuels aux États-Unis n'a vu le jour qu'en 1950
— les homosexuels pris en flagrant délit d'homosexualité étaient jugés
comme criminels[5]. Par exemple, le 27 avril 1953, le décret-loi 10450 du
président Dwight Eisenhower exigeait que tous les employés civils ou
militaires du gouvernement fédéral qui s'étaient rendus coupables de
« perversions sexuelles » soient congédiés, et des milliers d'employés
furent effectivement congédiés. Le Comité d'affectation des crédits du
Sénat approuva ces congédiements, car « un seul homosexuel peut
contaminer tout un bureau du gouvernement [...] ; tergiverser ou
adopter des demi-mesures aurait permis à certains pervers connus de
rester au gouvernement[6] ».

Le Canada n'était pas, lui non plus, un paradis pour les gays. En
1965, dans les Territoires du Nord-Ouest, le mécanicien de trente-neuf
ans Everett Klippert fut arrêté, inculpé, reconnu coupable et emprisonné pour grossière indécence après avoir admis qu'il avait eu des
relations consensuelles avec quatre hommes. Cinq ans plus tôt, il avait
été reconnu coupable pour dix-huit infractions similaires. Deux
psychiatres mandatés par le tribunal attestèrent que Klippert était non
seulement homosexuel, mais qu'il était « inguérissable ». Ils estimèrent
que « l'appelant commettrait probablement d'autres délits sexuels de
la même sorte avec d'autres hommes adultes consentants [bien qu']il
n'ait jamais causé la moindre blessure, douleur ou autre tort à qui que
ce soit, et [qu']il était peu probable qu'il le fasse à l'avenir[7] ».

Le système juridique canadien savait ce qu'il fallait faire. Il déclara
que Klippert était un délinquant sexuel dangereux et le condamna à
une « détention préventive » d'une durée indéterminée. La Cour

suprême du Canada maintint cette décision en 1967, mais deux des juges étaient dissidents. Klippert fut jeté en prison.

Le nombre de Canadiens outragés par cette décision fut si important que six semaines plus tard, le premier ministre, Pierre Elliott Trudeau, proposa ce qu'il présenta comme « la plus vaste révision du Code pénal depuis les années 1950 ». Il s'exprima comme suit : « Elle a renversé un tas de totems et dépassé un tas de tabous et [...] elle met, je pense, les lois du pays au diapason de la société contemporaine. Prenez la question de l'homosexualité. La position que nous adoptons sur cette question est que l'État n'a pas sa place dans les chambres à coucher des Canadiens. Je pense que ce qui se passe entre deux adultes consentants, en privé, ne concerne pas le Code pénal[8]. » En 1969, les homosexuels cessèrent d'être considérés comme des criminels au Canada. Klippert fut finalement libéré en 1971.

Au sud de la frontière, de grands changements étaient également en préparation. Le 28 juin 1969, aux premières heures du jour, dans le Greenwich Village de New York, un mouvement international des droits civiques des homosexuels était né après que des policiers en civil eurent effectué un raid au bar Stonewall, lequel était contrôlé par la mafia et fréquenté par les gays. Les policiers arrêtèrent les employés pour vente d'alcool sans permis, passèrent à tabac les clients et arrêtèrent plusieurs travestis pour infraction à une loi de l'État de New York, stipulant que les citoyens devaient porter au moins trois morceaux de vêtements correspondant à leur sexe. Soudainement, se rappelle Craig Rodwell, qui participa aux émeutes, « il y eut [...] comme un éclair ; un groupe se forma, animé d'une grande colère », et la communauté gay riposta. Quatre cents habitants gays du Village se rassemblèrent rapidement pour huer, bousculer et attaquer les policiers avec des pièces de monnaie, des bouteilles et des détritus. Les forces de l'ordre reculèrent puis firent appel à des renforts, mais leurs opposants en firent autant. Les émeutes de Stonewall durèrent cinq jours et servirent de catalyseur pour le nouveau mouvement de libération gay qui s'étendit à toute l'Amérique du Nord et à l'ensemble du monde occidental.

Par la suite, avec les dizaines d'années de combat pour la liberté que connut le XXe siècle, le mariage gay devint peu à peu une possibilité. En 1970, Jack Baker et James McConnell se firent refuser une licence de mariage à Hennepin County, dans le Minnesota. Ils firent appel à la Cour suprême des États-Unis, laquelle, en 1972, refusa d'entendre leur cause. Mais les dés étaient jetés : le mariage gay était devenu une cause pour laquelle on pouvait combattre.

Faute de modèles historiques convaincants, les débats fougueux et souvent amers inspirés par l'avènement du mariage entre partenaires de même sexe ont posé la question de la nature du mariage : la pro-création et l'éducation des enfants sont-elles le but premier du mariage ? L'amour est-il devenu tellement fondamental dans le mariage qu'il l'emporte sur tout le reste ? Les enfants sont-ils aussi bien éduqués par deux mères ou deux pères que par une personne de chaque sexe ? Est-ce que les provinces ou les États ayant une attitude positive envers l'homosexualité, comme l'Ontario et la Californie, imposent leurs idées libérales à leurs voisins, qui sont effectivement placés devant le *fait accompli* de couples homosexuels s'étant mariés ailleurs ? Avec la contribution importante de l'immigration à la population de l'Amé-rique du Nord, souvent en provenance de pays où la culture est beau-coup moins tolérante à l'endroit des homosexuels, voire homophobe, peut-on craindre que les fondamentalistes chrétiens ne trouvent des alliés pour la contestation sociale et juridique du mariage gay ?

Arguments pour ou contre le mariage gay

Les défenseurs du mariage gay soutiennent qu'épouser la personne que l'on aime est un droit civil et humain et que, pour ceux qui sont croyants, c'est un engagement sacré. Le mariage gay sonne le glas de l'homophobie institutionnalisée et fait accepter les époux de même sexe dans la société. Dès lors qu'ils sont mariés, les partenaires de même sexe sont admissibles aux avantages offerts par le milieu de travail (assurances, pensions, décès) qui sont actuellement limités aux partenaires de sexe opposé. Le mariage gay reconnaît la légitimité de l'union homosexuelle fondée sur les valeurs traditionnelles, y compris la monogamie. Il fournit un cadre juridique et social pour l'adoption par des couples homosexuels. « La Constitution accorde le droit de se marier à des meurtriers, à des prisonniers, à des gens qui ont négligé leurs enfants, à des gens qui se sont mariés dix fois, à O. J. Simpson, à Elizabeth Taylor, rappelle l'écrivain gay Andrew Sullivan. Si toutes ces personnes ont, comme je pense, le droit civique fondamental de se marier, alors nous l'avons nous aussi[9].»

Les opposants au mariage gay ont une corne d'abondance pleine d'arguments contradictoires: cela va de l'homophobie pure et simple (les manifestations de Fred Phelps, qui prétend que «Dieu hait les tapettes») et des condamnations bibliques de l'homosexualité («Si un homme couche avec un homme comme on fait avec une femme, ils ont fait tous deux une chose abominable, ils seront punis de mort: leur sang est sur eux» (*Lv* 20, 13))[10] au rejet du mariage vu par les gays et les lesbiennes comme une institution enracinée dans le patriarcat, qui prétend définir et contrôler des relations qui devraient être privées.

La condamnation du mariage gay par l'Église catholique est plus proche du courant dominant. Un document de 2003, intitulé «Considérations à propos des projets de reconnaissance juridique des unions entre personnes homosexuelles», présente des arguments non doctrinaux contre le mariage gay que l'auteur, le cardinal Joseph Ratzinger (l'actuel pape Benoît XVI) prétend fondés sur «la loi morale naturelle» et qu'il destine à «tous ceux qui sont engagés dans la promotion et dans la défense du bien commun de la société», ainsi qu'aux hommes politiques catholiques ayant besoin de lignes de conduite pour légiférer[11]. «Aucune idéologie ne peut effacer de l'esprit humain cette certitude: le mariage n'existe qu'entre deux personnes de sexe différent qui [...] se perfectionnent mutuellement pour collaborer avec Dieu à la génération et à l'éducation de nouvelles vies.» De plus, «il n'y a aucun fondement pour assimiler ou établir des analogies, même lointaines, entre les unions homosexuelles et le dessein de Dieu sur le mariage et la famille. Le mariage est saint, alors que les relations homosexuelles contrastent avec la loi morale naturelle. [...] Ils [les actes d'homosexualité] ne sauraient recevoir d'approbation en aucun cas.»

D'autres opposants au mariage entre personnes de même sexe font une différence entre les unions religieuses et les unions civiles; beaucoup d'entre eux sont favorables aux unions civiles entre homosexuels ainsi qu'à tous les droits qui les accompagnent, mais ils leur refusent l'approbation religieuse. Bien qu'elle soit catholique pratiquante, l'éthicienne canadienne Margaret Somerville n'appuie pas son jugement éclairé contre le mariage gay sur des arguments moraux ou religieux.

Pour elle, si on modifiait la définition du mariage pour inclure les époux de même sexe, on «affaiblirait la définition et le respect pour l'institution du mariage. De plus, on affaiblirait les valeurs traditionnelles de la famille qui sont au cœur de notre société.»

Plus précisément, «la relation foncièrement procréative qui est institutionnalisée dans le mariage est fondamentale pour la société et elle doit être reconnue comme telle. [...] Le mariage actualise au moment présent la mémoire collective abyssale des normes et des valeurs qui entourent la reproduction.» Les enfants et le pédocentrisme sont au cœur de l'argument de Margaret Somerville contre le mariage gay. Ils s'enracinent dans la «présomption que, s'il y a une possibilité, les enfants ont le droit d'être élevés par leurs parents biologiques». Les mariages gays peuvent fournir tout au plus un parent biologique, et parfois aucun. La discrimination résultant de l'exclusion des gays du mariage est donc justifiée parce que les droits des enfants l'emportent sur ceux des adultes[12].

Somerville soutient que le mariage est «une institution aux dimensions sociétales et religieuses inextricablement mêlées», et non une simple cérémonie ou un rituel que l'on peut modifier. Les droits des enfants exigent que la famille traditionnelle demeure la norme sociétale. En lieu et place du mariage civil gay, Somerville propose des «partenariats civils» gays[13].

D'autres arguments contre le mariage gay présentent le mariage traditionnel comme le véhicule qui soude les liens affectifs entre l'homme et la femme pour le bien de leurs enfants et le bien commun de la société. Sans le mariage, soutiennent-ils, les hommes ne seraient pas enclins à plonger dans la vie familiale. De plus, le mariage favorise une «saine identité masculine fondée sur une contribution à la société qui est particulière, nécessaire et valorisée par tous — la paternité»[14]. Suivant cette conception, les liens affectifs hétérosexuels devraient bénéficier du soutien public et on devrait les encourager, alors que le mariage gay devrait être rejeté.

Le débat est amplifié par la prolifération des études qui s'intéressent à la signification du mariage; de plus, puisque le mariage gay commence à s'implanter, son fonctionnement est documenté. De plus en plus de gens s'expriment sur la manière dont ils sont touchés personnellement. Parmi eux, des millions de gens ayant longtemps caché leur homosexualité, de même que leurs femmes ou ex-femmes ; les hommes bisexuels ayant eu des relations avec d'autres hommes (ils seraient entre 1,7 et 3,4 millions aux États-Unis) ; leurs femmes ou ex-femmes, ainsi que les lesbiennes — environ 30 % du total — qui ont marié des hommes, de même que leurs maris ou ex-maris[15].

Survol des attitudes culturelles concernant l'homosexualité

Comme des siècles d'histoire le démontrent, l'homosexualité n'est pas nettement définie, et ses ambiguïtés compliquent le mariage gay. D'abord, le mariage gay est une option uniquement pour ceux qui se reconnaissent comme tels. Toutefois, de tout temps, d'innombrables hommes mariés, bisexuels ou qui se considèrent comme hétérosexuels ont eu des rapports sexuels secrets ou anonymes avec des hommes qu'ils rencontraient dans des endroits publics, comme les toilettes, les parcs, les cinémas pour adultes ; ce qui ne les empêcha pas de « passer » pour hétéros et d'être acceptés par la société hétéro. Ceux qui se sont fait prendre ont vu leur sexualité cachée étalée au grand jour ; bien des maris ont ainsi perdu leur réputation, leur emploi et leur mariage.

La différenciation de l'homosexualité et son assimilation à l'ambiance culturelle aux couleurs de l'arc-en-ciel qui prévaut de nos jours a pour but de protéger les gens qui déclarent volontairement qu'ils sont gays, ce qu'ils n'auraient pu faire en d'autres temps ou d'autres lieux. Mais il reste qu'il y a un abîme entre les politiques officielles et les réalités de la vie personnelle et sociale : le rejet de la part des parents, l'ostracisme social, les moqueries, ainsi que les dangers physiques, notamment celui d'être battu du fait d'être une « tapette ». Affirmer son identité sexuelle peut être dangereux ; plusieurs homosexuels, jeunes ou vieux, préfèrent encore la sécurité du secret.

Les complexités de l'homosexualité sont soulignées par les homosexuels expatriés qui ont vécu clandestinement dans leur patrie, ou par les enfants gays d'expatriés, qui cherchent à comprendre le sens de l'inclusion nord-américaine. Certains se réjouissent de son ouverture, alors que d'autres trouvent des manières différentes de s'adapter. Ruth Vanita, une universitaire qui effectue des recherches sur la discrimination sexuelle, a étudié les annonces privées publiées dans vingt numéros, de 1998 à 2003, du *Trikone* de San Francisco, un magazine destiné aux personnes lesbiennes, gays, bisexuelles ou transsexuelles originaires de l'Asie méridionale. Elle a découvert que 12 % des annonces provenaient de gays qui cherchaient à contracter des mariages de convenance avec des personnes du sexe opposé. Elle a également découvert des sites Web se spécialisant dans ces mariages pour gays originaires de l'Asie méridionale. « Convenable, très belle apparence, 29 ans, médecin, citoyen pakistanais vivant aux États-Unis, cherche femme lesbienne à marier en raison de fortes pressions familiales », peut-on lire dans une petite annonce. « Mes parents se demandent pourquoi je n'ai pas de petite amie et ils exercent des pressions sur moi pour que je me marie », explique un autre. « J'aimerais rencontrer une fille (lesbienne) ou une femme qui ne voit pas de problème à épouser un gay. J'ai un comportement très hétérosexuel et je pourrais faire un copain ou un mari formidable. La vérité est simplement que j'ai d'autres besoins à satisfaire[16]. » Il arrive souvent que ces personnes à la recherche d'un conjoint désirent avoir des enfants ; elles sont donc prêtes à avoir des relations sexuelles dans le but de procréer.

D'autres hommes gays ou bisexuels, contraints ou influencés par leur famille, par les préceptes religieux ou les valeurs sociales, épousent des femmes auxquelles ils cachent leur identité sexuelle et ont des relations sexuelles extraconjugales avec des hommes ; de nos jours, on dit qu'ils font profil bas. Ce profil bas est une version moderne des tactiques anciennes et secrètes pour pactiser avec la bisexualité ou l'homosexualité, ces formes d'amour que, tout récemment encore, on n'osait même pas nommer. Ces derniers temps, le profil bas a volé en miettes en raison d'une prise de conscience publique. Les gens parlent franchement de la manière dont leurs communautés sont touchées, particulièrement les Afro-Américains, les Afro-Canadiens, les Hispaniques et d'autres encore, qui diabolisent l'homosexualité comme une abomination et un péché qu'ils associent surtout aux Blancs efféminés et « tapettes ».

Les raisons d'opter pour un profil bas sont aussi complexes que les relations interraciales et sociales qui les engendrent. Suivant cette vision du monde, l'homosexualité est si répulsive et si peu virile que reconnaître son homosexualité est trop affreux pour être envisageable, même dans le plus profond de son cœur. Cela est particulièrement vrai des hommes élevés à l'ombre de la culture hip-hop, où les voyous font la loi et réduisent les mauviettes en chair à pâté, ou de la culture pop, où les gays sont blancs et subissent le mépris des hommes blancs hétérosexuels qui les battent, ou dans des milieux tels que celui de ce pasteur noir de Chicago qui s'exclamait en chaire : « Si le KKK était opposé au mariage gay, je serais avec eux[17]. » Vous afficher comme gay, rapporte un jeune Noir, « équivaut à laisser tomber toute la communauté noire, les femmes noires, l'histoire des Noirs, la fierté noire », c'est comme si vous salissiez une race qui est toujours en butte aux attaques[18].

Au Canada comme aux États-Unis, beaucoup d'hommes non blancs qui couchent avec des hommes refusent de reconnaître qu'ils sont gays, car ils considèrent l'homosexualité comme une perversion des Blancs. « Dans la communauté noire, nous les hommes noirs devons être virils et en contrôle. Les gars qui ont des rapports sexuels avec d'autres gars ne sont pas considérés comme de vrais hommes », explique un homme ayant adopté un profil bas[19]. Les hommes qui font profil bas dénoncent aussi le racisme de la communauté homosexuelle (donc des Blancs), ce qui facilite leur identification à la communauté noire plutôt qu'à celle des gays.

Ces accusations de racisme sont fondées. Comme le fait remarquer le sociologue Chong-suk Han, le manque d'homosexuels noirs dans les bars et les clubs gays ainsi que dans les groupes de revendication, qui sont les principaux véhicules de la reconnaissance de la « visibilité gay », renforcent l'idée que l'homosexualité est un « phénomène blanc ». Les médias de masse vont dans le même sens en dépeignant la communauté gay comme étant « surtout [composée de gens qui font partie] de la classe moyenne supérieure — quand ils ne sont pas tout simplement riches —, des hommes blancs [...] et quelques femmes blanches. Si nous ne jouons qu'un rôle secondaire dans la communauté gay, poursuit Han, nous n'existons même pas pour les communautés non blanches [...] [où] "être gay" est un "problème" blanc. Très tôt dans la vie, on nous a dit que nous devions éviter cette honte à tout prix. Lorsque nous tentons de faire valoir nos besoins sexuels, on nous dit qu'il ne faut pas perdre son temps à satisfaire des besoins aussi "insignifiants" quand il est question de chercher à obtenir la justice raciale[20]. »

Au moment où l'homophobie est officiellement bannie et où les unions et les mariages civils deviennent accessibles aux gays, un segment entier de la population, composé entre autres d'hommes blancs, opte pour le couple hétérosexuel en parallèle avec des rapports sexuels avec des hommes. Il en résulte que les gays en vue, ceux qui ont lutté contre l'homophobie et qui se sont réjouis de l'avènement du mariage gay, déplorent amèrement le profil bas dans lequel ils voient une forme d'homophobie auto-infligée. De leur côté, les hommes qui adoptent le profil bas se définissent plus par leur race que par leur sexualité; dans le monde tel qu'ils le comprennent, les hommes sont des pères hétérosexuels[21]. Pour eux, le profil bas est un phénomène résolument non blanc qui leur confère des pouvoirs; contrairement au mariage, il leur permet d'être acceptés comme membres de leur communauté au plein sens du terme. « En choisissant l'étiquette [profil bas] vous vous dissociez de tout ce qui est blanc et de la classe supérieure », dit George Ayala, directeur de l'enseignement pour le programme de prévention du sida à Los Angeles[22]. En entrevue, J. L. King, auteur de *On the Down Low: A Journey into the Lives of « Straight » Black Men Who Sleep with Men* [*Adopter le profil bas: une incursion dans la vie des hommes noirs « hétéros » qui couchent avec des hommes*], a dit à Oprah: « Si j'étais gay, je pourrais vouloir avoir une relation avec un homme et jouer le jeu de la cohabitation. Mais lorsque vous faites "profil bas", tout ce que vous voulez, c'est du sexe. »

Les attitudes ayant mené au profil bas commencent à changer. Un des principes clés du Black AIDS Institute, fondé en 1999 comme un centre d'études et de recherches portant exclusivement sur les Noirs, est de donner plus de pouvoir aux femmes en faisant la promotion d'une culture qui les valorise davantage. Un autre principe clé est de développer de nouveaux concepts de masculinité noire en proposant une vaste gamme de modèles de comportements et en encourageant l'acquisition de connaissances scolaires. Toutefois, ce qui importe le plus est le principe que la survivance collective dépend de l'acceptation des gays, des lesbiennes, des transsexuels et des personnes séropositives comme faisant partie de la communauté. De leur côté, toutes ces personnes doivent refuser de vivre dans la honte et le secret.

Le Black AIDS Institute ainsi que de nombreux autres groupes de pression luttent contre l'homophobie et cherchent à l'éradiquer. Mais

il semble y avoir peu d'entrain à se servir de ces principes pour promouvoir le mariage gay. Cette résistance tenace et largement répandue
au mariage gay compromet son avenir, d'autant plus qu'elle se vérifie
également dans les autres groupes ethniques nord-américains. Tant
que le mariage gay ne sera pas culturellement et socialement accepté,
il demeurera une curiosité — dans le meilleur des cas — aux yeux de
ces communautés.

Aussi longtemps que le racisme continuera de ronger la société, et
que les sous-cultures non dominantes associeront l'homosexualité
aux Blancs tout en liant leur propre survie collective à l'identification
raciale, les Noirs continueront de dénigrer l'homosexualité et de faire
en sorte que très peu d'hommes (ou de femmes) optent pour le
mariage gay. La transformation se produira lorsqu'on réalisera qu'en
blâmant et en humiliant les homosexuels, on adopte une stratégie
destructrice qui tue les gens, mine les familles et empoisonne les
relations entre les hommes et les femmes. L'acceptation de l'homosexualité devrait suivre, puis celle du mariage gay, les hommes étant
ainsi incités à rejeter le profil bas pour adopter une vie honnête avec
un partenaire masculin, allant même jusqu'à la paternité ou à un rôle
parental.

Être parent homosexuel

Dans l'ensemble de la culture nord-américaine, les parents homosexuels ou les homosexuels qui assument un rôle parental sont la
résultante la plus contestée du mariage gay, cette question dominant
de plus en plus les débats. L'évolution de la culture et l'éradication
juridique de l'homophobie ont permis aux homosexuels de faire des
demandes d'adoption, même si beaucoup préfèrent s'en remettre à des
partenaires prêts à les aider à réaliser leur désir, comme le font la
plupart des lesbiennes qui veulent avoir des enfants. Les questions
classiques que soulève le parentage gay — L'homosexualité des parents
est-elle préjudiciable aux enfants? Les parents gays engendrent-ils
l'homosexualité chez leurs enfants? — sont transposées au cas des
parents gays mariés.

Parmi les nouvelles questions, il y a celles-ci: Vaut-il mieux avoir
deux parents qu'un seul, serait-ce deux pères ou deux mères? La

probabilité que les parents gays infligent des mauvais traitements à leurs enfants est-elle plus élevée? Leurs enfants seront-ils malmenés, subiront-ils l'ostracisme? Qu'arrive-t-il en cas de divorce — quelle est la mère ou quel est le père qui obtient la garde des enfants, et quelles dispositions sont prises? Étant donné que, par nature, le mariage gay signifie qu'une seule personne — souvent, aucune des deux — est le parent biologique de l'enfant, les litiges portant sur la garde des enfants peuvent être plus compliqués.

L'insémination artificielle vient compliquer les choses encore un peu plus, car du point de vue du droit — qui n'est pas nécessairement celui de tous les individus en cause — le rôle des donneurs de sperme peut être interprété comme une paternité. Un article du *New York Times*, «Gay Donor or Gay Dad?» [«Un donneur de sperme gay ou un père gay?»], aborde un tel cas avec toutes ses ramifications byzantines (peut-être devrions-nous dire postmodernes). Un couple de lesbiennes, une Noire et une Blanche, a utilisé le sperme d'un Blanc pour inséminer la mère noire, ce qui leur a permis d'avoir un enfant métis qui reflète les antécédents de ses deux mères. La mère blanche a ensuite eu des jumeaux grâce au sperme d'un donneur noir. Par la suite, les deux mères se sont séparées et ont eu de nouvelles relations, la femme blanche avec un homme dont elle a eu un enfant, et la femme noire avec une autre femme. On se retrouve donc avec quatre enfants qui ont des liens de parenté, deux mères, une belle-mère ainsi qu'un beau-père, et un donneur de sperme décidé à jouer un rôle parental. Comme le dit le donneur, «leur famille, comme vous pouvez imaginer, ressemble vraiment à une petite boîte de Pétri. Je dirais qu'ils sont comme des enfants de parents divorcés. Ils ont des parents qui se sont séparés; ils vont de l'un à l'autre[23]. »

Les enfants gèrent leurs relations de manière pratique, mais les définir dans le cadre de normes sociales et juridiques représente tout un défi, d'autant plus qu'il n'existe pas de précédent. À la différence de tant d'orphelins du Moyen Âge qui furent élevés par des beaux-parents veufs avec lesquels ils n'avaient aucun lien de parenté, ces enfants ont des parents — en l'occurrence, deux mères — qu'ils aiment et qui les aiment, et ils ont des liens affectifs avec leurs quasi-frères et sœurs. Mais leur situation produit des scénarios relatifs au mariage gay, y compris lorsqu'il aboutit à une séparation, scénarios qui doivent avoir un sens pour la société et doivent pouvoir être soumis à des règles de droit, même si la plupart des enfants de parents gays ne sont pas aux prises avec des relations aussi compliquées.

Il y a un point qu'il est difficile de contester : les enfants de parents homosexuels ne sont pas des victimes. Presque toutes les études, même celles des auteurs qui ne s'appuient pas sur des prémisses favorables aux homosexuels, arrivent à la conclusion que le parentage homosexuel est très comparable à son équivalent hétérosexuel. Par exemple, quatre chercheurs de la Brigham Young University ont observé que « les adolescents élevés par des parents gays ou lesbiens se comportent de manière comparable aux jeunes élevés par deux parents biologiques, ce qui apporte peu d'eau au moulin des théories qui mettent l'accent sur le déficit que constitue l'uniformité sexuelle[24] ». En 2005, la vaste étude de Charlotte Patterson pour l'American Psychological Association s'est penchée sur trente ans de recherches comparant les parents lesbiens ou gays aux parents hétérosexuels. Sa conclusion est la suivante : « Les résultats [...] sont assez clairs [...]. Il n'y a pas une seule étude qui fasse état d'enfants de parents gays ou lesbiens qui auraient été désavantagés de manière significative sur un point ou sur un autre par rapport aux enfants de parents hétérosexuels. [...] Les compétences des mères lesbiennes et des pères gays peuvent être supérieures à celles des couples hétérosexuels [...]. Cela a été attribué à la plus grande sensibilité parentale des mères lesbiennes non biologiques, par rapport aux pères hétérosexuels. [...] Contrairement à [...] la majorité des parents américains, très peu de parents lesbiens ou gays ont dit recourir aux châtiments physiques (comme la fessée) pour discipliner leurs enfants[25]. »

Les mères lesbiennes compétentes et stables ont des rapports parents-enfants de qualité et stables ; de plus, les lesbiennes ont plus de joie à élever des enfants (qui ne sont pas nécessairement les leurs) que les hommes gays ou que les couples hétéros. Leurs enfants semblent avoir des relations plus étroites avec leur mère non biologique ou avec leur seconde mère, si on les compare à celles que les enfants du conjoint ont avec leur belle-mère dans les mariages hétéros. Ils sont moins nombreux à être profondément blessés si les autres enfants mettent en doute leur orientation sexuelle ou les taquinent sous prétexte qu'ils ont des parents homosexuels. L'homosexualité de leurs parents ne les rend pas homosexuels. Très peu d'entre eux sont agressés sexuellement.

Les agressions sexuelles sont un thème récurrent dans les critiques du parentage homosexuel, et ces agressions existent. Mais les recherches démontrent que la plupart des pédophiles — les adultes qui agressent sexuellement des enfants — sont des hommes, et que ce genre de comportement est extrêmement rare chez les femmes. De plus, ce sont surtout les filles qui sont victimes de violences sexuelles ; la probabilité que des hommes gays commettent de tels actes n'est pas plus élevée que chez les hétéros. En fin de compte, il n'y a aucune association entre homosexualité et pédophilie. Suivant une étude, « le risque qu'un enfant soit agressé sexuellement par le ou la partenaire hétérosexuel(le) de son parent est au moins 100 fois plus élevé que si le ou la partenaire est identifiable comme homosexuel, lesbienne ou bisexuel(le)[26] ».

Le mariage gay en tant que circonstance opportune à l'éducation et à l'adoption des enfants est un pôle important de l'activisme gay, et on peut s'attendre à ce que les dispositions législatives reflètent cette réalité dans l'avenir. Le droit de garde est une question de nature délicate ; beaucoup de tribunaux de la famille sont guidés par des attitudes et des présupposés négatifs envers l'homosexualité (les précédents sont rares). Jusqu'à tout récemment, en cas de divorce, si un des époux était homosexuel, la garde était habituellement accordée au parent hétérosexuel.

Un exemple extrême est fourni par un jugement de 1996, en Floride. Le juge itinérant Joseph Tarbuck retira la garde de Cassie, onze ans, à sa mère lesbienne Mary Franck et l'accorda à son père, John Ward, uniquement parce que Mary vivait avec sa conjointe ainsi qu'un autre couple de lesbiennes et qu'elle aurait prétendument visionné des vidéos interdits aux mineurs en présence de Cassie. John, qui était alors marié pour la quatrième fois, avait abattu une de ses précédentes épouses dans un parc de stationnement, en tirant douze coups de fusil à bout portant. Or sur quoi portait leur dispute fatale ? La garde de leur fille Michelle. Douze ans plus tard, lorsque John sortit de prison, Michelle vécut brièvement avec lui, puis elle s'enfuit après qu'il l'eut agressée sexuellement.

Ward était un meurtrier, mais il témoigna de ses valeurs saines : « Je ne suis pas gay et je suis contre les homosexuels. » Le juge Tarbuck se laissa facilement convaincre. « Je pense qu'on doit donner à cette enfant [Cassie] la possibilité et le choix de vivre dans un monde non lesbien, écrit-il dans son jugement. Je ne condamne pas la mère de cette enfant pour la manière dont elle vit. Mais je ne pense pas que cette enfant doit être incitée à [adopter] [...] ce mode de vie simplement à cause du lieu où elle habite[27]. »

En Virginie, la mère de Sharon Bottoms obtint la garde de son petit-fils pour la raison que Sharon était lesbienne, ce qui était terrible, comme le juge en convint. Dans un jugement maintenu par la Cour suprême de Virginie, il déclara : « Je vous dirai d'abord que la conduite de la mère [qui a actuellement la garde de l'enfant] est illégale. Dans l'État de Virginie, c'est un acte délictueux grave de niveau 6. Je vous dirai que l'opinion de ce tribunal est que sa conduite est immorale. Et c'est l'opinion de ce tribunal que la conduite de Sharon Bottoms la rend inapte au rôle de parent[28]. »

En 2002, le juge en chef Roy Stewart Moore de la Cour suprême de l'Alabama émit une opinion identique à propos d'un jugement d'un tribunal inférieur, qui refusait la garde de son enfant à une mère lesbienne, même si son ex-mari était violent. Pour le juge Moore, l'homosexualité était un « mal en soi, un acte si abominable qu'il défiait notre capacité de le décrire ». Il ajoutait ceci : « Toute personne qui se livre à cette activité est considérée comme inapte à avoir la garde d'un enfant mineur en vertu des lois en vigueur dans cet État[29]. » (Un an plus tard, le tribunal judiciaire de l'Alabama démit Moore de ses fonctions pour avoir refusé de se plier à un ordre du tribunal fédéral, qui lui enjoignait de retirer un monument représentant les Dix Commandements, qu'il avait installé dans l'enceinte de l'édifice de la Cour suprême de l'État.)

L'homophobie à toute épreuve de Moore est exceptionnelle en ce qu'elle s'exprime sans détour, mais un juge du sud-ouest des États-Unis laissa entendre que « l'homosexualité est probablement un facteur [aggravant] pour les juges, bien qu'ils ne le disent pas clairement ». Une avocate de Boston abonda dans ce sens, en précisant que, même si la loi est censée être neutre sur la question de l'homosexualité, qui ne devient une circonstance pertinente que si elle est préjudiciable aux enfants, des facteurs humains inconscients jouent ici un rôle puissant. « Faites siéger au tribunal un juge de soixante-quatre ans dont la femme est restée à la maison pour élever ses enfants et dites-lui : " Ma conjointe lesbienne et moi-même souhaitons élever l'enfant de mon ex-mari. " Que va penser le juge, selon vous[30]? »

Les juges sont aussi beaucoup moins enclins à accorder la garde aux pères homosexuels ayant des ex-femmes hétérosexuelles, écrit Denise Whitehead dans « Policies affecting Gay Fathers » [« Politiques préju-diciables aux pères gays»]. Sachant que «la partialité en faveur des mères est exacerbée en présence d'un ex-conjoint gay cherchant à obtenir la garde exclusive ou partagée», ces pères sont peu nombreux à en faire la demande[31]. La documentation sur le mariage gay fait écho à ces mises en garde[32]. Aujourd'hui, les tribunaux commencent à rendre des décisions dans des causes d'homosexuels divorçant d'avec des homosexuels.

Juste au moment où la vague d'enfants de parents homosexuels (le « gayboom ») se développe en tandem avec le mariage gay, l'adoption en fait autant. Le Canada autorise les couples gays ou lesbiens à adop-ter des enfants, et le Royaume-Uni, l'Espagne, l'Allemagne, la Belgi-que, les Pays-Bas, le Danemark, l'Islande, la Norvège et la Suisse en font autant. Aux États-Unis, environ 60 % des agences d'adoption acceptent les candidatures de personnes homosexuelles. Au fur et à mesure que le mariage gay se développe et se répand, la résistance à l'adoption et, d'une manière générale, au parentage gay diminue. Les politiques sont en train d'être révisées afin que cesse la discrimina-tion, voire la simple différence entre les types de parents, qu'ils soient gays, bisexuels ou hétérosexuels, et ce processus de révision va se poursuivre.

La nouvelle culture de parentage gay s'étend ; un corollaire positif est que ces parents acquièrent une plus grande estime d'eux-mêmes et sont moins en conflit avec leur sexualité. Les centres des ressources se multiplient, dans le monde matériel aussi bien que virtuel : Children of Lesbians and Gays Everywhere [Coalition des familles homoparen-tales], Family Pride Coalition [Coalition des familles fières], Gay Dads [Pères gays]. Des magazines comme *Gay Parent* ainsi que des commu-nautés d'appui en ligne comme le forum de La coalition des familles homoparentales du Québec poursuivent leur croissance rapide.

Le passage d'une homophobie ancrée dans la société et ayant force de loi aux unions civiles entre homosexuels et au mariage gay, et donc au parentage gay et aux droits des parents homosexuels, a été extrêmement rapide. Par le passé, de tels changements révolutionnaires exigeaient beaucoup plus de temps pour être mis en place et être acceptés. L'accent mis sur le parentage gay, bien qu'il procède d'un intérêt croissant et d'un engagement envers le bien-être des enfants et leurs droits, constitue aussi une reconnaissance du mariage gay et une tentative de lui donner un rôle qui soit acceptable aux yeux d'une société nord-américaine en évolution.

En dépit des premières réactions négatives ou incrédules au mariage gay et aux conséquences de ce dernier, beaucoup de commentateurs sont maintenant prêts à l'appuyer. L'approche raisonnée du conservateur David Brooks pourrait inciter les opposants au mariage gay à revoir ou à changer leurs opinions. Dans un article voisin de la page éditoriale du *New York Times*, « The Power of Marriage » [« La puissance du mariage »], qui a connu une grande diffusion, Brooks déplore l'état actuel du mariage et le peu de cas qui est fait, généralement, de son caractère sacré et de la fidélité sexuelle qui est au cœur du mariage. « Le mariage nous rend meilleurs que nous ne méritons de l'être. [...] Les gens mariés qui restent fidèles l'un à l'autre se rendent compte qu'ils réorganisent et approfondissent mutuellement leurs vies. Ils peuvent parvenir au point où ils se disent l'un à l'autre : " Si je t'aime ? Je suis toi. " »

Mais Brooks se lance ensuite à la conquête d'un autre territoire. « Les gays et les lesbiennes, écrit-il, sont exclus du mariage et interdits de séjour dans cette puissante et noble institution [...] [qui est] le chemin de la fidélité. » Selon lui, au lieu d'interdire le mariage gay, les conservateurs « devraient insister [pour qu'il soit généralisé] [...]. Nous devrions considérer comme scandaleux que deux personnes puissent prétendre s'aimer sans vouloir sanctifier leur amour au moyen du mariage et de la fidélité. » Les homosexuels doivent s'intégrer au mouvement en vue de sauver le mariage monogame, où deux personnes restent fidèles l'une à l'autre quoi qu'il arrive, et partagent un amour qui s'approfondit progressivement jusqu'à ce que les époux se fondent l'un dans l'autre pour ne former qu'une seule entité[33].

Les défenseurs du mariage gay se gênent de moins en moins pour répondre énergiquement aux critiques alléguant que le mariage entre conjoints de même sexe érode et dévalorise l'institution du mariage. Ils rejettent aussi comme non fondé scientifiquement l'argument suivant lequel le mariage gay encourage l'homosexualité en offrant une solution de rechange au mariage hétéro, lequel aurait pu « guérir » l'homosexualité, comme ils rejettent l'idée que le mariage gay fournit des munitions à ceux qui militent contre le mariage hétéro. Ils soutiennent que le mariage gay vient renforcer une institution qui est largement perçue comme battant de l'aile, voire comme un échec. Ils font remarquer que le mariage gay intègre les homosexuels à la culture du courant dominant de la société ; en dissuadant les homosexuels d'avoir des partenaires multiples, le mariage gay réduit également les risques de contamination par le VIH. En dernier lieu, ils soutiennent que le mariage gay assure que ceux qui élèvent des enfants le font dans le cadre d'une union juridiquement reconnue qui est de bon augure pour l'éducation des enfants. Et il ne faut pas oublier que le mariage gay fournit un bassin de parents adoptifs pour des enfants qui seraient autrement laissés à la garde de l'État ou des institutions de bien-être.

Le divorce homosexuel

Le divorce gay est d'ores et déjà une réalité. Le premier divorce d'homosexuels — qui fut largement publicisé — s'est produit au Massachusetts, après un mariage qui avait duré sept mois. La garde des trois chats du couple fut accordée à l'un des deux époux, qui s'engagea à envoyer des photos et à donner des nouvelles des animaux à son ex-conjoint. Au Canada, le premier mariage lesbien prit fin au bout de quinze mois. Les deux femmes avaient espéré que le mariage sauverait une relation qui avait commencé à s'émietter. Elles se trompaient, et Martha McCarthy, avocate en divorce, fit état d'une « grande tristesse ».

Dans les divorces d'homosexuels, les questions de garde sont les plus litigieuses ; elles sont compliquées par les relations non biologiques d'au moins un des deux parents avec son enfant. Contrairement à ce qui se passe dans un mariage hétéro, les parents gays non biologiques ne sont pas des beaux-parents qui ont été intégrés à une famille déjà existante et que l'on peut ensuite expulser. Les parents gays sont les parents principaux ; tant que les choses ne tournent pas au vinaigre, ils sont tout autant le père ou la mère de l'enfant que la personne qui a fourni le sperme ou l'ovule.

Dans les cas de rupture où les deux parents n'ont aucun lien biologique avec les enfants, les différends sur la garde des enfants sont résolus plus facilement, car c'est l'intérêt supérieur de l'enfant qui prédomine. Les garanties juridiques sont également cruciales ; la documentation abondante sur les divorces homosexuels souligne leur importance. En règle générale, les droits liés à ces garanties juridiques sont établis au moyen de l'adoption, qui permet de faire face à une éventuelle rupture du mariage ou au décès d'un des partenaires. Dans les autres cas, lorsque la colère vengeresse ou la douleur prédomine, les revendications fondées sur la relation biologique avec l'enfant sont une source de tensions. Depuis que les unions lesbiennes et le droit des lesbiennes d'avoir des enfants ou d'en adopter ont été reconnus, certaines mères biologiques, par dépit, ont cherché à nier que leur conjointe ait réellement assumé le rôle de parent, prétendant que celle-ci s'en était tenue à un rôle de gardienne d'enfants.

En 2008, dans une cause qui allait faire jurisprudence à la Cour suprême de l'État de New York, Beth R. entama une procédure de divorce contre sa conjointe, Donna M. Elle voulait établir la légitimité de leur mariage, célébré au Canada, afin de pouvoir poursuivre sa relation avec ses deux filles, que Donna avait eues par insémination artificielle. Donna s'opposait à cette demande sous prétexte que, n'étant pas réellement mariées, puisque l'État de New York n'autorisait pas le mariage gay, elles ne pouvaient divorcer. De toute façon, leur union avait été un « mariage forcé », un engagement qu'elle considérait comme symbolique et auquel elle avait consenti sous la pression de Beth et de sa propre horloge biologique.

C'est en 2002 que Beth et Donna avaient commencé leur vie commune. En 2003, Donna devint enceinte par insémination artificielle ; elle et Beth se rendirent à Toronto pour obtenir une licence de mariage. Leur mariage devait être célébré en septembre, mais il fut reporté en raison du décès du père de Donna au cours du week-end précédant le jour prévu pour la cérémonie. Dans la notice nécrologique qu'elle rédigea pour lui, Donna mentionnait le nom de Beth comme « belle-fille ».

En octobre, Donna accoucha d'une fille, J. Beth était accompagnatrice dans la salle d'accouchement, et c'est elle qui coupa le cordon ombilical. Durant les quatre premiers mois, les deux mères prirent des congés de maternité consécutifs. En 2004, le jour de la Saint-Valentin, les deux mères retournèrent à Toronto pour se marier en présence de leurs amis, de leurs familles et de leur petite fille.

En juillet 2005, Donna eut une nouvelle grossesse par insémination artificielle; c'est Beth qui en assuma les frais. Au moment de la naissance de la petite S., Beth agit à nouveau comme monitrice d'accouchement, et c'est encore elle qui coupa le cordon ombilical. Le faire-part de naissance, rédigé par les mères, se lisait comme suit: « Nous avons la joie de vous annoncer la naissance de S. R. [...] < Signé >: les parents ravis, Donna et Beth, ainsi que sa grande sœur J. R. La famille R. »

Donna ne voulut pas que Beth adopte l'une ou l'autre des deux filles, mais elle utilisa le nom de famille de Beth, qui apparaissait sur l'acte de naissance de J. et de S. Donna fit un testament dans lequel elle nommait Beth tutrice des enfants. J. appelait Beth « mom » et Donna « maman »; la mère de Donna était « mammy », son frère et sa sœur, « tante » et « oncle ». Donna et Beth s'occupaient toutes les deux de leurs enfants et elles assuraient leur subsistance; elles choisirent un pédiatre et une bonne d'enfants; elles trouvèrent une maternelle et une colonie de vacances pour J. Les deux mères assistaient aux rencontres de parents et de professeurs, ainsi qu'aux activités de l'école fréquentée par leurs filles.

En septembre 2006, Donna dit à Beth qu'elle voulait mettre un terme à leur relation. Beth commença à passer ses nuits dans la chambre d'enfant de S. En avril 2007, Donna remit à Beth un avis d'expulsion. Une semaine plus tard, Beth entama la procédure de divorce. En attendant la décision judiciaire, les deux femmes convinrent que Beth quitterait l'appartement en conservant un droit de visite auprès des enfants un week-end sur deux, ainsi que les jeudis, au moment du repas du soir.

En dépit de l'allégation de Donna qu'elle et Beth n'étaient pas légalement mariées, la juge Laura E. Drager considéra qu'elles l'étaient bel et bien, puisque l'État de New York reconnaît les mariages contractés à l'extérieur de ses frontières, à moins qu'ils soient explicitement interdits par la loi ou qu'ils soient « incompatibles avec la politique de l'État ». Or, le mariage gay n'était ni l'un ni l'autre. Par conséquent, l'entente de garde devait être déterminée à la lumière de « l'intérêt supérieur des enfants ». La juge précisa les aspects affectifs, financiers et juridiques. « Un enfant de trois ans s'identifie clairement aux figures parentales. L'exclusion soudaine d'une figure parentale peut être préjudiciable à l'équilibre émotionnel de l'enfant. Bien qu'elle soit encore toute jeune, il est possible que S. R. connaisse des difficultés de caractère affectif. De plus, [comme l'insémination artificielle qui lui a donné naissance a eu lieu pendant la durée du mariage de Beth et de Donna], elle peut très bien être considérée comme l'enfant légitime des deux parents. [...] Il est certain que les deux enfants pourraient souffrir financièrement, s'ils perdaient le soutien qu'ils reçoivent tous deux de [Beth][34]. »

La décision de la juge Laura E. Drager établit un précédent important en matière de divorce homosexuel. Il est probable qu'elle empêchera les stratagèmes juridiques comparables à celui que Donna M. tenta d'utiliser. Elle forcera également les tribunaux à traiter les cas de garde d'enfants ayant des parents homosexuels dans les mêmes conditions que lors de divorces hétérosexuels, c'est-à-dire en faisant prévaloir l'intérêt supérieur des enfants.

Qu'il y ait ou non des enfants qui interviennent dans l'équation, les divorces gays et les mariages auxquels ils mettent fin sont scrutés à la loupe pour déterminer toute trace de superficialité ou d'inaptitude à s'engager. « Beaucoup de gens, y compris des juges, pensent que les parents homosexuels sont des êtres exclusivement sexuels, alors que les parents hétérosexuels seraient des gens qui, en plus des nombreuses autres activités auxquelles ils se livrent, ont parfois des rapports sexuels », écrit la belle-mère lesbienne Claudia McCreary[35]. Les hommes homosexuels (mais non les lesbiennes) sont souvent perçus comme ayant des mœurs sexuelles libres, la présomption, avérée ou non, étant que les statistiques de divorce refléteront l'inaptitude de ceux-ci à s'engager dans une union monogame. Les couples gays et lesbiens savent qu'ils représentent la communauté homosexuelle dans l'esprit des gens, et ils éprouvent de la honte lorsque leur mariage échoue. « Il y a un sentiment de pression et de visibilité », dit Rich Domenico, un thérapeute de Boston qui conseille les couples gays. Parallèlement, les couples gays peuvent avoir plus de difficulté que les couples hétérosexuels à trouver des conseillers matrimoniaux, des médiateurs ou d'autres ressources.

Le mariage gay est examiné de très près, aussi bien par ses opposants que par ceux qui le défendent. Les chercheurs continuent d'approfondir ses causes. De leur côté, les décideurs proposent des conséquences juridiques et examinent les questions de compétence, au moment où les États américains qui n'autorisent pas le mariage gay se demandent comment répondre aux couples gays qui s'installent chez eux et demandent le divorce.

Le divorce homosexuel est déjà perçu comme une mesure de la stabilité et de la durabilité des mariages homosexuels. La première vague de divorces reflète déjà une précipitation irréfléchie vers le mariage *parce que* ce dernier était enfin juridiquement possible, ainsi que le fait que certains couples qui n'ont pas duré avaient été formés pour profiter d'avantages fiscaux, des assurances du conjoint ou du droit à des prestations. Mais on ne pourra énoncer de conclusions faisant autorité avant plusieurs dizaines d'années.

Pour la première fois dans l'histoire, des jeunes grandissent à une époque où le mariage (et le divorce) gay est accepté en droit. Cette expérience influencera la manière dont ils façonneront leur vie dans un monde qui s'éloigne de l'homophobie et qui permet aux gays et aux lesbiennes de se marier, d'avoir des enfants et de s'attendre à avoir les mêmes droits et les mêmes obligations que les couples hétérosexuels. Au fur et à mesure que plus d'hommes gays et de femmes lesbiennes décideront de se marier, ils consolideront une institution dont le déclin désole la société dans son ensemble.

CHAPITRE 10

Les enfants et les rapports parents-enfants dans les mariages modernes

La génération Spock

À la mort du Dr Benjamin Spock, en 1998, son livre *Baby and Child Care* [*Comment soigner et éduquer son enfant*], avait été traduit dans trente-neuf langues et s'était vendu à plus de 50 millions de copies, se classant juste derrière la Bible. Il y a une bonne raison qui explique ces ventes spectaculaires et cette longévité remarquable. L'art d'être parent est la tâche la plus compliquée, la plus difficile, celle qui a les conséquences les plus importantes ; c'est aussi, suivant ce qu'en pensent les parents, la tâche ou la relation la plus enrichissante qui soit. Tout au long de l'histoire, la procréation et le travail de parent ont été les objectifs premiers du mariage.

« Ayez confiance en vous. Vous en savez bien plus que vous ne le croyez. » Le Dr Spock a rassuré les parents avec ses livres et les chroniques qu'il a tenues pendant trente ans dans le *Ladies' Home Journal* et le magazine *Redbook*. Des millions d'enfants nord-américains ont été élevés sous l'influence de ses bons conseils : « Ne vous inquiétez pas trop ! Laissez vos petits vous aider et se sentir exceptionnels ! Serrez-les dans vos bras et embrassez-les ! Ne vous faites pas de reproches ! Les enfants ne sont pas tous les mêmes ! »

Comme toutes les autorités inspirées, Spock était souvent mal interprété : on l'accusait de promouvoir l'anarchie dans l'éducation des enfants. (Laissez la petite faire ce qu'elle veut ! Faites des dépenses, gâtez-les et tant pis pour le monde qu'ils détruisent !) On l'appela « le

père de la permissivité », et on l'accusa d'être responsable de la génération des hippies, qui auraient été « marqués par Spock ». Il est encore
cloué au pilori pour avoir soi-disant conseillé aux mères qui restaient
à la maison de déverser des torrents d'affection sur leur mari au
détriment de leurs petits, délaissés et en pleurs. Les critiques de Spock
croyaient qu'il insistait pour faire passer le mariage et l'intimité
conjugale avant les demandes et les besoins des enfants.

Dans son grand âge, Spock nia ces accusations : « Je voulais soutenir
les parents plutôt que leur faire des reproches, dit-il. Mon livre entreprit, de manière tout à fait délibérée, de lutter contre certaines rigidi-
tés de la tradition pédiatrique, notamment en matière d'alimentation
infantile. » Il enseignait que les bébés devaient être nourris quand ils
avaient faim plutôt qu'à heures fixes. « Cela soulignait l'importance
des grandes différences qui existent entre les bébés, le besoin de souplesse et le fait qu'il n'est pas nécessaire de toujours avoir peur de les
gâter[1]. »

Spock avait une vaste expérience du mariage : le mariage de ses
parents, et lui-même, qui s'était marié deux fois. Il était l'aîné de six
enfants, élevés de manière stricte par des parents nantis qui leur
donnèrent une éducation de haute qualité, qui n'étaient pas démons-
tratifs sur le plan émotif et abordaient la sexualité comme une réalité
« pleine de mystère, de honte et une source d'embarras », se rappelle
Spock.

La première femme de Spock, Jane Davenport Cheney, était une
intellectuelle pleine de vivacité qui lui fit connaître les théories freu-
diennes et les mouvements radicaux de gauche. Elle était aussi une
alcoolique instable sujette aux dépressions ; après avoir eu deux fils et
avoir passé quarante-huit ans avec elle, Spock divorça. Jane passa ses
dernières années à défendre les femmes âgées et divorcées. Après
plusieurs années d'expérience directe du mariage, Spock épousa Mary
Morgan, de quarante ans sa cadette, ajoutant le remariage et le rôle de
beau-père à son répertoire de compétences.

Dans ses livres subséquents, qui traitaient du divorce et des familles
reconstituées, Spock abordait la question délicate de savoir si les mères
devaient retourner au travail, à quel moment elles devaient le faire et
dans quelles conditions. Son approche modérée et centrée sur l'enfant
s'appuyait sur l'hypothèse que certaines mères étaient bien préparées

à retourner sur le marché du travail, alors que d'autres étaient forcées de le faire ; dans un cas comme dans l'autre, la question était de savoir comment fournir aux enfants les meilleurs soins possible pendant que leur mère était au travail.

« Quelques professionnels œuvrant dans le secteur du développement de l'enfant estiment que le père et la mère sont seuls à pouvoir donner à l'enfant des soins idéaux, en raison de l'intimité et de la permanence de la relation qui les unit, écrit Spock. Mais la majorité [des spécialistes] pense — et je suis du même avis — qu'un éducateur ayant une solide formation et travaillant dans un centre de la petite enfance de grande qualité, ou une femme offrant d'excellents services de garderie chez elle, ou des grands-parents, une tante ou un oncle compatibles, une gardienne à plein temps compétente, peuvent faire un travail satisfaisant pendant la journée de travail des parents[2]. » Il ajoutait que le gouvernement devrait subventionner le coût de ces services de garde pour les mères qui n'avaient pas les moyens de se les payer.

Spock abordait aussi le rôle destructeur de la télévision dans la vie des enfants, les drogues et autres problèmes auxquels étaient confrontés de nombreux parents, tout en dénonçant la glorification par la culture populaire des relations sexuelles occasionnelles et de l'infidélité conjugale. Pour Spock, la sexualité avait une dimension spirituelle et émotive inspirant la forme d'amour empathique qui conduit au mariage. Il soulignait que le mariage « n'a pas pour but la satisfaction personnelle ; c'est vouloir passer le reste de votre vie avec quelqu'un, l'aider et élever de bons enfants[3] ». Son dernier livre s'intitulait : *Rebuilding American Family Values : A Better World for Our Children* [*Reconstruire les valeurs de la famille américaine ou Un meilleur monde pour nos enfants*].

Rien n'est plus stressant que l'éducation des enfants — sur laquelle repose l'avenir de la société —, comme chaque nouvelle génération de parents se le fait rappeler. Les appels lancés par le Dr Spock pour le mariage durant toute une vie, enraciné dans l'amour, le respect et la fidélité sexuelle ont été perdus dans le vacarme des protestations outrées contre sa prétendue responsabilité dans la venue d'une génération de « gâtés pourris », de plaignards rebelles qui défiaient l'autorité, condamnaient la ségrégation raciale et l'homophobie, manifestaient pour les droits civiques, la libération des homosexuels et des femmes, et s'élevaient de plus en plus contre la guerre du Vietnam. Les critiques et les ennemis de Spock soutenaient que ses enseignements avaient détruit tout ce qu'il y avait de bon dans la société.

La maternité

Le discours modéré du Dr Spock toucha une corde sensible chez les Nord-Américains qui discutaient sur le mariage et la maternité ; ce discours ne correspondait pas au modèle de la bonne épouse qui était celui du XIXe siècle, celui de la mère vivant pour ses enfants, toute dévouée à sa nichée, respectée et soutenue par son bon mari. Ce modèle de la bonne épouse jure avec les attentes actuelles de réalisation de soi et d'accomplissement dans le mariage de deux êtres qui s'entraident et se satisfont mutuellement. D'où la question : quelle est la *nature* de la maternité (et, par extension, de la paternité) ? Est-ce que la maternité confère des instincts maternels à toutes les femmes (ou seulement à certaines d'entre elles), ou est-elle apprise ? Les mères sont-elles vraiment les meilleures personnes qui puissent prendre soin de leurs enfants ? Suivant la réponse donnée à la question précédente, les mères devraient-elles travailler à l'extérieur de la maison et confier à d'autres le soin de s'occuper de leurs enfants ?

La quête de réponses conduit souvent à l'observation du monde animal et à de nobles exemples comme celui de la société matriarcale des éléphants, ou celui de la paternité chez les manchots empereurs. Cependant, Natalie Angier, titulaire d'un prix Pulitzer, nous conseille de ne pas idéaliser la nature : « Oh vous, les mères ! Vous, les nobles, désintéressées et féroces défenderesses de la progéniture de toute la phylogénie naturelle, dit-elle en se moquant. Voici une mère pintade, suivie par une douzaine de poussins boules de coton. Voici une mère panda et un bébé panda partageant une tige de bambou [...]. Mais attendez ! Cette pintade se déplace drôlement vite. En fait, sa nichée peut à peine la suivre et à la fin de la journée, hop-là !, il ne reste plus que deux oisillons qui suivent péniblement. De son côté, la maman panda n'avait-elle pas donné naissance à des jumeaux ? Alors comment se fait-il qu'il n'y ait qu'un seul petit panda qui sorte de sa tanière ? »

Il s'avère que beaucoup d'animaux ont une progéniture nombreuse, mais n'élèvent que quelques-uns de leurs rejetons. « Les scientifiques ont accumulé beaucoup de preuves qui montrent que les " mauvaises" mères sont fréquentes dans le règne naturel, écrit Natalie Angier, et qu'elles sont souvent un élément central de la stratégie de reproduction. Beaucoup d'espèces qui se débarrassent d'une partie de leur progéniture vivent dans des milieux difficiles ou incertains, où les jeunes se perdent facilement et où il est avantageux d'avoir un remplaçant[4]. » Les appels à la noblesse de la nature croulent sous le poids des innombrables exemples d'infanticide, de cannibalisme et de négligence criminelle ; ils ne peuvent soutenir la thèse que le monde naturel recèle quantité de modèles vertueux pour les parents de la race humaine.

La recherche de points communs dans les différentes manières d'éduquer les enfants continue néanmoins de fasciner les chercheurs. Les théories populaires vont d'un extrême à l'autre. Les enfants causent la ruine du mariage et de la vie de leur mère ; les femmes ne sont pas naturellement maternelles ; pour être équilibrés, les enfants ont besoin de mères heureuses (et non frustrées, réprimées ou opprimées). Des maris coopératifs et une bonne planification feront en sorte que la vie de famille des mères qui travaillent soit satisfaisante et qu'elle se déroule en toute harmonie ; il est effectivement possible d'être une superfemme. De plus, le comportement des mauvaises mères à l'endroit de leurs enfants se reflète dans les souffrances que ceux-ci éprouvent toute leur vie, ou que la mère elle-même ressent, la culpabilité étant un excellent guide qui rappelle aux parents leurs déficiences. Certaines de ces théories s'enracinent dans le bon sens ; d'autres reflètent le discours trop familier des attaques et du blâme, parfois auto-infligés.

La paternité

La paternité a ses propres problèmes et ses questions urgentes. Pourtant, la vision de la paternité qui était celle de Spock il y a cinquante ans pourrait avoir été pensée par un idéaliste égalitaire d'aujourd'hui. « Dans le meilleur des cas, écrit Spock, l'art d'être parent s'actualise dans un esprit de participation paritaire. » Les maris doivent participer aux soins à donner aux enfants ainsi qu'aux tâches ménagères, *non* pour montrer leur générosité, mais parce que les enfants ont tout avantage à « faire l'expérience des différents styles d'autorité et de contrôle de leurs parents — des styles qui ne s'excluent pas ni ne se rabaissent mutuellement, mais qui s'enrichissent et se complètent l'un l'autre ». Il importe que les enfants voient que leur père considère l'éducation des enfants et les tâches ménagères comme « essentielles au bien-être de la famille, exigeant du jugement et des aptitudes, et dont il se sent tout aussi responsable que [leur mère] lorsqu'il est à la maison. Voilà ce que les fils et les filles ont besoin de voir concrètement, s'ils doivent grandir avec un respect égal pour les aptitudes et les rôles dévolus aux hommes et aux femmes[5]. »

À une époque où perce l'angoisse masculine, et en harmonie avec la recherche d'exemples dans le monde naturel, certains animaux sont des modèles de paternité solide et souvent dévouée. Dans la société conviviale, non violente et ultracourtoise du charismatique manchot empereur, les femelles pondent leurs œufs, puis s'en vont à la mer où elles passent des mois à chercher de la nourriture, pendant que leur partenaire reste à la maison et jeûne dans la colonie inhospitalière, en couvant avec précaution leur œuf sur le dessus de leurs pieds.

Durant les rafales hivernales, ces pères manchots se pressent les uns contre les autres en un amas compact qui bouge continuellement pour permettre à chaque individu de se réchauffer à l'intérieur du groupe. Pendant les trois mois de gel, ils gardent leurs œufs au chaud en remuant leurs pieds. Les manchots tombent en bas de précipices, ils trébuchent ou glissent sur la glace sans jamais perdre leur précieuse cargaison. Lorsque la femelle rentre à la maison, le mâle lui remet l'œuf ou l'oisillon avec douceur. Et c'est alors à son tour de partir en se dandinant pour aller chercher de la nourriture.

Mais le père le plus célèbre est peut-être l'hippocampe, qui est le seul mâle au monde à porter ses œufs. Au cours d'une danse gracieuse qui les fait onduler, sa partenaire dépose les œufs dans sa poche ventrale. Il scelle cette dernière, puis il nourrit les œufs de ses substances corporelles pendant plusieurs semaines. Après la naissance, il construit une pouponnière où il nourrit ses petits rejetons. Les ouaouarons sont également des pères pleins de sollicitude. Ils repoussent les serpents et autres prédateurs et ils creusent même des canaux pour donner à leurs milliers de têtards un accès à des eaux plus profondes. Les oisillons du grébifoulque d'Amérique mâle volent partout avec lui dans ses deux sacs de voyage intégrés. Les chiens des prairies font de bons pères qui défendent et embrassent leurs petits, jouant et dormant même avec eux. Les castors mâles s'occupent de leurs chiots avec leur partenaire à vie, les nourrissant, les soignant, s'ébattant ou dormant avec eux et réparant la hutte de la famille. Les pères loups chassent pour nourrir leurs louveteaux, ils les lèchent pour les nettoyer, montent la garde devant la tanière et leur enseignent les us et coutumes des loups[6].

Au Canada, un congé parental partageable d'une durée de huit ou neuf mois encourage les pères à suivre ces bons exemples, et certains le font. Mais la culture organisationnelle se perpétue dans le modèle de la bonne épouse et du pourvoyeur; comme le fait remarquer Andrea Doucet, une spécialiste de la paternité, « papa continue de dire que la culture du travail est une question importante[7] ». Aux États-Unis, où le congé de maternité n'est toujours pas un droit, les pères peuvent tout au plus escompter un congé sans solde.

Avoir des enfants

Il est difficile d'être parent : les critiques sont aussi abondantes que le soutien est rare. Dans « This Be the Verse » [« Ceci sera le vers à respecter »], le poète britannique Philip Larkin saisit bien le ton du blâme universel dont les parents font l'objet et sa conclusion logique : ne devenez pas parent.

Larkin eut une enfance difficile avec un père amateur de jazz et admirateur d'Hitler. Une fois parvenu à l'âge adulte, il se convainquit qu'il n'aimait pas les enfants, ce qui le détermina à éviter le mariage et la famille. D'autres personnes détestent les enfants — ou les aiment trop pour les soumettre à un avenir apocalyptique — et se marient avec l'intention expresse de ne pas avoir d'enfants. Mais la majorité des gens qui se marient espèrent et planifient la venue d'au moins un enfant.

En 1955, après des millénaires de stratégies vaines et souvent mortelles en vue de régulariser les naissances, la pilule — quel autre nom aurait mieux convenu ? — donna aux femmes le moyen d'y parvenir. Cette année-là, les scientifiques qui assistaient à la Conférence laurentienne d'endocrinologie, à Québec, prirent connaissance des résultats étonnants des essais cliniques effectués sur des Portoricaines, des

Haïtiennes et des Mexicaines : les femmes qui prenaient un comprimé contenant de l'estrogène et de la progestérone n'avaient pas d'ovulation. En dépit de ses effets secondaires, Enovid — le premier comprimé anovulant — assurait une protection à 100 % contre la grossesse. La nouvelle se répandit comme une traînée de poudre. En 1959, après qu'Enovid eut été autorisé pour traîter de graves problèmes menstruels, des hordes de femmes se plaignirent de souffrir de menstruations douloureuses et demandèrent à leur médecin de leur prescrire la pilule miracle.

En 1960, l'utilisation contraceptive de la pilule fut autorisée, puis vantée comme la solution au problème de l'explosion démographique et à celui des mariages tendus. Malgré une forte opposition se manifestant sur plusieurs fronts — le Vatican, les adeptes du conservatisme social, terrifiés devant les possibilités de changement sur le plan des rapports sexuels, ceux qui y voyaient un encouragement aux comportements sexuels contraires à la morale, ainsi que les accusations des Afro-Américains qui soupçonnaient l'existence d'une intention cachée de génocide racial —, la pilule fut largement adoptée. En 1968, elle fut même mise en scène dans une production hollywoodienne, *Prudence and the Pill* [*Prudence et la pilule*]. Le mari, personnifié par David Niven, y remplaçait par des aspirines les pilules anticonceptionnelles de sa femme (Deborah Kerr), dans l'espoir qu'elle tombe enceinte de son amant et qu'il ait ainsi le champ libre pour s'unir à sa maîtresse. Dans la vraie vie, des millions de femmes, mariées ou célibataires, profitèrent de la pilule qui leur permettait de planifier ou d'éviter leurs grossesses, et d'aller sur le marché du travail pour y rester.

Avec le temps, la majorité des couples ont des enfants, et la plupart d'entre eux le font par choix. La grande différence entre le passé et le présent est que les contraceptifs oraux actuels sont généralement fiables et sécuritaires. La plupart des épouses se réjouissent de la possibilité qui leur est donnée de planifier leur famille. En Europe, il en est résulté une baisse marquée du taux de natalité lié à l'absence de politiques publiques pour accommoder les femmes au travail en Italie, en Espagne, en Allemagne, en Autriche, en Suisse, en Grèce et au Portugal, notamment. (En 1995, le taux de fécondité était inférieur à 1,5, alors qu'il aurait dû être de 2,1 pour empêcher une baisse démographique dans ces pays). Dans les autres pays d'Europe, la fécondité diminua sans chuter radicalement. Certaines recherches tendent à montrer que l'amélioration des politiques publiques — les congés de maternité, la sécurité d'emploi, les garderies, les allégements fiscaux — rend plus attrayant et réalisable le projet d'élever des enfants.

Cependant, ce modèle n'est pas valable pour l'Amérique du Nord. Le Canada, et tout particulièrement le Québec, offre plus de services et d'avantages aux mères et aux enfants que les États-Unis, qui ont pourtant un taux de fécondité dépassant légèrement celui du Canada (1,65 au Canada, et 1,75 au Québec, pour 2,1 aux États-Unis). (En 1945, les Canadiens avaient trois enfants pour 2,5 enfants américains.) Les Canadiens repoussent aussi le moment de la conception — les Canadiennes dans la vingtaine attendent environ trois ans de plus que les Américaines —, et les adolescents canadiens ont 1,5 bébé de moins que les adolescents américains. Les chercheurs n'ont pas encore trouvé les raisons qui expliquent cette différence importante. Pourrait-il s'agir des coûts hypothécaires? De la sécurité d'emploi? Du niveau d'instruction? Des politiques gouvernementales? Des avantages fiscaux? De la sécurité sociale? Des politiques d'aide sociale? De l'accès à l'avortement? Des convictions religieuses? De la vision de l'homme en tant que chef de la maisonnée? Tôt ou tard, les réponses à ces questions façonneront les politiques publiques en vue de promouvoir — ou de décourager, si les manières de voir se modifient — un taux de fécondité plus élevé.

Une opinion courante est que «les femmes veulent tout avoir»: la carrière, le mariage *et* la maternité. En fait, elles veulent la même chose que les hommes. En ce qui concerne les enfants, elles voudraient absolument que la paternité ressemble plus à la maternité. Par ailleurs, ceux qui s'opposent aux études supérieures et à la formation professionnelle des femmes préviennent que le prix à payer sera une vie éternellement sans hommes. Cela en dépit des témoignages convaincants qui montrent que les femmes instruites finissent *bel et bien* par se marier et avoir des enfants, et ce, dans une proportion plus grande que leurs sœurs moins instruites.

À l'autre extrémité du spectre de fécondité, environ 10% des parents en puissance ne parviennent pas à avoir d'enfants, même avec l'aide de traitements de fertilité ou de l'insémination artificielle. Il est difficile d'évaluer la peine causée par le traumatisme de l'infertilité, laquelle, à certaines époques et dans certaines sociétés, constituait un motif de divorce. Le blâme et la culpabilité prennent des proportions imprévisibles. Les hommes sont souvent aussi affectés que les femmes par l'infertilité. Les risques de maladies, de représailles de la part du milieu et de répercussions sur le travail existent pour les deux sexes[8]. Environ 2 % des couples infertiles nord-américains réussissent à procréer grâce aux méthodes artificielles de procréation ou aux techniques génésiques, à l'ovulation provoquée, à l'insémination artificielle, à la fécondation in vitro, et aux autres méthodes permettant de créer des embryons. Un petit nombre de couples infertiles se tournent vers les mères porteuses.

Le nombre d'enfants

Les mariages où les époux choisissent d'avoir peu ou pas d'enfants sont de plus en plus courants. La réduction de la taille des familles nord-américaines continue de modifier l'expérience de la condition parentale et, par suite, celle du mariage. La probabilité que la mère souffre de maladie, qu'elle s'affaiblisse ou qu'elle meure a radicalement diminué. Il en va de même pour le fardeau que représentent le logement, l'alimentation, les vêtements, les soins aux enfants et l'éducation d'une famille nombreuse. Les parents qui ont moins d'enfants peuvent s'investir plus auprès de chacun d'entre eux, ou ils peuvent faire plus avec moins puisque le logement, l'habillement, la nourriture, le gardiennage d'enfants, l'éducation et les soins de santé sont moins onéreux.

Lorsqu'il y a moins d'enfants, chacun d'entre eux peut prendre plus de place dans le monde des parents ; leurs réussites et leurs échecs ont des conséquences plus lourdes. Cette situation prend des proportions exagérées dans le cas des enfants uniques, qui sont de plus en plus nombreux. De nos jours, les parents ayant un revenu décent ont plus de facilité à travailler et à jouer leur rôle de parent dans le cadre du mariage ; il leur est beaucoup plus facile que leurs ancêtres du XIXe ou du début du XXe siècle d'être des époux qui sont aussi des partenaires égaux. D'un autre côté, lorsqu'ils vieillissent et ont besoin d'aide, c'est souvent l'État qui doit assumer à leur égard un rôle qui était autrefois dévolu aux enfants.

Mais les familles nombreuses ne sont pas uniquement chose du passé. Certains groupes, qui sont généralement d'obédience religieuse, continuent de les promouvoir. Quiverful, un mouvement chrétien conservateur du milieu des années 1990, « s'en remet à Dieu pour ce qui est de la grosseur de la famille [et apporte une réponse] aux questions de ceux qui cherchent la vérité à cette étape critique de l'histoire du mariage ». Quiverful glorifie le don de son ventre à Dieu afin qu'Il en use comme bon lui plaira, comme il est dit dans le *psaume* 127, 3-5 : « Voici, c'est un héritage de Yhaweh, que les enfants ; une récompense, que les fruits d'un sein fécond. Comme les flèches dans la main d'un guerrier, ainsi sont les fils de la jeunesse. Heureux l'homme qui a rempli son carquois ! Il ne rougira pas quand il répondra aux ennemis à la porte de la ville. » Il va sans dire que les familles Quiverful n'utilisent pas de méthodes contraceptives et acceptent toutes les grossesses comme un don de Dieu.

Les Américains Jerry et Heather Milburn avaient déjà deux enfants avant de « connaître vraiment Dieu » ; c'est à ce moment, écrit Heather, qu'ils adhérèrent au mouvement Quiverful. Après qu'il fut établi que ses cinq enfants souffraient d'une maladie dégénérative mitochondriale extrêmement douloureuse, écrit encore Heather, un tollé général les enjoignit, elle et Jerry, de « cesser de produire des " enfants brisés " (insérez ici un gros roulement d'yeux). [Mais] nous avons continué de croire [...] qu'IL avait raison, et nous avons donc continué de garder mon ventre à Ses pieds jusqu'à ce qu'Il nous dise de faire autrement. Eh bien, même si c'est ce que nous escomptions le moins, Il se prononça dans un autre sens. [...] Aujourd'hui, Jerry et moi [...] avons quitté le mouvement Quiverful et nous demandons à Dieu comment ne plus être Quiverful, car c'est là une notion nouvelle pour nous. » Parallèlement, dit Heather, « j'ai le sentiment que notre carquois est plein quoi qu'il arrive ensuite. Mais, ajoute-t-elle, il y a toujours de la place pour plus [de flèches][9]. »

Même les couples Quiverful peuvent être stériles, ce qui malgré tout peut produire des familles encore plus grandes lorsque les parents qui utilisent des techniques génésiques conservent tous les fœtus (et, du point de vue médical, il y a de bonnes raisons d'agir ainsi). Deux exemples récents et très publicisés sont ceux de Jon et Kate Gosselin, dont le programme télévisé, *Jon & Kate Plus 8*, suit la vie quotidienne de leurs jumeaux et de leurs sextuplés, qui ont tous été conçus au moyen de techniques génésiques. Leur mariage n'a pas survécu, et son échec s'est traduit par une chute immédiate du nombre de téléspectateurs. Par ailleurs, le public réagit avec une fascination mêlée de dégoût en apprenant que Nadya Suleman, une mère célibataire connue sous le nom d'Octomom, retournait à la petite maison de ses parents avec ses octuplés conçus au moyen de techniques génésiques… où ils rejoindraient leurs frères et sœurs sextuplés. Vu que Suleman est une mère célibataire qui s'est appuyée sur ses parents retraités pour son soutien financier et les soins à donner à ses six premiers enfants, et que sa mère, qui est maintenant ruinée, a publiquement dénoncé l'inconscience de sa décision d'avoir d'autres enfants, et surtout huit autres enfants, les gens sont outragés de voir que les fonds publics devront probablement être mis à contribution pour subvenir aux besoins de l'importante progéniture de Suleman.

Sauf pour les gens qui sont très riches (ou qui, comme Suleman, sont avides de publicité), le fardeau financier que représente une famille nombreuse est lourd. Il s'accompagne souvent d'une privation de sommeil, le style de vie des parents subissant des modifications radicales, ce qui provoque des tensions dans le couple.

Dans *Fourteen: Growing Up Alone in a Crowd* [*Une famille de quatorze enfants ou Grandir seul dans une foule*], l'Américain Stephen Zanichkowsky décrit, avec une douleur cathartique, son éducation comme un des quatorze enfants de parents catholiques fervents. «Les aînés étaient prêts à prendre la porte avant que les derniers enfants soient passés de la salle d'accouchement à la maison.» De 1942 à 1961, sa mère, autrefois séduisante et pleine de vivacité, fut presque constamment enceinte; après le cinquième enfant, elle devint si lourde que son dos en souffrit et son corps fut «éprouvé au-delà de ses limites avant qu'elle ait pu en tirer beaucoup de plaisir». Durant quelque trente années, «les tâches ménagères et la maternité occupèrent tous ses instants. À l'image d'un trou noir, ses enfants devinrent le tourbillon gravitationnel dans lequel elle s'enfonçait.»

De son côté, la célèbre chanteuse canadienne Céline Dion, la plus jeune d'une famille de quatorze enfants, a été nourrie et encouragée par des parents mélomanes, et dorlotée par ses frères et sœurs plus âgés. Dans les régions rurales du Canada français, où les grosses familles d'autrefois s'étaient rétrécies jusqu'à rejoindre les taux de fécondité les plus bas en Amérique du Nord, les Dion persistaient à vouloir tout faire *en famille* en dépit de leur pauvreté; ils aidèrent

Céline à lancer sa carrière météorique. S'il y eut du ressentiment, des rivalités ou de la négligence, les Dion n'en font pas mention. Suivant Céline, ses frères et sœurs travaillent fort, ont un bon esprit et « il n'y a personne de fou ou de stupide chez nous ».

Pour Céline, naître dans une famille pauvre a « jeté les bases de l'amour — être capable de compter sur des frères, des sœurs et des parents — vous savez qu'il y a là des gens qui vous appuient ». Elle a toujours été proche de sa mère : « Pour moi, c'est une déesse, mon idole, la personne que j'admire le plus. [...] Elle n'avait rien. Et pourtant, tout ce dont nous avions besoin, elle nous l'a donné. Elle nous a donné sa vie[10]. » À l'exemple des époux Zanichkowsky, les parents de Céline ont vécu ensemble jusqu'à ce que la mort les sépare.

Les différents types de familles

Par le passé, la mort d'un des conjoints était souvent l'occasion de reconstituer une famille : les veufs et les veuves se remariaient et élevaient leurs propres enfants avec les demi-frères et les demi-sœurs, les beaux-enfants et, souvent, les orphelins de mariages antérieurs. De nos jours, le divorce a remplacé le décès comme cause principale d'une telle situation : les remariages comme les mariages produisent des familles qui peuvent être primaires, recomposées ou reconstituées. Dans la famille primaire, les enfants sont les enfants biologiques ou adoptés des deux époux. Dans la famille recomposée, au moins un des enfants a été conçu par les deux parents. Dans la famille reconstituée, les enfants ont une relation biologique (ou juridique, dans le cas des enfants adoptés) avec un seul des deux époux.

Dans la famille primaire, la principale question reste de savoir comment la mère joue son rôle de mère : reste-t-elle à la maison ou va-t-elle travailler, à temps partiel ou à temps plein, à l'extérieur ? En fait, la plupart des femmes travaillent à l'extérieur, ainsi que des études le démontrent (et comme certains critiques le regrettent). Il s'agit alors de déterminer dans quelle mesure cette situation est à l'origine des problèmes de délinquance, de décrochage scolaire, de criminalité, d'alcoolisme et de drogue.

Pendant ce temps, les mères continuent de se soucier de problèmes liés à l'éducation de leurs enfants : devraient-elles utiliser des langes de coton ou des couches jetables ; devraient-elles aller encore plus loin dans leur préoccupation pour l'environnement et apprendre à leurs petits à aller sur le pot en les surveillant sans arrêt pour éviter les dégâts ? Devraient-elles les allaiter et donner ainsi à leurs petits l'aliment le plus nourrissant pour eux, ou devraient-elles utiliser le biberon, ce qui leur permettrait de partager avec leur mari la joie de nourrir leur enfant ? Lorsqu'elles sont au travail, devraient-elles se retirer dans le lieu le plus discret possible pour pomper le lait de leurs seins et le mettre de côté pour plus tard, ou devraient-elles agir au vu et au su de tous ? Devraient-elles sevrer leur enfant au bout de quelques mois, ou continuer de l'allaiter pendant au moins un an ? Devraient-elles préparer elles-mêmes tous les repas de leurs petits, ou seulement une partie en complétant avec des produits commerciaux, ou n'utiliser que ces derniers ?

Ces choix réels et importants en dissimulent souvent un autre : les femmes devraient-elles rester à la maison pour élever leurs enfants ou devraient-elles exercer un droit chèrement acquis, celui d'étudier, de suivre une formation ou un apprentissage et de travailler ? Les discussions tendent à provoquer la culpabilité des femmes qui ne se sentent pas parfaites comme mères, mais qui ont aussi le sentiment de manquer des occasions d'avoir une meilleure scolarisation, d'exploiter leurs talents et d'acquérir des compétences supérieures. Il y a un lot de sous-entendus contradictoires : d'un côté, les avantages démontrés de l'allaitement sur demande et d'une maternité joyeuse et décontractée, et de l'autre, une lactation douloureuse ou insuffisante, le ressentiment et la frustration des mères obligées de rester à la maison, ainsi que les contraintes financières. Suivant leur point de vue et leur situation personnelle, les femmes et leurs maris répondent à ces questions en prenant des décisions qui façonnent leur mariage.

Les beaux-parents et le mariage

Environ un tiers des divorces posent le problème de la garde des enfants, beaucoup de parents se remariant et devenant ainsi des beaux-parents. Avec ces remariages, ainsi que les premiers mariages de parents célibataires, la famille recomposée ou reconstituée est devenue presque aussi courante que les premiers mariages sans enfants. Le quart des enfants nord-américains grandiront dans des belles-familles et au moins 10 % des enfants vivront dans de telles familles. Même lorsqu'elles sont formées avec les meilleures intentions possibles, ces familles sont des structures délicates marquées par la méfiance, le ressentiment et des loyautés antagonistes qui peuvent menacer le cœur du mariage.

Les remariages sont aussi nombreux de nos jours qu'au XVIIIᵉ siècle et aux époques antérieures. Mais ils sont maintenant très différents, car 18 % seulement des belles-mères vivent avec leurs beaux-enfants. Lorsqu'Elizabeth Packard, Caroline Norton et des milliers d'autres femmes mettaient fin à leurs mariages misérables, leurs maris avaient automatiquement la garde des enfants. C'est maintenant l'inverse qui est vrai, les femmes obtenant habituellement la garde de leurs enfants. Lorsque ces femmes se remarient, leurs nouveaux maris deviennent des beaux-pères résidents. Par conséquent, les beaux-pères résidents sont beaucoup plus nombreux qu'auparavant, et ils redessinent le visage de leurs unions recomposées.

La dynamique du rôle de beau-parent est complexe et mystérieuse, elle s'enracine dans le cœur et les caprices de l'émotion humaine, mais aussi dans les droits de succession. Toutefois, la relation entre le beau-parent et le beau-fils ou la belle-fille est essentielle pour le bonheur et la réussite du mariage. Trop souvent, les recherches effectuées sur cette dimension cruciale servent de munitions contre le divorce. Beaucoup d'études arrivent à la conclusion que les femmes qui quittent le père de leurs enfants pour se remarier (ou habiter avec un autre homme) font courir à leurs enfants de plus grands risques de violence que les enfants qui sont élevés par leurs parents biologiques[11]. Désormais, la cape de la belle-mère méchante peut aussi se retrouver sur les épaules du beau-père méchant.

Il y a seize cents ans environ, saint Jérôme savait déjà tout cela. En se remariant, disait-il à une veuve ayant un tel projet, « une mère donne à son enfant non pas un beau-père mais un ennemi; non pas un parent mais un tyran [...]. Vous n'aurez pas le droit d'aimer vos propres enfants ou de vous occuper tendrement de ceux que vous avez mis au monde. [...] Si lui, de son côté, a un héritier d'une femme antérieure, lorsqu'il vous amènera dans sa maison, même si vous avez un cœur d'or, vous serez la belle-mère cruelle[12]. »

Il est vrai qu'il y a plus de beaux-pères que de pères biologiques violents. L'effet Cendrillon — la théorie suivant laquelle les enfants courent plus de risques de subir des violences physiques ou sexuelles de la part des beaux-parents résidents, habituellement les beaux-pères — a été examiné et documenté par beaucoup de spécialistes en sciences sociales[13]. Ils ne suivent pas tous l'interprétation darwinienne, suivant laquelle les beaux-pères — comme c'est le cas chez les lions, les dauphins, les singes langur, les corbeaux — sont poussés à éliminer les rivaux et à donner la préférence à leurs propres rejetons. Certains chercheurs laissent entendre que la violence pourrait prendre racine dans les circonstances qui entourent le remariage. Par exemple, les femmes pauvres et peu scolarisées se remarient (ou cohabitent) plus rapidement que leurs sœurs mieux nanties, et transfèrent les tensions de leur lutte pour la survie financière dans leur nouvelle relation. Ceux qui se remarient se fréquentent moins longtemps avant de se marier que ceux qui se marient pour la première fois; souvent, ceux qui se remarient habitent déjà ensemble au moment du mariage. La plupart d'entre eux ne prennent pas la peine de discuter des questions relatives au rôle de beau-parent, peut-être pour éviter de saboter l'union avant même qu'elle ait commencé, ou peut-être parce qu'ils espèrent étouffer le problème dans l'œuf. Il arrive aussi que ceux qui se remarient amènent avec eux des enfants qui ont souffert, qui sont en colère ou qui éprouvent du ressentiment; mais beaucoup d'enfants peuvent aussi être contents d'être débarrassés des tensions (ou pire) qui existaient entre leurs parents en train de se chicaner. Par ailleurs, les enfants des veuves et des veufs qui se remarient sont plus portés à avoir de la peine, à se sentir confus ou trahis.

Une autre source de complications survient lorsque les nouveaux beaux-parents découvrent que le second parent biologique de leur beau-fils ou belle-fille sera présent dans la vie de leur mariage. Les ententes de coparentalité, qui sont de plus en plus courantes, entraînent des contacts constants, une communication et même des négociations avec l'ex-conjoint. Elles nécessitent la coopération de toutes les parties, ainsi que de la courtoisie, voire de la cordialité; cependant, ces qualités sont souvent forcées quand elles ne sont tout simplement pas absentes. Ce genre de situation fait intervenir un partage de valeurs et, jusqu'à un certain point, d'argent. Il touche aussi un plus grand nombre de grands-parents ainsi que les membres des familles des conjoints ou ex-conjoints. Pour éviter la rupture, le nouveau mariage doit être suffisamment élastique pour embrasser tous les divers joueurs, de même que leur participation au développement des enfants.

Lorsque les nouveaux époux ont déjà chacun des enfants, ceux-ci deviennent en quelque sorte les frères et sœurs des beaux-enfants, ce qui amène de nouvelles complications et des problèmes de loyauté divisée. Près de la moitié des femmes donnent naissance à des enfants deux ans après leur remariage. À moins que le nouveau-né ne soit le premier enfant du couple, la dynamique du rôle de beau-parent envahit alors le mariage, créant des conflits d'appartenance.

En raison de la prévalence du divorce en Amérique du Nord, le flot continu d'études portant sur les beaux-parents rencontre beaucoup d'intérêt dans le public. Le fait qu'un grand nombre de spécialistes et de journalistes qui réfléchissent sur ces questions sont des belles-mères, ou connaissent des personnes dans cette situation, tend à prévenir des descriptions faussées. Au contraire, ils reconnaissent les défis auxquels les belles-mères doivent faire face, et se demandent ce qui peut bien amener certaines mères adoptives à agir négativement dans leurs rapports avec leurs beaux-enfants. Ils se demandent pourquoi un si grand nombre d'entre elles se sentent dépassées et sans défense, pleines de ressentiment devant l'impuissance de leur mari à les aider et à les soutenir. Elles sont blessées du fait d'être exclues de la relation du père avec son enfant, épuisées et frustrées de devoir continuer à assumer la plus grosse partie des soins à donner à l'enfant et des tâches ménagères. Un grand nombre de groupes de soutien a vu le jour: *Childless Stepmoms* [*Les belles-mères sans enfants*] (celles qui sont le plus susceptibles de voir leur mariage se terminer par un divorce), «qui cherchent à s'adapter à la vie dans une belle-famille»; *Life in a Blender* [*La vie dans un mélangeur*], pour les mères biologiques et les belles-mères centrées sur les enfants; *Second Wives Café* [*Le café des secondes épouses*] et *Second Wives Club* [*Le club des secondes épouses*], des communautés virtuelles qui aident les secondes épouses; *Stepmom Retreat* [*Le refuge des belles-mères*]; *Stepmoms Penpal Network* [*Le réseau des belles-mères par correspondance*], pour le mentorat; et *Stepmom Station* [*La station des belles-mères*].

Les beaux-pères résidents, qui sont beaucoup plus nombreux que les belles-mères résidentes, sont aux prises avec moins de stéréotypes négatifs que celles-ci. Cependant, le rôle de ces beaux-pères est compliqué par le fait que beaucoup d'entre eux sont des pères divorcés dont l'ex-épouse a la garde des enfants ; or ils vivent maintenant avec les enfants de leur nouvelle femme. D'autres sont des hommes sans enfants qui doivent maintenant assumer un rôle parental. Souvent, ils auront ensuite des enfants avec la mère de leurs beaux-enfants.

La majorité des beaux-parents sont bons et responsables, et exercent une influence stabilisatrice sur la vie de leurs beaux-enfants. Cependant, il reste toujours des doutes sur leur impartialité, leur patience, leur sévérité, leur engagement et, s'agissant de leurs belles-filles, leur rectitude sexuelle. Mais les études qui documentent la violence sont appuyées par d'autres rapports, notamment par des mémoires rédigés par des beaux-enfants ayant été victimes ou maltraités, ou par des belles-mères qui éprouvent des remords. Il y a un besoin urgent d'études sur les facteurs de risques, afin de mettre au point des politiques qui protégeront les enfants. Quels sont les mariages qui risquent le plus d'engendrer une dynamique interpersonnelle violente marquée par la violence ? Quelles sont les ressources qui existent pour les pères violents ?

Le pluralisme racial des parents et des enfants

Dans une Amérique de plus en plus multiculturelle, les parents doivent apprendre à leurs enfants comment grandir dans leur monde en donnant un sens à leur identité raciale et culturelle. C'est là un processus complexe, souvent angoissant ; pour les enfants métis, il peut être une source de confusion et même d'aliénation. Les familles immigrantes doivent inculquer à leurs enfants des valeurs praticables en Amérique du Nord. Ils doivent régler des questions comme les sorties entre garçons et filles, les codes relatifs à la tenue vestimentaire, les petits boulots après les heures de cours et le travail scolaire. De plus, les parents doivent s'attendre à ce que leurs enfants subissent des préjudices et soient soumis à des tensions sur le plan des relations sociales ; ils doivent les conseiller et leur montrer comment s'en sortir.

Dans « Ethnically Correct Doll : Toying with the Race Industry » [« Des poupées ethniquement correctes ou Comment jouer avec l'industrie raciale »], une étude de 1999 sur la manière dont les fillettes afro-américaines d'un pauvre secteur ouvrier de New Haven, au Connecticut, communiquent avec leurs poupées, l'anthropologue Elizabeth Chin fournit une optique d'analyse pour aborder ces grandes questions. En 1991, Mattel avait déjà commencé à commercialiser Shani, Asha et Nichelle, des poupées Barbie afro-américanisées censées rectifier le « présupposé de blancheur » associé à Barbie. Toutefois, Mattel et les autres fabricants de jouets précisèrent que ce n'était pas à eux de faire en sorte que ces nouvelles poupées soient accessibles aux enfants défavorisés sur le plan économique. C'est ainsi que les fillettes pauvres étudiées par Elizabeth Chin continuèrent de jouer avec leurs vieilles Barbie blanches ; mais elles les transformaient en leur faisant des tresses ornées de perles, suivant le style afro-américain. Elizabeth Chin observe qu'elles pouvaient « reconnaître, à plusieurs niveaux, le fait que la race est une notion qui se construit socialement, ainsi que la souplesse de l'expérience raciale »[14].

Les parents qui ont des enfants métis ou eurasiens ont une mission spéciale, celle de guider leurs enfants qui luttent avec une identité qui leur paraît souvent ambiguë. Ce processus s'accompagne souvent de confusion et d'angoisse. Aux États-Unis, par exemple, ce n'est qu'en 1999 que les formulaires officiels furent modifiés pour permettre aux gens de s'identifier comme métis plutôt que comme représentants de telle ou telle race. À sa naissance, Tiger Wood, qui a une origine multiraciale, était officiellement « Noir » ou « Asiatique » ; dorénavant, il peut se présenter lui-même comme Cablonésien — Caucasien, Noir, Asiatique et Américain.

Les parents ne doivent pas se contenter de veiller à la sécurité de leurs enfants métis. Ils doivent aussi les aider à accepter le fait que le mariage de leurs parents — qui est l'événement déclencheur, mais non la cause de leur combat pour trouver leur place dans un monde divisé du point de vue racial et ravagé par les conflits — est à la fois une zone protégée et une contestation vivante des valeurs de ce monde. Les besoins complexes et impérieux des enfants métis représentent une lourde responsabilité, qui s'ajoute aux autres, pour les parents. Les efforts faits pour satisfaire ces besoins peuvent mettre un mariage à rude épreuve, mais ils peuvent aussi le rendre plus fort.

Au cours des vingt dernières années, les familles comprenant des enfants adoptés à l'étranger ou au pays sont devenues un phénomène de plus en plus courant en Amérique du Nord. Les défis que doivent affronter ces familles sont uniques en leur genre. Ce changement social s'accompagne d'attitudes de plus en plus multiculturalistes et « daltoniennes » ou oublieuses des différences ; les politiques publiques reflètent ces changements et montrent que le combat pour instaurer l'harmonie raciale a commencé. Avant la Deuxième Guerre mondiale, on n'entendait pour ainsi dire jamais parler de parents ayant adopté un enfant qui était d'une autre race que les parents (de même race). En 1944, aux États-Unis, l'Opération Brown Baby [Opération bébés bruns] tenta de faire adopter des enfants asiatiques, autochtones et afro-américains par de bonnes familles de toutes les races. L'époque des droits civiques a connu une augmentation exceptionnelle de ces adoptions : aux États-Unis, elles sont passées de 733 en 1968 à 2 574 en 1971.

Pearl S. Buck, titulaire du prix Pulitzer et du prix Nobel de littérature, était si proche de la Chine, où elle immigra avec ses parents missionnaires à l'âge de trois mois, que les Chinois la considèrent comme un écrivain chinois. Elle était si découragée de la condition désespérée des orphelins ou des enfants biraciaux abandonnés qu'elle créa des fondations qui donnèrent des milliers de ces enfants en adoption. Avec son mari, elle adopta sept de ces enfants. « Si notre mode de vie américain néglige les enfants, il nous néglige tous », disait-elle.

Dans un article intitulé « I Am the Better Woman for Having My Two Black Children » [« Mes deux enfants noirs ont fait de moi une meilleure femme »], Pearl Buck raconte comment elle a adopté la première de ses deux filles, laquelle était née en Allemagne d'une mère allemande et d'un père afro-américain disparu. « Ce fut une double cérémonie. J'ai demandé au juge de lui demander à elle aussi de nous adopter. Elle était alors assez grande pour comprendre. Ce fut une belle et sainte petite cérémonie ; nous n'étions que nous quatre dans son cabinet privé. Elle scella notre amour[15]. »

Dans les années 1960, deux Américains du Minnesota, Joe et Jan Rigert, adoptèrent sept enfants de diverses origines : « Japonais, Indien d'Asie, Mexicain, Noir, Indien d'Amérique, tout ! » Journaliste d'enquête, Joe écrivait souvent sur sa famille colorée. Contrairement à sa femme, qui avait grandi dans une petite famille, Joe venait d'une famille de treize enfants — « une chose terrible pour ma mère » — et il se serait contenté de l'enfant unique que lui et sa femme avaient eu. Mais par le biais de programmes d'action sociale catholique comprenant des adoptions d'enfants de diverses races, dit-il, « ma femme et moi commençâmes à nous intéresser sérieusement à l'adoption. [...] Ce fut d'abord un enfant, puis un autre. Ma femme poussait et poussait pour en adopter toujours plus et je finis par me rallier à son point de vue. »

Au début, les Rigert vivaient dans une petite paroisse presque semi-rurale, dirigée par un prêtre irlandais très libéral ; par la suite, ils déménagèrent à Minneapolis, où les gens sont ouverts. « C'est une chouette famille, disait Rigert, qui présente une belle diversité. [...] Ils font toutes sortes de choses et je pense que c'est merveilleux [...] pour moi et pour ma femme aussi. L'emballement causé par tout ce changement et ces différences [...] cela a été une grande expérience pour nous[16]. »

La manière de penser de cette époque concernant les adoptions interraciales changea radicalement en 1972, lorsque la National Association of Black Social Workers [Association des travailleurs sociaux noirs des États-Unis] « s'opposa férocement à ce qu'on place des enfants noirs dans des familles blanches pour quelque motif que ce soit ». L'appartenance ethnique, disaient-ils, « est un mode de vie aux États-Unis et dans l'ensemble du monde ; c'est une construction sociale viable, adaptée, significative et légitime. Cela n'est pas moins vrai ou justifié dans le cas des peuples noirs que pour les autres groupes ethniques[17]. » Les adoptions d'enfants noirs par des familles blanches tombèrent presque à zéro.

Vingt ans plus tard, les attitudes changèrent à nouveau. Les placements en vue d'une adoption ne suivaient plus des règles strictes en matière d'identité raciale[18]. Les mariages interraciaux, avec leurs bébés métis, montèrent en flèche. La nouvelle tolérance pour les enfants nés hors du mariage encouragea les femmes non mariées à garder et à élever leurs enfants. La pénurie d'enfants adoptables envoya aux quatre coins du monde des parents adoptifs potentiels prêts à aimer et à chérir les petits sans lesquels leur vie serait incomplète.

Des milliers d'entre eux étaient de petites Chinoises abandonnées et non désirées par leurs parents soumis à la politique de l'enfant unique, dans un pays autoritaire dont la culture n'en a que pour les fils. « Les nouveau-nées chinoises sont si peu désirées, si peu aimées, qu'elles sont [...] abandonnées sous les ponts, dans les salles d'attente des hôpitaux, ou près des commissariats de police. Lorsqu'elles survivent, elles finissent dans des orphelinats », écrit la journaliste Jan Wong[19]. Cette situation diminue la culpabilité que les parents adoptifs peuvent avoir en retirant ces enfants de leur continent, de leur pays et de leur culture. (De fait, 91 % des Chinois adoptés sont des filles.)

Toutefois, la Chine et la plupart des autres pays qui autorisent l'adoption étrangère la rendent difficile en imposant des normes de plus en plus rigoureuses aux parents potentiels. En 2007, la Chine stipula que les parents adoptifs devaient être mariés. Les candidats obèses, ceux qui sont défigurés, ceux qui ont pris des antidépresseurs au cours des deux années précédant leur demande, et maintenant les célibataires, sont irrecevables[20]. La Chine pense que les enfants seront mieux élevés par des hommes et des femmes en santé, financièrement à l'aise, scolarisés et unis dans un mariage solide ; les étrangers doivent se soumettre à ces conditions.

Que leurs enfants soient chinois ou d'une autre origine, les parents adoptifs ont des responsabilités qui dépassent celles des parents bio-logiques. Ils doivent se familiariser avec la culture du pays d'origine de leur enfant, faire la connaissance de personnes appartenant à celle-ci et intégrer à leurs habitudes des activités relatives à cette culture. Ils doivent être conscients de tout problème médical associé à cette origine, telle la drépanocytose ou la thalassémie. Ils doivent apprendre comment mettre en valeur l'apparence de leur enfant, comment arranger les cheveux bouclés, doux et fragiles, de leur enfant noir. Ils doivent aussi aborder la question des différences visibles entre les membres de leur famille — la couleur de peau, la forme des yeux, la texture des cheveux, et toutes les caractéristiques physiques qui définissent l'origine raciale.

Mais de tous les problèmes qu'ils doivent affronter, le plus important est le racisme : les insultes qui vont de soi, les blagues ethniques, les présupposés racistes et les non-dits. Les parents doivent exercer une vigilance constante, mais ils doivent aussi savoir user de sensibilité, de tolérance et du pouvoir guérisseur du rire. L'ethnicité ne doit pas obs-curcir la vie quotidienne et l'amour qui unit les membres de la famille. Les enfants ainsi que leurs expériences et leurs perceptions multiples sont de bons points de repère. «Les gens me demandent si je suis ou non gênée d'avoir des parents blancs, écrit Jasmine Bent, qui a été adoptée en Chine. En fait, mon seul embarras est d'avoir *mes* parents. Je suis contente, en effet, que mes parents ne soient pas des parents traditionnels chinois, qui semblent mettre beaucoup de pression sur leurs enfants pour qu'ils soient toujours parfaits sur le plan scolaire et qui semblent penser que les activités de loisir ne sont pas importantes. [...] Cela dit, lorsque j'étais jeune, ma vie aurait été plus facile si j'avais ressemblé à mes parents.» Lia Calderone, une jeune Chinoise adoptée par des parents italiens, répond à la question fréquente concernant l'identité de ses «vrais parents»: «Les parents avec lesquels je vis sont mes vrais parents. [...] Je ne me suis jamais posé beaucoup de questions sur mes parents biologiques.» Alissa, la petite sœur de Lia, est plus curieuse et elle souhaite retrouver ses parents biologiques chinois[21].

La multiplication des adoptions interraciales et étrangères est un nouvel aspect de l'éducation des enfants nord-américains. Pour les couples infertiles, l'adoption est la solution; l'adoption enrichit la vie des familles qui sont désireuses de partager leur situation avantageuse avec des enfants qui n'ont pas eu leur chance. Les neuf mois de grossesse sont remplacés par deux ou trois ans de paperasserie administrative; les parents se retrouvent dans des comités de parents adoptifs qui les soutiennent. L'adoption incite (et parfois, oblige) les conjoints de fait à se marier afin de répondre aux normes de la Chine et d'autres pays. Les frais élevés et la forte demande limitent les adoptions à ceux qui font un bon salaire; les parents adoptifs sont donc presque toujours des hommes et des femmes de la classe moyenne ou supérieure, et ce sont habituellement des Blancs. Le phénomène est nouveau, mais comme il fait l'objet de nombreuses études, on peut supposer que nous connaîtrons un jour les secrets de ces mariages et des enfants élevés en leur sein.

Les futures politiques sur les enfants

Les gouvernements et ceux qui ont une responsabilité publique, y compris les religieux, ont toujours conçu et élaboré des politiques publiques sur le mariage, les familles et les enfants. Avant l'avènement du cyberespace, lorsqu'ils tenaient des consultations publiques, celles-ci prenaient la forme d'audiences formelles, de séances de discussion ouverte ou de consultations communautaires ; ils communiquaient aussi avec les spécialistes et les législateurs. Or, le cyberespace permet aux citoyens de trouver rapidement des individus ou des groupes avec des vues similaires aux leurs ; indépendamment des autorités, ils peuvent facilement réunir des collectifs échangeant des idées pour démêler des intérêts communs, définir des priorités ou inciter des partisans à se joindre à eux. Forts de la facilité avec laquelle ils peuvent communiquer, conscients de leurs besoins et de leurs objectifs, ces nouveaux groupes font ensuite pression sur les pouvoirs en place en usant d'une influence qui était autrefois réservée aux lobbyistes ayant des moyens financiers et des relations.

Aux États-Unis, un de ces groupes est le remarquable MomsRising, qui réunit des centaines de milliers de citoyens prêts à en recruter des millions d'autres pour « travailler à construire une formidable ressource populaire en direct qui mettra les questions touchant la maternité et la famille à l'avant-scène de la conscience nationale ». Vu que les soins à l'enfant et les familles sont partie intégrante du mariage, les politiques que défend MomsRising pourraient influencer profondément la manière dont les Américains élèvent leurs enfants. Avec leur logo de Rosie la Riveteuse portant en l'air un bébé, MomsRising est un outil puissant qui exprime le besoin de politiques publiques judicieuses pour aider les mères — et les pères — à mieux élever leurs enfants.

MomsRising cherche aussi à changer les mœurs culturelles qui maintiennent en place les vieilles manières de faire, celles qui ont fait des États-Unis le pays le plus rétrograde de l'Occident en matière de congé parental. Ailleurs dans le monde, les seuls pays qui n'offrent aucun congé parental payé sont le Lesotho, le Swaziland et la Papouasie-Nouvelle-Guinée. « Nous sommes prisonniers d'une mentalité datant des années 1950, laquelle présupposait qu'il y avait une femme restant à la maison pour s'occuper à plein temps des enfants (même si on sait que les femmes qui avaient de faibles revenus avaient rarement ce choix), dit MomsRising. Il est temps que nos politiques législatives et nos lieux de travail reflètent la dynamique de la famille américaine moderne [...]. Dans les pays qui ont des politiques pro-famille — comprenant des congés pour obligations familiales, l'accessibilité des

soins de santé, des politiques souples en matière de travail, des garderies subventionnées —, les mères n'ont pas, comme ici, de telles différences de salaire avec les hommes. C'est ce qui explique, en partie,
pourquoi il y a tant de femmes américaines et d'enfants américains
qui vivent dans la pauvreté, et pourquoi il y a si peu de femmes dans
les postes clés. »

MomsRising cite des statistiques qui expliquent la crise que
traversent de nombreux mariages. Même avant la récession de 2008,
aux États-Unis, un quart des familles ayant des enfants de moins de
six ans vivaient dans la pauvreté. Neuf millions d'enfants n'ont pas de
protection en matière de soins de santé ou sont mal assurés. Quatorze
millions d'enfants, dont quarante mille qui fréquentent l'école maternelle, sont laissés sans surveillance après l'école, en raison du manque
de programmes de garde parascolaire à prix abordable. Les femmes
mariées au travail gagnent 73 ¢ pour chaque dollar gagné par un
homme ; chez les mères monoparentales, ce rapport descend à 60 ¢
pour un dollar. Pourtant, les trois quarts des mères américaines,
qu'elles soient mariées ou non, sont sur le marché du travail.

Ce dont nous avons besoin, soutient ce mouvement, ce sont de
congés de maternité et de paternité, de lois qui permettent les horaires
variables ou à la carte, de soins de santé universels pour les enfants,
de garderies de grande qualité, et de programmes de garde parascolaire accessibles. Les recommandations de MomsRising visent à
améliorer le bien-être des enfants, ce qui aurait pour effet de renforcer
la structure et d'assurer la stabilité des mariages ou des unions qui
engendrent des enfants.

La politique familiale canadienne est beaucoup plus proche de celle
que l'on connaît en Europe[22]. En 2000, le Canada fit passer le congé
parental de dix à trente-cinq semaines, qui s'ajoutaient aux quinze
semaines de congé de maternité, avec des prestations maximales de
413 $ par semaine, payées par l'assurance-emploi. Les mères et les
pères peuvent se partager ces cinquante semaines. Avec le programme
de soins de santé universels du Canada, les frais médicaux pour un
accouchement sont négligeables.

Toutefois, au Canada comme aux États-Unis, la situation des garderies est très insatisfaisante (le Québec mis à part) ; beaucoup de
parents peinent à trouver des services de garde ou des gardiennes

d'enfants qui soient à la hauteur et à un prix abordable. En 2002-2003, environ 54 % des enfants canadiens de six mois à cinq ans étaient surveillés par quelqu'un d'autre que leurs parents, alors qu'ils étaient 42 % huit ans auparavant. Au fur et à mesure que le nombre de gardiens et de services de garde a augmenté, le nombre de ceux qui avaient reçu une formation et disposaient d'un permis a également connu une hausse. Mais ils ne sont jamais assez nombreux et, à l'exception du Québec, la difficulté de trouver des services de garde de qualité est un leitmotiv qui traverse toutes les différentes classes sociales[23].

Au Canada, les services de garde relèvent de la compétence provinciale. La situation est donc différente d'une province à l'autre. Au Québec, la politique familiale comprend le droit à des services de garde de qualité, à un prix abordable, en tant que stratégie pour lutter contre la pauvreté, favoriser l'égalité des chances, promouvoir l'économie sociale, faciliter la transition de l'aide sociale au marché du travail, et augmenter le soutien aux parents qui travaillent, afin de « renforcer les valeurs les plus importantes de notre société : le sens de la famille et l'amour des enfants », disait Pauline Marois, chef de l'opposition officielle, qui fut ministre de l'Éducation de 1996 à 1998. Madame Marois ajoutait que le nombre croissant de chefs de familles monoparentales, de familles reconstituées et de femmes au travail a forcé les gouvernements à adapter leurs politiques aux nouveaux besoins des enfants. Afin d'assurer leur développement et leur réussite scolaire, il était nécessaire d'intervenir auprès de la petite enfance et des services de garde.

Mais le Québec reste l'exception, même si un sondage effectué en 2003 a montré que 86 % des Canadiens conviennent qu'un système public de services de garde à l'enfance financé par l'État devrait faire en sorte que des services de garde de qualité soient accessibles à tous les Canadiens. Les statistiques du gouvernement canadien confirment que les parents ont raison de se plaindre de la rareté des services de garde de qualité. Au Québec, une famille de deux enfants avec un revenu familial de 75 000 $ doit débourser annuellement 1 207 $ par enfant pour les services de garde, alors qu'en Saskatchewan, où de tels services sont les plus abordables après le Québec, les frais s'élèvent à 6 974 $. La moyenne canadienne (en excluant le Québec) est de 7 145 $.

Au fur et à mesure que le principe du droit des enfants à des services de garde de qualité (sans même tenir compte de la capacité des parents à payer pour de tels services) gagne du terrain, l'idée de services de garde financés par l'État progresse également. Les répercussions de telles politiques sur le mariage et sur les familles, traditionnelles ou recomposées, seront puissantes et positives, malgré les sceptiques qui dénoncent l'État providence et répètent à l'envi que les mères feraient mieux de rester à la maison pour élever leurs enfants. Mais, comme la plupart des femmes, les mères continueront de travailler ; l'accessibilité des soins de garde améliorera leur vie et leur aptitude à assumer leurs responsabilités familiales, y compris celles qui se rapportent à leur mariage.

Le monde en évolution et la pilule anticonceptionnelle ont contribué à chasser l'idéal du xixe siècle, celui de la bonne épouse renonçant à elle-même pour faire passer les besoins de sa famille avant les siens. Homme doux et sensible, le Dr Spock se fit le porte-parole d'une nouvelle conception de la maternité : la planification des naissances, les enfants étant désirés par des femmes qui cherchent la réalisation de soi et qui, à bien des égards, veulent obtenir un traitement égal à celui des hommes. Spock a guidé des générations de parents dont les conseils les ont aidés à élever leurs enfants et à donner un sens à leur vie. Néanmoins, les politiques nord-américaines en matière de services de garde restent loin derrière les idéaux et les normes de la société en ce qui a trait aux enfants, et ce, même si la structure familiale a grandement changé.

CHAPITRE 11

Pour les riches ou pour les pauvres?
Le mariage et l'argent

Quand les difficultés économiques mettent le mariage en péril

En 2006, durant un mois entier qui fut très épuisant, Jan Wong, journaliste au *Globe and Mail*, vécut comme une mère seule qui serait forcée de retourner au travail à cause de problèmes familiaux. Sa mission était de faire l'expérience d'un travail de 40 heures/semaine, rémunéré au salaire minimum.

La journaliste eut vite fait de découvrir qu'au cours des trente dernières années, l'inflation a érodé le pouvoir d'achat des Canadiens travaillant au salaire minimum de 13 % (en chiffres absolus), alors qu'au même moment, les normes en matière de mode de vie connaissaient une escalade sans précédent. Par conséquent, un employé travaillant à plein temps au salaire minimum ne gagnait même pas la moitié du montant déterminé par Statistique Canada comme le seuil de faible revenu (servant à fixer le seuil de pauvreté), soit 31 126 $ pour une famille de trois enfants. Même un salaire horaire de 10 $ était lamentablement insuffisant. La réalité est qu'un Canadien sur six — en majorité des femmes — travaille à plein temps pour un salaire insuffisant à assurer un mode de vie décent. (À Toronto, où Jan Wong vit et travaille, le quart de ceux qui fréquentent les banques alimentaires sont mariés, et 17 % d'entre eux ont des enfants.)

La journaliste devint femme de ménage pour une compagnie de nettoyage. Elle gagnait 300 $ par semaine et travaillait onze jours sur quatorze. Elle tenta de faire correspondre ses dépenses à ses revenus, mais l'appartement qu'elle avait loué pour son expérience n'avait rien d'un palace. « La Masure », comme ses deux fils et elle l'appelaient, était un sous-sol illégalement transformé en appartement, sans fenêtres, et... sans cafards. Le loyer s'élevait à 750 $ par mois. Il comprenait les commodités, un accès à Internet et la possibilité d'utiliser la laveuse et la sécheuse du propriétaire. Il y avait deux chambres (mais pas de salle de séjour), ce qui était conforme aux normes des services sociaux, qui recommandent que les enfants ne dorment pas dans la même chambre que leurs parents. Il lui restait 22,06 $ par jour. Si elle avait été réellement dans cette situation, elle aurait eu droit à une réduction d'impôt pour faible revenu, à une prestation fiscale pour enfants de 204,67 $ par mois ; il ne lui aurait plus manqué que... 7 631,08 $ pour rejoindre le seuil de faible revenu.

Les Wong, qui étaient (d'habitude) bien nantis, durent apprendre à économiser et à se nourrir en respectant les limites de leur budget. Jan Wong donne un exemple de menu quotidien :

Déjeuner :

1 muffin anglais : 0,18 $
4 hot dogs : 1,10 $
1 once (28 grammes) de fromage cheddar : 0,38 $
3 œufs à la coque : 0,62 $
Beurre, confiture, beurre d'arachide : 0,50 $
Lait : 1,20 $
Thé : 0,20 $

Lunch à emporter :

6 tranches de viande froide : 1 $
6 tranches de pain : 0,60 $
3 pommes Granny Smith : 1,08 $
Noix et dates séchées : 0,75 $

Souper :

Sauce indienne pour poulet au beurre : 3 $
2 cuisses de poulet : 2,34 $
Riz basmati : 0,75 $
Brocoli : 1 $
Lait : 1,20 $
3 bananes : 0,50 $

Total : 16,40 $

Jan Wong, qui était déjà mince, perdit 2,7 kg en dix jours. Ses fils devinrent léthargiques et commencèrent à négliger leurs travaux scolaires. « De toutes les humiliations qui accompagnent la pauvreté, l'échec le plus retentissant est l'incapacité de nourrir vos enfants. » Elle savait à quel point ils mangeaient mal. Des sautés, du riz, des légumineuses n'auraient pas coûté plus cher et auraient été meilleurs pour la santé. Mais son travail l'épuisait tellement qu'une fois rentrée à la maison, elle se contentait de mets faciles à préparer.

Jan Wong essayait de reproduire l'expérience d'une femme chef de famille monoparentale qui travaille. En quoi la situation aurait-elle été différente si elle avait eu un mari qui travaillait ? S'il avait travaillé à plein temps pour un salaire horaire dépassant légèrement 10 $, et si elle avait, elle aussi, travaillé à plein temps, ils auraient à peine gagné suffisamment pour se maintenir au-dessus du seuil de faible revenu.

Ces mêmes époux devraient aussi travailler un plus grand nombre d'heures pour un salaire proportionnellement moindre que celui qu'ils auraient gagné il y a trente ans. Les pauvres qui vivent au Canada et aux États-Unis se sont donc appauvris, et avec l'économie mondiale qui internationalise la récession, leur situation est de plus en plus désespérée.

Pour les riches comme pour les pauvres, le mariage et l'argent sont étroitement liés. Au xxie siècle comme au cours des siècles précédents, le mariage est ressenti d'une façon très différente lorsqu'il se déroule dans une zone de sécurité financière. L'expérience du mariage est façonnée par les nécessités de la vie, par le fait d'avoir à débourser pour le loyer ou l'hypothèque, la nourriture, le transport, les vête-ments et les loisirs.

Au cours de la récession mondiale qui débuta en 2008, les véhicules financiers qui alimentaient le marché des prêts hypothécaires à risque — permettant à des gens qui n'auraient normalement pas pu avoir accès à un prêt hypothécaire de l'obtenir — entraînèrent le quasi-effondrement du système monétaire et financier mondial. Des millions d'Américains ont été chassés de leur maison, contribuant à grossir les rangs des familles de travailleurs à faible revenu, de travailleurs sous-employés et de chômeurs sans domicile (ou sans logement adéquat).

La crise économique a supprimé des emplois, décimé les industries et dévasté des communautés dépendantes d'une seule industrie manufacturière (par exemple, les véhicules automobiles et les pièces d'automobiles). Elle a également pesé lourd sur les mariages, remplaçant les espoirs et les rêves par l'amère réalité de l'appauvrissement, du désespoir et de la colère qui s'est traduite parfois par des violences envers l'épouse, envers un enfant ou un animal de compagnie, dont les cris de douleur se faisaient entendre dans un monde qui allait de travers. Les conseillers matrimoniaux et les avocats en droit familial rapportent un plus grand nombre de clients voulant à tout prix échapper ou remédier à leur situation difficile. Lorsqu'on n'a pas les moyens de partir, la solution peut être la « séparation » des époux, effectuée simplement en installant un rideau au milieu d'une pièce.

Même en temps normal, les finances ont une forte incidence sur les ménages. La moitié ou presque des familles canadiennes — 3,8 millions — comprennent des enfants de moins de dix-huit ans. (Cela comprend les familles monoparentales, les familles recomposées et les familles dont les parents sont mariés.) Les riches (dont le revenu familial annuel s'élève à 131 000 $ ou plus) deviennent encore plus riches, avec des revenus 15 fois plus élevés que ceux des pauvres, qui élèvent leurs enfants avec un revenu annuel de 9 400 $ ou moins. Le gros des troupes se trouve entre ces deux extrêmes, et ceux qui en font partie doivent travailler en moyenne 200 heures de plus s'ils veulent conserver leur mode de vie. La situation est la même aux États-Unis, où 7,8 millions de personnes — comprenant un nombre à peu près égal d'hommes et de femmes — doivent accepter deux emplois ou plus.

Ce genre de difficultés existait déjà avant la crise. Le salaire minimum ne réussissait pas à rejoindre le niveau d'inflation. Au Canada, en 2009, le salaire minimum allait de 7,25 $ au Nouveau-Brunswick à 8,50 $ au Nunavut ; dans les régions les plus vastes comme l'Alberta, la Colombie-Britannique, le Manitoba, l'Ontario et le Québec, il était de 8 $. Aux États-Unis, le salaire horaire minimum consenti par le gouvernement fédéral est de 7,25 $. Les taux horaires accordés par les différents États en vertu de leurs lois sur le salaire minimum atteignent un maximum de 8,55 $ dans l'État de Washington et un minimum de 5,15 $ dans le Wyoming. En Alabama, en Louisiane, au Mississippi, en Caroline du Sud et au Tennessee, le salaire minimum n'existe pas.

Avec la récession, les bons emplois dans les usines de fabrication se sont mis à disparaître, travailler dans le secteur des services étant beaucoup moins lucratif. La morne réalité de la récession a également eu pour résultat que le nombre des syndicats de travailleurs a diminué. Les employés contractuels et les emplois à court terme sont en augmentation. Les politiques fédérales — par exemple, la prestation mensuelle canadienne pour enfants, qui est exempte d'impôt — atténuent, sans pouvoir les renverser, les effets de la diminution de revenu des ménages. Au Canada, la proportion (21 %) des travailleurs mal rémunérés — ceux dont le salaire est inférieur aux deux tiers de la moyenne nationale annuelle des revenus des ménages — est une des plus élevées au monde[1].

Comment tout cela se traduit-il dans la vie quotidienne ? « Les familles font tout ce qu'on leur dit de faire pour réussir, écrit l'économiste canadien Armine Yalnizyan. [Les jeunes] restent plus longtemps aux études. Ils attendent plus longtemps avant de fonder une famille. Ils travaillent plus fort que jamais. Ils devraient être plus à l'aise que leurs parents. Pourtant, 80 % des ménages ne peuvent le prétendre[2]. »

Une autre conséquence de la récession mondiale est que dans l'ensemble de l'Amérique du Nord, la dette des familles a connu une augmentation. Au Canada, l'épargne est passée de 20 % en 1982 à 1,8 % en 2005, pour remonter à 4,7 % en 2009. Aux États-Unis, elle atteint 6,9 %. D'innombrables Canadiens n'ont pas d'économies et vivent au jour le jour. Pour Scott Schieman, sociologue à l'Université de Toronto, « les difficultés économiques, le sentiment que vous ne parviendrez jamais à joindre les deux bouts, et que vous avez ce fardeau à long terme, peut être une cause d'anxiété, de dépression, de colère [et] entraîner la rupture des mariages[3]. » Aux États-Unis, où la crise est plus grave, les refuges, dont plusieurs sont dirigés par des parents mariés, accueillent un nombre sans précédent de familles privées de domicile. La dépression, le manque de confiance en soi et les récriminations mutuelles empoisonnent les relations de nombreux couples mariés de sans-abris, érodant leurs chances de sauver leur mariage.

Comme nous l'avons vu dans la première partie de cet ouvrage, les finances et la propriété ont toujours joué un rôle essentiel dans l'organisation et la célébration des mariages ; leur importance ne diminue pas après la cérémonie. L'argent et le mode de vie sont des dimensions essentielles qui ont une incidence sur la vie quotidienne, la famille et les priorités de chacun. Vouloir étudier le mariage indépendamment de son contexte économique serait un exercice futile. Cela est particulièrement vrai lorsque les époux sont embourbés dans des difficultés financières ou qu'ils luttent pour éviter de sombrer dans la pauvreté.

« Chaque problème grossit l'impact des autres problèmes, écrit David Shipler, dans *The Working Poor*, et ils sont tous si étroitement liés qu'un revers de fortune peut entraîner une réaction en chaîne, dont les conséquences sont très éloignées de la cause initiale. Un appartement délabré peut aggraver l'asthme d'un enfant, nécessitant un appel d'ambulance qui entraînera une facturation des soins médicaux; si cette facture ne peut être honorée, le dossier de crédit sera affecté, provoquant une hausse du taux d'intérêt pour un prêt automobile, entraînant l'achat d'un véhicule usagé peu fiable qui compromettra la capacité pour la mère d'arriver à l'heure à son travail, limitant ainsi ses chances de recevoir une promotion, voire sa capacité de gagner sa vie, et la confinant à des logements médiocres[4]. »

Dans *Nickel and Dimed: On (Not) Getting By in America* [*Avec ou sans argent ou Comment (ne pas) s'en sortir en Amérique*], Barbara Ehrenreich décrit son expérience d'une année comme simple travailleuse, expérience effectuée dans le cadre d'une recherche. Elle fut tour à tour « serveuse en Floride, femme de ménage dans le Maine et vendeuse au Minnesota ». Elle souligne que « les pauvres [...] ne vivent pas du travail au noir; en fait, ils ont une foule de dépenses très particulières[5] ». Le prix à payer pour ceux qui ne peuvent régler le premier et le dernier mois de leur loyer est presque toujours de devoir accepter un hébergement très médiocre, payable à la semaine. Ceux qui ne disposent pas de cuisine convenable leur permettant de préparer des repas économiques et nutritifs doivent s'en remettre aux restaurants-minute, à la cuisine micro-ondes ou aux aliments préparés. N'ayant pas assez d'argent pour se rendre jusqu'à la prochaine paie, ils doivent faire face à des taux d'intérêt ruineux (mais parfaitement légaux) pour des prêts sur salaire. Désespérés de trouver une solution, ils se démènent pour empêcher leur vie de voler en éclats.

Le prix du loyer est inéluctablement lié au salaire, aux rentrées de fonds et aux vérifications de la solvabilité. Une grande partie de l'Amérique du Nord est donc aux prises avec une pénurie inquiétante de logements à prix abordable. En 2007, au Canada, le loyer moyen pour un appartement de deux chambres allait de 472 $ au Saguenay à

1 061 $ à Toronto. Pour les bas salaires (moins de 10 $ l'heure), ces appartements sont inabordables.

En 2003, un ménage canadien ou américain sur cinq était contraint de consacrer 30 % ou plus de ses revenus bruts au logement[6]. Plus les revenus sont bas et plus forte est la proportion qui doit être consacrée au logement. Parallèlement, le taux d'inoccupation des logements à prix modique est beaucoup plus bas que pour les logements plus luxueux. Aux États-Unis, où les forclusions d'hypothèques se comptent par millions, les répercussions sur les mariages sont brutales.

Parmi les frais connexes qui font partie de l'économie du mariage, il faut mentionner le fait que, souvent, les enfants ont de petits emplois, non pas, comme au cours des siècles passés, pour venir en aide à leurs parents, mais pour leurs propres besoins de consommateurs : téléphones cellulaires, iPod, vêtements, téléchargements de musique, films, restaurants-minute, et tout le reste. Ce phénomène peut aussi avoir une influence sur le mariage des parents qui ont de faibles salaires, soit en diminuant la pression financière, soit en empoisonnant la dynamique familiale, lorsque l'argent conduit les enfants à manquer de respect envers leurs parents. Dans le cas qui nous occupe, la relation qui est touchée concerne le rôle des parents américains, lesquels doivent éduquer leurs enfants à être des consommateurs qui permettront à l'économie de poursuivre son expansion sans fin. Lorsque les enfants assument ce rôle important, ils sapent l'autorité de leurs parents et le respect que ceux-ci ont d'eux-mêmes, ce qui a pour contre-effet d'éroder un mariage déjà financièrement instable.

Quand l'économie du mariage se conjugue avec des revenus élevés

L'argent a aussi des répercussions sur les couples des classes prospères ; il les encourage à exiger des maisons plus vastes et à couvrir leurs enfants de biens et services (des leçons, des cours de ceci ou de cela, ou des cours particuliers). De 1945 à 1991, la superficie de la maison canadienne moyenne est passée de 800 pieds carrés (74 m^2) à 1 500 pieds carrés (139 m^2) ; de 1991 à 2007, elle a augmenté encore de 27 %, ce qui la portait à 1 900 pieds carrés (176 m^2). Aux États-Unis, les nouvelles maisons ont en moyenne une superficie de 2 459 pieds carrés (228 m^2).

Pendant ce temps, la taille des familles qui emménagent dans ces « palaces » est passée de quatre personnes à trois et moins.

Dans ces vastes demeures, les enfants ont habituellement leur propre chambre et, souvent, leur propre salle de bains. Ces suites — car c'est vraiment de cela qu'il s'agit — tendent à être autosuffisantes. Elles sont équipées de télévisions, d'ordinateurs, de matériel électronique, de bureaux et de téléphones, et permettent aux enfants de vivre à distance de leurs parents. Ces derniers peuvent continuer d'être centrés sur leurs enfants, mais la dynamique de la famille est nécessairement différente de celles qui vivent dans des espaces plus étroits. Le parallèle historique le plus probant est le mode de vie des classes privilégiées d'Europe au XIXe siècle. En Angleterre, les enfants avaient leurs appartements, leurs bonnes d'enfants et leurs gouvernantes, et ils prenaient leurs repas entre eux : le thé était une collation pour enfant, servie avant que les parents ne prennent leur propre repas du soir.

Ces parents privilégiés avaient de fortes attentes envers leurs enfants, mais ils passaient moins de temps avec eux que les parents plus pauvres. Les parents privilégiés d'aujourd'hui espèrent aussi que leurs enfants excelleront ou, au moins, qu'ils se débrouilleront très bien en musique, dans les sports, la danse ou les arts, qu'ils seront des premiers de classe, qu'ils choisiront pour amis des enfants de leur milieu qui sont dans la même classe qu'eux, qui fréquentent les mêmes écoles et font partie des mêmes groupes d'activités parascolaires. Ce sont souvent les mères qui doivent servir de chauffeurs à leurs enfants, les transportant d'une activité enrichissante à l'autre, en plus d'avoir à gérer leur vaste demeure et, souvent, d'avoir un emploi.

Le prix de ces vastes maisons, de même que celui des habitations plus modestes et des condominiums, a connu une montée fulgurante qui allait de pair avec la dérive financière des hypothèques faciles, à l'origine de la crise économique mondiale. Le prix des maisons et des hypothèques aberrantes ont eu de graves conséquences sur les ménages, des millions de couples devant se débattre pour éviter d'être ruinés. Le Canada n'est pas tombé dans le piège des hypothèques irresponsables ; mais de 1999 à 2005, la montée en flèche des prix a fait augmenter la dette des particuliers de 43 %. La dette totale des ménages canadiens est de 760 milliards $, dont les trois quarts sont consacrés aux hypothèques.

Les maris et les pères absents:
ces hommes qui sont derrière les barreaux

Tout au long de l'histoire, la pauvreté, les obligations militaires et une foule d'autres raisons ont empêché les gens de se marier. Ces empêchements existent toujours. En Amérique du Nord, la pauvreté galopante exclut du mariage de vastes segments de la population. Le service actif en temps de guerre, les blessures et les traumatismes résultant de la guerre éloignent certaines personnes de l'idée du mariage, bien que la perspective d'un enrôlement prochain en pousse d'autres à se marier. Certains souhaitent officialiser leur union avant de participer aux combats. D'autres sont attirés par la garantie d'obtenir des logements familiaux (ou une allocation de logement, pour ceux qui résident à l'extérieur de la base), par l'assurance maladie et par les autres avantages consentis aux couples mariés au sein des Forces canadiennes. Par ailleurs, il existe un nouvel obstacle — la prison — qui empêche des millions d'hommes de se marier.

Aux États-Unis, la proportion des personnes incarcérées est la plus élevée au monde. En 2008, plus de 1 % de la population adulte était derrière les barreaux. Des millions d'autres faisaient l'objet d'une surveillance judiciaire, soit parce qu'ils étaient en probation, soit parce qu'ils étaient en liberté conditionnelle. Dans l'ensemble du pays, sur 100 000 personnes, 737 sont incarcérées. Dans plus de 90 % des cas, ce sont des hommes, et moins de la moitié d'entre eux ont commis des crimes non violents[7]. Près de 55 % des prisonniers fédéraux et 21 % des prisonniers des prisons d'État sont incarcérés pour des infractions en matière de drogue; 11 % le sont pour perturbation de l'ordre public: conduite avec facultés affaiblies, non-respect des conditions de la liberté conditionnelle, outrage à magistrat. Le système correctionnel est devenu si gigantesque qu'il emploie plus d'Américains que General Motors, Ford et Wal-Mart réunis.

Ces statistiques révèlent également un grand déséquilibre racial. Environ 10,4 % des hommes noirs de vingt-cinq à vingt-neuf ans sont en prison, comparativement à 2,4 % des hispanophones et 1,2 % des hommes blancs. De tous les prisonniers de sexe masculin, 41 % sont des Afro-Américains; la plupart d'entre eux sont pauvres, 50 % environ étaient au chômage au moment de leur arrestation. Il y a tellement de jeunes Noirs en prison qu'au milieu de la trentaine, un Noir sur trois a un casier judiciaire ; 29 % des enfants noirs qui naissent de nos jours feront un séjour en prison, et le risque est encore plus élevé pour les enfants qui naissent dans la pauvreté. En 2000, un père sur dix ayant un enfant noir de moins de 10 ans était en prison.

Suite à l'imposition de peines plus sévères au milieu des années 1970, les prisonniers sont incarcérés plus longtemps. Plus du tiers de tous les prisonniers des prisons fédérales et d'État est âgé de trente-cinq à cinquante-quatre ans ; un second tiers a de vingt-cinq à trente-quatre ans ; et un cinquième de tous les prisonniers est âgé de dix-huit à vingt-quatre ans. La plupart des détenus purgent des peines d'une durée moyenne de deux ans pour des infractions à la propriété (comme les vols ou les fraudes).

L'expérience de la prison sert rarement à s'amender. Le viol et les rapports sexuels forcés sont monnaie courante. Les détenus continuent de faire partie de gangs violents ou d'y être affiliés, et deviennent souvent des criminels plus endurcis qu'ils ne l'étaient à leur arrivée en prison. Ils ont des problèmes de santé ; de 20 à 40 % d'entre eux ont l'hépatite C. Ils travaillent pour un salaire de misère. Par exemple, les prisonniers fédéraux qui travaillent pour Unicor Federal Prison Industries ont un salaire horaire qui va de 23 ¢ à 1,15 $ au maximum (ce qui représente 5 % des dépenses d'Unicor). En règle générale, ils travaillent à la production ou à l'assemblage de pièces pour le complexe industriel de la prison. Ils fabriquent un large éventail de matériel militaire ; ils produisent aussi des casques, du mobilier de bureau, des verres de prescription pour les bénéficiaires des services ophtalmologiques fédéraux, de la peinture et des pinceaux, des récipients de cuisine, des appareils électroménagers, des pièces d'avion et bien d'autres choses. Unicor organise des salons professionnels et des conventions ; elle possède des catalogues de produits ; elle dispose de représentants ; elle a à son service des bureaux d'architectes et des entreprises de construction. Elle touche des dividendes sur ses investissements, et exerce, avec succès, des pressions sur les décideurs pour maintenir et étendre les opérations de l'ensemble industriel de la prison.

Bien qu'Unicor cherche à enrôler le plus de détenus possible, elle n'a, jusqu'à présent, que 18 % de la population carcérale à son « emploi ». Au moins la moitié des revenus des détenus servent à payer les amendes imposées par le tribunal, les pensions alimentaires pour enfants et/ou les dédommagements aux victimes d'actes criminels. Les détenus envoient aussi de l'argent à leur famille. Unicor prétend qu'ils apprennent à valoriser le travail, les responsabilités, la valeur personnelle, le respect des autres et des compétences professionnelles qu'ils pourront ensuite utiliser pour réintégrer la société. Elle cite des études qui montrent que le taux de récidive est moins élevé chez les détenus qui travaillent.

Les critiques reprochent à Unicor de pratiquer une forme de concurrence déloyale qui mine l'industrie privée et la capacité des gens honnêtes d'obtenir un salaire décent. De plus, certains des secteurs industriels dans lesquels les détenus exercent leurs compétences, l'industrie textile, par exemple, connaissent de telles difficultés aux États-Unis qu'ils ne peuvent absorber les détenus au moment de leur élargissement. Les critiques soutiennent que les détenus devraient plutôt recevoir une formation en vue de travailler dans les industries prospères qui ne seraient pas affectées par la présence d'Unicor et qui pourraient employer les ex-détenus. (Oregon Prison Industries a mis au point une gamme de produits plus profitable : les vêtements en denim Prison Blues. « Vos *prison blues* sont faits pour les temps difficiles », dit leur publicité interactive.)

Essayons de voir les répercussions de l'incarcération de millions d'Américains sur le mariage. Plus de deux millions d'hommes américains sont incarcérés. La plupart sont dans la fleur de l'âge, ce qui est le moment où la majorité des hommes choisissent de se marier. Certains d'entre eux sont effectivement mariés, mais ils divorceront ou perdront leur famille avant le jour de leur libération. Ceux qui retournent dans leur famille ont un taux de récidive plus faible. Cependant, la majorité des détenus ne sont pas mariés, même s'ils peuvent être pères ; en prison, ces hommes n'ont aucune des expériences de vie qui préparent les hommes à se marier, y compris celle d'avoir un emploi stable.

Les conséquences de cette situation sur les communautés (majoritairement afro-américaines) dont proviennent ces hommes et où ils retourneront après leur élargissement sont démesurées. Un taux de chômage élevé, des noyaux urbains rongés par la criminalité, l'abus de médicaments et la toxicomanie endémique, l'oisiveté et la culture du gangstérisme ayant pris racine dans leurs expériences passées, voire une certaine propension, remettront les deux tiers d'entre eux sur le chemin de la prison quelques années seulement après en être sortis. Le sociologue Bruce Western considère que la prison est devenue une manière de résoudre les problèmes sociaux. « Au lieu d'amener les gens qui vivent en marge de la société à retourner vers le courant principal, le système pénitentiaire les sépare de cette mouvance en les enfermant entre quatre murs. Le système carcéral limite la participation citoyenne au lieu de la remettre en état[8]. »

Lorsqu'ils retrouvent les communautés et les cultures qui les ont engendrés, les ex-prisonniers doivent affronter la réalité du chômage ainsi que la diminution de leurs droits, y compris celui de voter. Le moindre écart — oublier une rencontre prévue avec l'agent de libération conditionnelle, par exemple — peut entraîner un retour derrière les barreaux. Les emplois qu'ils occupent à leur sortie de prison leur rapportent en moyenne 10 % de moins que ce qu'ils gagnaient avant de faire de la prison, le nombre d'heures travaillées subissant une diminution minimale du tiers environ. Les personnes condamnées pour une infraction liée aux drogues qui voudraient améliorer leurs chances en retournant aux études découvrent qu'ils n'ont pas droit aux prêts étudiants. Les anciens détenus ont aussi leurs démons personnels, y compris le souvenir des viols qu'ils ont eu à subir en prison. Leurs rapports avec leur famille sont tendus, et ils ont peu de ressources. Les possibilités de divorce, de séparation ou de rester célibataires sont plus élevées. Cependant, ils continuent d'avoir des rapports sexuels et d'avoir des enfants qui, au moment de leur naissance, sont déjà mal partis.

Les principales questions qui surgissent en rapport avec le mariage sont les suivantes : l'incarcération est-elle à l'origine du faible taux de mariage chez les ex-prisonniers ? les gens qui commettent des crimes sont-ils tout simplement moins aptes à se marier ? dans quelle mesure une incarcération augmente-t-elle le risque de violence familiale ? quelles sont les répercussions de ce faible taux sur les femmes restées célibataires ? quelles sont les conséquences de cette situation pour les communautés touchées ? et qu'en est-il des enfants de pères prisonniers ou ex-prisonniers ?

La recherche abondante sur ces questions fournit des éléments de réponse. D'une part, les hommes noirs ayant fait des études collégiales se marient plus souvent, ont des emplois convenables et sont rarement incarcérés. Par ailleurs, environ 25 % de ceux qui n'ont qu'un diplôme d'études secondaires ou qui ont décroché ont des perspectives d'emploi limitées, et risquent d'être poussés vers des activités criminelles. Les femmes en âge de se marier évaluent le potentiel de ces hommes… et beaucoup décident de ne pas courir le risque de s'attacher à eux. Elles craignent que leur petit ami ne planque de la drogue ou des armes dans leur maison, qu'il attire des policiers ou des travailleurs sociaux qui pourraient leur enlever leurs enfants. Elles sont réalistes quant à la possibilité que de tels hommes puissent gagner leur vie de manière convenable ; elles considèrent que les casiers judiciaires sont « encore plus repoussants que le chômage chronique[9] ».

Une des conséquences du grand nombre d'hommes incarcérés est que le marché du mariage pour les femmes noires sans ressources financières n'est pas reluisant. Par exemple, à Washington D.C., il n'y a que 62 hommes pour 100 femmes, ce qui réduit la probabilité que les femmes se marient, tout en augmentant la probabilité qu'elles deviennent des mères célibataires. La forte augmentation des hommes écroués pour des crimes non violents, habituellement pour des crimes liés à la drogue, a réduit de 19 % le nombre de mariages chez les femmes noires. De 1970 à 2000, leur taux de nuptialité est passé de 60 % environ à 30 %. Pendant la même période, le taux de nuptialité des femmes blanches est passé de 80 à 60 %. En outre, parmi les femmes noires peu scolarisées, le nombre de mères célibataires est passé de 33 % environ à plus de 50 %.

Lorsqu'elles se marient et que leurs maris sont jetés en prison, ces femmes doivent assumer seules la responsabilité d'élever leurs enfants. Elles doivent décider si elles iront rendre visite à leurs maris, qui sont souvent incarcérés à plus de 150 km de chez elles. Si elles gardent contact, elles devront accepter des appels en PCV, écrire et recevoir des lettres qui seront examinées par les responsables des services correctionnels. Si elles veulent voir leur mari, elles devront s'organiser pour trouver un transport, être fouillées, présenter une carte d'identité, traverser une barrière de sécurité à détecteur de métaux (les non-criminels sont soumis aux mêmes règles que les criminels). Après la libération de son mari, la femme qui s'était habituée à l'indépendance et à l'autosuffisance doit s'adapter à son retour et aux conséquences pratiquement inévitables de son incarcération, notamment au casier judiciaire qui le suivra et entravera ses efforts pour réintégrer la société. Si elle ne lui est pas restée fidèle et qu'elle a noué d'autres liens, ou si son mari est un homme violent prêt à recommencer à la maltraiter, leur réunion pourra entraîner plus d'amertume que de douceur.

La précarité des mariages dans les quartiers noirs qui accusent un grand nombre d'incarcérations a été exacerbée — mais non provoquée — par les campagnes contre la toxicomanie et par les interventions en vue d'imposer des sentences plus sévères, durant les années 1970 et 1980. Le quart des Noirs environ vit dans la pauvreté aux États-Unis. Leurs conditions de vie sont étrangement similaires à celles que le sociologue afro-américain W. E. B. Du Bois a observées de 1896 à 1898. Trente ans après la guerre de Sécession, les coutumes associées à « l'esclavage perdurent dans un grand nombre de cohabitations hors mariage », écrit Du Bois. Le souvenir d'une pauvreté « presque incroyable » subsistait, les possibilités d'emploi étaient limitées et le prix des logements délabrés était extraordinairement élevé. La seule différence était l'absence d'abus d'alcool ou d'autres drogues : « La consommation excessive d'alcool ne fait pas partie des défauts particuliers des Noirs », écrit Du Bois[10].

Comme le déplorait l'anthropologue urbain et ethnographe Elliot Liebow en 1966, les jeunes hommes vivant dans ces communautés avaient de telles difficultés personnelles et financières que pour eux, « le mariage ne peut mener qu'à un échec. Rester marié, c'est vivre avec votre échec, y être confronté jour après jour. C'est vivre dans un monde où ce qu'on attend normalement d'un homme est à jamais hors de votre portée, où vous êtes continuellement mis à l'épreuve, remis en question, et où vous ne faites jamais l'affaire[11]. »

Si on compare la situation du Canada à celle des États-Unis, le nombre d'incarcérations y est inférieur de 620 % à ce qu'il est chez nos voisins du Sud ; 97 % des détenus sont des hommes. Près de la moitié des hommes détenus dans les prisons fédérales ont de vingt-cinq à trente-quatre ans ; dans les prisons provinciales ou territoriales, le quart des détenus sont âgés de vingt à vingt-quatre ans. Près des trois quarts des prisonniers fédéraux sont blancs ; plus de 20 % sont autochtones, ce qui est énorme compte tenu du fait que les Autochtones ne représentent que 3,8 % de la population totale. Les Autochtones ont un risque trois fois plus élevé de se retrouver en prison que les Afro-Américains. Les Afro-Canadiens, qui représentent 1,9 % de la population totale, sont également surreprésentés dans les prisons canadiennes, avec 5,4 % de la population carcérale.

La moitié des prisonniers canadiens sont les auteurs de crimes violents ; moins d'un dixième d'entre eux ont commis des infractions en matière de drogue. La majorité des détenus des prisons provinciales ou territoriales a été condamnée pour atteinte à la propriété. Les deux tiers des prisonniers purgeront une peine d'un an ou moins, et le dernier tiers, une peine d'une durée se situant entre un an et deux ans. La moitié des prisonniers fédéraux purge des peines de deux à six ans ; 10 % purgent des peines d'emprisonnement à perpétuité, mais ils sont admissibles à la libération conditionnelle après avoir purgé un tiers ou deux tiers de leur peine. Depuis le projet de loi C-41 sur la détermination de la peine (1996), certains contrevenants reçoivent des « peines d'emprisonnement avec sursis » qu'ils peuvent purger en effectuant des services à la collectivité. Au Canada, le taux de récidive est de 40 %, alors qu'il est de 65 % aux États-Unis.

À l'image de la situation aux États-Unis, la majorité des prisonniers canadiens de sexe masculin est célibataire. La différence avec la population canadienne générale est frappante : 12 % des prisonniers sont mariés, alors que 43 % des non-délinquants le sont. Par ailleurs, 33 % des prisonniers ont une conjointe de fait, alors que 12 % des non-délinquants sont dans la même situation.

Aux États-Unis aussi bien qu'au Canada, la promotion des études supérieures devrait faire partie des efforts concertés en vue d'améliorer le sort de milliers de citoyens qui vivent dans des communautés où les infrastructures sont de qualité inférieure et les services insuffisants. C'est une solution évidente au problème des gens qui n'ont ni formation ni qualifications. On augmenterait ainsi les chances de ces populations de trouver des emplois convenables, tout en diminuant l'attrait de la criminalité. Mais ce n'est pas tout. Il faudrait investir massivement dans les infrastructures communautaires. Le logement est un problème urgent. Il en va de même pour les enfants qui n'ont pas accès à des soins médicaux appropriés et qui souffrent d'une foule d'autres désavantages, y compris la privation d'un logement stable, sécuritaire et confortable.

L'aide sociale et le mariage

Les débats entourant l'aide sociale et son rôle dans la désertion du mariage comme mode de vie continueront de faire rage tant que l'économie sera vacillante et que le désespoir continuera d'étendre son pouvoir sur les classes défavorisées. L'aide sociale a-t-elle un effet de dissuasion? sert-elle de catalyseur à l'effondrement de l'institution du mariage? Une proportion importante des plus démunis voit-elle dans l'aide sociale une solution de rechange au mariage?

La recherche (et le bon sens) continue de montrer que les plus bas salariés considèrent l'aide sociale comme une option parmi d'autres: ils évaluent ses avantages et ses désavantages par rapport à un travail mal payé, et par rapport à une réduction des dépenses et de l'espace de logement au moyen du mariage ou de la cohabitation. Les prestations d'aide sociale peuvent même déterminer si les gens vont divorcer ou s'ils auront des enfants. Plus le montant de ces prestations est proche du salaire, plus on peut considérer que l'assistance sociale encourage les femmes à divorcer ou à avoir un enfant sans se marier, ou à tout le moins le leur permet. Il en est ainsi parce que, souvent, il n'y a pas une grande différence de niveau de vie entre ceux qui vivent de l'assistance sociale et ceux qui travaillent à plein temps pour un faible salaire.

L'assistance sociale permet aux gens d'échapper aux conséquences des catastrophes financières, mais elle a des répercussions négatives sur le mariage. Combinée avec une économie qui laisse subsister de grands écarts entre ceux qui ont des salaires élevés et ceux qui travaillent au salaire minimum, l'assistance sociale n'incite pas les prestataires à retourner travailler pour un salaire à peine plus élevé que leurs prestations. La baisse du nombre de mariages affecte beaucoup les personnes peu scolarisées et mal payées. Que ces personnes soient des prestataires de l'aide sociale ou travaillent au salaire minimum, il est peu probable qu'elles se marient ou, si elles sont déjà mariées, que leur mariage dure.

En règle générale, les études supérieures mènent à des emplois satisfaisants et, par la suite, à une union plus stable. Les femmes très scolarisées continueront de se marier et d'avoir des enfants. En dépit de certains avertissements pessimistes, leurs études supérieures ne les ont pas condamnées au célibat et au manque d'enfants. Toutefois, les hommes ne sont plus aussi nombreux à poursuivre des études avancées qu'il y a, disons, vingt ans. Si les modèles statistiques sont corrects, beaucoup d'immigrants et de jeunes de dix-huit à trente-quatre ans semblent voués aux faibles salaires et à l'absence de sécurité d'emploi, ce qui en fait des candidats moins probables pour le marché du mariage.

Les mariages empêtrés dans la lutte pour la survie financière subissent des tensions qui touchent tous les aspects de la relation de couple, y compris l'éducation des enfants. De son côté, une situation confortable offre beaucoup plus de satisfactions et, au bout du compte, de stabilité. Mais les tendances démographiques actuelles ne présagent rien de bon pour ceux — et ils sont nombreux — qui n'ont pas la formation suffisante pour se trouver de bons emplois. L'évolution actuelle, où de plus en plus de femmes, mais de moins en moins d'hommes, poursuivent des études supérieures est troublante, en raison de la relation forte entre la scolarisation — avec sa rétribution financière — et le mariage. Le nombre important de jeunes hommes détenus dans les prisons des États-Unis et, d'une façon moins considérable, dans les prisons canadiennes, est également inquiétant. Un homme qui ne peut gagner suffisamment d'argent pour subvenir à ses besoins et contribuer au bien-être matériel de sa famille n'a pas grand-chose à offrir à une future épouse. Une faible scolarisation conduit à des emplois non spécialisés, au sous-emploi et au chômage, sinon au crime, et à un sérieux rétrécissement du marché du mariage. Les Nord-Américains doivent saisir les relations entre tous ces éléments lorsque vient le moment d'élaborer des politiques pour remédier à la situation en encourageant les gens à se marier et à élever leurs enfants dans des foyers stables.

CHAPITRE 12

Le mariage et les questions raciales

Le couple Loving et les mariages d'amour

En juin 1958, deux jeunes amoureux quittèrent leur Virginie natale pour se rendre jusqu'à Washington D.C., où ils se marièrent. Mildred Jerer avait dix-huit ans; elle était enceinte et profondément amoureuse de Richard Loving, le petit voisin qui était devenu son ami lorsqu'elle avait onze ans. Richard était au courant d'une chose que Mildred ignorait: la Loi sur l'Intégrité raciale de Virginie de 1924 leur interdisait de se marier dans leur État. Par ses origines, Mildred était Indienne d'Amérique et Africaine, alors que Richard était Blanc. «Nous nous sommes mariés parce que nous nous aimions, dit Mildred. Il ne s'agissait pas pour nous d'épouser un État. La loi devrait permettre à une personne d'épouser qui elle veut[1]. »

Mais la Virginie l'interdisait. L'article 5 de la Loi sur l'Intégrité raciale se lisait comme suit: «Il sera désormais illégal pour toute personne blanche résidant dans cet État d'épouser une personne non blanche ou de sang-mêlé [...] [toute personne blanche résidant dans cet État ne pourra épouser qu'une personne] ayant un seizième ou moins de sang indien américain et aucun autre sang non blanc. » D'après la loi, Mildred et Richard s'étaient rendus coupables du crime de métissage.

Après que les Loving furent rentrés chez eux en Virginie, un soir, le shérif et ses adjoints firent irruption dans leur chambre à coucher et les arrêtèrent pour infraction à la loi contre le métissage. Ils furent déclarés coupables et condamnés à une peine d'un an d'emprisonnement avec sursis de vingt-cinq ans, s'ils acceptaient de quitter l'État. Pour éviter la prison, ils s'en retournèrent à Washington D.C., où ils vécurent heureux et eurent des enfants. Mais le couple regrettait de ne pouvoir visiter les membres de leur famille, qui étaient leurs voisins lorsqu'ils vivaient en Virginie. Mildred envoya une plainte écrite au secrétaire à la justice, Robert Kennedy, et mit en branle le marathon juridique qui allait les mener jusqu'à la Cour suprême des États-Unis. Mais avant d'en arriver là, Harry L. Carrico, juge de la Cour suprême de Virginie, confirma la constitutionnalité de la loi de 1924, ainsi que la déclaration de culpabilité des Loving sous le régime de cette loi.

« Le Dieu tout-puissant a créé les races blanche, noire, jaune, malaise et rouge, et les a placées sur des continents différents, écrit Carrico dans son jugement. N'eût été cette infraction à cette disposition, il n'y aurait eu aucune raison pour que de tels mariages aient lieu. Le fait qu'Il a séparé les races montre que Son intention n'était pas qu'elles se mélangent.» Les Loving interjetèrent appel, et, en 1967, la Cour suprême abolit des siècles de lois antimétissage, alléguant que les distinctions raciales étaient «conçues pour maintenir la suprématie blanche» et suscitaient, pour cette raison, «l'indignation d'un peuple libre dont les institutions sont fondées sur la doctrine de l'égalité». Par conséquent, les lois antimétissage de la Virginie (et, par extension, toutes les lois de cette nature) furent déclarées «intolérables» et inconstitutionnelles[2]. Un siècle après que la guerre de Sécession eut mis fin à l'esclavage, la législation matrimoniale ne pouvait plus être brandie comme une arme servant à exclure et à dominer les citoyens noirs.

La suprématie blanche traverse les frontières des États

L'État de Virginie, dont les Loving étaient originaires, était un foyer où sévissaient l'idéologie suprématiste blanche et son horreur du métissage. Le Dr Walter A. Plecker, un ardent défenseur de l'eugénisme, était persuadé qu'en raison du métissage, la plupart des Indiens de Virginie étaient en réalité des Noirs de sang-mêlé qui essayaient de se faire passer pour des Blancs. «À la manière des rats lorsque vous avez le dos tourné, [ils] se sont glissés dans leur extrait de naissance grâce à [à la complicité de] leurs propres sages-femmes, qui les ont fait passer pour Indiens ou Blancs dans la classification raciale», écrit-il.

À titre de directeur du Bureau des statistiques des services de santé, Plecker se fit une vocation de faire exécuter toutes les mesures draconiennes qu'il estimait nécessaires pour mettre un terme à l'abâtardissement de la race blanche. Cela incluait l'assurance que chaque enfant né en Virginie soit enregistré, et que la règle de la « goutte de sang noir » soit rigoureusement appliquée, particulièrement par les sages-femmes afro-américaines, qui pouvaient « tricher » en inscrivant comme Blanc un enfant contaminé par une goutte de sang non blanc.

Les politiques de Plecker conduisirent à un « génocide bureaucratique » en vertu duquel les enfants indiens furent classifiés comme noirs sur leur extrait de naissance. Il se targuait également de pouvoir « deviner » si une personne avait du sang non blanc, et il enregistrait ses doutes comme s'il s'agissait de faits attestés. « La présente est pour vous informer que vous ne pouvez inscrire votre enfant mulâtre comme blanc, écrivait-il à une nouvelle mère. Vous devrez vous [...] assurer que cet enfant ne se mêle pas avec les enfants blancs. Il ne doit pas fréquenter une école blanche et ne pourra jamais épouser une personne de race blanche en Virginie. » Il demanda à une femme de Pennsylvanie d'interdire à sa fille d'épouser son fiancé virginien, qu'il soupçonnait d'avoir du sang noir[3]. Un autre trait détestable de sa politique était la stérilisation forcée de centaines de femmes métisses, indiennes ou noires.

En 1932, Plecker fit un discours-programme à l'occasion de la Troisième Conférence internationale sur l'eugénisme, qui eut lieu à New York. Un de ses admirateurs était Ernst Rüdin, un représentant nazi à la recherche de stratégies utilisées par les suprématistes de partout pour éliminer l'impureté de la race ; peu de temps après, c'est lui qui devait assister Hitler dans la rédaction de sa loi sur la stérilisation eugéniste. Plecker, en retour, avait une grande admiration pour les eugénistes allemands. En 1935, sur du papier à correspondance officielle, il écrivit à Walter Gross, directeur du bureau racial du NSDAP (Parti nazi) en décrivant les lois virginiennes sur la pureté raciale et en demandant que son nom soit ajouté sur la liste des envois postaux des bulletins nazis. Il félicitait aussi Gross pour la stérilisation de six cents enfants nés en Algérie de mères allemandes et de pères noirs. « J'espère que le travail est achevé et que personne n'a été oublié, écrivait-il. Je regrette parfois que nous ne soyons pas autorisés à mettre de telles mesures à exécution en Virginie[4]. »

Il est impossible d'exagérer la cruauté des idées des suprématistes blancs ainsi que leur influence profonde sur les lois. Le cas des Loving est un exemple frappant de la manière dont le mariage, principe d'organisation de la société, a évolué comme un produit de l'élaboration des politiques. Comme nous l'avons vu au chapitre 3, le mariage, dans l'Antiquité, était une entente contractuelle qui pouvait aller quasiment de l'achat d'une épouse à un simple contrat verbal.

Au fur et à mesure que le christianisme prit racine et évolua, le mariage devint un des sept sacrements, le seul où le consentement des deux parties était essentiel, alors que la participation ecclésiastique ou les invocations religieuses ne l'étaient pas. Pendant que l'Église — catholique d'abord, puis les autres dénominations chrétiennes — et l'État luttaient pour le contrôle de l'institution du mariage, cette dernière évolua différemment d'une région à l'autre. Ainsi, les théologiens de la Réforme niaient que le mariage fût un sacrement ; de leur côté, les différentes Églises réformées forgèrent leurs propres interprétations. Les luthériens, par exemple, considéraient le mariage comme une « institution sociale » et une affaire séculière[5], les calvinistes y voyaient une « alliance » et les anglicans, une « petite communauté ». Au XVIIIe siècle, la plupart des Églises protestantes le considéraient comme une union spirituelle d'un compagnon et d'une compagne accomplissant chacun, selon son sexe, sa vocation chrétienne.

En Amérique du Nord, l'exemple classique de l'influence des attitudes, des valeurs et des croyances sur les décideurs est la manière dont les États sudistes réglementaient le mariage avant la guerre de Sécession. En raison du racisme qui était le point d'ancrage de l'esclavagisme et de la suprématie blanche, les Blancs vivant dans ces États étaient censés se marier religieusement, alors que les esclaves n'avaient pas droit à un mariage chrétien. Reconnaître la légalité des unions d'esclaves aurait signifié — ou aurait pu signifier — qu'un esclave marié était admissible à la participation citoyenne. Cela aurait obligé les maîtres à garder ensemble les époux esclaves et leurs enfants au lieu de les vendre à leur guise ; ils auraient dû aussi reconnaître aux époux vivant sur différentes plantations le droit de se rendre visite. Dès lors, les hommes blancs concupiscents auraient été empêchés de violer les femmes esclaves, et les propriétaires d'esclaves n'auraient plus eu le pouvoir de miner les unions entre esclaves en privant les hommes esclaves de la possibilité de protéger leurs femmes. Investis d'un nouveau pouvoir personnel, les hommes noirs auraient pu ainsi supplanter les propriétaires blancs qui avaient usurpé leur rôle de chefs des familles d'esclaves.

Sous le régime des Codes noirs sudistes, rassemblant des lois émanant des États ou des lois locales qui limitaient ou niaient les droits civils des Afro-Américains, même les esclaves qui se mariaient avec l'autorisation de leur maître n'avaient aucun recours judiciaire lorsque, par exemple, les ressources financières, ou l'attitude de leur propriétaire changeaient, s'il décédait ou si ses héritiers décidaient de vendre les familles d'esclaves en les séparant par lots. Un examen des dossiers des esclaves par le Bureau des Affranchis montra que les propriétaires d'esclaves du Mississippi, du Tennessee et de la Louisiane, par exemple, détruisirent 32 % des 2 888 mariages d'esclaves attestés en vendant les époux à des propriétaires différents. La politique interdisant aux esclaves d'être mariés devant la loi « était une des choses qui les rendaient "racialement" différents », comme l'écrit l'historienne Nancy Cott[6].

Après la guerre de Sécession, les nouvelles lois annulèrent les politiques de la période esclavagiste en reconnaissant les mariages des anciens esclaves et en légitimant leurs enfants. Les agents du Bureau des Affranchis allaient encore plus loin : confiants dans l'influence morale et civilisatrice du mariage chrétien, ils incitaient les anciens esclaves non mariés à contracter des mariages chrétiens monogames.

Mais dans la frénésie qui suivit la fin de la guerre, ces manœuvres pour pousser les esclaves à se marier n'avaient pas grand-chose à voir avec leur religion ou leur morale. Ces efforts s'inscrivaient plutôt dans le cadre d'une nouvelle politique de réglementations économiques et sociales des affranchis qui devait permettre aux Blancs de retrouver en grande partie la puissance qu'ils avaient perdue durant la guerre de Sécession. Même si les affranchis étaient heureux d'être enfin autorisés à se marier, et même si beaucoup d'entre eux profitaient de ce droit, il était fréquent que les nouveaux maris soient poursuivis en justice et punis pour infraction à la législation matrimoniale, y compris pour infidélité sexuelle. « La législation matrimoniale était expressément utilisée par la culture dominante pour punir les Afro-Américains qui refusaient " d'agir en citoyens "», observe l'historienne Katherine Franke[7].

Les blessures de l'âme et le mariage

À une certaine époque, les Indiens d'Amérique du Nord vivaient et se mariaient suivant leurs propres coutumes. Même après que les colons européens eurent occupé leurs terres, ils préservèrent, dans une certaine mesure, leur autonomie culturelle. Toutefois, pendant la période de reconstruction qui suivit la fin de la guerre de Sécession, les convictions des suprématistes blancs inspirèrent un programme de politiques qui, aux États-Unis comme au Canada, se donna pour objectif de faire disparaître la culture, les coutumes et la langue des Autochtones. Il s'agissait de tuer l'âme indienne en vue de «civiliser» les Indiens[8].

Au Canada, cette politique s'inspirait d'une loi de 1857, l'Acte pour encourager la civilisation graduelle des tribus sauvages (*Gradual Civilization Act*). Aux États-Unis, le *Peace Policy*, promulgué en 1869 par le président Ulysse Grant, poursuivait les mêmes objectifs. Mais comment procéder à la déculturation rapide d'un si grand nombre de personnes ? La solution était de cibler les enfants autochtones, en les enlevant à leurs parents et en les élevant dans des pensionnats ou des écoles de jour contrôlés par l'Église ou l'État, où on leur apprendrait à détester et à oublier tout ce qui se rapportait à la vie autochtone, et où ils seraient endoctrinés dans la langue, les mœurs et la religion coloniales[9].

Thomas Jefferson Morgan, le mandataire pour les Affaires indiennes du gouvernement du président américain Benjamin Harrison, l'exprimait plus crûment : «Nous devons combattre les Indiens, les nourrir ou les éduquer. Les combattre est cruel, les nourrir est ruineux, alors que les éduquer est humain, économique et chrétien[10].» Les écoles créées dans ce but, dirigées par une alliance des institutions politiques et religieuses — au Canada, les Églises catholique, anglicane, méthodiste (cette dernière prendrait plus tard le nom d'Église Unie du Canada) et presbytérienne — ne se contenteraient pas d'éduquer, d'acculturer et de christianiser les enfants autochtones. Elles allaient aussi, disait le Canadien Nicholas Flood Davin, dans son influent *Report on Industrial Schools for Indians and Half-Breeds* [*Rapport sur les écoles de métiers pour les Indiens et les Métis*] (1879), fournir «les soins d'une mère[11]».

Et quelle mère! Des enfants de cinq ans étaient enrôlés de force dans des pensionnats religieux ou des écoles de jour, où on leur faisait subir une foule de mauvais traitements: surmenage, famine, «agressions physiques et sexuelles non surveillées et non contrôlées». Mary Crow Dog, survivante de la tribu des Lakotas (Sioux), le déplore: «Il est pratiquement impossible d'expliquer à une personne blanche empathique ce qu'étaient les anciens pensionnats indiens; comment ils affectaient les enfants indiens qui y étaient soudainement jetés, comme de petites créatures en provenance d'un autre monde, désarmées, sans défense, désorientées, cherchant désespérément et instinctivement à survivre à tout cela[12].»

Malades, aliénés, maltraités et abandonnés, les enfants mouraient en foule. Duncan Campbell Scott, un haut fonctionnaire canadien de la division des Affaires indiennes, estimait que dans l'ensemble du système scolaire, «cinquante pour cent des enfants qui étaient enrôlés dans ces écoles ne vivaient pas assez longtemps pour profiter de l'éducation qu'ils y avaient reçue». Le magazine *Saturday Night* déplorait que «même la guerre [fait] rarement autant de morts que le système scolaire que nous avons imposé aux jeunes Indiens dont nous avons la charge[13]».

En 2001, la Commission de vérité et de réconciliation relative aux pensionnats indiens fit état de plus de 50 000 décès sur les quelque 150 000 enfants indiens internés dans les pensionnats. Les enfants mouraient de faim, de sévices corporels, d'empoisonnement, de commotion électrique, d'exposition prolongée, dans un état de nudité complète, à des températures inférieures au point de congélation, ainsi que d'expériences médicales comprenant l'ablation d'organes. Les filles étaient stérilisées, parfois massivement. Les enfants qu'ils engendraient après avoir été violés par les prêtres ou les employés étaient assassinés. Les fugues étaient fréquentes, et nombreux sont ceux qui moururent en tentant de retourner chez eux. Certains se suicidaient ou tentaient de le faire; pas plus tard qu'en juin 1981, un groupe de fillettes tenta de se pendre avec des chaussettes et des serviettes attachées ensemble.

En 1920, ces écoles étaient obligatoires. Les prêtres, les agents des sauvages et les policiers travaillaient de concert pour extirper de leurs familles les enfants que les parents refusaient de leur remettre ou qu'ils tentaient de dissimuler. En 1931, le Canada avait quatre-vingts pensionnats autochtones, les États-Unis en avaient presque cinq cents ; la plupart de ces établissements étaient dirigés par des religieux. Certains enfants réussissaient dans ces écoles et s'assimilaient à la culture blanche, mais la plupart de ceux qui survivaient et retournaient dans leurs familles étaient devenus des étrangers, qui avaient de la difficulté à communiquer, car ils avaient oublié leur langue maternelle ; ils étaient traumatisés par les agressions sexuelles qu'ils avaient subies, déprimés, désespérés, déchirés.

Les survivants étaient hantés par le sentiment de leur nullité et de leur délaissement, car leurs parents n'avaient pas réussi à les protéger. « J'ai toujours haï ma mère, se rappelle Margaret Supernault. Jusqu'à sa mort, je n'ai eu de cesse de lui demander : "Pourquoi m'as-tu fait cela ?", et elle ne pouvait me répondre, car elle aussi avait été élevée dans une mission. » De leur côté, les mères et les pères accueillaient leurs enfants dans des foyers brisés où, esseulés, brisés et amers, beaucoup avaient progressivement cherché refuge dans l'alcool et les drogues. Leurs enfants étaient devenus des étrangers ; ils avaient été élevés avec hostilité et sans amour, on leur avait appris à détester tout ce qui était indien. Les parents indiens avaient été privés de la possibilité d'exercer leur rôle parental ; ils ne pouvaient communiquer avec ces enfants avec lesquels ils avaient perdu tout contact.

En « tuant l'Indien au sein de l'enfant », la politique des pensionnats avait atteint son objectif, « trancher l'artère grâce à laquelle la culture se communiquait d'une génération à l'autre et qui était, entre parents et enfants, le lien profond soudant la famille et la communauté », concluait en 1996 la Commission royale d'enquête sur les peuples autochtones.

L'anomie culturelle n'est pas le seul cancer qui ronge ces communautés. Les effets toxiques des violences sexuelles à l'endroit des garçons et des filles continuent d'avoir des répercussions. La fondation Guérir l'héritage des pensionnats décrit les conséquences des abus : « Ce traumatisme non résolu lié aux agressions sexuelles ou physiques que les Autochtones ont subies ou dont ils ont été témoins est transmis de génération en génération. Le cycle permanent de conséquences intergénérationnelles dans les communautés autochtones est le résultat des agressions sexuelles et physiques subies par les Autochtones dans les pensionnats indiens[14]. »

Martha Joseph et sa petite sœur ont enduré douze ans de maltraitance, y compris le viol, au pensionnat indien d'Alberni, en Colombie-Britannique. Après avoir passé six ans à Alberni, Martha retourna à la maison, se sentant seule et rejetée, et en colère contre ses parents. « Je ne les connaissais pas et je ne m'en souciais pas, dit-elle. Tout l'amour que j'avais éprouvé pour ma mère m'avait été arraché. » Willie Blackwater, violé par un surveillant de dortoir du pensionnat, Arthur Henry Plint, a tellement souffert qu'il en parle comme de « la plus grande douleur de ma vie ». Blessé, rempli de haine, Blackwater en voulait autant à son père qu'à Plint. « Je détestais mon père. Je lui reprochais de m'avoir envoyé au pensionnat. Je lui reprochais d'avoir permis qu'on me viole et tout le reste, dit-il. Ce n'est que plus tard, dans les cinq dernières années de sa vie, que j'ai appris qu'il n'avait jamais eu son mot à dire dans cette histoire[15]. » Un autre survivant, Bill Seward, fait une observation succincte et profondément triste : « Comment un homme qui fut violé jour après jour lorsqu'il avait sept ans peut-il faire quoi que ce soit de sa vie ? Les pensionnats ont été mis sur pied pour détruire nos vies, et ils ont réussi à les détruire[16]. »

Les conséquences intergénérationnelles des années passées par les enfants dans les pensionnats se sont fait sentir pleinement lorsqu'ils revinrent pour de bon dans leurs familles, à la fin de leur adolescence. Ils avaient reçu une formation minimale leur permettant d'exercer une fonction, mais ils étaient surtout psychologiquement perturbés, avaient subi un choc émotif et étaient totalement dépourvus de compétences parentales. Nombre d'entre eux étaient incapables de recevoir ou de donner de l'amour. Mais comme les écoles les avaient sexualisés, ils se marièrent et eurent des enfants.

Le psychiatre Charles Brasfield, qui traite les survivants, écrit : « Il n'est pas étonnant que ces enfants aient connu des difficultés en devenant parents. Ils avaient tendance à élever leurs enfants comme ils avaient été élevés dans les [pensionnats]. C'est-à-dire qu'ils infligeaient des châtiments physiques à leurs enfants lorsqu'ils se conduisaient mal, et, dans beaucoup de cas, ils les traitaient comme des objets sexuels. [...] Le cycle de la violence se répéta de génération en génération[17]. »

Les dirigeants autochtones ont parlé sans mâcher leurs mots. En 1997, le grand chef Edward John, membre du groupe de travail des Premières Nations, s'exprima comme suit dans une déclaration à l'honorable Kim Campbell, ministre de la Justice : « Nous sommes blessés, dévastés et outragés. L'effet du système des pensionnats indiens est comme une maladie qui déchire toutes nos communautés. » D'autres Autochtones parlent d'une blessure de l'âme qui ne guérit pas.

En 2008, le premier ministre du Canada, l'honorable Stephen Harper, s'excusa officiellement pour le système des pensionnats indiens et ses conséquences atroces. Harper a reconnu les violences systématiques, et a déclaré entre autres ceci : « Nous reconnaissons maintenant qu'en séparant les enfants de leurs familles, nous avons réduit la capacité de nombreux anciens élèves à élever adéquatement leurs propres enfants et avons scellé le sort des générations futures, et nous nous excusons d'avoir agi ainsi. Nous reconnaissons maintenant que, beaucoup trop souvent, ces institutions donnaient lieu à des cas de sévices ou de négligence et n'étaient pas contrôlées de manière adéquate, et nous nous excusons de ne pas avoir su vous protéger. Non seulement vous avez subi ces mauvais traitements pendant votre enfance, mais, en tant que parents, vous étiez impuissants à éviter le même sort à vos enfants, et nous le regrettons. »

Il y a beaucoup de choses à regretter. Après un siècle de politiques destructives, les collectivités autochtones sont fragiles et ont besoin de guérir. Ces communautés sont plus jeunes que les autres : au Canada et aux États-Unis, plus de la moitié des Autochtones ont moins de vingt-cinq ans, ce qui représente un contingent considérable pour le mariage. Cependant, pour la même plage d'âge, la proportion des décès dus à l'alcool est dix-sept fois plus élevée que la moyenne nationale, et, dans le cas du suicide, trois fois plus élevée. Les jeunes Autochtones ont aussi la plus forte proportion d'infections transmises sexuellement. Plus de 60 % des femmes autochtones ont été victimes de violence sexuelle ; le risque de mourir de mort violente est cinq fois plus élevé chez les Indiennes inscrites de vingt-cinq à quarante-quatre ans que dans la population en général[18]. Les résultats de l'éducation autochtone s'améliorent trop lentement : au Canada, 43 % des Autochtones n'ont pas terminé leurs études secondaires ; aux États-Unis, la proportion dépasse les 30 %. Près de la moitié des Autochtones en milieu urbain vivent dans des familles monoparentales, et la majorité sont pauvres.

La litanie des statistiques déprimantes permet de chiffrer ce que le premier ministre Harper décrit comme «le fardeau de cette expérience [des pensionnats]» qui continue de victimiser les communautés autochtones et les relations entre les hommes, les femmes et les enfants. Cette expérience a entraîné la destruction de la vie familiale chez ce peuple qui était autrefois reconnu pour son respect du statut «distinct mais égal» des femmes, leur rôle dans l'exercice du pouvoir, la vie rituelle et le commerce, l'éducation des enfants empreinte d'indulgence et l'absence de violence domestique. La politique à l'origine des pensionnats a bel et bien causé une blessure dans l'âme autochtone. Tant que cette blessure ne sera pas cicatrisée et guérie, elle continuera de suppurer et de rendre des communautés entières étrangères aux liens étroits, à l'amour et aux attentions qui sont les fondements des relations durables et des solides compétences parentales.

Le mariage autochtone et les Indiens inscrits

La politique des pensionnats n'était pas seule à avoir pour objectif l'assimilation des Indiens. En 1876, un amendement à la Loi sur les Indiens de 1868 changea radicalement la nature du mariage autochtone en le rapportant au statut d'Indien. Le critère était la patrilinéarité, qui va de pair avec la *couverture*, concept juridique suivant lequel l'existence juridique de la femme mariée se confond avec celle de son mari pourvoyeur.

Du point de vue du mariage autochtone, cette nouvelle politique signifiait que lorsqu'une Indienne ayant statut légal, une Crie, par exemple, épousait un Mohawk inscrit, elle devenait Mohawk. Toutefois, si elle divorçait, cette femme perdait son statut mohawk sans retrouver pour autant son statut de Crie, à moins de se remarier avec un Cri. Une Indienne qui mariait un non-Indien perdait son appartenance tribale, y compris le droit de vivre dans sa réserve ou d'y posséder une propriété. Elle n'avait plus droit aux services ou aux programmes de l'administration locale indienne; tous ses enfants étaient légalement non-Indiens et la suivaient dans son exil. Si elle tombait malade, si elle se séparait, divorçait ou devenait veuve, elle n'était pas autorisée à revenir vivre dans la réserve. À sa mort, elle ne pouvait pas être enterrée près de ses ancêtres. De son côté, la femme non-indienne qui épousait un Indien obtenait tous ces droits, de même que ses enfants, qui avaient désormais le statut légal d'Indiens.

En 1951, la Loi sur les Indiens fut à nouveau modifiée pour établir un registre indien national. Dans l'esprit de la politique antérieure et en dépit de décennies de protestations, le registre accueillait les femmes non indiennes mariées à des Indiens ainsi que leurs enfants, en continuant d'exclure les femmes indiennes mariées à des non-Indiens. Ces femmes étaient expulsées de leur maison familiale et de leur communauté, ce qui leur crevait le cœur et représentait un lourd fardeau pour leur mariage. Même lorsque ce mariage se rompait ou prenait fin à la suite du décès de leur mari, leur bannissement restait implacable.

Dans l'effervescence et l'esprit de réforme des années 1970, les femmes autochtones et leurs alliés lancèrent une série de contestations judiciaires. Jeannette Vivian Corbiere était une Nishnawbe de la réserve Wikwemiking, située sur l'île Manitoulin en Ontario. Elle faisait partie des membres fondateurs de l'Association des femmes autochtones de l'Ontario. En 1970, peu de temps après son mariage avec David Lavell, un non-Indien, le ministère des Affaires indiennes et du Nord canadien l'avisa qu'en vertu de l'article 12(1)(b) de la Loi sur les Indiens, elle n'était plus considérée comme une Indienne. Jeannette interjeta appel de cette décision, qui fut maintenue par le juge du comté de York, Ben Grossberg, qui estima qu'en mariant un non-Indien, elle avait gagné plus qu'elle n'avait perdu, puisqu'elle avait acquis les droits des femmes canadiennes en perdant son statut d'Indienne. Jeannette en appela à nouveau de cette décision et, en 1971, la Cour d'appel fédérale trancha en sa faveur en alléguant que la Loi sur les Indiens enfreignait la Déclaration des droits en reconnaissant des droits différents — et non égaux — aux hommes et aux femmes.

En raison des pressions exercées par le gouvernement fédéral et par certaines organisations autochtones comme l'Assemblée des Premières Nations, qui prétendaient que seuls les chefs et les conseils de bandes avaient le droit d'accorder le statut d'Indien, la victoire de Jeannette Lavell fut de courte durée. Sa cause — de même que celle d'Yvonne Bédard, une Iroquoise qui maria un non-Indien, perdit son statut, puis fut évincée par son conseil de bande lorsqu'après s'être séparée de son mari, elle tenta de réintégrer sa maison dans la réserve — fut portée en appel devant la Cour suprême. Le 27 août 1973, dans une décision partagée où quatre juges sur neuf étaient dissidents, la Cour suprême décida que la Déclaration des droits ne s'appliquait pas à cet article particulier de la Loi sur les Indiens.

Les questions qui étaient au cœur des causes de Lavell et de Bédard polarisaient les communautés autochtones, et la ligne de faille était définie par l'opposition des sexes. Étant donné que les femmes qui protestaient contre cette décision faisaient appel à la Déclaration des droits, les hommes les accusaient de complicité avec les politiques racistes et assimilatrices du Canada, de miner le droit des Autochtones à l'autonomie gouvernementale, et de n'être pas simplement non-indiennes mais anti-indiens. Ils considéraient également Lavell et Bédard comme des «féministes» qui cherchaient à contraindre les bandes à se plier à une idéologie qu'ils diabolisaient, alléguant qu'elle était fondée sur l'«individualisme égoïste et [les] droits personnels». L'universitaire autochtone Joanne Barker résume la situation en disant que «les expériences des femmes indiennes, leurs points de vue et leurs programmes politiques pour amener des réformes étaient perçus comme étant sans pertinence, voire comme représentant un danger pour les mouvements souverainistes indiens[19]».

Selon une sorte de logique tordue, l'Assemblée des Premières Nations et les conseils de bande se sentaient plus proches de la politique du gouvernement fédéral sur les Indiens que des Indiennes. Comme disait l'universitaire et chef de l'association indienne de l'Alberta, Harold Cardinal, «nous ne voulons pas conserver la Loi sur les Indiens parce que c'est une bonne loi. Ce n'est pas une bonne loi. Elle est discriminatoire, du début à la fin. Mais pour nous, cette loi est un levier, alors que pour le gouvernement, c'est une gêne, ce qui est bien. [...] Nous préférons continuer de vivre dans la servitude du régime de la Loi sur les Indiens plutôt que de renoncer à nos droits sacrés. En n'importe quel temps, si le gouvernement veut honorer ses obligations à notre égard, nous sommes on ne peut plus prêts à l'aider à rédiger une nouvelle loi sur les Indiens[20]. »

Une des victimes de la loi amendée fut Sandra Lovelace, une femme autochtone de la Nation Malecite. En 1979, après l'échec de son mariage avec un non-Indien, elle retourna dans la réserve Tobique, au

Nouveau-Brunswick. Mais elle et ses enfants se firent refuser le logement, l'éducation et les soins de santé qui étaient accessibles aux
Indiens inscrits, en vertu de la Loi sur les Indiens. Sandra Lovelace
décida de contester cette décision devant le Comité des droits de
l'homme des Nations unies. Le Comité procéda lentement, presque à
contrecœur dans la cause *Lovelace c. Canada* et rendit sa décision en
1981: puisque Sandra Lovelace avait perdu son statut d'Indienne inscrite, qu'on lui refusait les droits et privilèges accessibles aux membres
de sa bande, le Canada avait enfreint l'Article 27 du Pacte international relatif aux droits civils et politiques: « Dans les États où il existe
des minorités ethniques, religieuses ou linguistiques, les personnes
appartenant à ces minorités ne peuvent être privées du droit de participer, de concert avec les autres membres de leur groupe, à leur propre
vie culturelle, de professer et de pratiquer leur propre religion, ou
d'employer leur propre langue. »

Le ministère des Affaires indiennes et du Nord canadien respecta la
décision de l'ONU en acceptant que les bandes qui en faisaient la
demande soient exemptées des clauses discriminatoires comprises dans
la Loi sur les Indiens. Puis, en 1985, en dépit de l'opposition des conseils
de bandes — où les hommes étaient majoritaires —, le Parlement modifia la Loi sur les Indiens afin que les Indiennes qui mariaient des non-
Indiens ne perdent pas leur statut, non plus que leurs enfants.

Mais le projet de loi C-31 avait été rédigé prudemment. En maintenant le plein statut des Indiens, de leurs femmes et de leurs enfants,
mais en réinstaurant, en partie seulement, le statut des femmes autochtones qui réintégraient leur réserve, le projet de loi permettait à ces
femmes de transmettre leur statut à leurs enfants, mais non à leurs
petits-enfants. Seuls les demandeurs pouvant prouver que leurs deux
parents détenaient ce statut (ce qui incluait les femmes non indiennes
mariées à des Indiens inscrits avant 1985) étaient inscrits en vertu de
l'Article 6(1) de la Loi sur les Indiens et pouvaient transmettre leur
statut à leurs enfants. Ceux qui n'avaient qu'un parent inscrit étaient
inscrits en vertu de l'article 6(2) et pouvaient transmettre leur statut
uniquement dans le cas où ils se mariaient avec un Indien inscrit.

Lorsque Sharon McIvor, Britanno-Colombienne étudiante en droit,
dont l'ex-mari était un non-Indien, déposa une demande de statut
d'Indienne inscrite pour elle et ses enfants, elle obtint ce statut pour

elle-même, mais on le refusa à ses enfants. Sharon McIvor porta cette décision en appel. Près de deux ans plus tard, en 1989, la décision fut maintenue. Sharon McIvor entreprit alors de contester juridiquement la Loi sur les Indiens.

L'affaire McIvor était une illustration de la nature complexe et discriminatoire de la Loi sur les Indiens. La grand-mère de Sharon, Mary Thom, était une Indienne inscrite qui avait marié un non-Indien, de sorte que sa fille, Susan Blankenship (la mère de Sharon), passa sa vie sans avoir le statut d'Indienne. Toutefois, après l'adoption en 1985 du projet de loi C-31, elle retrouva son statut à titre posthume. Et comme le père de Sharon n'était pas autochtone, elle-même n'eut aucunement droit au statut d'Indienne avant 1985.

Dans sa quête pour le *jus sanguinis*, Sharon McIvor est devenue la porteuse de flambeau de quelque 300 000 femmes autochtones. Dans les dix-sept années qui ont précédé l'audition de sa cause, elle a obtenu un nombre énorme d'appuis. En 2006, juste avant que la cause soit présentée devant la Cour suprême de la Colombie-Britannique, le gouvernement fédéral accepta de réinstaurer le statut d'un de ses fils. Mais il limitait son autre fils au statut de l'article 6(2), ce qui signifiait que celui-ci ne pourrait transmettre son statut à ses enfants, à moins d'épouser une Indienne inscrite au Registre des Indiens.

Sharon McIvor témoigna devant le tribunal de la « peine et [de la] stigmatisation » de sa famille, dont les membres ne possédaient pas de cartes d'identité du certificat de statut Indien. Ils étaient contraints de cueillir des baies ou des racines clandestinement, bien qu'il s'agisse là d'activités traditionnelles. Chaque année, lorsque ses enfants assistaient à la fête de Noël dans la communauté autochtone, « il n'y avait pas de cadeaux pour eux sous l'arbre, car ils étaient des Indiens sans statut. [...] Lorsque mes enfants reçurent leur diplôme [d'études secondaires], il n'y eut aucune célébration en leur honneur, car ils étaient des Indiens sans statut. » Et bien qu'un des frères de Sharon ait également épousé une non-autochtone, la Loi sur les Indiens amendée accordait à ses enfants le plein statut d'Indiens, qu'ils pouvaient également transmettre à leurs enfants.

La juge Carol Ross se rangea aux arguments de Sharon McIvor. « J'en conclus que les dispositions sur l'inscription contenues dans [l'article 6] de la Loi sur les Indiens de 1985 perpétuent la discrimination que les amendements avaient justement pour but d'éliminer, écrit-elle. La preuve fournie par les codemandeurs est que l'incapacité d'être inscrit avec un statut complet 6(1)(a) à cause du sexe de la mère ou de la grand-mère est insultante et blessante, et laisse entendre que les ancêtres féminins d'une personne sont incomplets ou sont moins Indiens que leurs homologues masculins. [...] L'implication pour une femme indienne est qu'elle est inférieure, qu'elle mérite moins qu'on la reconnaisse. » La juge ajouta : « Il me semble qu'une de nos espérances les plus fondamentales est que nous hériterons de l'identité culturelle de nos parents ; et qu'à titre de parents, nous transmettrons notre identité culturelle à nos enfants[21]. »

Le gouvernement fédéral interjeta appel et fut débouté. En avril 2009, dans une décision unanime, le tribunal d'appel de la Colombie-Britannique a accordé un an au gouvernement pour qu'il modifie deux articles de la Loi sur les Indiens qui enfreignent les dispositions de la Charte canadienne des droits et libertés. Sharon McIvor et ceux qui l'on appuyée ont finalement obtenu gain de cause. Cette décision touchera des centaines de milliers de personnes.

Cette cause comportait deux enjeux importants. Le premier est qu'étant donné qu'au moins la moitié des Autochtones canadiens marient des non-Autochtones, un nombre beaucoup plus grand de femmes autochtones pourront transmettre leur statut à leurs enfants. Le second est que l'élimination coercitive de la discrimination sexuelle, qui était au cœur de la Loi sur les Indiens, permettra aux communautés autochtones de rétablir une culture plus authentique qui respecte les rôles que jouent les femmes dans les conseils de bande, le commerce, les cérémonies et comme épouses « distinctes de leurs maris mais égales ». Il sera enfin possible de renouveler les traditions qui se sont écroulées sous les assauts de la Conquête et des politiques assimilatrices qui ont engendré les pensionnats et la Loi sur les Indiens. Les enfants, que la tradition voit comme « un don des esprits [...] [doivent être] traités avec beaucoup de douceur pour éviter qu'ils soient déçus par le monde où ils sont et décident de s'en retourner dans des mondes plus agréables ». L'enfant reprendra sa « place particulière » dans la société. « Il apporte des forces nouvelles à la famille, au clan et au village. Sa présence joyeuse rajeunit le cœur des anciens[22]. »

En plus du racisme qui rabaisse les Autochtones et les prive d'occasions de se réaliser, sauf sur les réserves, la politique du gouvernement fédéral a «donné le contrôle» aux hommes autochtones aux dépens des femmes autochtones. Par voie de conséquence, les relations des couples mariés ont exprimé les mêmes inégalités et les mêmes déséquilibres entre les hommes et les femmes.

Bienvenue à certains, mais non à tous

La politique de l'immigration a souvent été utilisée pour manipuler et exercer un contrôle sur le mariage — et donc la vie — des couples non blancs. À la fin du XIXᵉ siècle, l'Ouest nord-américain s'ouvrit au développement économique et agricole; les promoteurs de ce projet se tournèrent vers l'Extrême-Orient pour avoir un réservoir de main-d'œuvre bon marché et fiable. Les premiers travailleurs immigrants étaient des Chinois qui étaient aussi économiques et fiables qu'on l'avait espéré. Mais pour assurer que les Blancs conserveraient leur primauté démographique dans la reproduction de la nation américaine, les politiques gouvernementales faisaient en sorte que très peu de Chinoises soient autorisées à immigrer. Rapidement, les travailleurs chinois esseulés furent dépeints dans la presse à grand tirage comme des usagers de drogues qui convoitaient les femmes blanches. Les quelques Chinoises qui immigraient étaient décrites comme des prostituées cherchant à dépraver les hommes blancs.

La haine des Blancs à l'endroit des immigrants chinois devint si forte qu'elle engendra un mouvement de panique raciale telle que les États-Unis, en 1882, adoptèrent la Loi sur l'exclusion des immigrants chinois, qui excluait pour une période de dix ans les «travailleurs qualifiés et les travailleurs non qualifiés, ainsi que les Chinois employés dans les mines»; elle comportait d'autres restrictions particulièrement rigides, dont la violation entraînait des peines de prison ou de déportation. Une des conséquences de cette loi était que les résidents chinois ne pouvaient faire venir leur femme aux États-Unis ni fonder de nouvelles familles en épousant des Chinoises.

La politique du Canada était pratiquement identique. Bien que la construction du chemin de fer du Canadien Pacifique s'appuyât lourdement sur les travailleurs chinois — de 1880 à 1885, ils furent environ

17 000 à y travailler —, les préjugés antichinois étaient intenses. Les Chinois étaient payés beaucoup moins cher que les autres travailleurs et, lorsqu'on n'eut plus besoin d'eux, le gouvernement leur imposa une taxe d'entrée de 50 $ — somme qui fut portée à 100 $ en 1900 puis à 500 $ en 1903 — pour les décourager d'immigrer au Canada. Cette politique rapporta 23 millions $ aux coffres du gouvernement fédéral ; elle ne prit fin que lorsqu'il y eut une nouvelle pénurie de main-d'œuvre. Les travailleurs chinois et japonais furent alors invités à revenir au Canada. Mais le 1er juillet 1923, jour de la fête du Canada, qui fut plutôt une « journée d'humiliation » pour les Chinois, le gouvernement fédéral adopta sa propre Loi concernant l'immigration chinoise, connue sous le nom de Loi sur l'exclusion. Cette loi s'appliquait à toutes les ethnies chinoises ; elle resta en vigueur jusqu'en 1947. Elle fut si efficace que, pendant cette période, le Canada n'accepta que 12 immigrants chinois, 61 213 Chinois étant invités à retourner en Chine[23].

À l'image de la situation qui prévalait aux États-Unis, les politiques d'exclusion du Canada faisaient en sorte que la plupart des hommes de la communauté chinoise ne pouvaient se marier. Le prix prohibitif de la taxe d'entrée signifiait que les maris qui auraient aimé faire venir leur épouse ne pouvaient jamais économiser suffisamment d'argent pour le faire ; peu de célibataires pouvaient trouver une femme dans la communauté, où le rapport était d'une femme pour dix hommes. Thomas MacInnes, partisan d'un type de ségrégation s'apparentant à l'apartheid, défendit les politiques d'exclusion dans un livre publié en 1927, *Oriental Occupation of British Columbia* [*L'occupation de la Colombie-Britannique par les Orientaux*] :

> Ce pourrait être une très bonne chose en effet que la loi sépare un homme de sa femme et de sa famille, si cet homme appartient à une race dont la croissance [démographique] dans le pays serait désastreuse pour ceux qui l'occupent déjà ; particulièrement si une telle race intrusive est très prolifique et si elle s'assimile très difficilement ; et si, en raison d'un mode de vie plus modeste, elle est capable de causer la perte du peuple auquel ce pays appartient. Mais indépendamment de tout ce qui précède, on ne saurait dire à proprement parler que les Chinois sont séparés de leurs femmes et de leurs enfants vivant en Chine par une loi canadienne quelconque. Ils sont libres de retourner auprès de leurs femmes et de leurs enfants en tout temps, et que Dieu les garde[24] !

La prochaine vague d'immigration asiatique devait provenir du Japon. Les Japonais aussi étaient dénigrés et passaient pour débauchés, mais le Règlement sur l'immigration permettait aux femmes japonaises de venir rejoindre leurs maris. La justification officielle de cette politique révisée était que les Japonaises garderaient les Japonais à distance des femmes blanches; ensemble, ils fonderaient des familles qui permettraient de constituer un bassin de main-d'œuvre bon marché pour soutenir la croissance exubérante de l'Ouest. Les hommes mariés firent donc venir leurs femmes, et certains célibataires investirent dans un voyage au Japon pour y trouver une épouse. Mais le prix de ces voyages était prohibitif, et les hommes qui passaient plus de trente jours au Japon risquaient d'être appelés à faire leur service militaire. La solution la plus sûre et la plus délicate était de trouver une « mariée par correspondance ».

De 1910 à 1920, environ la moitié des nouvelles mariées qui immigrèrent aux États-Unis étaient des mariées par correspondance dont les familles avaient répondu aux demandes d'expatriés japonais. Les marieurs traditionnels utilisaient la nouvelle technologie de la photographie pour apparier les couples dont les futurs membres vivaient sur des continents séparés. Les chefs de famille faisaient leur sélection en regardant les daguerréotypes et les photographies, mais aussi en suivant des critères plus importants, comme la généalogie, la richesse, les études, la santé ainsi que la vie et les perspectives d'avenir des hommes qui vivaient aux États-Unis ou ailleurs. Les marieurs facilitaient les discussions entre les familles, qui s'entendaient sur les mariages sans rencontrer le futur marié. Le couple était alors fiancé, puis marié, même si le mari ne pouvait assister à son propre mariage. Pour que ces mariages aient une valeur légale, il suffisait que la famille du marié absent inscrive son nom dans le registre de la famille de la mariée.

La plupart des mariées par correspondance se rendirent sur la côte Ouest, où elles passèrent leurs premiers jours à la station d'immigration californienne d'Angel Island pour y subir des examens physiques et des traitements contre l'ankylostomiase endémique. Elles avaient également un avant-goût de la discrimination raciale avec le dénigrement de leur religion shintoïste par les fonctionnaires, qui faisaient du prosélytisme en faveur des mariages de style chrétien et américain.

Lorsqu'elles rencontraient leurs maris, beaucoup de mariées par correspondance étaient déçues de voir que leurs familles avaient reçu des photos flatteuses mais inactuelles, ainsi que des renseignements faux. Leurs nouveaux époux étaient trop souvent des travailleurs épuisés qui, à cause des lois antijaponaises, n'avaient pas le droit d'acheter des terres. Il n'était pas rare que ces mariages se rompent lorsque les épouses réalisaient qu'elles pouvaient subvenir elles-mêmes à leurs besoins ou trouver de meilleurs hommes. La mariée fugitive devint un accessoire fixe des médias populaires, les journaux se faisant un plaisir de décrire les assassinats de mariées par correspondance par des maris jaloux.

Les porte-parole antijaponais prétendaient aussi que les mariées par correspondance avaient cinq fois plus d'enfants que les femmes blanches. En 1919, le sénateur James Phelan déclara devant le House Committee on Immigration que dans le cadre d'un « complot » pour saturer les États-Unis de Japonais, chaque mariée par correspondance engendrait un enfant, moins d'un an après son débarquement. Dans cette atmosphère tendue de préjugés racistes et culturels qui trouvaient un appui auprès des autorités, les mariées par correspondance, souvent mariées à des hommes peu intéressants, s'évertuaient à se construire une vie tolérable dans un nouveau monde hostile.

Le mariage à l'américaine était à la fois une métaphore de citoyenneté et un outil auquel les autorités avaient recours pour façonner les résidents et les immigrants sur le modèle des citoyens américains. L'idéologie suprématiste blanche et la peur, voire la haine collective, des Asiatiques orientaient les politiques qui touchaient chacun des aspects de leur vie, notamment, qui ils mariaient, comment et quand ils se mariaient.

Pendant des siècles, le racisme et les idéologies suprématistes des Blancs imprégnèrent les politiques publiques qui s'appliquaient aux personnes de couleur en Amérique du Nord : les Africains achetés comme esclaves ainsi que leurs descendants, les Autochtones qui avaient été colonisés, et les Asiatiques qu'on avait invités à venir comme main-d'œuvre bon marché. À cet égard, les politiques du Canada et des États-Unis se ressemblaient beaucoup, à tel point que certaines lois — comme la Loi sur l'exclusion des immigrants chinois — avaient des intitulés identiques. Elles avaient aussi en commun d'être utilisées aux fins de manipuler et de contrôler les couples mariés, et donc la vie des esclaves, des citoyens, des Autochtones et des immigrants de couleur.

CHAPITRE 13

Les politiques du mariage

Les femmes battues

Le 9 mars 1977, dans l'État du Michigan, Francine Hugues fit sortir précipitamment ses quatre enfants de la maison ; elle les fit monter dans l'auto et leur dit de rester là. Elle se rendit ensuite dans le garage, prit un bidon d'essence et le transporta jusque dans la chambre du rez-de-chaussée, où son mari Mickey était étendu, abruti par l'alcool. Elle vida le contenu de son bidon d'essence sur le lit et aux alentours, y jeta une allumette enflammée puis courut rejoindre ses enfants. Pendant que la maison était réduite en cendre, entraînant la mort de son mari, elle roula jusqu'au bureau du shérif à qui elle avoua son crime.

En 1963, lorsqu'elle fit la connaissance de James « Mickey » Hugues à l'occasion d'une soirée de danse à son école secondaire, Francine avait quinze ans. Ils tombèrent amoureux l'un de l'autre et se marièrent quelques mois plus tard. Qu'il fût ou non en état d'ébriété, Mickey se mit presque immédiatement à la gifler, à lui donner des coups de pied, à la battre, à l'étrangler voire à la brûler, ne s'arrêtant même pas durant ses quatre grossesses. Il se plaisait également à railler, humilier et menacer sa jeune épouse ; il frappa un des bébés à coups de pied ; il torturait les animaux domestiques que Francine et les enfants adoraient. Pendant que Lady, la chienne de la famille, était en train de mettre bas, Mickey refusa que les enfants lui viennent en aide ; il enferma l'animal à l'extérieur par temps de gel, où elle mourut gelée. Un autre jour, il s'empara brusquement d'un chat que sa plus jeune fille tenait dans ses bras pour le mettre à mort en lui tordant le cou.

Francine le quittait souvent — à une occasion, elle partit pour six mois — mais il la suivait et la menaçait. En 1971, elle divorça, mais après qu'il eut été victime d'un grave accident de voiture aux allures suicidaires, elle emménagea dans la maison voisine de la sienne, afin d'aider son ex-belle-mère à prendre soin de lui. Après son accident, Mickey fut déclaré inapte au travail, mais il se portait encore assez bien pour passer ses journées dans les bars, à ruminer des idées noires. Le dernier jour de la vie de son ex, Francine, revenue de l'école de commerce où elle étudiait, servit à Mickey un repas congelé. Furieux d'être traité de la sorte, Mickey lança son plat sur le sol, lui ordonna de nettoyer, puis lui frotta le visage et les cheveux avec les résidus poisseux. Après l'avoir frappée des mains et des pieds, il lui ordonna de brûler ses notes de cours et ses livres et de quitter l'école de commerce. Comme elle essayait de discuter, il la battit encore; c'est alors que leur fille de douze ans décida d'appeler la police.

Même après l'arrivée des policiers, Hugues continua de menacer de la tuer; mais une fois de plus (car ce n'était pas la première fois qu'on faisait appel à eux), les policiers repartirent sans l'emmener. Après que les policiers furent partis en refusant de l'aider, Francine mit le feu au lit de Mickey, entraînant sa mort. Lors de son procès, qui eut un grand retentissement, elle fut acquittée de l'accusation de meurtre au premier degré pour motif de démence temporaire.

La politique publique sur la violence conjugale

De même que les idéologies des suprématistes et autres tenants du racisme ont déteint sur les politiques publiques concernant le mariage, les valeurs et les normes — sinon les préjugés et les obsessions — en vigueur à telle ou telle époque ont également influé sur un large éventail de questions, y compris le droit pour une femme de ne pas être battue.

Dans *Public Vows: A History of Marriage and the Nation* [*Vœux publics: Histoire du mariage et de la nation américaine*], l'historienne Nancy Cott rappelle comment, à l'époque de la Révolution américaine et par la suite, le mariage a été vu comme une métaphore vivante de la république. Fondé sur le consentement libre et l'acceptation mutuelle des rôles dévolus à chacun des sexes, il mettait en valeur la complémentarité de la rationalité du mari et de la nature passionnée de l'épouse. Dans l'Amérique du Nord britannique, régie par la *common law* anglaise, cette complémentarité des sexes était vue comme le *modus operandi* des mariages. Une des conséquences de cette conception était que le mari avait le droit, voire la responsabilité, de « corriger » son épouse, y compris en utilisant la force physique.

(Une exception de courte durée fut celle des colonies puritaines prérévolutionnaires, où les autorités civiles jouaient un rôle de médiation dans les querelles de ménage et se chargeaient des punitions. Il était strictement interdit aux maris de fouetter leur femme ou de la rudoyer. Toutefois, après la Révolution, « le retour des Américains au canon de la *common law* [...] remit le bâton dans les mains des maris, afin que chaque homme puisse faire régner l'ordre dans sa maison », écrit Ann Jones, dans *Women Who Kill* [*Ces femmes qui tuent*][1].)

Le droit de « corriger » était inscrit dans la loi. Par exemple, en 1824, la Cour suprême de l'État du Mississippi décréta qu'un mari avait le droit de châtier sa femme avec modération, « sans encourir une fâcheuse poursuite pour voie de fait et agression, qui aurait pour conséquence le discrédit et l'humiliation de toutes les parties en cause ». Au milieu du xixe siècle, un tribunal de Caroline du Nord alla encore plus loin : l'État ne devait pas « envahir l'espace domestique ou s'immiscer dans les affaires privées des couples mariés ». Il devait plutôt « laisser les parties à elles-mêmes, car c'est là la meilleure manière de les inciter à se réconcilier et à vivre ensemble comme un homme et une femme devraient le faire ». Le tribunal confirma également le droit du mari de châtier sa femme sans intervention de l'État, à moins qu'« une blessure permanente n'ait été infligée ou qu'il y ait eu excès de violence[2] ».

Mais en dépit des euphémismes et des métaphores politiques éthérées utilisées pour parler des « corrections » infligées par les maris à leur femme, le problème des femmes battues était bien réel, même si son existence n'était pas officiellement reconnue. À la fin du xixe siècle, les politiques publiques dénonçaient les attitudes ambivalentes à l'endroit de la « révoltante situation antérieure », qui avait permis au mari d'« inculquer à la femme ses devoirs et sa soumission [...], de lui donner des coups de bâton, de lui tirer les cheveux, de l'étrangler, de lui cracher au visage, de la jeter par terre et de la poursuivre en la rouant de coups ou de lui faire subir d'autres traitements indignes du même genre »[3].

Dans le dernier tiers du XIXe siècle, les préoccupations relatives à cette « tyrannie domestique », désormais honnie, conduisirent à la création de quatre cent quatre-vingt-quatorze sociétés pour la protection des enfants et contre la cruauté envers les femmes et les enfants victimes de violence. La croyance largement répandue que l'alcool était lié à la violence conjugale incita plusieurs États à poursuivre des propriétaires de bistros pour les violences infligées par des maris en état d'ébriété.

Cependant, au XXe siècle, les réformistes qui exerçaient des pressions auprès des décideurs pour que des lois plus efficaces soient adoptées se heurtèrent à un certain nombre d'obstacles : les interprétations d'obédience freudienne des comportements violents blâmant les victimes autant que leurs agresseurs, l'idéal à tout prix de l'intégrité de la famille, ou la crainte que les interventions demandées ne ciblent d'abord et avant tout les couches les plus pauvres de la société. Cette situation ne devait commencer à changer qu'à partir du milieu des années 1950, lorsque les mouvements pour les droits de la personne et contre la guerre remirent en cause le statu quo. De leur côté, les mentalités évoluèrent, si bien que le meurtre d'une épouse fut désormais considéré comme un cas de violence familiale plutôt que comme l'acte isolé d'un individu désaxé.

Mais les attitudes rigides ne se modifièrent que lentement et par à-coups. D'un côté, l'ouvrage apocalyptique de Betty Friedan, *The Feminine Mystique* [*La mystique féminine*] (1963), fut le cri du cœur de toute une génération de femmes de la classe moyenne qui avaient été confinées à la maison et qui exprimaient leur profonde insatisfaction. De l'autre côté, trois médecins qui étaient intervenus dans le diagnostic de trente-sept hommes accusés d'avoir agressé leur femme à Framingham, dans le Massachusetts, décidèrent d'écrire un livre sur les batteurs de femmes. Toutefois, constatant que les victimes étaient des sujets plus faciles et qu'elles se montraient plus coopératives que leurs maris violents et peu communicatifs, ils rédigèrent plutôt un article intitulé « The Wifebeater's Wife » [« La femme du batteur de femmes »] (1964). Publié dans les *Archives of General Psychiatry*, leur article établissait que les femmes battues avaient souvent cherché à obtenir une aide extérieure à la suite des pressions exercées par un de leurs enfants adolescents, compromettant ainsi un « équilibre matrimonial qui avait fonctionné jusque-là de manière plus ou moins satisfaisante[4] ». Ces experts médicaux terminaient leur étude en disant que les femmes battues « ont un besoin masochiste qui se satisfait des agressions de leur mari[5] ».

Les spécialistes laissant entendre que battre sa femme n'était pas vraiment une agression criminelle, mais simplement une expression particulièrement forte de frustration et de colère, il n'était pas étonnant dès lors que des changements dans la loi demeurent inefficaces. Pourquoi ne pas se contenter de réunir des spécialistes pour discuter de la question et leur faire jouer un rôle de médiation ? On ne devrait certainement pas arrêter les maris en colère, même ceux qui sont violents, comme des criminels de droit commun ! Certes, les querelles conjugales peuvent parfois dégénérer de manière assez effrayante, mais il vaut tellement mieux faire une psychanalyse et résoudre le problème à l'intérieur de la maison que de faire arrêter un mari qui bat sa femme !

Ce genre de raisonnement réussit à retarder l'adoption d'une vraie réforme jusqu'à ce que le mouvement des femmes battues commence à se faire connaître et à transformer cette question en problème public, « reformulant la violence comme un acte injuste perpétré par des hommes s'en prenant à leurs femmes ou à leurs petites amies », écrit la sociologue Gretchen Arnold. « C'est grâce à la complicité de nos institutions, ajoute-t-elle, que ces comportements sont excusés et encouragés. Même si les batteurs de femmes sont responsables des actes qu'ils choisissent de commettre [...], la société a aussi la responsabilité de faire cesser ces violences [en] [...] modifiant la législation et en formant un personnel capable de faire respecter la loi à tous les niveaux[6]. »

Le public commença à adopter ces idées nouvelles. De leur côté, les femmes durent apprendre à se voir comme des femmes battues. Ce n'était pas facile à faire en 1975, au moment où le prix Nobel de la paix était attribué à Eisaku Sato, ancien premier ministre du Japon, dont l'épouse disait de lui : « Oui, c'est un bon mari. Il ne me bat qu'une fois par semaine. » La même année, le numéro de décembre du magazine *Vogue* présentait un mannequin rouée de coups, grimaçant de douleur et portant une combinaison-pantalon pouvant « réellement supporter la pression». Dans *I Love Lucy* [*Lucie, mon amour*], une comédie de situation très prisée du public, Ricky Ricardo renversait sa femme sur ses genoux pour lui donner la fessée. Dans presque tous les épisodes de *The Honeymooners* [*Les nouveaux mariés*], Ralph Kramden brandissait son gros poing devant le visage de sa femme en criant: «Tu peux rêver, Alice, tu peux rêver! Un de ces jours, Alice, un de ces jours, pow!, tu auras mon poing sur la tronche!»

Les institutions appuyaient sérieusement les nouvelles politiques qui avaient commencé à être mises en œuvre dans les années 1970. Des refuges prodiguaient des soins d'urgence aux femmes battues et à leurs enfants. Le premier en Amérique du Nord fut le refuge Haven House, qui ouvrit ses portes en 1964, à Los Angeles. Au Canada, les deux premières maisons de refuge pour femmes battues furent Interval House, à Toronto, et Transition House, à Vancouver. Les nouvelles lois permettaient aux femmes battues d'intenter des poursuites criminelles contre leurs maris. Aux États-Unis, le premier centre juridique pour femmes battues, situé à Chicago, offrait des services d'assistance judiciaire. En Californie, les femmes battues pouvaient réclamer des indemnités pour leurs blessures. Peu à peu, le concept de viol d'une conjointe devint plus crédible et fut intégré aux lois sous le vocable d'agression. Les ouvrages écrits par des femmes battues ou portant sur le thème de la violence familiale envahirent les refuges et les librairies; les magazines féminins à grand tirage firent paraître des articles sur ce thème. Dans un livre vigoureux et fort prisé du public, *Battered Wives* [*Femmes battues*], publié en 1976, Del Marin prétendait que le sexisme était à l'origine de la violence faite aux femmes. L'expression «femme battue» pénétra la conscience publique. Les expressions «épouse battue» et «femme battue» acquirent aussi une crédibilité scientifique et furent ajoutées aux catégories de la Classification internationale des maladies de l'Organisation mondiale de la santé. Le syndrome de la femme battue devint une défense en droit pour les femmes victimes de violence qui tuaient leur agresseur.

Cependant, lors du célèbre procès de Francine Hugues, en 1977, son avocat ne fit pas appel à cette défense du syndrome de la femme battue. Il choisit plutôt la défense éprouvée de la démence temporaire, faisant valoir que les coups et blessures infligés par Mickey — et non une prédisposition féminine particulière — avaient fait craquer Francine. Par la suite, le juge exprima le regret que le procès n'ait pas porté sur la véritable question, à savoir : « Nous avons des milliers de personnes sans aucun recours légal. Où sommes-nous lorsque ces personnes appellent au secours ? La légitime défense est la vraie question, mais elle ne fut jamais réellement abordée dans le procès[7]. »

L'avocat de Francine ayant préféré éviter la question controversée de la légitime défense, sa victoire n'était pas annonciatrice de grands changements. De plus, son acquittement donna lieu à des prédictions macabres concernant la folie meurtrière des femmes battues qui voudraient se venger de leur mari. L'effet de contrecoup fut terrible. Un contre-exemple eut lieu à Chattanooga, au Tennessee, lors du procès de Lillian Quarles, qui avait tué son mari en le frappant avec une chaise. Celle-ci plaida la légitime défense et fournit des preuves attestant qu'au cours des quinze dernières années, son mari l'avait battue si sauvagement qu'il lui avait brisé des vertèbres et des côtes, qu'il avait provoqué une naissance prématurée et lui avait fait perdre un œil. Le juge concéda que Lillian avait été battue, tout en affirmant, sans aucune preuve à l'appui, que son mari avait également été battu. Il avertit un jury obligeant que l'acquittement de Lillian constituerait un « dangereux précédent » ; au moment où il lui infligeait une peine de dix ans de prison pour meurtre au second degré, il déclara : « Ce syndrome de la femme battue n'est qu'un autre exemple, un nouveau mot, pour la vieille idée de chicane de couple[8]. »

En 1978, James Kizer, un procureur qui avait des idées comparables, inculpa d'homicide involontaire plutôt que de meurtre un homme qui avait tué sa femme, même si un témoin avait vu l'accusé battre, rouer de coups et violer sa femme jusqu'à ce que mort s'ensuive. Kizer allégua qu'« il n'avait pas l'intention de la tuer. Il voulait seulement lui donner une bonne volée[9]. »

Les féministes et les spécialistes en droit pensaient tenir une excellente cause, dont la solution ferait jurisprudence en matière de femmes battues, avec le cas de Roxanne Gay, qui avait tranché la gorge de son mari Blenda pendant son sommeil avec un couteau de cuisine de 20 cm. Roxanne mesurait 1 m 55 et pesait 48 kg, alors que Blenda était un solide gaillard de 1 m 96, 102 kg, qui était joueur de ligne défensive pour les Eagles de Philadelphie. Les voisins attestèrent que chaque fois que les Eagles perdaient une partie, Blenda cognait sa femme contre les murs de leur maison. Au cours de leur mariage, qui dura trois ans et demi, elle avait été hospitalisée une fois, avait déposé une plainte contre lui, qu'elle avait ensuite retirée, et avait fait appel à la police à au moins vingt reprises pour demander de l'aide après avoir été battue.

En dépit d'un comité de défense avec des figures aussi connues que Gloria Steinem, l'allégation de Roxane, qui affirmait avoir été battue, fut réduite en miettes lorsque quatre psychiatres de sexe masculin engagés par la famille de Blenda déclarèrent qu'«elle avait des idées de délire, croyant que son mari, sa famille et les policiers complotaient pour la tuer». On lui fit subir un examen de santé mentale et on diagnostiqua une schizophrénie paranoïde. L'accusation de meurtre tomba et Roxanne Gay fut internée à l'asile d'État de Trenton, au New Jersey.

Malgré toutes les précautions des juges qui craignaient que les femmes battues ne décident tout à coup de faire disparaître leurs maris violents, celles-ci trouvèrent des appuis solides. Un nombre grandissant d'études contribua à dissiper nombre d'idées reçues à leur endroit: les femmes battues n'étaient pas des masochistes; du reste, plusieurs d'entre elles allaient jusqu'à demander l'avis d'un avocat, après quoi elles décidaient de divorcer. Fait étonnant, à l'exemple de Francine Hugues, 80 % des femmes battues avaient déjà divorcé de leur mari violent. Ces femmes trouvèrent un autre appui de taille dans la chronique de la reine des bons conseils, la journaliste du *Chicago Sun-Times* Ann Landers. À un homme qui soutenait que les hommes battus suicidaires avaient besoin de refuges, Landers fit cette réponse raisonnable: «Je suis certaine qu'il y a beaucoup plus d'hommes qui battent leur femme que l'inverse, mais si vous pensez qu'on a besoin d'un Foyer pour hommes battus, réunissez ceux qui pensent comme vous et ouvrez un refuge. Quant à moi, je travaille de l'autre côté de la rue, Monsieur[10].»

L'autre côté de la rue finit par triompher en 1977 lors du second procès, devant la Cour suprême de l'État de Washington, d'Yvonne Wanrow, qui avait été condamnée en 1974 pour meurtre au deuxième degré et agression au premier degré avec une arme meurtrière. Yvonne Wanrow était représentée par trois avocates féministes, maîtres Elizabeth Schneider, du Center for Constitutional Rights [Centre pour les droits constitutionnels] de New York, Susan B. Jordan, de San Francisco, et Mary Alice Theiler, de Seattle. La cause prit fin sur une décision de principe : Yvonne Wanrow avait droit à ce que le jury utilise un langage non discriminatoire et examine ses actes « à la lumière de ses propres perceptions de la situation, notamment celles résultant de la longue et regrettable tradition de discrimination fondée sur le sexe de notre pays. Tant que les effets de cette tradition n'auront pas été supprimés, nous devons veiller à ce que les directives relatives à la légitime défense accordent aux femmes le droit de faire juger leur conduite à la lumière des handicaps physiques individuels qui résultent de la discrimination fondée sur le sexe. Sinon, on se trouvera à refuser à l'intéressée le droit d'être jugée selon les mêmes règles que celles qui s'appliquent aux défendeurs de sexe masculin. »

Yvonne Wanrow mesurait 1 m 63, et elle marchait avec des béquilles. La victime, William Wesler, était un alcoolique de 1 m 88, un déséquilibré et un pédophile notoire, qui, juste avant les faits, avait arraché son fils de sept ans à sa bicyclette pour le tirer jusque dans une maison (le garçon avait réussi à s'échapper et avait couru vers sa mère, à laquelle il avait rapporté l'incident). La perception qu'Yvonne Wanrow avait du danger que son mari représentait pour son fils était essentielle pour sa défense. Ses avocats du Center for Constitutional Rights alléguèrent que l'« incapacité à appliquer de telles normes individualisées était préjudiciable à toutes les femmes qui plaidaient la légitime défense ». La cour s'exprima en ces termes : « Dans notre société, les femmes manquent visiblement de possibilités d'acquérir et de développer les aptitudes nécessaires pour repousser efficacement un assaillant de sexe masculin sans avoir recours à des armes meurtrières[11]. » (Yvonne Wanrow plaida coupable à une accusation réduite d'homicide involontaire et de voies de fait au deuxième degré. Elle reçut une condamnation avec sursis de cinq ans.)

Avec le jugement Wanrow, une cour des États-Unis reconnaissait, pour la première fois, les problèmes judiciaires particuliers que devaient affronter les femmes qui se défendaient ou qui défendaient leurs enfants contre des agresseurs masculins ; le jugement acceptait qu'elles prennent des mesures de légitime défense lorsqu'elles estimaient qu'elles (ou leurs enfants) étaient en danger. La notion d'égalité des femmes, y compris lorsque le droit est distinct, mais égal, comme dans la cause Wanrow, modifiait les relations conjugales en introduisant de nouvelles normes de comportement et de nouvelles garanties juridiques. Pour la première fois, la spécificité du sexe était introduite dans les normes juridiques de la légitime défense. Historiquement, la légitime défense évoquait plutôt des images de soldat ou d'homme défendant sa maison, sa famille ou sa femme. Or, les avocates Elizabeth Schneider et Susan Jordan mettaient en lumière que « l'ensemble du droit, fait par les hommes, pour les hommes et amassé par eux au cours de l'histoire pour leur compte, codifie les préjugés masculins en prenant constamment des mesures discriminatoires contre les femmes et en ignorant le point de vue de la femme[12] ».

En 1990, dans la cause *R. c. Lavallée*, la juge Bertha Wilson, de la Cour suprême du Canada, cita la cause *State v. Wanrow* comme « une illustration utile de la manière dont le sexe peut être un facteur pertinent dans la détermination de ce qui est raisonnable », plus précisément, « pour déterminer si l'utilisation d'une arme à feu par l'appelante contre un intrus non armé était raisonnable[13] ». (« Dieu a créé les hommes et les femmes égaux, et Smith & Wesson s'assurent que cela reste vrai, quoi qu'il arrive », disait une annonce publicitaire. Un slogan sur une affichette collée sur un pare-choc annonçait le contraire : « Dieu n'a pas créé l'homme et la femme égaux. Samuel Colt l'a fait. ») Après que la Manitobaine Angélique Lyn Lavallée eut abattu d'une balle dans la tête son conjoint violent, la Cour d'appel du Manitoba estima que, lors de son premier acquittement, la preuve psychiatrique n'aurait pas dû être admise. La juge Wilson, rédigeant le jugement pour la Cour suprême, exprima son désaccord avec cette décision : « Le témoignage d'expert est admissible pour aider le juge en exercice à faire des inférences dans des domaines où l'expert possède des connaissances ou une expérience pertinente qui dépassent celles du profane. Il est difficile pour le profane de comprendre le syndrome de la femme battue. On croit communément que les femmes battues ne sont pas vraiment battues aussi sévèrement qu'elles le prétendent, sinon elles auraient mis fin à la relation. Certains pensent d'autre part que les femmes aiment être battues, qu'elles ont des tendances masochistes. Chacun de ces stéréotypes peut jouer défavorablement dans l'examen de l'allégation d'une femme battue qu'elle a agi en légitime défense quand elle a tué son partenaire. La preuve d'expert peut aider le jury en détruisant ces mythes[14]. »

La juge Wilson vit dans l'appel d'Angélique Lyn Lavallée une excellente occasion de réviser certains « aspects de la loi qui avaient besoin d'être repensés dans la perspective de la différence entre les sexes […] en commençant par examiner le moyen de défense de légitime défense et la manière dont il était pensé en fonction d'une altercation entre deux hommes ». La juge Wilson estima que la « violence envers les femmes au foyer est une expression et une manifestation de pouvoir qui se perpétue du fait que les hommes, mais non les femmes, détiennent le pouvoir dans notre société. Les inégalités économiques, politiques et sociales dont souffrent les femmes alimentent et justifient la violence envers les femmes dans une société qui valorise le pouvoir par-dessus tout[15]. » Dans leur décision majoritaire qui permettait au jury d'entendre les témoignages se rapportant au syndrome de la femme battue dans le cas où des femmes battues avaient été accusées d'avoir tué leur agresseur en légitime défense, la juge Wilson et ses collègues changèrent la manière dont la loi abordait les cas de violence conjugale.

En plus de cette importante modification du droit, la publication de recherches spécialisées sur des questions déterminées et les pressions exercées par les organisations féminines furent à l'origine de la mise au point d'instruments juridiques conçus pour les cas de violence conjugale. Des amendements au Code criminel ont clarifié et renforcé les lois se rapportant à la violence conjugale, y compris tout ce qui a trait aux arrestations, poursuites et condamnations. Aux États-Unis, le *Violence Against Women Act* [*Loi sur la violence à l'égard des femmes*], promulgué en 1994 et amendé en 2006, a amélioré les enquêtes et les poursuites dont les agresseurs font l'objet. Elle a également allongé la période de détention avant le procès, imposé des dédommagements automatiques et obligatoires (le défendeur doit payer à la victime le montant total des pertes déterminé par le tribunal), et autorisé les victimes à intenter une poursuite civile dans les cas où les procureurs décident de ne pas exercer des recours judiciaires.

De plus en plus, en Amérique du Nord, les corps policiers sont formés pour traiter les cas de brutalité conjugale comme des voies de fait plutôt que comme des « affaires privées » ou comme le simple signe d'un mariage qui bat de l'aile. « La brutalité conjugale est d'abord et avant tout une agression — un crime sur lequel il faut enquêter », comme le rappelait à ses membres l'Association internationale des chefs de police, en 1976[16]. Les politiques de mise en accusation obligatoire et de poursuite sans possibilité d'abandon (ou fondée sur les preuves) signifient que les forces policières assument la responsabilité de déposer des accusations contre les hommes violents, ce qui libère les victimes d'avoir à le faire elles-mêmes. (Il est très rare que les agresseurs soient des femmes et les agressés, des hommes; quelquefois, dans le cas des couples homosexuels, ils sont du même sexe.)

D'autres instruments protecteurs sont les engagements de ne pas troubler l'ordre public et les ordonnances de non-communication; toutefois, ils sont souvent inefficaces, car les ex-maris ou les ex-conjoints sont souvent les plus dangereux. Au début des années 1990, le ministère de la Justice des États-Unis estimait que les trois quarts des voies de fait contre un conjoint se produisaient après que le couple se fut séparé. Au Canada, les statistiques de 1994 à 2004 montrent que 43 % des cas de violence conjugale déclarés par la police ont été commis après la séparation du couple, alors que 36 % l'étaient par un conjoint qui vivait toujours avec le conjoint ayant subi l'agression. Plusieurs provinces ou territoires offrent des mesures de protection ou des ordonnances d'intervention d'urgence en dehors des heures de service des tribunaux. Le réseau des refuges pour les femmes qui tentent de quitter leur foyer où règne la violence est une ressource essentielle qui s'est développée malgré le manque chronique de lits. Au Canada, en 1999-2000, par exemple, 448 refuges ont accueilli 96 359 femmes et enfants.

La sensibilisation du public à la violence conjugale est une autre mesure préventive. La Californie et d'autres États américains ajoutent de la documentation sur la violence conjugale dans leur réponse aux demandes de licence de mariage. Le site Web bilingue du gouvernement ontarien, *Sortir de la violence conjugale*, parle d'«une tragédie qui affecte toute notre société» et offre du matériel documentaire utile, comme le numéro de la «Ligne téléphonique pour femmes victimes de violence» (avec des interprètes pouvant donner des renseignements en 154 langues). Le site recommande la prudence: «Si vous vivez une situation d'urgence ou si vous craignez pour votre vie, communiquez avec votre service de police local ou composez le 9-1-1.» Le site explique aussi comment effacer les traces des sites visités[17]. Les épouses effrayées peuvent être assurées que la politique officielle du gouvernement est de condamner la violence et de tendre une main secourable aux victimes de violence.

Politique publique et divorce

Le divorce a été l'une des questions les plus épineuses auxquelles la politique publique a dû s'attaquer, ne serait-ce que parce que les mariages insupportables ont existé de tout temps. Tout au long de l'histoire, des couples mécontents de leur vie commune se sont séparés (ou, plus rarement, ont divorcé), des maris ont abandonné leur femme et leurs enfants, et parfois, des femmes ont abandonné leur mari et leurs enfants. Des époux se sont montrés infidèles et, parfois, ils se sont remariés sans s'être d'abord « défaits » de leur première épouse. Pourtant, jusqu'à tout récemment (quelques dizaines d'années), le divorce était fortement désapprouvé, sous prétexte qu'il représentait une menace pour la moralité et qu'il minait les valeurs de la société. L'Église catholique l'interdisait et, en Amérique du Nord, il était très difficile de divorcer.

Dans le chapitre 7, on a vu comment les colonies canadiennes avaient adopté la Loi sur les causes matrimoniales de 1857, avec ses motifs de divorce propres à chaque sexe. Un mari dont la femme était adultère pouvait divorcer très facilement ; en revanche, une femme ne pouvait divorcer de son mari adultère que si elle pouvait prouver qu'il était également coupable de cruauté, qu'il avait abandonné le domicile conjugal ou qu'il avait commis des actes incestueux ou un viol, qu'il avait pratiqué la sodomie, la zoophilie ou la bigamie. Par la suite, la Loi sur les causes matrimoniales fut amendée, afin de permettre aux épouses de demander le divorce avec comme seul motif l'adultère. Cette politique s'appuyait sur l'idéal de la femme vertueuse, dont la pureté était incompatible avec les escapades sexuelles extraconjugales de son mari. Le même idéal imposait aux femmes les mœurs les plus irréprochables, les femmes adultères perdant tous leurs droits à une pension alimentaire. (Les hommes ne pouvaient réclamer de pension alimentaire, en raison des inégalités économiques entre les sexes.) Très catholiques, le Québec et le Nouveau-Brunswick n'avaient pas de loi sur le divorce ; les époux malheureux n'avaient d'autre recours légal que de présenter une requête au Parlement par le biais d'un projet de loi émanant d'un député.

Aux États-Unis, où le divorce relève de la compétence des États plutôt que du gouvernement fédéral, les lois étaient différentes d'une région à l'autre, mais elles avaient tendance à être plutôt strictes dans les régions de l'Est et plutôt permissives dans les régions de l'Ouest. Même si la Constitution stipulait que les États devaient accorder pleinement « foi et crédit » aux décisions des tribunaux des autres États, chaque État exerçait un pouvoir discrétionnaire en matière de reconnaissance des divorces prononcés dans les autres États. Cela compliquait évidemment la situation. Il en résultait un marché du divorce où les citoyens les plus fortunés pouvaient faire fi de la sévérité des lois de leur État en obtenant leur divorce dans un État plus permissif.

En réalité, le divorce aux États-Unis reflète l'idéologie de la Révolution, de l'autonomie gouvernementale et de la liberté politique. Suivant l'historienne Norma Bash, « aussitôt […] que les Américains eurent trouvé une justification pour dissoudre les liens qui les unissaient à l'empire [britannique], ils se mirent à forger des règles leur permettant de dissoudre l'union matrimoniale[18] ». Un des Pères fondateurs, Thomas Jefferson, associait le divorce à l'indépendance et à la poursuite du bonheur, faisant remarquer que le divorce « préserve la liberté d'affection » et « redonne aux femmes leur droit naturel à l'égalité[19] ».

Au XVIIIe et au XIXe siècle, les Américains avaient tendance à voir le mariage comme un contrat qui, à l'image de tous les contrats, pouvait être rompu pour non-respect des clauses de celui-ci par une des deux parties ou par les deux. Cette perspective se reflétait dans les politiques publiques. Les divorces étaient souvent précédés par l'abandon, qui était la manière la plus facile de mettre fin à un mariage. La plupart des demandes de divorce étaient faites par des femmes ; le motif le plus fréquent était l'abandon, mais l'adultère ou l'impuissance sexuelle étaient également invoqués comme des obstacles à la poursuite du bonheur. Au XIXe siècle, au fur et à mesure qu'ils acquéraient plus de contrôle sur les contrats de mariage, les États multiplièrent les motifs de divorce, notamment l'emprisonnement, une sexualité déviante ou l'homosexualité (comme ce fut le cas au Canada). En 1886, 80 % des États ajoutèrent la violence physique et la cruauté mentale.

Au fur et à mesure que le nombre de divorces augmentait, certains défenseurs des droits de la femme se réjouissaient de la libération des femmes piégées dans des mariages odieux, alors que d'autres s'inquiétaient de la vulnérabilité des femmes âgées qui se retrouvaient seules. Dans les dernières décennies du xixᵉ siècle, la croyance que le divorce détruisait la famille américaine, sinon la société, engendra un mouvement opposé au divorce, qui faisait pression sur les décideurs pour que des réformes soient introduites. Les politiques publiques reflétèrent certaines de ces préoccupations, les États promulguant des lois plus restrictives. Mais le taux de divorce ne baissa pas pour autant.

À cette époque, New York, par exemple, n'acceptait pas d'autres motifs de divorce que l'adultère. Toutefois, au lieu de diminuer le nombre de divorces, cette loi incitait les couples souhaitant divorcer à devenir complices de parjure. Pour satisfaire aux exigences de la loi concernant la preuve d'adultère, les hommes et les femmes qui hésitaient à révéler au grand jour leurs relations adultères, ou qui avaient d'autres raisons de vouloir divorcer, payaient des gens qui déposaient de faux témoignages en s'inventant une liaison avec un des époux, généralement le mari. Par exemple, en 1934, le *New York Mirror* dévoila qu'une secrétaire juridique, une blonde non identifiée, s'était rendue complice de faux témoignages dans plus d'une centaine de causes de divorce.

Une autre possibilité pour les époux malheureux était de se rendre dans les États qui avaient des lois de divorce plus laxistes. Le Nevada et l'Idaho, par exemple, se transformèrent en paradis du divorce après avoir édicté des lois qui accordaient le divorce après six semaines de résidence seulement. Par la suite, Mexico en fit autant et devint pour les étrangers l'Eldorado du divorce en vingt-quatre heures.

Les temps nouveaux

Dans toute l'Amérique du Nord, les années 1960 furent des années de changement radical dans les attitudes à l'égard du mariage, de la sexualité, du rôle de l'homme et de la femme et des droits de la personne. Ces changements se concrétisèrent en 1968 dans la loi canadienne sur le divorce, qui mettait fin au caractère accusatoire du divorce et ajoutait la rupture permanente du mariage aux motifs de divorce. Les autres motifs étaient notamment l'adultère, la cruauté, l'abandon de la demeure conjugale, le viol, les actes d'homosexualité et la bigamie. La loi mettait également fin au régime ambigu qui avait rendu les choses plus difficiles pour les femmes désireuses d'intenter une procédure de divorce.

La loi sur le divorce de 1985 simplifia encore davantage les procédures de divorce, en acceptant la rupture du mariage, l'adultère et la cruauté physique ou mentale comme motifs de divorce. (Avant les années 1980, qui virent la criminalisation du viol conjugal et des actes de violence à l'endroit de la conjointe, les pouvoirs publics traitaient ces situations comme des « affaires privées ».) La loi de 1985 ordonnait aussi aux avocats de discuter avec leurs clients de la possibilité de se réconcilier et, si une telle réconciliation s'avérait impossible, d'aider à régler les questions de pension alimentaire et de garde, en accordant une attention particulière à l'intérêt supérieur des enfants.

Préoccupés par le non-versement des pensions alimentaires et par les répercussions du divorce sur les enfants, les gouvernements effectuèrent d'autres modifications concernant la détermination et le respect des pensions alimentaires pour enfants (ainsi que les mesures fiscales connexes), améliorant en même temps les dispositions sur le droit de visite et sur la garde des enfants. À cet égard, certaines provinces canadiennes exigent que les parents mettent au point un plan parental pour protéger leurs enfants des difficultés émotionnelles et financières qui surgissent souvent après un divorce.

À la fin des années 1970, la plupart des provinces canadiennes avaient modifié le droit de la famille et la législation sur la propriété pour que les biens acquis après le mariage soient possédés conjointement. Mais l'opinion publique canadienne eut besoin du cas particulièrement choquant d'une fermière albertaine pour réaliser à quel point les femmes étaient désavantagées dans les causes de divorce. En 1968, un « rancher », Alex Murdoch, flanqua une raclée à sa femme Irène, qui subit une triple fracture de la mâchoire et des dommages irréversibles. Il la conduisit à l'urgence de l'hôpital local où il la laissa seule. Lorsqu'Irène revint à la maison, la mâchoire emprisonnée par des tiges métalliques, elle s'aperçut qu'Alex avait fermé la porte à clé et refusait de la laisser entrer. De plus, il avait bloqué son crédit dans les magasins locaux.

En 1973, la Cour suprême du Canada décida que le travail effectué par Irène Murdoch pendant ses vingt-cinq années à la ferme était simplement « le travail effectué par toute épouse de fermier », et qu'elle n'avait pas droit à la moitié de la propriété, qu'Alex Murdoch vendit pour 95 000 $[20].

Cinq ans plus tard, dans la cause d'un autre couple de fermiers en instance de divorce, le tribunal renversa le principe inéquitable qui était au cœur du jugement Murdoch. Les contributions directes et indirectes de l'épouse à la propriété agricole furent reconnues, et la fermière eut droit à la moitié des biens réels et des biens personnels du couple. Un an plus tard, la plupart des provinces canadiennes avaient modifié leur législation sur les actifs familiaux, les biens acquis après le mariage étant considérés comme conjointement possédés par les deux époux. De nos jours, les tribunaux de la famille accordent une plus grande valeur aux contributions indirectes ou non pécuniaires, tels les travaux quotidiens effectués par une femme de fermier ou une maîtresse de maison.

Les lois américaines sur le divorce furent également modifiées pour répondre à l'évolution de la société. En 1969, la Californie donna l'exemple avec le divorce sans égard aux torts et à des motifs tels que l'incompatibilité et les différences irréconciliables. Le déplacement idéologique est passé de la question de savoir lequel des époux avait commis une faute à la reconnaissance que le mariage avait simplement échoué et devait par conséquent se terminer. Après la Californie, d'autres États modifièrent leurs lois. Aux États-Unis comme au Canada, la législation quant aux biens et à la pension alimentaire était telle que de nombreuses femmes se trouvaient dans une situation financière très précaire après le divorce. Peu à peu, les autorités législatives des États corrigèrent ces inégalités en promulguant des lois visant une répartition équitable des biens et des ressources, y compris les revenus.

Tout comme les considérations d'équité, le bien-être des enfants est un facteur important dans le divorce. Les enfants de parents divorcés se comptent par millions. Aux États-Unis, par exemple, en 1990, les parents d'un million d'enfants ont divorcé. Le coût socio économique du divorce est astronomique : une étude du gouvernement américain établit que, de 1970 à 1991, 9 % seulement des enfants de moins de dix-huit ans dont les parents étaient mariés étaient considérés comme pauvres, alors que 46 % des enfants vivant dans des familles monoparentales dirigées par une femme et 23 % des enfants vivant dans des familles monoparentales dirigées par un homme étaient dans la même situation.

Depuis quelques années, un « mouvement pour le mariage », qui accuse le divorce et l'égalitarisme d'être responsables de la plupart des maux de la société, exerce des pressions pour que les gouvernements révoquent le divorce ou à tout le moins le réforment ; le divorce devrait être plus difficile à obtenir, la notion de faute devant être réintroduite, les périodes d'attente devant être prolongées et le counseling être obligatoire.

Le mouvement pour le mariage fait aussi la promotion du mariage engagé (« mariage covenant »), qui prévoit des consultations prénuptiales, un engagement contractuel à préserver le mariage et, en cas d'échec, une séparation pour faute ou une séparation de longue durée avant de pouvoir divorcer. Même si peu de gens choisissent ce type de mariage, il était accessible, en 2009, en Louisiane, en Arkansas et en Arizona. Il représente le triomphe d'une idéologie qui se traduit par une politique étatique.

La signification publique du mariage

Au fur et à mesure que la signification culturelle et politique du mariage a évolué, les pouvoirs publics ont pris acte de cette évolution dans leurs lois et règlements. Le nouveau rôle de la femme illustre la manière dont le politique définit et institutionnalise les relations entre les hommes et les femmes. Durant la période de l'entre-deux-guerres, un plus grand nombre de femmes s'orienta vers le marché du travail, la plupart ayant des emplois peu payés ; les hommes restaient les principaux soutiens de famille. Cependant, la grande dépression changea la donne économique de l'Amérique du Nord — les paroles du président Roosevelt : « le pays se meurt à petit feu », s'appliquait aussi bien au Canada qu'aux États-Unis — en érodant la capacité pour les hommes comme pour les femmes d'obtenir un salaire décent.

Les initiatives gouvernementales pour sauver la situation étaient fortement influencées par les convictions sexistes, qui considéraient l'homme comme le soutien de famille. Aux États-Unis, le *New Deal* de Roosevelt excluait les femmes de certains programmes, dont le très prisé Corps civil de protection de l'environnement, relativement bien payé. (Reflétant la pensée raciste de l'époque, ce programme acceptait un nombre limité d'hommes de race noire.) Après 1932, un seul membre de la famille pouvait occuper un emploi au gouvernement fédéral, une mesure qui revenait à exclure les épouses. (Beaucoup d'entre elles, ayant désespérément besoin de conserver leur emploi, dissimulaient leur situation matrimoniale.) Au Canada, où la reconnaissance des femmes comme personnes (alors que jusque-là elles avaient été considérées comme des non-personnes) eut lieu en 1928 seulement, le gouvernement fédéral accordait aussi une plus grande importance au chômage des hommes. À l'exemple de leurs frères américains, les hommes canadiens étaient censés soutenir leur famille, les politiques fédérales ayant pour but de leur permettre de le faire.

De nos jours, l'idée que les hommes devraient être les seuls soutiens de famille a ses défenseurs comme ses opposants, tous persuadés d'avoir raison. Le débat tourne autour du rôle et des droits des femmes dans la société; il se fait à coup de statistiques et d'interprétations à propos des conséquences du travail des femmes, des droits des femmes et du niveau de scolarisation des femmes.

Les discussions tournent autour des résultats, des conséquences et des comparaisons qu'il est possible de faire. Comment les choses se passent-elles pour les enfants qui sont en garderie? Comment peut-on comparer leur expérience avec celle des enfants qui sont laissés à la garde de leurs mères à la maison? Sont-ils plus délinquants, instables ou mal dans leur peau que les enfants qui restent avec leur mère? Lorsque vient le temps d'aller à l'école, ont-ils d'aussi bons résultats? Plus tard, comment se comportent-ils dans les relations qu'ils nouent et dans leur mariage? Des études sont examinées, des preuves empiriques présentées, les gens tirant des conclusions passionnées. Puis, suivant le programme des responsables politiques, les établissements de garde de jour sont agrandis, subventionnés, encouragés, réglementés, modifiés — ou laissés tels quels.

Au cours de la Deuxième Guerre mondiale, pendant que les hommes abandonnaient le marché du travail pour aller combattre, une armée de femmes à la maison suivit Rosie la Riveteuse pour aller les remplacer.

Plus d'un million de Canadiennes (sur trois millions), et plus de six millions d'Américaines prirent la relève dans les usines, fonderies, moulins, fermes, usines de guerre ; elles apprirent des métiers spécialisés, gagnèrent leur propre argent et profitèrent de réductions d'impôt, puisqu'elles contribuaient à la production économique et qu'elles soutenaient l'économie nationale. (Beaucoup d'entre elles avaient déjà occupé des emplois moins bien payés, traditionnellement réservés aux femmes. Aux États-Unis, la moitié de ces travailleuses étaient ou bien des Afro-Américaines ou bien des femmes de la classe ouvrière.)

Au début, ni le gouvernement canadien ni celui des États-Unis ne voyaient l'urgence d'embaucher plus de femmes ; en fait, les mères ayant des enfants de moins de quatorze ans étaient invitées à rester à la maison. Mais bientôt, même les femmes qui avaient des enfants de moins de six ans rallièrent la main-d'œuvre de guerre, influencées par les offres de garde de jour subventionnée par le gouvernement fédéral ou touchées par les appels à leurs services, lesquels étaient brusquement devenus inestimables. Comme l'annonçait l'Aviation royale du Canada, « Les femmes de 18 à 35 ans en bonne santé sont invitées à venir travailler dans les usines de guerre de l'Est. Notre slogan est : "Continuons à faire feu". [...] Nous acceptons même les jeunes filles sans aucune qualification ; elles recevront un entraînement à l'usine. [...] une fille de fermier, une employée de maison, une serveuse, une secrétaire, une sténographe, une bachelière ou une débutante — si elle veut apprendre — a les qualités requises pour devenir une bonne travailleuse de guerre[21]. »

La question des services de garde d'enfants, qui est de nos jours une source de grandes préoccupations idéologiques (pour ne pas dire pédagogiques) avait été résolue en un tournemain par les décideurs politiques qui affrontaient un problème de pénurie de main-d'œuvre dans le contexte d'urgence qui était celui du temps de guerre. « La collaboration des femmes à une partie essentielle du programme de défense est requise ; le gouvernement a la responsabilité de fournir des soins appropriés aux enfants pendant que les mères sont au travail. » C'est ainsi que débutait un rapport de 1941 du département du Travail du gouvernement fédéral américain, *Standards for Day Care of Children of Working Mothers* [*Normes en matière de services de garderie pour les enfants des mères au travail*][22]. Les mères à l'esprit patriotique travaillaient pour que leurs maris puissent combattre, et les gouvernements reconnaissants (et pragmatiques) s'occupaient en retour de leurs petits. Dans un contraste frappant avec la situation actuelle, la question du rôle des femmes à la maison, dans la société et dans l'industrie, en cette période de guerre, ainsi que la reconnaissance de leurs besoins en matière de soins de garde fiables et à coût abordable, orientèrent complètement les décisions politiques en Amérique du Nord.

À la fin de la guerre, lorsque les soldats rentrèrent à la maison, ces politiques du temps de guerre furent anéanties comme les bombardiers de la Luftwaffe. Les Rosie la Riveteuse prirent leur retraite ou furent chassées de leur travail. L'idéologie du mariage fonctionna à nouveau pour se présenter comme un refuge face aux incertitudes de la guerre froide et aux dangers du communisme rampant. Le mariage était aussi une entité économique pouvant alimenter l'économie de consommation de l'après-guerre, ainsi qu'un modèle pour redéfinir les rôles et les relations entre les sexes au moment où les femmes étaient renvoyées des emplois qu'elles avaient occupés pendant la guerre et où les soldats réintégraient la société civile.

C'était la fin des services de garde gratuits et de réduction des impôts. Les applaudissements se turent aussi. Certes, les femmes avaient aidé à gagner la guerre, mais il leur fallait retourner dans leurs cuisines. La nouvelle politique ainsi que la culture populaire transformèrent des armées de Rosie en charmantes femmes de maison combatives et centrées sur leurs enfants[23]. Les femmes des milieux défavorisés qui avaient besoin de travailler reprirent les emplois mal rémunérés qu'elles occupaient avant la guerre.

L'image nostalgique de June Cleaver était une distorsion de réalités plus complexes, dont un taux de divortialité accru en Amérique du Nord. Néanmoins, dans une personnification étendue du domaine politique, le « bon » mariage acquit une signification encore plus grande sur le plan des relations internationales. Nancy Cott écrit : « Dans les confrontations avec l'Union Soviétique et ses alliés socialistes, la propagande américaine et les Américains eux-mêmes convertissaient souvent leur économie politique en aspirations privées, rattachant le capitalisme et la démocratie représentative à des choix personnels, celui de se marier, d'avoir des enfants, d'acheter une maison ou d'avoir accès à une foule de biens de consommation[24]. »

Le Canada était moins énergique, mais, en gros, il endossait ce point de vue et se lançait dans une économie de reconstruction qui était très semblable à celle des États-Unis. À l'image de ces derniers, le Canada émit des dispositions législatives qui convertissaient les travailleuses de guerre en maîtresses de maison. L'expérience d'une de ces femmes était représentative, bien que son esprit de décision le fût moins. En 1954, lorsque l'enseignante Bertha Wilson, épouse d'origine écossaise de John Wilson, aumônier de la marine, fit une demande d'inscription à la faculté de droit de l'Université de Dalhousie, le recteur Horace Read se moqua d'elle : « Madame, il n'y a pas de place ici pour les dilettantes. Pourquoi ne retournez-vous pas chez vous pour faire du crochet ? » Bertha Wilson, qui était « une très mauvaise cuisinière et qui ne connaissait rien à la couture[25] », persévéra et, en 1982, après avoir traversé avec grâce des dizaines d'années de discrimination sexuelle (elle fut exclue de la salle commune de la faculté de droit et de la taverne où se retrouvaient les étudiants ; on la découragea d'accepter une bourse d'études à Harvard ; il lui fallut attendre neuf ans au lieu de cinq pour devenir associée en exercice du droit ; comme avocate, on lui interdit de plaider ; comme juge, elle fut boycottée par ses collègues), elle fut la première femme nommée juge à la Cour suprême du Canada.

Profondément consciente de l'équilibre des forces dans toutes les dimensions de la société et jusque dans les chaumières, la juge Wilson devint rapidement une des juges les plus progressistes au Canada. Dans la cause d'Angélique Lyn Lavallée, que nous avons exposée dans le présent chapitre, elle écrivit le jugement majoritaire qui permettait au jury d'entendre la preuve se rapportant aux victimes du syndrome de la femme battue accusées d'avoir tué leur agresseur en état de légitime défense. Dans *R. c. Morgentaler* (1988), elle soutient qu'au vu des conséquences psychologiques, économiques et sociales profondes d'une interruption de grossesse, empêcher une femme de recourir à l'avortement constitue une violation de sa liberté et de son autonomie individuelle. Une femme contrainte de la sorte, écrit-elle, « est vraiment traitée comme un moyen — un moyen pour une fin qu'elle ne désire pas, mais sur laquelle elle n'exerce aucun contrôle. Elle subit une décision prise par d'autres sur l'éventuelle utilisation de son corps pour alimenter une nouvelle vie. » Elle ajoute : « Que peut-il y avoir de moins compatible avec la dignité humaine et le respect de soi ? Comment une femme dans cette situation peut-elle entretenir un quelconque sentiment de sécurité et de respect à l'égard de sa personne[26] ? »

Plus de soixante ans plus tard, la majorité des femmes travaillent, et leur lutte pour obtenir des services de garde adéquats est si ardue qu'elle a provoqué une crise publique. Le débat autour des services de garde est très amer ; il remet en question le rôle des femmes comme mères et, par extension, comme épouses. Les mères qui travaillent sont-elles des êtres égocentriques qui sacrifient leurs jeunes enfants à leur ambition ou à leurs goûts de luxe ? Sont-elles plutôt des abatteuses de besogne qui contribuent au bien-être financier de leur famille et qui donnent à leurs enfants des avantages auxquels ces derniers n'auraient pas accès si elles ne travaillaient pas ? L'accessibilité des services de garde incite-t-elle les femmes à aller travailler au lieu de rester à la maison ou les encourage-t-elle plutôt à se marier et à élever des enfants, ce qu'elles n'auraient peut-être pas choisi de faire si elles n'avaient pu compter sur cette aide ? Un sujet qui n'est jamais abordé, c'est la manière dont les gouvernements de l'Amérique du Nord, dans le cadre de leurs efforts pour vaincre l'ennemi au moment de la Deuxième Guerre mondiale, ont rapidement et facilement mis en place des programmes gratuits de service de garde.

Le débat s'étend aux écoles de formation, aux universités et au marché du travail. Étant donné que les universités acceptent maintenant plus de femmes, voire plus de femmes que d'hommes dans bien des cas, l'éducation des femmes est devenue une source de controverse. La décision de poursuivre des études supérieures s'oppose-t-elle au fait qu'une femme ait des projets de mariage ? Le fait qu'une femme instruite puisse obtenir un meilleur salaire risque-t-il de la rendre moins tolérante aux infidélités de son mari et d'augmenter la probabilité d'un divorce ? Les employeurs devraient-ils être autorisés à demander aux femmes des renseignements sur leur situation maritale ou leur condition parentale ? Les politiques gouvernementales devraient-elles, au moyen de l'impôt, soutenir ou pénaliser les mères au travail, à propos de l'assurance maladie, des programmes de garde de jour, de la garde parascolaire, des indemnités pour enfants à charge, des congés parentaux, des horaires mobiles et des jours de congé exceptionnels pour s'occuper des enfants malades ?

Aide sociale et allocations conditionnelles

Les programmes de bien-être social sont un exemple classique de la manière dont les décisions politiques peuvent avoir une influence sur le mariage. Les gouvernements ont la haute main sur les fonds qu'ils distribuent, ce qui est particulièrement vrai dans le cas des citoyens les plus démunis. C'est ce qui explique que la misère noire ne constitue pas une garantie d'admissibilité à l'aide sociale. Les requérants doivent satisfaire aux normes de sélection et se soumettre à un processus de traitement des demandes qui est tortueux et comporte plusieurs étapes. Par exemple, un comté du nord-est de l'Amérique exige six rencontres en personne, y compris la visite à domicile d'un enquêteur de fraude, et le dépôt de documents tels qu'un extrait de naissance, un dossier scolaire, une preuve de résidence écrite émanant d'un « professionnel » et du propriétaire du logement du requérant, un dossier sur le revenu salarial, un dossier bancaire et des avis des employeurs confirmant la cessation d'emploi. Parfois, le requérant doit également fournir le numéro d'immatriculation de son véhicule, les documents relatifs à son divorce et même — pour ceux qui ont eu un veuvage récent — aux dispositions funéraires[27]. Souvent, les requérants dont la demande a été acceptée doivent suivre des cours, des séminaires ou d'autres programmes de formation pour un « meilleur style de vie ».

Pour éviter les critiques passionnées dont les programmes d'aide sociale font souvent l'objet — notamment à l'endroit des fraudeurs et des mères célibataires —, les organismes gouvernementaux canadiens et américains tentent de surveiller les personnes assistées et de documenter les cas de reconversion laborieuse et de réintégration à l'ensemble de la population. Le projet de loi sur la réforme de l'assistance sociale présenté en 1996 par le président Bill Clinton, le *Personal Responsibility and Work Opportunity Reconciliation Act* (PRWORA) [*Loi sur la responsabilité personnelle et sur la reconversion laborieuse*], qui devait être une subvention globale gérée par les États, aida grandement le président à respecter sa promesse d'« en finir avec l'aide sociale telle que nous la connaissons ». L'intitulé du projet de loi évoquait également la croyance répandue que les mères célibataires étaient dépendantes de l'aide sociale ; pour les pousser à retourner au travail, le PRWORA réduisit la durée des prestations à cinq ans.

Le PRWORA avait un autre plan d'action : le mariage. Les États étaient invités à aider les familles dans le besoin à s'occuper de leurs enfants à la maison ou à les faire garder par des membres de leur famille ; à promouvoir la préparation à l'emploi, le travail et le mariage ; à réduire le nombre d'enfants nés hors du mariage ; et à « encourager la formation et le maintien des familles biparentales ». La loi mentionnait trois éléments (sur dix) favorables à l'idéologie du mariage : 1. Le mariage est la base d'une société prospère. 2. Le mariage est une institution essentielle à une société prospère qui favorise les intérêts de ses enfants. 3. La promotion de la paternité et de la maternité responsables fait partie intégrante de l'éducation et du bien-être des enfants.

Bien qu'un projet de loi complémentaire visant à appuyer la paternité responsable ait été bloqué au Sénat après avoir été accepté par la Chambre, il devenait urgent d'adopter des mesures incitant les pères à se marier. Aux États-Unis, au moins 30 millions d'enfants n'ont pas de père. Comme un ancien sous-secrétaire d'État pour les enfants et les familles en témoigna devant le Congrès, « tous les faits connus montrent que le chemin le plus sûr vers une paternité engagée, dévouée et responsable est le mariage. La recherche atteste régulièrement que les pères célibataires, qu'ils soient divorcés ou non mariés, ont tendance, avec le temps, à se détacher financièrement aussi bien que psychologiquement de leurs enfants. [...] Nous avons besoin d'une politique qui appuie [les pères] en tant que dispensateurs de soins, responsables de la discipline, conseillers, guides moraux et accompagnateurs dans l'acquisition de compétences[28]. »

Le président George W. Bush, qui avait solennellement promis de « donner un soutien sans précédent au renforcement du mariage », a entériné les modifications législatives pour la promotion de familles sûres et stables (*Promoting Safe and Stable Families Amendments*), qui permettaient aux États d'utiliser les fonds des subventions globales destinées aux familles dans le besoin pour faire la promotion d'un mariage sain. Le mariage sain et la paternité responsable devinrent des politiques très prioritaires.

Les partisans de ces politiques déploraient le sort des enfants de familles monoparentales, de parents divorcés ou de familles recomposées, citant des études montrant que ces enfants étaient plus souvent délinquants, réussissaient moins bien à l'école, avaient des blessures psychologiques et étaient plus susceptibles d'être victimes de maltraitance. Ils chiffraient les coûts socioéconomiques énormes de la faillite du mariage et de la pauvreté des enfants. Ils citaient également des études montrant que des compétences paternelles conjuguées à de bons rapports avec les enfants sont beaucoup plus manifestes chez les pères mariés et les conjoints de fait que chez les pères qui ne vivent pas avec leur famille. En prenant appui sur toutes ces études, ils proposaient des mesures en vue de rendre effectifs les mariages sains et la paternité responsable.

Le président Barack Obama est un héraut de la paternité responsable, et il appuie les politiques qui vont dans ce sens. En 2008, dans son allocution du jour de la fête des Pères dans une église pentecôtiste de Chicago (*Apostolic Church of God*), Obama a fait l'éloge des pères, en qui il voit des « enseignants et entraîneurs [...] guides et modèles [...] des exemples de réussite et des hommes qui nous poussent constamment à nous dépasser ». Mais il a aussi déploré que « trop de pères sont trop souvent absents — absents de trop nombreuses vies et de trop nombreux foyers. Ils ont abandonné leurs responsabilités et ressemblent plus à des enfants qu'à des hommes. Les fondations sur lesquelles reposent nos familles s'en trouvent ébranlées. »

Malgré un vaste accord bipartite sur cette question, les détracteurs des politiques de reconstruction de l'union conjugale considèrent que les gouvernements n'ont ni le droit, ni les connaissances qui leur permettraient de s'engager dans la reconstruction de l'institution du mariage. Ils constatent le déclin du mariage partout dans le monde occidental ; ils doutent qu'on puisse renverser cette tendance, quels que soient les moyens engagés, et ils s'opposent à ce qu'on tienne pour acquis que le mariage vaut mieux que la cohabitation ou le célibat. Ils soupçonnent que cette promotion du mariage dissimule quelque chose de louche : un programme dont l'objectif serait en fait de limiter les droits des femmes. Ils craignent que cette campagne pour le mariage ne pousse des femmes enceintes vers des mariages peu sûrs et violents, dont les femmes maltraitées auraient du mal à se libérer. Ils estiment que ce parrainage du mariage par les gouvernements est discriminatoire à l'égard des célibataires et des homosexuels. De plus, si un homme ou une femme a plusieurs enfants de plusieurs partenaires, quel critère lui indiquera quelle personne épouser ?

Une des principales facettes de la promotion du mariage sur le plan politique est l'utilisation du mariage dans la lutte contre la pauvreté endémique des familles monoparentales. Aux États-Unis, ces dernières se retrouvent en grande majorité dans la communauté afro-américaine. Cette question est alourdie par les controverses, les disputes de spécialistes et le malaise soulevé par les différences de classe et de race. Mais le défi reste toujours le même : réussir la mission quasi impossible d'en venir à un consensus — ou à tout le moins à une acceptation majoritaire — sur la nature du problème et les questions connexes auxquelles les décideurs voudraient s'attaquer.

Plus particulièrement, l'institution du mariage atténue-t-elle la pauvreté ? Les couples mariés sont-ils moins pauvres du fait d'être mariés, ou sont-ils mariés parce qu'ils sont moins pauvres ? Qu'en est-il des nombreuses mères célibataires à petits revenus qui font certes grand cas du mariage, mais qui ne souhaitent pas marier le père — insuffisamment instruit et sous-employé — de leurs enfants, car elles ont vu trop de mariages ravagés par la pauvreté et l'endettement chronique, les logements inhabitables, les problèmes de services de garde et les tensions des quartiers violents ? Encourager les pauvres à se marier est-il un moyen de les tirer de la pauvreté, ou ne les pousse-t-on pas ainsi vers des mariages dangereux qui se termineront vraisemblablement par un divorce ? Puisqu'il n'y a pas de réponses décisives à ces questions, il n'y a pas non plus de politique toute trouvée ; l'idéologie est donc un facteur déterminant lorsqu'il s'agit de prendre des décisions de principe sur les politiques à suivre.

Étant donné que deux personnes qui vivent ensemble — sous le mode du mariage ou de la cohabitation — ont en principe une situation légèrement plus avantageuse du point de vue économique, certains États ont adopté des programmes faisant la promotion du mariage. Un programme pilote, le Minnesota Family Investment Program (MFIP), s'est attaqué au problème des bas salaires en subventionnant les revenus des familles assistées avec emploi. Même si le MFIP ne faisait pas directement la promotion du mariage, le nombre de mariages chez les parents seuls augmenta et le taux de divorce chez ceux qui étaient mariés diminua, de même que le nombre global de cas de violence familiale. Le pari du Minnesota, à savoir qu'une augmentation du revenu stabiliserait le mariage, a été une affaire rentable.

D'autres États des États-Unis préfèrent offrir une aide non économique. En Oklahoma, qui se classe au quatrième rang pour le taux de divorce, la proposition du gouverneur de l'État sur le mariage porte sur l'amélioration de la confiance relationnelle et des compétences parentales au moyen, d'une part, de cours de préparation au mariage gratuits et, d'autre part, d'un durcissement des lois sur le mariage. L'Arizona a un programme comparable, offrant des cours gratuits sur le mariage et l'abstinence sexuelle avant le mariage. En Floride, les écoles secondaires imposent une formation obligatoire portant sur le mariage et les compétences en matière de relations interpersonnelles.

La fiscalité du mariage

Tout au long de l'histoire, les politiques fiscales ont été conçues pour récompenser ou pénaliser la situation matrimoniale, et pour façonner ou réformer l'institution du mariage dans son exercice. Dans la Nouvelle-France du XVIIe siècle, qui était peu peuplée, les politiques favorables au mariage générèrent un « impôt sur le célibat » ainsi qu'un décret interdisant aux célibataires de chasser, pêcher ou faire le commerce de la fourrure, le soutien principal de la colonie, jusqu'à ce que toutes les femmes mariables qui avaient été recrutées sur tout le territoire français dans ce but précis aient trouvé un mari. Trois siècles plus tard, inquiète de la baisse du taux de natalité dans la mère patrie, la France imposa à nouveau un surcroît d'impôt à ses célibataires.

De nos jours, l'impôt applique au mariage un taux d'imposition. Suivant les revenus du contribuable, le nombre de personnes à charge, de déductions sur pièces, etc., une « pénalité au mariage » est prélevée ou une « prime au mariage » est accordée. Par exemple, en 1997, le General Accounting Office des États-Unis dénombrait 1 049 lois fédérales comportant des articles se rapportant au mariage. Ces lois abordaient tous les aspects, de la sécurité sociale et des programmes relatifs au logement ou aux coupons alimentaires (Food Stamp Program) aux ressources naturelles fédérales et à la législation connexe. Ces lois favorisaient certains couples mariés et en pénalisaient d'autres ; mais toutes les lois prenaient en compte la situation matrimoniale.

Les tentatives pour éclaircir les effets de cette législation fiscale donnent à penser que plus de 40 % des couples mariés paient en moyenne une pénalité de 1 400 $, alors que 50 % épargnent un montant encore plus élevé en touchant les primes au mariage fédérales, surtout lorsque l'un des époux gagne 70 % ou plus que son conjoint[29]. Cependant, ceux qui font de très bas salaires peuvent payer un impôt disproportionné du fait d'être mariés[30]. Par exemple, le fiscaliste Eugene Steurle estime qu'une mère célibataire ayant deux enfants et travaillant au salaire minimum aurait 8 060 $ de plus dans ses poches si elle vivait avec (sans être mariée) un compagnon gagnant 8 $ l'heure. Pour Steurle, dans cet exemple, la pénalité au mariage, qui accapare environ 25 % du revenu du ménage, est « une charge grevant les vœux et les engagements[31] ».

Certaines mesures favorables au mariage comprennent la non-imposition des avantages sociaux des époux et la possibilité pour ceux-ci de faire une seule déclaration de revenus, ce qui représente une économie d'argent. Par contre, les avantages sociaux des contribuables célibataires ou qui cohabitent sont imposables, et les couples non mariés ne peuvent présenter leur déclaration de revenus conjointement. Dans les États où la cohabitation est un crime en vertu de la législation sur l'adultère, les couples non mariés ne peuvent déclarer que leur conjoint est à leur charge. Les inégalités se poursuivent même après que la mort a séparé les époux : ces derniers bénéficient d'une exonération de l'impôt fédéral sur toutes les richesses dont ils héritent, alors que le conjoint survivant non marié doit verser de 26 à 60 % de son héritage en impôt fédéral de mutation par décès.

Dans une certaine mesure, la fiscalité est pour le gouvernement un instrument servant à promouvoir le mariage, à le récompenser et, du même souffle, à pénaliser ceux qui cohabitent ou qui sont célibataires. Une conséquence involontaire de la structure de la fiscalité américaine est la pénalisation des Afro-Américains qui travaillent pour de bas salaires et qui sont aussi, justement, ciblés par des programmes vigoureux qui font la promotion du mariage et de la paternité responsable. Leur espérance de vie et les salaires qu'ils obtiennent étant inférieurs à la moyenne, il s'ensuit que beaucoup d'entre eux sont privés de leur juste part dans les prestations de sécurité sociale au profit de citoyens plus riches et plus âgés, qu'en fait ils entretiennent financièrement[32].

Le système fiscal canadien a, lui aussi, intégré des éléments d'ingénierie sociale dans ses barèmes d'imposition. De nos jours, cependant,

406   UNE HISTOIRE DU MARIAGE

contrairement aux États-Unis, le Canada ne fait plus de discrimination à l'endroit des conjoints de fait ou des couples qui cohabitent. Parfois, il ne les distingue même plus des couples mariés. Cette volonté d'éviter toute discrimination a même engendré une structure fiscale qui favorise les parents non mariés, puisque chacun des conjoints dans cette situation peut déclarer un enfant « comme si » ce dernier était une personne à charge. Pour les parents non mariés qui travaillent tous les deux, c'est là une déduction qui peut représenter un montant élevé. C'est aussi un exemple de la manière dont la politique du Canada reflète les idées actuelles concernant l'importance, voire la primauté du libre choix des citoyens en matière de relations personnelles.

Remise en question
des acceptions officielles du mariage

En Amérique du Nord, il y a toujours eu des gens pour contester les acceptions officielles du mariage. Avant la guerre de Sécession, les communautés utopiques avaient réinventé le mariage et modifié les rôles assignés à chacun des sexes. Les partisans de l'amour libre ne tenaient aucun compte de la chasteté, chez les femmes aussi bien que chez les hommes. Les mormons non conformistes de l'Utah embrassèrent la polygamie comme un devoir religieux et une issue morale aux problèmes de l'infidélité et de la prostitution.

La polygamie était une menace particulièrement inquiétante en regard des idéaux du mariage. En 1878, dans la cause de George Reynolds, un mormon de trente-deux ans qui avait pris une deuxième épouse, la Cour suprême des États-Unis ne se contenta pas de rejeter l'allégation de Reynolds, pour qui la liberté de religion garantie par le premier amendement l'astreignait à pratiquer la bigamie, elle criminalisa la polygamie de façon efficace. Dans son examen du jugement, l'historienne Nancy Cott montre comment la Cour suprême associa la monogamie à la démocratie, les opposant toutes deux à la polygamie et au despotisme[33].

En plus de proscrire la polygamie, le gouvernement des États-Unis fit la promotion du mariage monogame avec zèle, notamment en édictant la Loi Comstock de 1873. L'âme de ce projet de loi était Anthony Comstock, pour qui les méthodes anticonceptionnelles encourageaient les relations sexuelles extraconjugales en mettant fin à la peur des grossesses. La loi qui porte son nom stipula que les dispositifs de contraception étaient obscènes, et ils furent interdits. Jusqu'alors, les boutiques et les entreprises de vente par correspondance vendaient des préservatifs, des pessaires et des douches vaginales à une large gamme de consommateurs : des maris et des femmes espérant limiter la grosseur de leur famille, des époux trompant leur conjoint(e) et des célibataires correspondaient au pire cauchemar de Comstock. La Loi Comstock ne réussit pas à atteindre son objectif de contraindre les gens à être monogames ou à rester chastes. Mais elle réussit à faire passer dans la clandestinité le commerce de la contraception, ce qui provoqua une hausse des grossesses involontaires, des avortements mortels et des enfants non désirés. Il faudrait ensuite des dizaines d'années avant que les partisans de la planification des naissances réussissent à la débarrasser du stigmate dont elle était marquée, pour la présenter à nouveau comme une question médicale et une solution de rechange à l'avortement ou à des naissances non planifiées.

Au cours des dernières décennies, le mouvement pour le mariage gay a contraint les législateurs à repenser et à reformuler la politique publique en ce qui a trait au mariage. Le critère du « genre » est devenu une nouvelle arène, où le jugement rendu en 1967 dans la cause Loving est mis à l'épreuve. Ce jugement stipulait que le mariage est « un droit personnel d'importance vitale, essentiel à la poursuite du bonheur par des hommes libres ». En 1996, le président Bill Clinton répondit à la légalisation imminente du mariage gay à Hawaï en promulguant la Loi sur la défense du mariage, qui restreignait le mariage en le définissant comme l'union légitime d'un homme et d'une femme en tant que mari et femme[34]. Cette loi avait pour objectif de permettre au gouvernement fédéral de ne pas reconnaître les mariages entre personnes de même sexe ou les mariages polygames. Dans le même esprit, la plupart des États adoptèrent des lois particulières sur la défense du mariage, lesquelles comportaient souvent des dispositions supplémentaires concernant les unions civiles équivalant au mariage ou les partenariats pour les couples gay, dispositions qui comportaient les mêmes avantages et obligations que le mariage.

Au Canada, en 1999, par un vote de 216 voix pour et de 55 voix contre, le Parlement réaffirma la définition traditionnelle du mariage comme l'union d'un homme et d'une femme à l'exclusion de toutes les autres unions. Après quelques années d'efforts considérables de la part des partisans du mariage gay, et après que des tribunaux partout au pays se furent prononcés contre la constitutionnalité de la définition traditionnelle du mariage, le Parlement fit marche arrière. En 2005, il adopta la Loi sur le mariage civil, qui redéfinit le « mariage, sur le plan civil, comme l'union légitime de deux personnes, à l'exclusion de toute autre personne[35] ». En légalisant le mariage entre personnes de même sexe — lequel était déjà reconnu en droit dans neuf des treize provinces et territoires —, le Parlement accordait tardivement son approbation à une intervention qui était pratiquement terminée.

À l'image des batailles juridiques et constitutionnelles d'autrefois autour des mariages mixtes, les groupes de pression et les législateurs engagés dans la guerre contre le mariage homosexuel adoptèrent la stratégie consistant à encourager les États qui n'autorisent pas les mariages gay sur leur territoire à ne pas reconnaître la validité des lois sur le mariage homosexuel promulguées dans d'autres États[36]. À cet égard, la législation canadienne a compliqué la situation américaine, car les fiancés homosexuels des États-Unis n'avaient qu'à se diriger vers le nord pour se marier. Maintenant que certains États américains ont commencé à accepter le mariage homosexuel, des problèmes d'ordre juridictionnel se posent. Ainsi, l'adoption de la Proposition 8 par la Californie montre bien que la politique peut être modifiée, ce qui donne aux politiques sur le mariage — et à d'autres questions — un caractère indéterminé et changeant.

Au fur et à mesure que la signification politique et culturelle du mariage évolue, les pouvoirs publics les intègrent aux nouvelles lois et aux nouveaux règlements. Les lois qui autorisent les femmes battues qui tuent leurs agresseurs à plaider la légitime défense en s'appuyant sur leurs propres perceptions, y compris lorsqu'elles éprouvent le besoin d'avoir recours à une arme, reflètent l'acceptation accrue du droit des femmes à l'égalité. D'un autre côté, la défense des lois sur le mariage tente d'empêcher la reconnaissance législative du mariage homosexuel.

De nos jours, l'élaboration de la politique sur le mariage s'appuie sur des idéaux romantiques et consensuels qui découlent de principes égalitaires exigeant des relations respectueuses entre les deux sexes, une acceptation de l'homosexualité, une répulsion pour la violence et un souci de l'intérêt des enfants. La politique sur le mariage doit refléter les attitudes et les valeurs actuelles concernant le droit de choisir à l'intérieur de certaines balises : par exemple, la polygamie n'est pas tolérée. Au Canada comme aux États-Unis, les contestations récentes de la législation sur le mariage homosexuel sont un avertissement qui nous rappelle que, tout comme le mariage, l'opinion publique est en constante évolution.

CHAPITRE 14

Enjeux au cœur du débat sur le mariage

Les femmes deviennent des personnes

Nous sommes en février 1893 — ou peut-être un peu après, mais pas plus tard qu'en 1896. Nous sommes à Winnipeg ou à Toronto peut-être. Quoi qu'il en soit, le décor est le même : une farce théâtrale, un Parlement des femmes comprenant cinquante-deux sièges, tous occupés par des législateurs féminins[1]. Elles commencent par délibérer sur un projet de loi destiné à « interdire aux hommes le port des bas longs, de la culotte golf et des manteaux courts lorsqu'ils font de la bicyclette ». La préoccupation des femmes, comme l'expliquait une législatrice, était que, si on permettait aux hommes de porter des bas longs, ils voudraient aussi d'« autres morceaux de linge féminin, comme la jupe-culotte, dont l'influence subtile les amènerait à vouloir occuper les positions dévolues aux femmes dans la société » ! (Ce projet de loi évoquait la question, controversée à l'époque, de la réforme des vêtements pour femmes, en particulier, les nouveaux vêtements à la mode — par exemple, les culottes bouffantes et les jupes-culottes — qui étaient conçus pour les promenades à bicyclette, une nouvelle activité physique pour les femmes qui leur procurait un sentiment de liberté, mais remettait en question les restrictions physiques et sociales auxquelles elles avaient été soumises.)

Suivaient des thèmes plus sérieux. Les hommes qui se marient devraient-ils perdre leur emploi comme enseignants ? (Ce projet de loi était la réplique exacte — sauf qu'il s'appliquait aux hommes plutôt

qu'aux femmes — de la politique voulant que l'on congédie les enseignantes après leur mariage ; il rappelait également la politique du
Conseil des écoles publiques de Toronto, qui poussait sa surveillance
jusqu'à espionner la vie privée des enseignantes et refusait d'engager
les femmes de plus de trente ans ou qui avaient un mari pouvant les
faire vivre.) En supposant que les salaires des hommes ne représentent
que la moitié ou le tiers de ceux accordés aux femmes pour le même
travail, serait-il approprié de les augmenter ? (Encore là, c'était une
parodie de la réalité, en intervertissant les sexes. C'était aussi une
allusion à une notion du XIXᵉ siècle, la « rémunération familiale »,
fondée sur l'argument que les hommes devaient avoir un salaire plus
élevé, car ils avaient des femmes et des enfants à charge.)

Pour finir, le Parlement des femmes s'occupa de l'affaire la plus
pressante du jour : une pétition déposée par les Canadiens de sexe
masculin, privés du droit de vote (lesquels se trouvaient donc être
désavantagés socialement) et qui revendiquaient ce droit. Mais le
personnage de Nellie McClung, une militante pour les droits des
femmes, faisait appel aux arguments traditionnels à leurs dépens : « Il
est déjà assez difficile de les garder à la maison de nos jours [...] ; la
politique perturbe les hommes, or les hommes perturbés conduisent
à des comptes impayés, à des meubles brisés, à des ruptures de ban et
au divorce [...]. La destinée de l'homme est au-delà de la politique[2]. »
Et McClung d'ajouter : « Il est inutile de donner aux hommes le droit
de vote. Ils ne l'utiliseraient pas. Ils gâcheraient ce droit, qui serait
gaspillé. Et certains hommes voudraient voter trop souvent. [...]
Donner aux hommes le droit de vote perturberait la vie familiale. La
place des hommes est à la ferme. [...] Il se peut que je sois rétrograde.
Il se peut que j'aie tort. Après tout, il se peut que les hommes soient
des êtres humains. Un jour, peut-être, les hommes pourront voter
avec les femmes — mais en attendant, profitons du bon temps[3] ! »

Équité, amour, travail

De nos jours, le modèle idéal pour les couples mariés est le partenariat, et nombreux sont ceux qui présentent leur conjoint comme un
partenaire ou qui se réfèrent à lui en utilisant ce terme. L'équité est
une valeur précieuse, chèrement disputée et qui a pris du temps à

advenir. À l'image de la brume, l'équité s'est glissée dans le mariage à pas de chaton, un poil par-ci, une petite empreinte de patte par-là. L'égalité des sexes est une invention récente qui a d'abord pris naissance dans le cœur des femmes (et celui de quelques hommes), qui s'est, ensuite, matérialisée lentement dans les lois, les règlements, la culture et les coutumes de l'Amérique du Nord, ainsi que dans les unions conjugales, qui, de nos jours, sont pour la plupart scellées par des promesses d'amour et de respect avant les baisers traditionnels.

De nos jours, peu de femmes promettent d'obéir à leur mari. Même l'auguste autorité de l'Église anglicane, l'archevêque de Canterbury, le Dr Rowan Williams, est d'accord avec le rapport du Conseil de l'archevêque, *Responding to Domestic Abuse* [*Interventions dans les situations de violence familiale*] (2006), selon lequel la promesse d'obéir à son mari pourrait être interprétée comme une autorisation de la violence domestique. Le Révérend Williams pense aussi que les prêtres devraient mettre l'accent sur le fait qu'aux yeux de Dieu, les hommes et les femmes ont une égale valeur.

En Amérique du Nord, il y a moins d'un siècle que les femmes ont obtenu le droit de vote aux élections fédérales : en 1918 au Canada, et en 1920 aux États-Unis. (Lorsque le premier ministre manitobain, Rodmond Roblin, lui dit qu'aucune femme « bien » ne tenait au droit de vote, Nellie McClung, mariée et mère de cinq enfants, lui rétorqua : « Par femmes bien [...], vous entendez probablement ces femmes égoïstes qui ne se soucient pas plus des femmes défavorisées et surmenées qu'un chaton installé près d'une fenêtre ensoleillée ne se soucie du chat de ruelle affamé. Dans ce sens-là, je ne suis pas une femme bien, car je me soucie du sort des autres[4]. » La Cour suprême du Canada mit beaucoup de temps avant de décider, en 1928, que les Canadiennes n'étaient pas des « personnes », au sens juridique du terme. Le cas fut porté en appel, et de manière unanime, le Comité judiciaire du Conseil privé de la Grande-Bretagne renversa ce jugement : exclure les femmes des fonctions officielles en prétextant qu'elles ne sont pas des « personnes » était selon eux « une relique d'une époque plus barbare que la nôtre[5] ».

L'équité ou, à tout le moins, l'équilibre entre les sexes continue d'être un enjeu important du débat sur le mariage. De nos jours, alors que les femmes s'évertuent à se réaliser dans un large éventail de

secteurs, s'inscrivant en grand nombre dans les collèges, les universités et les centres de perfectionnement professionnel — de même que
dans les conseils d'administration ou les voyages dans l'espace, bien
qu'en moins grand nombre —, les succès qu'elles remportent et leurs
expériences les amènent à espérer dans leurs relations personnelles un
degré de satisfaction qui découle du sens de la justice et de l'équilibre
dans la dynamique du pouvoir.

Le caractère essentiel de l'amour dans le mariage est si important
et souvent si critique pour son équilibre qu'il jouit d'une reconnaissance officielle. Les gens «tiennent pour acquis qu'ils se marient par
amour et pour une satisfaction affective plutôt que pour des raisons
économiques ou pratiques», peut-on lire dans une étude parlementaire canadienne[6]. L'amour peut peser lourd et constituer le point
d'ancrage du couple, mais s'il vacille ou s'écroule, il devient un fardeau. Ce qui soulève de nos jours les mêmes questions qu'à l'époque
où l'amour romantique commença à être accepté comme élément de
travail dans le mariage : si l'amour blesse ou s'éteint, l'absence d'amour
qui s'ensuit doit-elle conduire à la séparation et au divorce? Récipro-
quement, l'amour doit-il pouvoir s'exprimer, même lorsqu'il n'est pas
dirigé vers le conjoint? L'amour est-il si important qu'il justifie même
l'infidélité?

Avec l'égalitarisme déchaîné et l'autonomie de l'amour, toute une
industrie de la culture populaire se nourrit — en toute sincérité — de
débats portant sur l'amour, de définitions, de diagnostics et, immanquablement, de conseils. Malgré la tendance à enfermer l'amour dans
le mariage, il prospère aussi à l'extérieur de celui-ci. Il en va de même
pour sa dimension érotique, à savoir un certain hédonisme enjoué et
libre de toute angoisse de procréation; mais, dans les cas d'infidélité
conjugale, ce plaisir peut être teinté de remords.

En ce qui a trait à l'infidélité, l'égalité entre les sexes et la pilule ont
eu raison du régime ambigu qui prédominait, désormais réduit à un
régime unique qui ensevelit l'infidélité sous ses répercussions émotives
et sociales, sans plus excuser les hommes qui trompent leur femme
tout en crucifiant celles qui osent leur rendre la pareille. Dans la
tolérante Amérique du Nord, les mœurs sexuelles ont non seulement
changé au point où les relations sexuelles préconjugales et entre
personnes du même sexe sont dorénavant acceptées, mais elles

condamnent également le harcèlement sexuel, le viol et l'inceste — et vont jusqu'à désapprouver l'infidélité, qui est vue comme une trahison de la confiance et de l'engagement dans ce qui devrait être une union entre égaux. L'infidélité est un problème lié au mariage qui questionne également la signification de l'amour érotique et romantique.

Les réponses sont partout et nulle part. Elles se font entendre dans les mythes qui reflètent notre désir de ce que l'amour devrait être — la vision commune d'unions solides comme le roc, qui durent toute la vie et sont fondées sur le respect et l'amour mutuels. On les trouve aussi dans les analyses réconfortantes des étapes de l'amour passionné et de son inévitable refroidissement (ou solidification), de sa réincarnation sous forme d'union confortable. Elles vivent dans l'histoire d'amour des époux et dans les traits que leurs enfants ont hérité de leurs parents — un nez aquilin, un large front, etc. — qui rappellent et raniment les tendres sentiments des débuts. L'égalité des sexes a changé la donne. Lorsque les femmes sont égales à leurs hommes, elles accordent plus d'attention aux choses du cœur, car elles n'ont plus à opposer l'amour aux détails pratiques et à l'économie de la vie quotidienne.

Si envahissant et persuasif que soit l'égalitarisme, qui rejoint des millions d'hommes, il n'en demeure pas moins que d'autres personnes se sentent menacées et pleines de ressentiment. Elles accusent le féminisme d'introduire dans la société des changements qui, en élargissant les possibilités et les attitudes des femmes, ont détruit les principes nourriciers des familles nucléaires. Elles soulignent l'augmentation du décrochage scolaire chez les garçons — qui sont aussi moins nombreux à s'inscrire dans les collèges et les universités — et se demandent si le niveau d'instruction des femmes n'a pas un effet castrateur. Elles se lamentent sur la perte d'estime de soi dont souffrent les hommes et craignent que l'équilibre naturel entre les sexes ne soit irrévocablement perturbé.

D'un autre côté, des légions d'hommes et de femmes célèbrent les succès obtenus par les femmes, leur niveau de scolarité, leurs avancées dans les professions et les administrations, leur capacité lucrative accrue, ainsi que les lois égalitaires qui protègent leur condition. Ils saluent la fin du temps des enfants non désirés, des avortements clandestins, des mères célibataires qu'on forçait à donner leurs enfants en adoption. Ils nient que les droits des femmes éclipsent ceux des hommes et refusent d'admettre qu'une fille qui réussit à l'école le fait aux dépens de son frère.

Ils ont raison. Le recul des activités et des visées scolaires des jeunes hommes est réel, mais le coupable n'est pas le progrès des femmes : c'est plutôt l'évolution de la nature du travail et des grands secteurs industriels, ainsi que la récession, qui a violemment attaqué les emplois industriels, spécialisés ou de spécialisation moyenne. Trop peu de ces employés licenciés ont pu se replacer (et encore moins l'ont fait de façon satisfaisante) dans les nouveaux emplois qui sont apparus, notamment dans les difficiles domaines du télémarketing, de la vente par téléphone (dans des centres d'appels sortants), du service à la clientèle à base de scripts (sur les canaux de communication entrants), ou dans les secteurs plus exigeants des télécommunications et de l'informatique. Au fur et à mesure que cette tendance économique se poursuit, de plus en plus de jeunes hommes peu autonomes sont las d'occuper des emplois inutiles leur offrant peu de perspectives d'avenir, et de chercher à échapper à leur situation au moyen d'une éducation supérieure.

Pleins de ressentiment, se sentant floués dans leurs attentes, beaucoup d'hommes sous-évalués et à la dérive perçoivent les femmes et, dans une moindre mesure, les « immigrants-voleurs-de-jobs », comme l'ennemi. Une forme de misogynie virulente, dont les racines sont profondes, s'infiltre dans leurs pensées. Chez les jeunes hommes, la virilité est désormais définie comme « un jeu de performances qui se gagne sur le marché et non sur le lieu de travail [...] ; une culture d'ornement encourage les jeunes hommes à considérer une humeur grincheuse, des expressions d'hostilité ou de violence comme manifestations de prestige », écrit Susan Faludi dans *Stiffed : The Betrayal of the American Man* [*La trahison de l'homme américain*][7]. Se sentant trahis, beaucoup d'hommes fustigent les femmes et leur besoin d'égalité.

Le mouvement Hommes de Parole, qui est le produit de ce malaise, fait plutôt porter le blâme sur l'irréligion ; il cherche à cultiver la solidarité masculine et l'ascendant spirituel des hommes sur leur femme et leur famille, dans un esprit de soumission biblique. Durant les années 1990, après avoir adhéré en masse au mouvement, les hommes le quittèrent en constatant qu'Hommes de Parole ne livrait pas la marchandise. En 1995, dans une spectaculaire campagne de renaissance culturelle, les participants à la Marche du Million d'Hommes, dirigée par le pasteur afro-américain musulman Louis Farrakhan, promirent de s'améliorer dans tous les aspects de la vie et de la famille, de ne jamais maltraiter leur femme ou lui manquer de respect, et de ne jamais traiter les femmes de « garces ». Dans ce genre de mouvement axé sur la religion, les hommes se reprochent amèrement d'avoir cédé le commandement aux femmes ; ils font le serment d'assumer de nouveau leurs responsabilités, de guider et protéger leurs familles avec amour et sagesse.

Il existe une autre réponse courante à la crise économique, également applicable aux hommes et aux femmes : les uns et les autres peuvent chercher un abri sûr dans leur maison, leur famille et leur mariage. À l'opposé du monde qui peut paraître effrayant, ce qui se passe à la maison peut sembler sûr et prévisible, un reflet (imaginaire) du monde insouciant et optimiste de l'après-guerre. De plus, les avancées technologiques facilitent le travail chez soi ; de plus en plus d'hommes et de femmes portent leur attention sur tous les aspects de leur vie à la maison. Le *cocooning* intensif s'incarne dans une vie de famille soutenue par le mariage ou, au moins, par la cohabitation, procurant également un confort affectif et sexuel. Dans de telles demeures, l'égalité entre les sexes peut prospérer ou se faner, mais elle est rarement l'élément déclencheur du comportement de *cocooning*.

L'égalité entre partenaires de même sexe

Les préoccupations sexuelles ne se limitent pas aux relations hommes-femmes. Elles font partie de la lutte pour les droits de la personne, les préoccupations égalitaires s'appliquant aussi bien aux rapports homosexuels, et plus particulièrement au droit de se marier et d'obtenir la reconnaissance des conjoints, la respectabilité et les avantages économiques qui se rattachent traditionnellement au mariage. Il fournit également un cadre juridique et un contexte social pour l'adoption par des couples homosexuels et leur permet d'élever leurs enfants. L'augmentation des mariages gays célébrés sur un modèle rappelant celui des mariages hétérosexuels témoigne d'une volonté de rejoindre l'ensemble de la population. Ce qui inclut les lunes de miel, les belles-mères et, avec le temps, également les séparations et les divorces.

Beaucoup de partisans du mariage gay le voient également « à travers un prisme noir et blanc[8] ». Ils nous rappellent que ce n'est qu'en
1967 que la Cour suprême des États-Unis abrogea les lois antimétissage.
La même année, le magazine *Time* qualifia l'union de Peggy, la fille
blanche du secrétaire d'État Dean Rusk, à Guy Smith, un Afro-
Américain, de « mariage édifiant ». (Le mariage controversé de Peggy
incita Rusk à présenter sa démission au président Lyndon Johnson, qui
la refusa[9].)

Mildred Loving, qui n'ignorait rien de l'amour et du mariage perçus à travers ce prisme noir et blanc, s'est récemment prononcée en
faveur du mariage gay en affirmant que se marier par amour est un
droit de la personne. « Les peurs et les préjugés des anciennes générations sont mis de côté ; les jeunes d'aujourd'hui réalisent que, si une
personne en aime une autre, elle a le droit de se marier. [...] Je crois
que tous les Américains, quelle que soit leur race, quel que soit leur
sexe, quelle que soit leur orientation sexuelle, doivent avoir la même
liberté de se marier. Les gouvernements n'ont pas à imposer à tous les
croyances religieuses de certaines personnes. Surtout lorsqu'elles vont
à l'encontre des droits de la personne. [...] J'appuie la liberté de se
marier pour tous. C'était là-dessus que portait la cause Loving ;
l'amour n'est pas autre chose que cela[10]. »

Certains hétérosexuels disent refuser de se marier tant que le
mariage gay ne sera pas régularisé juridiquement. Par exemple, Brad
Pitt et Angelina Jolie ont déclaré : « Angie et moi envisageons de nous
marier lorsque tous ceux qui le souhaitent dans ce pays pourront
légalement le faire. » Charlize Theron a annoncé qu'elle épousera son
fiancé, Stuart Townsend, « le jour ou les gays et les lesbiennes pourront
se marier[11] ».

L'égalitarisme est en grande partie responsable de l'intérêt pour le
mariage gay. Cependant, un autre type d'argument — avertissement
de pente glissante ! — est souvent invoqué. Le droit d'épouser un chien
est un scénario très prisé que l'on se plaît à glisser dans la rhétorique
contre le mariage gay ; mais c'est la légalisation de la polygamie qui
vient en tête de liste, à cause des conséquences logiques « évidentes »
du mariage gay : si les partenaires de même sexe peuvent se marier,
pourquoi ne pas également changer les règles sur le nombre d'époux
dans le mariage ? Pendant ce temps, l'Église de Jésus-Christ des Saints

des Derniers Jours, qui, autrefois, était favorable aux polygames, excommunie désormais ceux-ci et ne reconnaît pas comme mormons ceux qui adhèrent aux groupes dissidents polygames.

La saison des amours

Une considération qui devrait dominer les discussions sur le mariage (mais tel n'est pas le cas) est la meilleure manière de trouver un partenaire. Les mariages ont plus de chances de réussir lorsque les époux sont instruits, relativement matures, intellectuellement, socialement et sexuellement compatibles. Il est évident qu'il est essentiel d'apparier des personnes qui ont des affinités et des goûts communs. Par ailleurs, une croyance quasi superstitieuse persiste, suivant laquelle la meilleure manière de rencontrer l'âme sœur serait de s'en remettre au hasard heureux. Les rencontres par hasard ou au petit bonheur sont considérées comme plus «romantiques», voire comme guidées de manière surnaturelle. Partir à la recherche d'un partenaire avec une liste de qualités désirables est vu comme grossier, insensible, voire calculateur. La chimie est primordiale; elle seule peut engendrer une sensation de connexion primale; une fois qu'on a éprouvé ce type de sensation, il ne saurait y avoir — il ne devrait pas y avoir — de retour en arrière.

La science sous-jacente à ce concept atavique d'attraction mutuelle est peut-être bien réelle. Mais l'idée que les rencontres accidentelles sont romantiques et prédestinées est un sous-produit de la culture populaire. Certes, peu de gens souhaitent le retour des jours où on marchandait le mariage des futurs époux en accordant une importance primordiale aux besoins de leurs familles et à d'autres considérations, notamment l'astronomie. Mais lorsqu'on pense au mariage, on devrait également penser à la manière de s'y prendre pour trouver un partenaire. À cet égard, les entremetteurs exercent sans doute le deuxième plus vieux métier du monde; de toute évidence, Internet est, potentiellement, un superbe outil pour ceux qui se cherchent un(e) partenaire.

Malheureusement, avant que cela ne se produise, il y a plusieurs problèmes qui doivent être résolus par la méthode des approximations successives et de l'analyse: l'insuffisance des méthodes de sélection, la duplicité et la naïveté des candidats, et le manque flagrant de lucidité quant aux attentes, aux normes et à l'encadrement. Les présentations par l'intermédiaire d'un site de rencontres peuvent débuter par des échanges de courriels. Or, avec la culture nord-américaine des confidences électroniques immédiates, qui s'expriment avec une émotion facile et vite exagérée, une personne peut avoir l'impression de « tomber amoureuse » par courrier électronique. Par la suite, lorsque ces personnes se rencontrent face à face, en plein jour ou dans la lumière tamisée d'un café ou d'un bar, il n'est pas rare qu'elles se rappellent soudainement que ce qui est trop beau pour être vrai ne l'est presque jamais.

Pourtant, les idées et les motivations qui orientent les sites de rencontres restent légitimes, même si de nouvelles approches sont nécessaires. Les sites de rencontres doivent adopter l'approche boutique plutôt que l'approche entrepôt ; elles doivent s'appuyer sur les réussites individuelles plutôt que sur le volume de rencontres, et elles doivent demander des honoraires qui correspondent aux services essentiels qu'elles rendent. C'est déjà là l'approche adoptée par les services qui se modèlent sur les méthodes d'appariement traditionnelles, lesquelles demandent beaucoup de travail, des ressources personnelles, des relations sociales de haut niveau ainsi qu'une confidentialité à toute épreuve.

Certains services de rencontres filtrent l'embrouillamini des relations Internet en ciblant des groupes particuliers — les végétariens, les joueurs de quilles, les chrétiens, les juifs — sur la base de la présupposition que les gens aiment les gens avec lesquels ils ont des affinités. D'autres sites spécialisés cherchent à satisfaire des besoins spécifiques : femmes âgées recherchant jeunes hommes qui recherchent des femmes mûres ; hommes blancs cherchant des femmes asiatiques qui recherchent des hommes blancs ; hommes millionnaires cherchant de jeunes beautés à la recherche d'hommes millionnaires.

Une forme abusive de service de rencontres, très pratiquée, propose des « fiancées par correspondance » — les Philippines et les Russes sont très populaires — aux Nord-Américains. Ces sites de rencontres par correspondance offrent une version contemporaine des photos de Japonaises ou de Coréennes mariées par correspondance, au début du XXe siècle. Ces services attirent les hommes qui dédaignent les Nord-Américaines en raison de leur franc-parler et de leur indépendance ;

ils sont à la recherche de femmes vulnérables qui espèrent émigrer en Amérique du Nord. Ces hommes prétendent accorder crédit aux histoires (souvent apprises par cœur) de ces femmes, qui disent avoir traversé des épreuves ou avoir été maltraitées. Les hommes croient aussi qu'ils sauvent ces femmes, et ils veulent encore les croire lorsqu'elles affirment qu'elles se marient non pas pour obtenir le statut d'immigrant reçu ou parce qu'elles cherchent à se faire parrainer pour obtenir leur carte verte de résidentes permanentes, mais pour trouver le « grand amour », une âme sœur dont elles souhaitent prendre soin jusqu'à ce que la mort les sépare.

« Je cherche le grand amour!!!!!!!!!!!!!!!!!!!!!!!! » déclare une petite Ukrainienne aux cheveux blonds qui se décrit comme une étudiante d'un collège chrétien s'abstenant de toute consommation d'alcool ou de tabac. Sans parti pris, elle propose (de manière prévisible) une plage d'âge entre dix-huit et soixante ans pour l'homme avec lequel elle aimerait connaître « l'amitié, une histoire romantique, une relation et le mariage ». Ayant tout à offrir sauf le statut souhaité d'immigrante reçue, elle rivalise avec des milliers d'autres candidates (prétendument) excellentes en évitant de formuler des demandes ou d'imposer des limites. La légende sardonique insérée dans la caricature d'un vieillard au nez saillant de faucon, collé à l'écran de son ordinateur, résume bien ce monde surréaliste des rencontres par correspondance électronique : « Bob a cherché de tous côtés son âme sœur. Abstraction faite de la barrière linguistique et des coûts d'expédition, ses perspectives sont très bonnes. »

Étant donné qu'ils interviennent dans le champ de l'immigration, les mariages par correspondance font l'objet d'une surveillance étroite de la part des autorités. Les services américains de la citoyenneté et de l'immigration rapportent que, pendant les années où on les a suivis, au moins 80 % des 4 000 à 6 000 mariages par correspondance sont demeurés intacts, ce qui représente un pourcentage plus élevé que les autres types de mariages en sol américain. Ces statistiques réjouissantes comprennent des explications contradictoires. L'une d'elles est que les hommes qui recherchent des femmes « traditionnelles » se montrent dominants dans leur relation, terrifiant leurs épouses étrangères, réduites à l'obéissance. Dans *Romance on a Global Stage: Pen Pals, Virtual Ethnography, and « Mail Order » Marriages* [*L'amour romantique à l'ère de la mondialisation: correspondants, ethnographie virtuelle et mariages par correspondance*], la spécialiste Nicole Constable recommande que les gouvernements établissent des politiques en vue de limiter les possibilités d'abus et de maltraitance à grande échelle.

Au Canada et aux États-Unis, une procédure bureaucratique tortueuse ayant pour but de débusquer les relations frauduleuses (ou les mauvaises intentions) précède la venue de la fiancée ou de la nouvelle mariée dans son pays d'adoption. On doit pouvoir prouver l'existence d'une relation authentique: des photos de vacances, de la famille ou du mariage, des lettres d'amour, un compte conjoint, des factures téléphoniques pour de longues conversations. Le Nord-Américain doit s'engager à soutenir son épouse durant une période de temps déterminée; aux États-Unis, le statut d'immigrant reçu est subordonné au maintien du mariage pendant un laps de temps précis.

Les critiques et les partisans s'entendent pour dire que le féminisme et l'égalitarisme qui ont cours en Amérique du Nord sont à la racine de l'intérêt des Américains pour ces épouses étrangères obtenues par correspondance. Ces hommes opposent l'antipathie (suivant leur perception) des Nord-Américaines pour la vie de femme de maison et de maîtresse à plein temps aux aptitudes (toujours suivant leur perception) des femmes étrangères pour les tâches ménagères et la docilité; ils trouvent les secondes beaucoup plus attirantes que les premières. La grande majorité des maris sont beaucoup plus âgés que leurs épouses. Plusieurs d'entre eux ont déjà été mariés et souhaitent une expérience différente: ils veulent une femme qui saura être une Molly Maid dans la maison, une Marilyn Monroe dans la chambre à coucher et une Martha Stewart à la cuisine.

Les mariages par correspondance ne devraient pas servir de modèle à ceux qui sont à la recherche d'un conjoint. Si beaucoup de ces mariages durent, c'est parce que les femmes craignent d'être expulsées du pays si elles sont désobéissantes ou si elles se plaignent, même dans les cas de maltraitance, ou parce qu'elles craignent de ne pouvoir subvenir à leurs besoins si elles partent. Il arrive qu'elles ne parlent pas très bien la langue du pays. Elles ne savent comment obtenir de l'aide, où trouver un refuge sûr si elles s'enfuient. «La plupart des femmes n'ont aucune idée des dangers qu'elles courent», dit Elsa Batica, une consultante pour des entreprises de mariées par correspondance[12].

Le parentage

Le parentage demeure une des préoccupations essentielles de toute discussion sur le mariage. Il englobe des questions connexes comme la régulation des naissances et l'acceptation, par une forte proportion de personnes, de l'investissement commun des époux dans la condition parentale, à commencer par la planification des naissances. Le rôle des beaux-parents et les familles recomposées sont également importants, car le nombre de divorces et de remariages fait en sorte qu'au moins un quart des enfants nord-américains grandissent dans des familles reconstituées, et qu'ils sont 10 % à vivre dans ce genre de familles, à un moment donné.

Pour les parents de familles reconstituées, le mariage a plusieurs dimensions. Une de ses dimensions est pratique, car ils affrontent quotidiennement la frustration d'avoir à bâtir une vie commune avec une famille dont les membres sont disjoints. Beaucoup d'entre eux cherchent à se rassembler à l'intérieur de groupes de soutien ou de sites Web, partageant leurs expériences, cherchant ou offrant de l'aide. Sur le plan théorique, de plus en plus de recherches portent sur la complexité des familles reconstituées ou recomposées, tout particulièrement sur les répercussions chez les enfants. Ceux qui déplorent la disparition du mariage « traditionnel » tendent à brosser un tableau lugubre de ces familles et des enfants qui y vivent. Selon ces pessimistes, les beaux-parents se rendent beaucoup plus souvent coupables de maltraitance envers les enfants que les parents biologiques de ces derniers (un thème déjà abordé au chapitre 10). Mais ceux qui comprennent que ces familles font partie de la réalité postmoderne proposent des interprétations plus optimistes.

L'une d'elles, avancée dans toute discussion sur la question, est que la femme qui se trouve à être la belle-mère des enfants a un rôle critique à jouer dans le bon déroulement de la vie de sa nouvelle famille ; en fait, elle plie sous le poids des préjugés stéréotypés et des attentes démesurées, et se sent probablement plus déprimée et angoissée que son mari sur le plan des relations familiales[13]. Souvent, la belle-mère a endossé son nouveau rôle en se fiant à la puissance de l'amour et particulièrement de l'amour instantané — le mythe de la famille Brady Bunch — qu'elle entendait partager avec ses beaux-enfants. Si ce scénario ne se matérialise pas, elle peut sombrer dans un état de culpabilité teinté de ressentiment envers ses beaux-enfants peu affectueux ou aux sentiments ambivalents d'hostilité envers la mère biologique que les enfants continuent à aimer (et avec laquelle il est beaucoup plus probable qu'ils vivront), de colère envers le mari et ses loyautés divisées, de frustration et de peur lorsqu'elle songe aux perspectives d'avenir de son mariage. Et elle a raison, car les études montrent que les mariages comme le sien risquent beaucoup plus de se terminer par un divorce que ceux qui commencent sans enfants. La plupart des belles-mères sont on ne peut plus conscientes du fait qu'on tient pour acquis que la faute leur incombe. Certaines capitulent et se blâment elles-mêmes. Mais beaucoup d'autres s'emportent contre le traitement injuste qu'elles subissent.

Il n'en reste pas moins que la famille recomposée est la famille du futur, et que les débats qu'elle suscite sont marqués par l'urgence. Pour paraphraser Tolstoï, toutes les familles recomposées se ressemblent en ce que les enjeux sont très importants et les perspectives peu rassurantes ; les enfants sont le bât qui blesse le mariage aussi bien qu'une de ses principales raisons d'être. Or, la belle-mère est prise entre deux rôles très différents : celui de deuxième mère des enfants de son mari, et celui d'épouse. Lorsque ce sont les mères qui amènent des enfants dans le mariage, les beaux-pères ont à éviter d'autres pièges affectifs. Lorsque les deux époux ont déjà des enfants, ils engendrent une nouvelle situation complexe ; lorsqu'ils ont des enfants ensemble, ce qui est le cas de la moitié d'entre eux, ils ajoutent à cette complexité.

Le divorce

Une autre question-clé dans le débat sur la situation du mariage moderne est la relative facilité du divorce ainsi que ses conséquences. L'évolution des attitudes sociales a mis fin à son opprobre, tout en conduisant à un plus grand éventail de choix et à de meilleures possibilités d'emploi pour les personnes divorcées, particulièrement les femmes. Les États américains et les provinces canadiennes ont modifié leurs lois sur le divorce, en introduisant souvent des clauses sans faute, la division équitable des biens, ainsi que des ententes à l'amiable pour la garde des enfants. Le divorce sans égard aux torts signifie que les conjoints maltraités, qui sont presque toujours des femmes, n'ont plus à prouver les éléments relatifs à leur agression en fournissant des preuves d'ordre médical et en ayant recours à des témoins. Une conséquence de ces dispositions est la baisse du nombre de cas de violence familiale. La disparition de la notion de faute a été aussi une mesure dissuasive par rapport au parjure, si courant dans les causes de divorce à l'ancienne. Pourtant, il serait trompeur de qualifier la mécanique et les suites d'un divorce de « faciles ». Les choses sont peut-être « plus faciles », mais le partage des biens est au mieux difficile, et l'entente sur le partage de la garde des enfants est au mieux douloureuse et souvent déchirante pour les parents comme pour les enfants.

Ceux qui critiquent le divorce — ou la prétendue facilité du divorce — l'associent souvent à l'égoïsme, à la paresse morale et à la réticence à accepter les compromis nécessaires pour que le mariage puisse durer. Ils déplorent que le divorce permette à une femme mécontente de mettre fin à un mariage qui aurait pu être viable pour une autre qui aurait travaillé plus fort pour le sauver. Une étude savante dégage que « l'état déplorable dans lequel le mariage se trouve actuellement [...] est imputable à des hétéros hédonistes irresponsables » qui l'ont réduit « au pire, à un simple " bout de papier " et, au mieux, à de la sentimentalité pure », ce qui est attesté par des émissions de télévision de grande écoute comme *The Bachelor* [*Le célibataire*], *The Bachelorette* [*La petite célibataire*] ou *Who Wants to Marry a Multi-Millionnaire* [*Qui veut marier un multimillionnaire?*][14]. Beaucoup de gens sont persuadés que si le divorce était plus difficile à obtenir, l'institution du mariage pourrait être sauvée, même s'ils admettent que mettre fin à un mariage violent ou dysfonctionnel est la solution la moins mauvaise lorsque des enfants sont en cause. Certains critiques considèrent que la différence entre la polygamie et le divorce suivi d'un remariage est si ténue qu'ils parlent dans ce dernier cas de « polygamie en série[15] ».

D'autres critiques croient que le culte religieux peut guérir les mariages blessés et les garder intacts. Le slogan de plusieurs groupes chrétiens, dont United Christian Family [La famille chrétienne unie] et Families For Christ [Familles pour le Christ], est : « Les familles qui prient ensemble restent ensemble. » Pourtant, en réalité, les baptistes et les autres groupes chrétiens conservateurs ont un taux de divorce plus élevé que les agnostiques ou les athées[16]. L'appartenance ethnique est également un facteur important pour ce qui est de la probabilité du divorce : par exemple, les Asiatiques divorcent moins que les Afro-Américains.

À bien des égards, nonobstant les hasards heureux, les mystères du cœur humain et la dynamique des relations personnelles, le divorce a un profil évident. Souvent, les gens qui divorcent s'étaient mariés jeunes, ils avaient déjà cohabité avec leur conjoint ou une autre personne ; ils sont moins instruits et sont moins fortunés. Après leur divorce, ils peuvent se remarier ou cohabiter avec un nouveau conjoint, en emmenant les enfants de leur première union avec eux, ce qui augmente le risque d'une nouvelle rupture. Cela donne à penser que pour abaisser le taux de divorce, il vaudrait mieux élever l'âge du mariage et inciter plus de gens à poursuivre leurs études, que de rendre le divorce moins accessible ou d'encourager la ferveur religieuse.

L'enjeu le plus moralement douloureux du divorce est le sort réservé aux enfants. Un enfant du divorce se rappelle : « Je me suis dit : " comment est-ce possible ? Pourquoi moi ? " J'ai posé la question à ma mère, qui m'a répondu : " Parce que la vie n'est pas juste "[17]. » La plupart des Nord-Américains revendiquent le droit de divorcer si leur mariage leur semble insatisfaisant, malheureux ou peu sûr ; ils supposent que, sauf dans les cas où le divorce provoque des conflits extrêmes, les enfants survivront très bien à cette expérience. Et si cette supposition était fausse, comme le donne à penser une étude parlementaire canadienne, *Pour l'amour des enfants* (1998), si le divorce de leurs parents était la cause de problèmes à long terme ainsi que de dysfonctionnements ?

Pour l'amour des enfants soutient la thèse impérieuse que « le divorce a une incidence profonde et, parfois, funeste sur les enfants » et recommande — sauf dans les cas de violence familiale — le partage des responsabilités parentales après le divorce, car, pour un enfant, la pire chose au monde est « la perte d'un parent qui a toujours été une présence aimante dans sa vie, la perte d'un parent qui fait partie de son identité même d'enfant et qui est un élément essentiel de sa personnalité[18] ».

Malgré le petit nombre de cas hautement conflictuels qui accaparent l'attention générale, le divorce se produit presque toujours à la suite d'un conflit ou d'une peine. Même si la plupart des procédures en divorce sont entreprises par consentement mutuel, à l'amiable, un quart, voire un tiers, des couples sont prisonniers de la colère et de l'amertume pendant environ trois ans suivant le prononcé du divorce, ce qui peut avoir des effets dévastateurs sur les enfants. Plusieurs points requièrent une attention immédiate, à commencer par le besoin de réformer le langage du divorce.

Actuellement, la plupart des lois sur le divorce parlent la langue de l'emprisonnement — la garde, l'accès, les droits de visite — qui reflète, suivant le professeur en travail social Howard Irving, « une époque révolue où les femmes et les enfants étaient juridiquement les biens personnels du chef du ménage, le père[19] ». Pour réduire la dimension conflictuelle du divorce, il est essentiel d'adopter un langage moins lourd. Au lieu de parler d'« accès », il vaudrait mieux parler de « responsabilité parentale », comme en Australie, de « responsabilité parentale partagée », comme en Floride, ou de « placement résidentiel » et de « fonctions parentales », comme dans l'État de Washington. La « visite » ou le « temps parental » pourraient remplacer l'« accès ».

Les préjugés sexistes jouent un rôle important. La garde exclusive réservée à la mère et la doctrine du « bas âge » ne vont pas plus de soi que la garde exclusive accordée autrefois à l'homme ; en fait, la plupart des jugements sont fortement orientés en ce sens. Pourtant, les relations des enfants avec leurs deux parents (et leurs grands-parents) doivent demeurer aussi étroites après le divorce qu'avant, l'objectif étant le partage des responsabilités parentales. À cet égard, le Québec peut servir de modèle. L'article 600 du Code civil du Québec se lit comme suit : « Les père et mère exercent ensemble l'autorité parentale. Si l'un d'eux décède, est déchu de l'autorité parentale ou n'est pas en mesure de manifester sa volonté, l'autorité est exercée par l'autre. »

Par ailleurs, des groupes d'entraide qui militent pour les droits des pères — une chose qui aurait été inconcevable dans les siècles passés, alors que les maris avaient la garde exclusive de leurs enfants comme s'il s'agissait d'un droit naturel, souvent sans droit de visite pour la mère — réunissent des pères qui ont été privés de leurs enfants. Le ton amer de l'invitation lancée par un de ces groupes est représentatif du mouvement :

- si vous êtes un père divorcé ou séparé qui ne reçoit pas un traitement équitable de la part des tribunaux, des avocats ou d'autres professionnels ;

- si vous avez été faussement accusé par votre ex-femme ou si elle vous réclame des sommes indues ;

- si on ne vous donne pas une chance équitable de partager la garde ou les responsabilités relatives aux enfants ;

- si vous êtes réduit à n'être qu'un visiteur pour votre propre enfant ;

- si une mère vindicative interfère avec votre droit d'accès à votre enfant ;

- si vous avez les reins brisés par une pension alimentaire inéquitable ;

- si vos droits fondamentaux de père sont violés ;

- si vous risquez d'être emprisonné pour dettes parce que vous ne parvenez pas à honorer une pension alimentaire écrasante ;

- si votre permis de conduire a été suspendu ou pourrait l'être parce que le paiement de votre pension alimentaire est en retard.

VOUS N'ÊTES PAS SEUL. JOIGNEZ-VOUS À DES MILLIERS D'AUTRES PÈRES QUI VIVENT LE MÊME CAUCHEMAR ET DÉFENDEZ-VOUS !

Le mouvement de lutte pour les droits des pères est en partie une forme de réaction aux droits des femmes et à l'égalitarisme. Quant aux beaux-pères, leur angoisse est souvent alimentée par la perception qu'un beau-père maltraitera ou exploitera les enfants, et les séparera de leur « vrai » père. Ces dénonciations vigoureuses des pensions alimentaires jugées « écrasantes », « punitives » et « injustes » peuvent être mises en parallèle avec l'océan de statistiques qui attestent la pauvreté des mères divorcées qui se débattent pour élever leurs enfants.

Les spécialistes Teresa A. Sullivan, Elizabeth Warren et Jay Westbrook résument les innombrables études sur les conséquences économiques du divorce, dont la plupart portent sur la relation de la pension alimentaire au bien-être économique des enfants du divorce : « Malgré toute la controverse et les divergences d'opinions, presque toutes les études s'entendent sur deux points : le divorce conduit à une nette baisse de revenu chez les femmes, la situation financière des femmes après un divorce étant pire que celle des hommes[20]. » L'examen des données longitudinales par l'économiste canadien Ross Finnie confirme cette tendance : juste après un divorce, le revenu des femmes accuse une baisse d'environ 40 %, pour augmenter quelque peu dans les années suivantes. En outre, un nombre important de femmes sombrent dans la pauvreté après leur divorce[21]. Même si les femmes bien nanties courent rarement le risque de sombrer dans la pauvreté, après un divorce, leurs revenus diminuent de manière encore plus drastique que ceux des femmes moins bien nanties[22].

Certains pères désespérés sont effectivement injustement empêchés de jouer leur rôle de pères auprès de leurs enfants. Cependant, les préjugés liés au sexe qui ont cours dans les salles d'audience ne sont pas la principale explication de l'éloignement des pères divorcés par rapport à leurs enfants. Comme l'établit le rapport *Pour l'amour des enfants*, les pères, après un divorce, s'impliquent moins auprès de leurs enfants et, souvent, n'exercent pas leurs droits de visite ou d'accès. Suivant un témoin de Legal Aid, à Halifax (Nouvelle-Écosse), pour chaque cas de non-respect du droit d'accès, il y a dix cas attestés de parents — presque toujours des pères — qui ne sont pas au rendez-vous.

Une femme décrit une scène toute simple: « Imaginez un instant deux jeunes enfants revêtant leurs plus beaux habits, préparant leurs petites valises ou sacs à dos en attendant que papa vienne les prendre. Ils sont tout énervés; ils attendent impatiemment la visite du père. [...] Ils attendent... ils attendent! Le téléphone sonne. C'est papa. Il ne peut pas venir[23]. »

Les enfants sont déçus, tristes et furieux. Ils défont leurs petites valises et leur maman les console. Il se peut qu'elle ne résiste pas à la tentation de faire quelques remarques acérées sur leur père, son ex-époux errant. Et ses enfants ne sont pas seuls dans cette situation. Selon certaines études particulièrement préoccupantes, plus de la moitié des pères n'ayant pas la garde finissent par perdre tout contact avec leurs enfants. Quelque chose doit être fait pour renverser cette tendance: la garde partagée, une planification soigneuse, des incitatifs publics et sociétaux comprenant la médiation ainsi que des ressources accrues et de nouvelles initiatives: par exemple, au Michigan, un tribunal unifié de la famille et une Cour itinérante appelée les Amis de la Cour, qui fait enquête, présente des avis et fait exécuter les ordonnances de garde, de temps parental et de soutien financier. Ces questions sont au cœur du débat sur le mariage. Si elles ne sont pas résolues, des générations d'enfants atteindront l'âge adulte en conservant des blessures, voire un retard, qui les rendront vulnérables à la dépression et au retrait social.

S'il vous arrive de soulever la question du mariage devant un groupe de gens quelconque, vous pouvez vous attendre à un débat passionné et à n'en plus finir. Cette question nous touche tous ; elle façonne notre société et reflète la manière dont nous vivons aujourd'hui. Certains thèmes que l'on n'aurait pas imaginés par le passé dominent les débats actuels. L'égalitarisme et le principe d'équité, qui a changé le monde moderne, jouent un rôle de plus en plus important et projettent leur ombre sur le débat. Curieusement, l'amour romantique et la colère masculine, ces sous-produits involontaires de l'égalitarisme, sont des éléments névralgiques du débat autour du mariage. Il en va de même pour le mariage gay, qui a pris racine dans l'égalité et les droits de la personne.

Le divorce représente un autre aspect du mariage dont la solution est urgente. Il fait intervenir l'égalité, la religion, la responsabilité personnelle ainsi qu'une foule d'autres considérations. Chose plus importante encore, il soulève la question de la manière dont le divorce et ses conséquences affectent les enfants. La famille recomposée, avec son mélange complexe de beaux-parents, de beaux-enfants et d'enfants biologiques, constitue une autre conséquence du divorce et du remariage.

On minimise l'importance de la mise en relation de deux partenaires comme dimension essentielle du mariage, mais ce n'est pas pour rien que les entremetteurs exercent le deuxième plus vieux métier du monde. Quelles que soient les connaissances que nous acquérons sur le mariage, quelles que soient les politiques et les attitudes sociales par lesquelles nous le façonnons et l'affinons, le cœur du mariage reste l'union de deux personnes. Les efforts pour les rapprocher en fonction de leurs goûts et de leurs affinités communes devraient être un élément clé de la réflexion sur le mariage.

S'arrêter un instant

Comme l'amour biblique, l'*Histoire du mariage* n'a pas de fin. Cet épilogue en forme de réflexion personnelle constitue en fait un panneau indicateur d'arrêt. Tout en travaillant à ce livre, j'en parlais autour de moi. Le thème provoquait des discussions passionnées et d'une grande portée, qui prenaient souvent racine dans les expériences et les préoccupations personnelles de mes interlocuteurs. Par exemple, le lendemain d'une chaude discussion entre femmes du voisinage, un mari m'aborda dans le parc à chiens, et me dit avec une colère qui n'était pas entièrement feinte : « Je ne veux plus entendre parler de groupes de discussion sur ton livre à propos du mariage ! Maintenant, tout le voisinage sait tout ce qu'il y a à à savoir sur moi ! »

Il avait raison. Mis à part les spécialistes, qui ne se sont jamais éloignés de leur domaine de compétence, ceux à qui j'ai fait lire mon livre avant sa publication ont presque tous réagi de la manière la plus personnelle, souvent en faisant des confidences. En ce sens, l'*Histoire du mariage* est la preuve vivante du lien vital qui unit le passé et le présent de cette institution.

Une autre réaction fréquente à mon livre, du moins de la part des gens qui ne l'ont pas encore lu, prenait la forme de questions nostalgiques ou plus directes : « Le mariage a-t-il encore un avenir ? » ou « Êtes-vous pour ou contre le mariage ? »

J'ai des réponses à cela, mais elles ne se résument pas facilement à un oui ou à un non. La première est comprise dans l'analyse descriptive de la manière dont le mariage a évolué en étant façonné et transformé par la religion, la culture, les institutions, la conjoncture et les expériences de millions de personnes. Le mot d'esprit de Faulkner mérite d'être cité à nouveau : « Le passé n'est pas mort, il n'est même pas passé. » L'*Histoire du mariage* est en grande partie un dialogue entre le passé et le présent. C'est dans ce dialogue que l'on peut trouver des clés pour aborder le casse-tête de l'avenir de cette vénérable institution.

La solution est de comprendre la réalité du mariage comme une expérience vivante suscitant de multiples attentes et exigences qui sont aussi bien de nature économique qu'affective. Les idéaux domestiques concernant les tâches ménagères et la cuisine, par exemple, ont toujours eu une grande importance. Les récentes études spécialisées portant sur l'histoire des travaux ménagers — l'économie familiale — allient la culture et la technologie pour ouvrir une fenêtre sur la vie quotidienne qui fut celle de millions de familles tout au long de l'histoire. Par exemple, la redoutable corvée de la lessive, incessante, avec son cortège de produits nettoyants abrasifs, était une tâche ennuyeuse, épuisante et débilitante à laquelle étaient astreintes les femmes, dont certaines devaient se montrer moins exigeantes par manque de ressources ; les images de jeunes femmes heureuses de faire la lessive, juxtaposées à celles de jeunes femmes vivant dans des appartements misérables encombrés de linge étendu, soulignent le fait qu'on ne pouvait y échapper. Chose amusante, c'étaient les fabricants de détersifs qui commanditaient les feuilletons télévisés au centre de la programmation télévisuelle de l'après-midi, avec son auditoire presque exclusivement féminin ; les téléspectatrices pouvaient ainsi interrompre leur corvée pour se réfugier dans un monde dramatique et en crise (mais sans lessive), un monde de mariages, d'adultères et de relations personnelles.

Ce qui nous conduit — et les conduisit — au sexe et à l'amour, ainsi qu'à leur rôle dans l'histoire du mariage. Vous souvenez-vous de l'image des petits enfants coréens, au moment où ils jettent un premier regard sur celui ou celle qu'ils vont bientôt épouser ? Avez-vous oublié le désespoir de la jeune fille battue par son père qui finit par accepter de se soumettre au mariage arrangé par lui pour des raisons de *business* ? Souvenez-vous et réjouissez-vous ! Car de nos jours, les valeurs égalitaires qui donnent aux femmes le contrôle d'elles-mêmes et leur ouvrent des possibilités sans précédent les libèrent aussi du piège du mariage forcé, laissant libre cours à l'amour romantique et érotique, ainsi qu'au rôle essentiel qu'il peut jouer dans la création et la cimentation des unions consensuelles.

Vous souvenez-vous des mémoires de parents affligés et de la photo d'un nouveau-né dans son petit cercueil ? Jusqu'au début du siècle dernier, la mort était une réalité omniprésente dans le mariage et dans la vie ; elle emportait les femmes en couche, les nouveau-nés, les enfants plus âgés et les hommes, et mettait un terme aux mariages. Comparez les accouchements d'autrefois avec ce qu'ils sont de nos jours, où la mort est une tragédie lointaine et inhabituelle ; aucune personne saine d'esprit voulant avoir deux enfants ne donnerait naissance à quatre en s'attendant au décès de deux d'entre eux. Comparez la vie d'autrefois avec ce qu'elle est de nos jours, maintenant que la longévité ajoute des dizaines d'années à la durée de la vie — et à celle du mariage. Quelle est la portée de ces changements pour l'avenir ? Les réponses abondent et sont souvent contradictoires ; elles touchent l'éducation des enfants, l'affliction, qui serait une constante du mariage, et la plausibilité de la promesse « jusqu'à ce que la mort nous sépare » en tant que prévision tendancielle du mariage.

La photo de John F. Claghorn, vétéran de la guerre de Sécession, avec son pauvre bras pendant correspond directement à la situation des soldats engagés actuellement en Irak, en Afghanistan ou ailleurs. Il y a encore beaucoup de leçons qui n'ont pas été retenues concernant les répercussions profondes de ce désastre humain que constitue la guerre sur l'histoire du mariage.

Un thème qui n'est pas si éloigné du précédent, celui de l'« éducation » des peuples autochtones, devrait nous rendre conscients des répercussions sur le mariage de la maltraitance politique qui a consigné des milliers d'enfants autochtones dans des écoles résidentielles, a détruit la vie d'un grand nombre d'entre eux et influé sur leur expérience du mariage et sur la façon d'élever leurs propres enfants.

Et puis il y eut les Eleanor, ces jeunes femmes ambitieuses et pleines d'espoir qui jouissaient de la rare possibilité de donner toute leur mesure et de réaliser leurs rêves dans la sécurité et le confort, en compagnie d'autres femmes animées des mêmes idées. J'ai eu la chance extraordinaire de pouvoir communiquer avec la nièce de deux sœurs Eleanor ; elle m'a appris que les deux femmes étaient très reconnaissantes d'avoir pu perfectionner leurs compétences et d'avoir saisi leur chance. Je suis admirative de leur force et de leurs ressources intérieures, de tout ce qu'elles ont fait de leur vie comme profession-nelles, épouses, mère pour l'une des deux, et plus tard dans leur vie, comme veuves. Les Eleanor traversaient l'âge adulte à grandes enjam-bées, avec confiance et détermination; les occasions qu'elles ont eues et les choix qu'elles ont faits nous apprennent énormément sur l'his-toire du mariage tout en confirmant le rôle primordial de l'éducation et du libre choix. L'expérience des Eleanor nous fournit aussi le début d'une réponse au casse-tête que représente la question: «Le mariage a-t-il un avenir?»

En ce qui a trait à la deuxième question: suis-je pour ou contre le mariage?, l'*Histoire du mariage* m'a convaincue que, malgré ses origines patriarcales, le mariage est une institution souple qui peut fournir un cadre stable pour l'éducation des enfants, pour mettre les ressources en commun, partager les responsabilités, pour trouver la sécurité, une famille élargie et des relations sociales. Je suis en faveur de tels mariages. Je suis aussi pour les mariages qui, sur le plan indi-viduel, sont satisfaisants, réconfortants et ont le souci des personnes. Mais je ne pense pas que le mariage soit la voie à suivre pour tout un chacun; je suis contre les unions forcées, abusives, profondément malheureuses et insatisfaisantes.

Je crois que le bien-être des enfants est primordial. Je crois qu'un mariage avec enfants a une dimension différente d'un mariage sans enfants. Je crois qu'une femme ne doit pas renoncer aux victoires col-lectives des femmes simplement pour rester mariée. Je crois que les gays et les lesbiennes qui souhaitent se marier devraient pouvoir le faire en vertu des mêmes droits et en assumant les mêmes responsabilités que les autres adultes consentants. Je crois qu'il y a un lien de cause à effet entre les mariages satisfaisants, le niveau d'instruction et la situa-tion économique des hommes et des femmes. Je crois que beaucoup de politiques d'intérêt public — qui se rapportent notamment à la mater-nité, à la paternité, aux congés parentaux, aux services de garde, aux services de santé, au droit fiscal, aux politiques jurisprudentielles, pénitentiaires et migratoires ainsi qu'aux normes publiques en matière d'égalité — ont des répercussions profondes sur le mariage. Je pense que les événements extérieurs façonnent la nature et l'évolution des mariages : pensons aux guerres et aux récessions, à l'effondrement des industries manufacturières de l'Amérique du Nord et à la disparition du salaire-subsistance, à la disparition des avantages et de la sécurité qui lui étaient associés, pensons à l'homophobie et au racisme, à la culture populaire et à la longévité humaine. Je crois que le mariage à l'abri dans une vaste demeure ne ressemble en rien au mariage vécu dans un taudis. Je pense que le divorce n'est pas nécessairement un échec, car il peut être aussi une solution ou une libération.

Ce credo me conduit devant un autre panneau indicateur, vers une nouvelle direction et une nouvelle question : comment pouvons-nous améliorer la situation du mariage tel qu'il existe de nos jours ? L'histoire du mariage est une pépinière de réponses. La première consiste à reconnaître que le mariage est une manière de vivre parmi d'autres, qui comprend notamment la cohabitation et le célibat. La deuxième consiste à reconnaître que le divorce ne tombera pas en désuétude, mais qu'avec une aide accrue et de meilleurs mécanismes d'ajustement, les époux seront moins tentés d'y recourir. La troisième consiste à reconnaître que les enfants sont la priorité absolue de la société, et ce, que leurs parents soient célibataires, séparés, divorcés, en union de fait ou mariés. La quatrième consiste à reconnaître que le mariage entre partenaires de même sexe est un droit de la personne dont toute la société profite, car il valide l'institution du mariage et, souvent, procure un cadre douillet propice à l'éducation des enfants.

Pour rendre possible tout ce qui précède, des politiques et des programmes viables sont nécessaires en vue de régler les problèmes du salaire-subsistance et de l'accès aux services de garde. Les décideurs doivent tenir compte des études portant sur le fossé grandissant entre les riches et les pauvres, et sur la lutte désespérée pour survivre de ces derniers ; ils doivent reconnaître que la pauvreté compromet et érode les mariages, ceux-ci devenant (ou étant déjà devenus) un luxe pour les riches. Ils doivent tirer des leçons de ce qui a été fait durant la Deuxième Guerre mondiale, lorsque les gouvernements ont réussi à trouver une réponse aux besoins des travailleuses en faisant des services de garde décents une priorité nationale. L'*Histoire du mariage* est une histoire de longue durée : ces efforts font partie du récit à venir.

NOTES

PREMIÈRE PARTIE

Le mariage dans l'histoire

CHAPITRE 1

Les maris et les femmes — Qui étaient-ils ?

1. Lettre de Jean Talon à Jean-Baptiste Colbert du 10 novembre 1670, in *Manuscrits de Paris*, 1631-1670, Musée de la Civilisation, Québec, www.mcq.org/histoire/filles_du_roi/index.html.
2. Will Roscoe, *Changing ones: Third and Forth Genders in Native North America*, New York, Palgrave Macmillan, 2000, p. 3.
3. Brent D. Shaw, « The Age of Roman Girls at Marriage : Some Reconsiderations », in *Journal of Roman Studies*, vol. 77, 1987, p. 30.
4. J. C. Caldwell, P. H. Reddy et Pat Caldwell, « The Causes of Marriage Change in South India », in *Population Studies*, novembre 1983, p. 345.
5. Fiona Harris Stoertz, « Young Women in France and England, 1050-1300 », in *Journal of Women's History*, vol. 12, 2001, p. 32.
6. Cité dans Fiona Harris Stoertz, « Young Women in France and England, 1050-1300 », in *Journal of Women's History*, vol. 12, 2001, p. 25.
7. Angel Day, *The English Secretorie* (1586), cité dans Alan Macfarlane, *Marriage and Love in England : Modes of Reproduction, 1300-1840*, Oxford et New York, Blackwell, 1986, p. 134.
8. Gandhi, *Autobiographie ou mes expériences de vérité*, traduit d'après l'édition anglaise par George Belmont, Paris, PUF, « Quadrige », 2004, p. 19.
9. Cité dans Antoinette Burton, « From Child Bride to " Hindoo Lady " : Rukhmabai and the Debate on Sexual Respectability in Imperial Britain », in *The American Historical Review*, vol. 103, octobre 1998, p. 1125.
10. Paul Cartledge, « Spartan Wives », in *Classical Quaterly*, vol. 31, 1981, p. 84-105.

11.	Brent D. Shaw, « The Age of Roman Girls at Marriage : Some Reconsiderations », in *Journal of Roman Studies*, vol. 77, 1987, p. 44.

12.	Une exception notable était celle de la Toscane. Cf. Maristella Botticini, « A Loveless Economy ? Intergenerational Altruism and the Marriage Market in a Tuscan Town, 1415-1436 », in *Journal of Economic History*, vol. 59 (1999), p. 104-121 : « La caractéristique la plus frappante de la société toscane [...] est l'absence du modèle de mariage européen, comme on l'appelle, qui a dominé l'Europe de l'Ouest. En Toscane, à la fin du Moyen Âge et au début de la Renaissance, les femmes se mariaient à la fin de leur adolescence, et les hommes beaucoup plus tard. Le célibat féminin était pratiquement inexistant : 97 % des Toscanes étaient mariées avant l'âge de 25 ans. Pendant ce temps, beaucoup d'hommes et surtout ceux qui habitaient les villes, remettaient à plus tard le moment du mariage ou ne se mariaient jamais : seuls 47 % des hommes étaient mariés au moment du *Castato* de 1427. L'écart d'âge entre les hommes et les femmes au moment du mariage était moindre dans les campagnes, où les hommes se mariaient un peu plus tôt que les hommes résidant dans les villes » (p. 107).

13.	Susan Cott Watkins, « Regional Patterns of Nuptiality in Europe, 1870-1960 », in *Population Studies*, vol. 35, n° 2, juillet 1981, p. 203.

14.	Dov Friedlander, « The British Depression and Nuptiality : 1873-1896, in *Journal of Interdisciplinary History*, vol. 23, n° 1, été 1992, p. 19.

15.	Katie Pickles, « Locating Widows in Mid-Nineteenth Century Pictou County, Nova Scotia », in *Journal of Historical Geography*, vol. 30, n° 1, janvier 2004, p. 74.

16.	Michael R. Haines, « Fertility and Marriage in a Nineteenth-Century Industrial City : Philadelphia, 1850-1880 », in *Journal of Economic History*, vol. 40, n° 1, mars 1980, p. 154-155.

17.	Martha T. Roth, « Age at Marriage and the Household : A Study of Neo-Babylonian and Neo-Assyrian Forms », in *Comparative Studies in Society and History*, vol. 29, n° 4, octobre 1987, p. 721, note 13.

18.	Gillian Clark, *Women in Late Antiquity : Pagan and Christian Life-styles*, Broadbridge Alderly, Clarendon Press, 1994, p. 41.

19.	En Inde, l'Enquête nationale sur la santé des familles de 1922, portant sur 3 948 femmes de 13 à 49 ans de l'État du Tamil Nadu, révéla que 48 % d'entre elles avaient marié un homme de leur parenté. Cette tendance était particulièrement marquée dans les régions rurales et chez les hindous des castes et des tribus défavorisées.

20.	Toutes les références de cette section sont tirées de Maristella Botticini, « A Loveless Economy ? Intergenerational Altruism and de Marriage Market in a Tuscan Town, 1415-1436 », in *Journal of Economic History*, vol. 59, 1999, p. 104-121.

21.	Dans « Gender Imbalance », Yves Landry révèle que 41 % seulement des 606 contrats de mariage rédigés pour *Filles du roi* font mention d'une dot donnée par le roi. Durant la période de 1663 à 1673, moins du tiers des *Filles* en ont bénéficié. Cf. Yves Landry, « Gender Imbalance, *Les Filles du Roi*, and Choice of Spouse in New France », in Bettina Bradbury (dir.), *Canadian Family History : Selected Readings*, Toronto, Copp Clark Pittman, 1992.

22.	Ben Jonson, *Epicoene* (1609), cité par Maggie Siggins, *In Her Own Time : A Class Reunion Inspires a Cultural History of Women*, Toronto, Harper Collins, 2000, p. 364.

CHAPITRE 2

L'apprentissage du mariage, les rites de passage

1. Caroline Norton, cité dans Margaret Forster, *Significant Sisters: The Grassroot of Active Feminism 1839-1939*, Londres, Secker and Warburg, 1984, p. 20.
2. Par ailleurs, le sang menstruel a été une cause de peur et de dégoût dans la plupart des sociétés. Dans son *Histoire naturelle*, l'historien romain Pline écrit : « Le contact avec l'écoulement menstruel de la femme rend le nouveau vin aigre, fait flétrir les récoltes, fait sécher les graines dans les jardins, fait tomber les fruits des arbres, obscurcit la surface brillante des miroirs, émousse l'acier et affaiblit l'éclat de l'ivoire, tue les abeilles, fait oxyder le fer et le bronze, et provoque une horrible odeur qui remplit l'air. Les chiens qui lapent ce sang deviennent fous, et leur morsure devient empoisonnée comme dans le cas de la rage [...]. Même une minuscule créature comme la fourmi y est sensible et s'écarte des graines qui l'ont touché » (cité par Janice Delaney, Mary Jane Lupton et Emily Toth (dir.), *The Curse: A Cultural History of Menstruation*, Champaign, University of Illinois Press, 1988, p. 9).
3. Barbara Harris, *English Aristocratic Women 1450-1550*, Oxford University Press, 2002, p. 28.
4. William Gouge, *Of Domestical Duties* (1622), www.mountzion.org/text/gouge-duties.rtf.
5. Leonardo Fioravanti, cité dans Rudolph M. Bell, *How to do it: Guides to Good Living for Renaissance Italians*, Chicago et Londres, University of Chicago Press, 1999, p. 249.
6. Martin Luther, *Propos de table*, cité dans Susan C. Karant-Nunn et Mary E. Wiesner Hanks (dir.), *Luther on Women: A Source Book*, New York, Cambridge University Press, 2003, p. 197.
7. Révérend Daniel Wise, *The Young Lady's Counselor, or, The Sphere, the Duties, and the Dangers of Young Women. Designed to be a Guide to True Happiness in This Life, and to Glory in the Life Which Is to Come*, New York, Porter, 1857, p. 232.
8. Dio Lewis, *Our Girls*, New York, Clarke Bros., 1883, p. 191.
9. Paul Popenoe, *Modern Marriage: A Handbook*, New York, Macmillan, 1925, p. 85.
10. Marion Harland, *Eve's Daughters; or Common Sense for Maid, Wife, and Mother*, New York, John R. Anderson and Henry S. Allen, 1882, p. 416 et 407.
11. Judith Rowbotham, *Good Girls Make Good Wives: Guidance for Girls in Victorian Fiction*, Oxford, Blackwell, 1989, p. 17.
12. Patricia Mainardi, *Husbands, Wives, and Lovers: Marriage and Its Discontents in Nineteenth-Century France*, New Haven, Yale University Press, 2003, p. 155.
13. Révérend Daniel Wise, *The Young Lady's Counselor, or, The Sphere, the Duties, and the Dangers of Young Women. Designed to be a Guide to True Happiness in This Life, and to Glory in the Life Which is to Come*, New York, Porter, 1857, p. 232.
14. Herbert A. Otto et Robert B. Andersen, « The Hope Chest and Dowry: American Custom? », in *The Family Life Coordinator*, vol. 16, nos 1 et 2, janv.-avril 1967, p. 6.
15. Anya Jabour, *Scarlet's Sisters: Young Women in the Old South*, Chapel Hill, University of North Carolina Press, 2007, p. 116.

16. Laura Wirt, cité dans *Scarlet's Sisters: Young Women in the Old South*, Chapel Hill, University of North Carolina Press, 2007, p. 134.

17. Penelope Skinner Warren, cité dans *Scarlet's Sisters: Young Women in the Old South*, Chapel Hill, University of North Carolina Press, 2007, p. 211.

18. Laura Wirt, cité dans *Scarlet's Sisters: Young Women in the Old South*, Chapel Hill, University of North Carolina Press, 2007, p. 177.

19. Penelope Skinner Warren, cité dans *Scarlet's Sisters: Young Women in the Old South*, Chapel Hill, University of North Carolina Press, 2007, p. 224.

20. Laura Wirt, cité dans *Scarlet's Sisters: Young Women in the Old South*, Chapel Hill, University of North Carolina Press, 2007, p. 206.

21. Alice Catherine Miles, *Every Girl's Duty: The Diary of a Victorian Debutante*, publié sous la direction de Maggy Parsons, Londres, Andre Deutsch, 1992, p. 52.

22. *Ibid.*, p. 16.

CHAPITRE 4

L'amour et la sexualité dans le mariage

1. Deidre Le Faye, *Jane Austen: A Family Record*, Cambridge University Press, 2003, p. 92.

2. Deidre Le Faye, *Jane Austen: A Family Record*, Cambridge University Press, 2003, p. 92.

3. *Ibid.*, p. 92.

4. Cité dans Deidre Le Faye, *Jane Austen: A Family Record*, Cambridge University Press, 2003, p. 144.

5. Cité dans Stephanie Coontz, *Marriage, A History: From Obedience to Intimacy, or How Love Conquered Marriage*, New York, Viking, 2005, p. 185.

6. Lettre du 18 novembre 1814, citée dans Deidre Le Faye (éd.), *Jane Austen's Letters*, Philadelphia, Pavilion Press, 2003, p. 280.

7. Jérôme, *Contre Jovinien*, cité dans Elizabeth Abbott, *A History of Mistresses*, Toronto, Harper Perennial Canada, 2004, p. 54.

8. Brent Shaw, « The Family in Late Antiquity: The Experience of Augustine », in *Past and Present*, vol. 115, mai 1987, p. 36.

9. Amanda Vickery, *The Gentleman's Daughter: Women's Lives in Georgian England*, New Haven, Yale University Press, 1999, p. 72 et 73.

10. Nancy Cott, *Public Vows: A History of Marriage and the Nation*, Cambridge (Mass.), Harvard University Press, 2002, p. 12.

11. Olwen Hufton, *The Prospect Before Her: A History of Women in Western Europe, 1500-1800*, Londres, Harper Collins, 1995.

12. Cette section sur Martin Luther et Catherine de Bore s'appuie sur les travaux de Susan C. Karant-Nunn et Mary E. Wiesner Hanks (dir.), *Luther on Women: A Source Book*, New York, Cambridge University Press, 2003, et de Jeanette Smith, « Katarina von Bora through Five Centuries: A Historiography », in *The Sixteenth Century Journal*, vol. 30, n° 3, automne 1999, p. 745-774.

13. Cité dans Jeanette Smith, « Katarina von Bora through Five Centuries: A Historiography », in *The Sixteenth Century Journal*, vol. 30, n° 3, automne 1999, p. 749.

14. Cité dans Jeanette Smith, « Katarina von Bora through Five Centuries : A Historiography », in *The Sixteenth Century Journal*, vol. 30, n° 3, automne 1999, p. 762 et 771.

15. Cité dans Jeanette Smith, « Katarina von Bora through Five Centuries : A Historiography », in *The Sixteenth Century Journal*, vol. 30, n° 3, automne 1999, p. 12.

16. Susan C. Karant-Nunn et Mary E. Wiesner Hanks (dir. de l'édition), *Luther on Women : A Source Book*, New York, Cambridge University Press, 2003, p. 197.

17. Stephanie Coontz, *Marriage, A History : From Obedience to Intimacy, or How Love Conquered Marriage*, New York, Viking, 2005, p. 139.

18. Amanda Vickery, *The Gentleman's Daughter : Women's Lives in Georgian England*, New Haven, Yale University Press, 1999, p. 72 et 73.

19. Peter Kalm, « The Ladies in French Canada » (1749), in Albert Bushnell et Mabel Hill (dir.), *Camps and Firesides of the Revolution*, Electronic Text Center, University of Virginia Library, http://etext.virginia.edu/toc/modeng/public/HarCamp.html.

20. Yves Landry, « Gender Imbalance, Les Filles du Roi, and Choice of Spouse in New France », in Bettina Bradbury (dir.), *Canadian Family History : Selected Readings*, Toronto, Copp Clark Pittman, 1992, p. 28.

21. Micheline Dumont-Johnson, *Quebec Women : A History*, Toronto, Women's Press, 1987, p. 44.

22. Yves Landry, « Gender Imbalance, Les Filles du Roi, and Choice of Spouse in New France », in Bettina Bradbury (dir.), *Canadian Family History : Selected Readings*, Toronto, Copp Clark Pittman, 1992, p. 33.

23. Cité dans Olwen Hufton, *The Prospect Before Her : A History of Women in Western Europe, 1500-1800*, Londres, Harper Collins, 1995, p. 122.

24. Cité dans Olwen Hufton, *The Prospect Before Her : A History of Women in Western Europe, 1500-1800*, Londres, Harper Collins, 1995, p. 148.

25. Cité dans Amanda Vickery, *The Gentleman's Daughter : Women's Lives in Georgian England*, New Haven, Yale University Press, 1999, p. 52 et 53.

26. Cité dans Amanda Vickery, *The Gentleman's Daughter : Women's Lives in Georgian England*, New Haven, Yale University Press, 1999, p. 63 et 62.

27. Amanda Vickery, *The Gentleman's Daughter : Women's Lives in Georgian England*, New Haven, Yale University Press, 1999, p. 41.

28. Stephanie Coontz, *Marriage, A History : From Obedience to Intimacy, or How Love Conquered Marriage*, New York, Viking, 2005, p. 146.

29. Cité dans Fraser Harrison, *Dark Angel : Aspects of Victorian Sexuality*, Glasgow, William Collins, 1979, p. 23.

30. Alice Catherine Miles, *Every Girl's Duty : The Diary of a Victorian Debutante*, édité par Maggy Parsons, Londres, Andre Deutsch, 1992, p. 43 et 106.

31. Anya Jarbour, *Marriage in the Early Republic : Elizabeth and William Wirt and the Companionate Ideal*, Baltimore et Londres, Johns Hopkins University Press, 1998, p. 13 et 17.

32. Jane Errington, *Wives and Mothers, Schoolmistresses and Scullery Maids : Working Women in Upper Canada, 1790-1840*, Montréal et Kingston, McGill-Queen's University Press, 1995.

33. Cité dans Anya Jarbour, *Scarlett's Sisters : Young Women in the Old South*, Chapel Hill, University of North Carolina Press, 2007, p. 89.

34. Mary Boykin Chesnut, *A Diary from Dixie, as Written by Mary Boykin Chesnut, Wife of James Chesnut, Jr., United States Senator from South Carolina, 1859-1861, and Afterward an Aide to Jefferson Davis and a Brigadier-General in the Confederate Army* (éd. par Isabella D. Martin et Myrta Lockett Avary), New York, D. Appleton and Company, 1905, p. 193.

35. Lettre du 22 avril 1817 de Cécile Pasteur à Julie Duvernay, citée dans Françoise Noël, *Family Life and Sociability in Upper and Lower Canada, 1780-1870*, Montréal et Kingston, McGill-Queen's University Press, 2003, p. 19.

36. Cité dans Françoise Noël, *Family Life and Sociability in Upper and Lower Canada, 1780-1870*, Montréal et Kingston, McGill-Queen's University Press, 2003, p. 20.

37. Cité dans Anya Jarbour, *Scarlett's Sisters: Young Women in the Old South*, Chapel Hill, University of North Carolina Press, 2007, p. 159.

38. Cité dans Françoise Noël, *Family Life and Sociability in Upper and Lower Canada, 1780-1870*, Montréal et Kingston, McGill-Queen's University Press, 2003, p. 53.

39. Cité dans Françoise Noël, *Family Life and Sociability in Upper and Lower Canada, 1780-1870*, Montréal et Kingston, McGill-Queen's University Press, 2003, p. 55.

40. Son père Louis-Joseph Papineau fut amnistié en 1844. En 1845, il réintégra sa seigneurie. Il fit fortune avec des concessions forestières et construisit un grand manoir à Montebello.

41. Lettre de Mary A. Westcott à Mary E. Westcott du 18 mai 1845, citée par Françoise Noël, *Family Life and Sociability in Upper and Lower Canada, 1780-1870*, Montréal et Kingston, McGill-Queen's University Press, 2003, p. 57.

42. Lettre de Mary Westcott à Amédée Papineau du 28 mai 1845, citée dans *Oui je le veux. L'amour et le mariage au Canada du XIXᵉ siècle*, Bibliothèque et Archives Canada, www.collectionscanada.gc.ca/amour-et-mariage/031001-2001-f.html.

43. Lettre de James Westcott à Amédée Papineau du 20 juin 1845, citée dans *I do: Love and Marriage in 19ᵗʰ Century Canada*, Bibliothèque et Archives Canada, http://data2.collectionscanada.gc.ca/e//e333/e008311222-v8.jpg.

44. Lettre de Mary Westcott à Amédée Papineau du 22 juin 1845, citée dans *Oui je veux. L'amour et le mariage au Canada du XIXᵉ siècle*, Bibliothèque et Archives Canada, www.collectionscanada.gc.ca/amour-et-mariage/031001-2001-f.html.

45. Lettre de Mary Papineau à James Westcott du 4 juin 1846, citée dans Françoise Noël, *Family Life and Sociability in Upper and Lower Canada, 1780-1870*, Montréal et Kingston, McGill-Queen's University Press, 2003, p. 78.

46. Toutes les citations de cette section sont tirées de Mary Boykin Chesnut, *A Diary from Dixie, as Written by Mary Boykin Chesnut, Wife of James Chesnut, Jr., United States Senator from South Carolina, 1859-1861, and Afterward an Aide to Jefferson Davis and a Brigadier-General in the Confederate Army* (éd. par Isabella D. Martin et Myrta Lockett Avary), New York, D. Appleton and Company, 1905.

47. Cité dans Susanna Moodie, « Old Woodruff and His Three Wives: A Canadian Sketch », in *The Literary Garland and British North American Magazine*, janvier 1847, p. 16 et 17.

48. Cité dans Jane Errington, *Wives and Mothers, Schoolmistresses and Scullery Maids: Working Women in Upper Canada, 1790-1840*, Montréal et Kingston, McGill-Queen's University Press, 1995, p. 32.

49. Jane Errington, *Wives and Mothers, Schoolmistresses and Scullery Maids: Working Women in Upper Canada, 1790-1840*, Montréal et Kingston, McGill-Queen's University Press, 1995, p. 39.

50. Henry Mackenzie, *Julia de Roubigné* (1777), cité dans Jane Errington, *Wives and Mothers, Schoolmistresses and Scullery Maids: Working Women in Upper Canada, 1790-1840*, Montréal et Kingston, McGill-Queen's University Press, 1995, p. 29.

51. Cité dans Anya Jarbour, *Marriage in the Early Republic: Elizabeth and William Wirt and the Companionate Ideal*, Baltimore and London, Johns Hopkins University Press, 1998, p. 56 et 53.

52. Stephanie Coontz, *Marriage, A History: From Obedience to Intimacy, or How Love Conquered Marriage*, New York, Viking, 2005, p. 164 et 156.

53. Lettre de William Wirt à Laura Wirt, citée dans Anya Jabour, *Scarlet's Sisters: Young Women in the Old South*, Chapel Hill, University of North Carolina Press, 2007, p. 84.

54. Cité dans Stephanie Coontz, *Marriage, A History: From Obedience to Intimacy, or How Love Conquered Marriage*, New York, Viking, 2005, p. 191.

55. Abraham H. Galloway, cité dans Peter Bardaglio, *Reconstructing the Household: Families, Sex and the Law in the Nineteenth-Century South*, Chapel Hill, University of California Press, 2001, p. 178.

56. Cité dans John D'Emilio et Estelle B. Freedman, *Intimate Matters: A History of Sexuality in America*, Chicago, University of Chicago Press, 1997, p. 86.

57. Cité dans Anya Jabour, *Scarlet's Sisters: Young Women in the Old South*, Chapel Hill, University of North Carolina Press, 2007, p. 218.

58. Lettre de Jane Goodwin à James Goodwin, cité dans Thomas P. Lowry, *The Story the Soldiers Wouldn't Tell: Sex in the Civil War*, Mechanicsburg, Pa., Stackpole Books, 1994, p. 37-38.

59. Cité dans Anya Jabour, *Scarlet's Sisters: Young Women in the Old South*, Chapel Hill, University of North Carolina Press, 2007, p. 221.

60. Cité dans Joan D. Hedrick, *Harriet Beecher Stowe: A Life*, Oxford et New York, Oxford University Press, 1995.

61. Lillian Faderman, *Odd Girls and Twilight Lovers: A History of Lesbian Life in Twentieth-Century America*, New York, Penguin, 1992, p. 22.

62. Marie Stopes, *Married Love or in Marriage*, 1918, http://digital.library.upenn.edu/women/stopes/married/1918.html.

63. O. S. Fowler, *Creative and Sexual Science, or Manhood, Womanhood and their Mutual Interrelations... as Taught by Phrenology and Physiology* (1875), cité dans Jean Stengers et Anne van Neck, *Masturbation: The History of a Great Terror* (trad. de Kathryn Hoffmann), New York, Palgrave, 2001, p. 107.

64. Henry Rice Stout, *Our Family Physician: A Thoroughly Reliable Guide to the Detection and Treatment of All Diseases That Can Be Either Checked in Their Career or Treated Entirely by an Intelligent Person, Without the Aid of a Physician; Especially Such as Require Prompt and Energetic Measures, and Those Peculiar to This Country*, 1871, p. 334. Texte intégral de l'édition de 1885: http://openlibrary.org/b/OL23324068M/Our_Family_Physician.

65. Thomas Laqueur, *Le sexe en solitaire ou Contribution à l'histoire culturelle de la sexualité*, Paris, Gallimard, 2005, p. 61.

66. Selon les époques, cette condition nébuleuse était aussi appelée suffocation de la mère, congestion utérine, inflammation pelvienne, paroxysme hystérique, hystéro-neurasthénie ou frigidité.

67. Rachel Maines, *Technologies de l'orgasme: le vibromasseur, l'« hystérie » et la satisfaction sexuelle des femmes* [1999] (trad. d'Oristelle Bonis), Paris, Payot, 2009, p. 65 et 66.

68. John Marten, *Gonsologium Novuum*, cité dans Angus McLaren, *Impotence: A Cultural History*, Chicago et Londres, Chicago University Press, 2007, p. 78, 79 et 81.

69. Cité dans Angus McLaren, *Impotence: A Cultural History*, Chicago et Londres, Chicago University Press, 2007, p. 101.

70. Andrea Tone, « Contraceptive Consumers: Gender and the Political Economy of Birth Control in the 1930s », in *Journal of Social History*, vol. 9, no 3, 1996, p. 1.

71. A. H. Agard, chirurgien et inspecteur des pensions d'invalidité, cité dans James M. Schmidt, « Private Parts », in *Civil War Medicine (and Writing)*, http://civilwarmed. blogspot.com/2009/02/medical-department-23-private-parts.html.

72. Kevin J. Mumford, « Lost Manhood Found: Male Sexual Impotence and Victorian Culture in the United States », in *Journal of the History of Sexuality*, vol. 3, n° 1, 1992, p. 48.

73. Nancy Cott, *Public Vows: A History of Marriage and the Nation*, Cambridge (Mass.), Harvard University Press, 2002, p. 158.

CHAPITRE 5
Le mariage à l'intérieur de quatre murs

1. Martha C. Wright, « Hints for Wives », allocution prononcée à Seneca Falls et publiée pour la première fois in *United States Gazette* (Philadelphia), le 23 septembre 1846. Cité dans James D. Livingston et Sherry H. Penney, *A Very Dangerous Woman: Martha Wright and Women's Rights*, Amherst, University of Massachusetts Press, 2004, p. 79 et 80.

2. Martha C. Wright, « Hints for Wives », allocution prononcée à Seneca Falls et publiée pour la première fois in *United States Gazette* (Philadelphia), 23 septembre 1846. Citée dans James D. Livingston et Sherry H. Penney, *A Very Dangerous Woman: Martha Wright and Women's Rights*, Amherst, University of Massachusetts Press, 2004, p. 4.

3. Cité dans Jeanne Boydston, *Home and Work*, New York, Oxford University Press, 1994, p. 78.

4. William Perkins, *Christian Oeconomie* (1609), cité dans Erica Longfellow, « Public, Private and the Household in Early Seventeenth-Century England », in *Journal of British Studies*, vol. 45, n° 2, 2006, p. 323.

5. Philippe Ariès, *L'enfant et la vie familiale sous l'Ancien Régime*, Paris, Éditions du Seuil, 1973, p. 309.

6. Cité dans Lawrence Stone, « The Public and the Private in the Stately Homes of England, 1500-1900 », in *Social Research*, vol. 58, n° 1, printemps 1991, p. 234.

7. Barbara William (dir.), *A Gentlewoman in Upper Canada: The Journals, Letters, and Art of Anne Langton*, Toronto, University of Toronto Press, 2008, p. 146.

8. Gerald L. Foster, *American Houses: A Field Guide to the Architecture of the Home*, Boston, Houghton, Mifflin, Harcourt, 2004, p. 92.

9. Anya Jarbour, *Marriage in the Early Republic: Elizabeth and William Wirt and the Companionate Ideal*, Baltimore et Londres, Johns Hopkins University Press, 1998, p. 33.

10. Sarah Frances Hicks William, citée dans Eugene Genovese, *Roll, Jordan, Roll: The World the Slaves Made*, New York, Vintage Books, 1976, p. 336.

11. Mary Boykin Chesnut, citée dans Eugene Genovese, *Roll, Jordan, Roll: The World the Slaves Made*, New York, Vintage Books, 1976, p. 426.

12. Wilma A. Dunaway, *The African-American Family in Slavery and Emancipation*, Cambridge, Cambridge University Press, 2003, p. 92.

13. Cité dans Clifford Clark, « Domestic Architecture as an Index to Social History: The Romantic Revival and the Cult of Domesticity in America, 1840-1870 », in *The Journal of Interdisciplinary History*, vol. 7, 1976, p. 50.

14. Michelle Perrot (dir.), *A History of Private Life*, vol. 4, cité dans Tamara Hareven, « The Home and the Family in Historical Perspective », in *Social Research*, vol. 58, n° 1, 1991, p. 260.

15. Cité dans S. J. Kleinberg, « Gendered Space: Housing, Privacy and Domesticity in the Nineteenth-Century United States », in Inga Bryden et Janet Floyd (dir.), *Domestic Space: Reading the Nineteenth-Century Interior*, 1999, p. 147.

16. Constance Mayfield Rourke, *Trumpets of Jubilee: Henry Ward Beecher, Harriet Beecher Stowe, Lyman Beecher, Horace Greely, P. T. Barnum*, New York, Harcourt, Brace, 1927, p. 99.

17. Cité dans Tamara Hareven, « The Home and the Family in Historical Perspective », in *Social Research*, vol. 58, n° 1, 1991, p. 261.

18. Cité dans Anya Jabour, *Scarlet's Sisters: Young Women in the Old South*, Chapel Hill, University of North Carolina Press, 2007, p. 183.

19. Cité dans Françoise Noël, *Family Life and Sociability in Upper and Lower Canada, 1780-1870*, Montréal et Kingston, McGill-Queen's University Press, 2003, p. 107.

20. Cité dans Constance Mayfield Rourke, *Trumpets of Jubilee: Henry Ward Beecher, Harriet Beecher Stowe, Lyman Beecher, Horace Greely, P. T. Barnum*, New York, Harcourt, Brace, 1927, p. 111.

21. Jeanne Boydston, *Home and Work*, New York, Oxford University Press, 1994, p. 132.

22. Cité dans Constance Mayfield Rourke, *Trumpets of Jubilee: Henry Ward Beecher, Harriet Beecher Stowe, Lyman Beecher, Horace Greely, P. T. Barnum*, New York, Harcourt, Brace, 1927, p. 98.

23. Cité dans Jeanne Boydston, *Home and Work*, New York, Oxford University Press, 1994, p. 107.

24. Cité dans Jeanne Boydston, *Home and Work*, New York, Oxford University Press, 1994, p. 113.

25. Jacob A. Riis, *The Making of an American* (1901), http://gutenberg.readingrooms/etext04/thmkn10.txt.

26. Cité dans Steven Mintz, « Housework in Late 19th Century America », http://digitalhistory.uh.edu/historyonline/housework.cfm.

27. Catharine Beecher, *A Treatise on Domestic Economy* (1841), New York, Schocken Books, 1977, p. 149.

28. Cité dans Steven Mintz, «Housework in Late 19th Century America», http:// digitalhistory.uh.edu/historyonline/housework.cfm.

29. Cité dans Jeanne Boydston, *Home and Work*, New York, Oxford University Press, 1994, p. 81-82.

30. Jeanne Boydston, *Home and Work*, New York, Oxford University Press, 1994, p. 85.

31. Catharine Beecher, *A Treatise on Domestic Economy* (1841), New York, Schocken Books, 1977, p. 144 et 143.

32. *Ibid.*, p. 145.

33. Martha Bute, «Homemakers Male and Female», in Margaret Marsh (dir.), *Suburban Lives*, New Brunswick, NJ, Rutgers University Press, 1990, p. 88.

34. Elizabeth Hampsten, *Settler's Children: Growing Up on the Great Plains*, Norman, University of Oklanoma, 1991, p. 18.

35. Elizabeth Hampsten, *Settler's Children: Growing Up on the Great Plains*, Norman, University of Oklanoma, 1991, p. 235

36. *Ibid.*, p. 40.

37. *.Ibid.*, p. 236.

38. *Ibid.*, p. 214.

39. Charlotte Perkins Gilman, *The Home: Its Work and Influence* (1903), Walnut Creek (CA), AltaMira Press, 2002, p. 183 et 272.

40. Charlotte Perkins Gilman, *Women and Economics*, New York, Source Book Press, 1970, p. 58.

41. Charlotte Perkins Gilman, *Women and Economics*, New York, Source Book Press, 1970, p. 116-122 et *passim*.

42. Frances Trollope, «Philadelphia, Pennsylvania, August 1830», in *Day in the Life of a Philadelphia Matron; Habit of Young Married Couples to Reside in Boarding Houses*, http://xroads.virginia.edu/~hyper/DETOC/FEM/trollope.htm.

43. Jacob A. Riis, «Genesis of Tenement», in *How the Other Half Lives: Studies Among the Tenements of New York* (1890), http://bartleby.com/208.

44. Jacob A. Riis, «Genesis of Tenement», in *How the Other Half Lives: Studies Among the Tenements of New York* (1890), http://bartleby.com/208.

45. Margáret Frances Byington, *Homestead: The Households of a Mill Town* (1910), Charleston (SC), Bibliolife, 2008, p. 145.

46. Cité dans Roy Lubove, *The Progressives and the Slums: Tenement House Reform in New York City, 1890-1917*, Westport (CT), Greenwood Press, 1974, p. 7.

47. Sara R. O'Brien, *English for Foreigners* (1909), citée dans Tamara Hareven, «The Home and the Family in Historical Perspective», in *Social Research*, vol. 58, n° 1, 1991, p. 282.

CHAPITRE 6

Allez et multipliez-vous :
Les enfants au cœur du mariage

1. Éléonore était la secrétaire de Caroline, la sœur de Napoléon. Lorsqu'elle fut présentée à ce dernier, elle était déjà la maîtresse du mari de Caroline.

2. Cité dans Leland Ryken, *Worldly Saints: The Puritans as They Really Were*, Holmes (PA), Zondervan, 1990, p. 50.

3. Anya Jabour, *Scarlet's Sisters: Young Women in the Old South*, Chapel Hill, University of North Carolina Press, 2007, p. 225.

4. Cité dans Anya Jabour, *Scarlet's Sisters: Young Women in the Old South*, Chapel Hill, University of North Carolina Press, 2007, p. 226.

5. Lettre de la reine Victoria à la princesse Vicky, le 11 juillet 1860, citée dans Heather Palmer, « Queen Victoria's Not So "Victorian" Writings », www.victoriana.com/doors/queenvictoria.htm.

6. William Gossip Memorandum Book, cité dans Amanda Vickery, *The Gentleman's Daughter: Women's Lives in Georgian England*, New Haven, Yale University Press, 1999, p. 103 et 104.

7. Cité dans Françoise Noël, *Family Life and Sociability in Upper and Lower Canada, 1780-1870*, Montréal et Kingston, McGill-Queen's University Press, 2003, p. 136.

8. Cité dans Amanda Vickery, *The Gentleman's Daughter: Women's Lives in Georgian England*, New Haven, Yale University Press, 1999, p. 105.

9. Amanda Vickery, *The Gentleman's Daughter: Women's Lives in Georgian England*, New Haven, Yale University Press, 1999, p. 106 et 107.

10. Lettre de Susannah Moodie à John Moodie du 11 janvier 1839, Bibliothèque et Archives Canada, www.lac-bac.gc.ca/moodie-traill/027013-119.01-f.php?rec_id_nbr=20&anchor=027013-1100.3-f.htm.

11. Cité dans Colin Heywood, *A History of Childhood: Children and Childhood in the West from Medieval to Modern Times*, Cambridge, Polity Press, 2001, p. 60.

12. Cité dans Françoise Noël, *Family Life and Sociability in Upper and Lower Canada, 1780-1870*, Montréal et Kingston, McGill-Queen's University Press, 2003, p. 146.

13. Cité dans Colin Heywood, *A History of Childhood: Children and Childhood in the West from Medieval to Modern Times*, Cambridge, Polity Press, 2001, p. 59.

14. Cité dans Susan C. Karant-Nunn et Mary E. Wiesner Hanks (dir.), *Luther on Women: A Source Book*, New York, Cambridge University Press, 2003, p. 199.

15. Lettre de William Wirt à Dabney Carr, citée dans Anya Jabour, *Scarlet's Sisters: Young Women in the Old South*, Chapel Hill, University of North Carolina Press, 2007, p. 145-146.

16. Lettres de la reine Victoria à la princesse Vicky du 21 avril et du 15 juin 1858, citées dans Heather Palmer, « Queen Victoria's Not So "Victorian" Writings », www.victoriana.com/doors/queenvictoria.htm.

17. Cité dans Angus McLaren, *Reproductive Rituals: The Perception of Fertility in England from the 16th to the 19th Century*, New York, Routledge and Kegan Paul, 1985, p. 76.

18. L'édition de 1450 du premier manuel de gynécologie, cité dans Angus McLaren, *Reproductive Rituals: The Perception of Fertility in England from the 16th to the 19th Century*, New York, Routledge and Kegan Paul, 1985, p. 101.

19. Cité dans Angus McLaren, *Reproductive Rituals: The Perception of Fertility in England from the 16th to the 19th Century*, New York, Routledge and Kegan Paul, 1985, p. 84.

20. *Blagrave's Supplement or Enlargement to Mr. Nich. Culpepper's English Phisitian* (1674), cité dans Angus McLaren, *Reproductive Rituals: The Perception of Fertility in England from the 16th to the 19th Century*, New York, Routledge and Kegan Paul, 1985, p. 73.

21. Thomas P. Lowry, *The Story the Soldiers Wouldn't Tell: Sex in the Civil War*, Mechanicsburg (PA), Stackpole Books, 1994, p. 96.

22. *Ibid.*, p. 97.

23. Cité dans Angus McLaren, *Reproductive Rituals: The Perception of Fertility in England from the 16ᵗʰ to the 19ᵗʰ Century*, New York, Routledge and Kegan Paul, 1985, p. 95, 97 et 98.

24. Linda Gordon, *The Moral Property of Women: A History of Birth Control Politics in America*, Chicago, University of Illinois Press, 2007, p. 24.

25. Anya Jabour, *Scarlet's Sisters: Young Women in the Old South*, Chapel Hill, University of North Carolina Press, 2007, p. 40 et 75.

26. Malcolm Potts et Martha Campbell, « History of Contraception », in J. J. Sciarra (dir.) *Gynecology and Obstetrics*, vol. 6, chap. 8, p. 8. CD-ROM, Lippincott, William and Wilkins, 2003.

27. Cité dans Kate Worsley, « Trends in Medical Abortion Provision in the United Kingdom: An Overview », in *Global Safe Abortion Conference*, http://www.globalsafeabortion.org/Conference2007/Media/Session04/Presentations/Seminar_19_Kate_Worsley.pdf.

28. Angus McLaren, *Reproductive Rituals: The Perception of Fertility in England from the 16ᵗʰ to the 19ᵗʰ Century*, New York, Routledge and Kegan Paul, 1985, p. 111.

29. Colin Heywood, *A History of Childhood: Children and Childhood in the West from Medieval to Modern Times*, Cambridge, Polity Press, 2001, p. 46.

30. Cité dans Malcolm Potts et Martha Campbell, « History of Contraception », in J. J. Sciarra (dir.), *Gynecology and Obstetrics*, vol. 6, chap. 8, p. 8. CD-ROM, Lippincott, William and Wilkins, 2003.

31. La principale source de cette section sur Madame Restell est Lori Kenshaft, « Abortion in the Life and Times of " The Most Evil Woman in New York ", Madame Restell », in *Celebration of Our Work Conference*, Rutgers University Institute for Research on Women, 1990, www.kenschaft.com/restell.htm.

32. Cité dans Malcolm Potts et Martha Campbell, « History of Contraception », in J. J. Sciarra (dir.), *Gynecology and Obstetrics*, vol. 6, chap. 8, p. 8. CD-ROM, Lippincott, William and Wilkins, 2003.

33. « The American Medical Association Position on Abortion, 1859-1996 », www.ewtn.com/library/PROLIFE/AMA.TXT.

34. Linda Pollock, *Forgotten Children: Parent-Child Relations from 1500 to 1900*, Cambridge, Cambridge University Press, 1984, p. 218.

35. Lettre d'Elizabeth Wirt à William Wirt, neuf jours après la naissance de leur fille, citée dans Anya Jabour, *Scarlet's Sisters: Young Women in the Old South*, Chapel Hill, University of North Carolina Press, 2007, p. 77.

36. Janet Golden, *A Social History of Wet Nursing in America*, Columbus, Ohio State University Press, 2001, p. 97.

37. Cité dans Wilma A. Dunaway, *The African-American Family in Slavery and Emancipation*, Cambridge, Cambridge University Press, 2003, p. 136.

38. Loyd deMause (dir.), *The History of Childhood: The Untold Story of Child Abuse*, New York, Peter Bedrick Books, 1988, p. 1 et 2.

39. Cité dans Amanda Vickery, *The Gentleman's Daughter: Women's Lives in Georgian England*, New Haven, Yale University Press, 1999, p. 121.

40. Linda Pollock, *Forgotten Children: Parent-Child Relations from 1500 to 1900*, Cambridge, Cambridge University Press, 1984, p. 235.

41. Amanda Vickery, *The Gentleman's Daughter: Women's Lives in Georgian England*, New Haven, Yale University Press, 1999, p. 91.

42. Cité dans Linda Pollock, *Forgotten Children: Parent-Child Relations from 1500 to 1900*, Cambridge, Cambridge University Press, 1984, p. 222.

43. Cité dans Linda Pollock, *Forgotten Children: Parent-Child Relations from 1500 to 1900*, Cambridge, Cambridge University Press, 1984, p. 225.

44. Amanda Vickery, *The Gentleman's Daughter: Women's Lives in Georgian England*, New Haven, Yale University Press, 1999, p. 113.

45. Cité dans Amanda Vickery, *The Gentleman's Daughter: Women's Lives in Georgian England*, New Haven, Yale University Press, 1999, p. 122.

46. Cité dans Anya Jabour, *Scarlet's Sisters: Young Women in the Old South*, Chapel Hill, University of North Carolina Press, 2007, p. 41.

47. Cité dans Linda Pollock, *Forgotten Children: Parent-Child Relations from 1500 to 1900*, Cambridge, Cambridge University Press, 1984, p. 157.

48. Dans *Quelques pensées sur l'éducation* (1692), § 35, John Locke prescrit un régime frugal au lieu des cajoleries qu'il voit autour de lui : « En effet, lorsque les enfants ont grandi, et, avec eux, leurs mauvaises habitudes, lorsqu'ils sont trop âgés pour être dorlotés, et que les parents ne peuvent plus en faire leurs jouets, alors on n'entend plus que des plaintes. Les parents les trouvent indociles et pervers ; ils sont choqués de leur opiniâtreté ; ils sont effrayés de leurs mauvaises inclinations ; mais ne les ont-ils pas eux-mêmes excités et entretenus ! [L'enfant] a régenté ses parents depuis qu'il sait babiller : et maintenant qu'il a grandi, maintenant qu'il est plus fort et plus intelligent qu'il n'était alors, pourquoi voudriez-vous qu'il fût tout d'un coup gêné dans ses caprices et qu'il se courbât sous la volonté d'autrui ? Pourquoi devrait-il, à sept, à quatorze ou à vingt ans, perdre le privilège que l'indulgence de ses parents lui a accordé jusqu'à cet âge ? », http://74.125.113.132/search?q=cache:DxI54WNfJeQJ:classiques.uqac.ca/classiques/locke_john/pensees_sur_l_education/Locke_Pensees_education.doc+pensées+sur+l'éducation&cd=1&hl=fr&ct=clnk&gl=ca&lr=lang_fr.

49. Cité dans Linda Pollock, *Forgotten Children: Parent-Child Relations from 1500 to 1900*, Cambridge, Cambridge University Press, 1984, p. 110.

50. Cité dans Elizabeth Pleck, *Domestic Tyranny: The Making of a Social Policy Against Family Violence from Colonial Times to the Present*, Champaign, University of Illinois Press, 2004, p. 26.

51. Lorena S. Walsh, « Community Networks in the Early Chesapeake », cité dans Lois Green Carr, Philip D. Morgan et Jean Burrell Russo (dir.), *Colonial Chesapeake Society*, Chapel Hill, University of North Carolina Press, 1991, p. 244.

52. Cité dans Steven Mintz, *Huck's Raft: A History of American Childhood*, Cambridge (MA), Harvard University Press, 2004, p. 41.

53. Cité dans Wilma A. Dunaway, *The African-American Family in Slavery and Emancipation*, Cambridge, Cambridge University Press, 2003, p. 52-53.

54. Cité dans Wilma King, *Stolen Childhood: Slave Youth in Nineteenth-Century America*, Bloomington, Indiana University Press, 1996, p. 2.

55. Frederick Douglass et Jacob Branch, cités dans Wilma King, *Stolen Childhood: Slave Youth in Nineteenth-Century America*, Bloomington, Indiana University Press, 1996, p. 21 et 23.

56. Prince Woodfin, cité dans Wilma King, *Stolen Childhood: Slave Youth in Nineteenth-Century America*, Bloomington, Indiana University Press, 1996, p. 68.

57. Jacob Strayer, cité dans Wilma A. Dunaway, *The African-American Family in Slavery and Emancipation*, Cambridge, Cambridge University Press, 2003, p. 75.

58. Wilma King, *Stolen Childhood: Slave Youth in Nineteenth-Century America*, Bloomington, Indiana University Press, 1996, p. 98.

59. Elizabeth Hampsten, *Settler's Children: Growing Up on the Great Plains*, Norman, University of Oklanoma, 1991, p. 101.

60. Cité dans Peter Mook, « Les petits sauvages : The Children of Eighteenth-Century New France », in Joy Parr (dir.), *Childhood and Family in Canadian History*, Toronto, McClelland and Stewart, 1982, p. 43.

61. Avant le xIxᵉ siècle, les taux de fécondité des différentes régions de l'Amérique du Nord étaient égaux ou supérieurs aux taux de fertilité actuels des pays les moins développés.

62. Cité dans Steven Mintz, « Housework in Late 19ᵗʰ Century America », http:// digitalhistory.uh.edu/historyonline/housework.cfm.

63. Amanda Vickery, *The Gentleman's Daughter: Women's Lives in Georgian England*, New Haven, Yale University Press, 1999, p. 122.

64. Kate Douglass Wiggin, auteure pour enfants, citée dans Colin Heywood, *A History of Childhood: Children and Childhood in the West from Medieval to Modern Times*, Cambridge, Polity Press, 2001, p. 94.

65. Alexis de Tocqueville, *De la démocratie en Amérique*, vol. 3, Paris, Michel Lévy Frères, Libraires Éditeurs, 1864, p. 326 et 327, http://books.google.ca/books?id= JIotAAAAYAAJ&printsec=frontcover&hl=fr#v=onepage&q=&f=false.

66. Cité dans Laura Del Col, « The Life of the Industrial Worker in Nineteenth-Century England », http://www.victorianweb.org/history/workers2.html.

67. Cité dans Susan E. Houston, « The " Waifs and Strays " of a Late Victorian City : Juvenile Delinquents in Toronto », in Joy Parr (dir.), *Childhood and Family in Canadian History*, Toronto, McClelland and Stewart, 1982, p. 129.

68. Linda Pollock, *Forgotten Children: Parent-Child Relations from 1500 to 1900*, Cambridge, Cambridge University Press, 1984, p. 93.

69. Robert McIntosh, *Boys in the Pits: Child Labour in Coal Mines*, Montréal, McGill Queen's University Press, 2000, cité par Ernestine Patterson Leary, *Monthly Labour Review*, mars 2001.

70. Stephen J. Cole, « Commissioning Consent : An Investigation of the Royal Commission on the Relations of Labour and Capital, 1886-1889 », thèse de doctorat, Queen's University, Kingston, 2007, p. 364, 365, 367.

71. Elizabeth C. Watson, « Home Work in the Tenements », Enquête 25, 4 février 1911, www.tenant.net/Community/LES/watson8.html.

CHAPITRE 7
Quand les choses tournèrent mal

1. Cité dans Elizabeth Abbott, *A History of Celibacy*, Cambridge, Lutterworth Press, 2001, p. 299.

2. Le cas de madame Battersby était représentatif : elle s'était séparée de lui six semaines après leur mariage, car il fréquentait des prostituées et avait contracté une maladie vénérienne ; mais ni elle ni lui ne cherchèrent à obtenir un divorce. Douze ans après leur séparation, monsieur se maria à nouveau, ce qui faisait de lui un bigame et donnait à madame Battersby un motif de droit pour divorcer. Monsieur Battersby fut déporté en Australie.

3. Sylvia Wolfram, « Divorce in England 1700-1857 », in *Oxford Journal of Legal Studies*, vol. 5, n° 2, été 1988, p. 178.

4. Roderick Phillips, *Putting Asunder : A History of Divorce in Western Society*, Cambridge, Cambridge University Press, 1988, p. 14.

5. Message électronique du révérend David Reed à l'auteure, le 18 avril 2009.

6. Jean Calvin, *Institution de la religion chrétienne* (1554), chap. III, p. 131, http:// books.google.com/books?id=RRI8AAAAcAAJ.

7. Jean Calvin, *Commentaires de Jean Calvin sur la concordance ou harmonie composée des trois Évangélistes, à savoir saint Mathieu, saint Marc et saint Luc* (1563), commentaire 358, www.archive.org/stream/commentairesdeieoocalv/ commentairesdeieoocalv _djvu.txt.

8. Cité dans Roderick Phillips, *Untying the Knot : A Short History of Divorce*, Cambridge, Cambridge University Press, 1991, p. 16.

9. Cité dans Robert M. Kingdon, *Adultery and Divorce in Calvin's Geneva*, Cambridge (MA), Harvard University Press, 1995, p. 39, 62 et 63.

10. Caroline Norton, *English Laws for Women in the Nineteenth-Century* (1854), http://digital.library.upenn.edu/women/norton/elfw/elfw.html.

11. Caroline Norton, « A Letter to the Queen on Lord Chancellor Cranworth's Marriage and Divorce Bill » (1855), http://digital.library.upenn.edu/women/ norton/alttq/alttq.html.

12. Article 21 : Les revenus d'une femme abandonnée par son mari peuvent être protégés de toute action en réclamation de son mari. Article 24 : Les tribunaux peuvent accorder des versements d'allocation d'entretien distincts à une femme mariée ou à son fiduciaire. Article 25 : Une femme mariée peut recevoir en héritage ou léguer des biens comme une femme célibataire. Article 26 : Une femme séparée de son mari peut conclure des contrats, intenter des procès ou être poursuivie en instance civile.

13. Norma Basch, *Framing American Divorce*, Berkeley, University of California Press, 2001, p. 15.

14. Cour Suprême de l'Arkansas, citée dans Roderick Phillips, *Untying the Knot : A Short History of Divorce*, Cambridge, Cambridge University Press, 1991, p. 145.

15. Cité dans Roderick Phillips, *Untying the Knot : A Short History of Divorce*, Cambridge, Cambridge University Press, 1991, p. 147.

16. Cité dans Roderick Phillips, *Untying the Knot : A Short History of Divorce*, Cambridge, Cambridge University Press, 1991, p. 149.

17. Henry James, Sr., Horace Greeley et Stephen Pearl Andrews, *Love, Marriage, and Divorce* (1853/1889), http://praxeology.net/HJ-HG-SPA-LMD-3.htm.

18. Norma Basch, *Framing American Divorce*, Berkeley, University of California Press, 2001, p. 16.

19. Cité dans Peter Bardaglio, *Reconstructing the Household: Families, Sex and the Law in the Nineteenth-Century South*, Chapel Hill, University of California Press, 2001, p. 38.

20. Cité dans Peter Bardaglio, *Reconstructing the Household: Families, Sex and the Law in the Nineteenth-Century South*, Chapel Hill, University of California Press, 2001, p. 135.

21. Cité dans Peter Bardaglio, *Reconstructing the Household: Families, Sex and the Law in the Nineteenth-Century South*, Chapel Hill, University of California Press, 2001, p. 120.

22. Cité dans Roderick Phillips, *Putting Asunder: A History of Divorce in Western Society*, Cambridge, Cambridge University Press, 1988, p. 441.

23. Cité dans Norma Basch, *Framing American Divorce*, Berkeley, University of California Press, 2001, p. 78.

24. Cité dans Scott C. Martin, « "A Star That Gathers Lustre from the Gloom of Night": Wives, Marriage, and Gender in Early Nineteenth-Century American Temperance Reform », in *Journal of Family History*, vol. 29, n° 3, 2004, p. 279.

25. Cité dans Norma Basch, *Framing American Divorce*, Berkeley, University of California Press, 2001, p. 69.

26. La source de cette section sur Elizabeth Packard est Jennifer Rebecca Levison, « Elizabeth Parsons Ware Packard: An Advocate for Cultural, Religious, and Legal Change », in *Alabama Law Review*, vol. 54, n° 3, 2003, p. 987-1077.

27. Cité dans Norma Basch, *Framing American Divorce*, Berkeley, University of California Press, 2001, p. 150.

28. Cité dans Norma Basch, *Framing American Divorce*, Berkeley, University of California Press, 2001, p. 166.

29. Norma Basch, *Framing American Divorce*, Berkeley, University of California Press, 2001, p. 71.

30. Cité dans Norma Basch, *Framing American Divorce*, Berkeley, University of California Press, 2001, p. 75.

31. Catherine Beecher, *Essay on Slavery and Abolition*, citée dans Jeanne Boydston, *Home and Work*, New York, Oxford University Press, 1994, p. 162.

32. Norma Basch, *Framing American Divorce*, Berkeley, University of California Press, 2001, p. 191.

33. Cité dans Peter Bardaglio, *Reconstructing the Household: Families, Sex and the Law in the Nineteenth-Century South*, Chapel Hill, University of California Press, 2001, p. 134.

34. Cité dans Peter Bardaglio, *Reconstructing the Household: Families, Sex and the Law in the Nineteenth-Century South*, Chapel Hill, University of California Press, 2001, p. 134-135.

35. Cité dans Peter Bardaglio, *Reconstructing the Household: Families, Sex and the Law in the Nineteenth-Century South*, Chapel Hill, University of California Press, 2001, p. 142.

36. Lettre de Newton Scott à Hannah Cone du 24 octobre 1862, in *Letters Home from an Iowa Soldier in the American Civil War*, www.civilwarletters.com.

37. Peter Blank, « Civil War Pension and Disability », in *Ohio State Law Journal*, vol. 62, n° 1, 2001, p. 109-249.

38. Cité dans Thomas P. Lowry, *The Story the Soldiers Wouldn't Tell: Sex in the Civil War*, Mechanicsburg (PA), Stackpole Books, 1994, p. 107.

39. Thomas P. Lowry, *The Story the Soldiers Wouldn't Tell: Sex in the Civil War*, Mechanicsburg (PA), Stackpole Books, 1994, p. 104.

40. Thomas P. Lowry, *The Story the Soldiers Wouldn't Tell: Sex in the Civil War*, Mechanicsburg (PA), Stackpole Books, 1994, p. 108.

41. Lettre de Newton Scott à Hannah Cone du 22 juillet 1864, www.civilwarletters.com.

42. Lettre de Newton Scott à Hannah Cone du 23 juillet 1863, www.civilwarletters.com.

43. Mary Boykin Chesnut, *A Diary from Dixie, as Written by Mary Boykin Chesnut, Wife of James Chesnut, Jr., United States Senator from South Carolina, 1859-1861, and Afterward an Aide to Jefferson Davis and a Brigadier-General in the Confederate Army* (dir. de l'édition : Isabella D. Martin et Myrta Lockett Avary), New York, D. Appleton and Company, 1905, p. 201. http://docsouth.unc.edu/southlit/chesnut/menu.html.

44. Cité dans Thomas P. Lowry, *The Story the Soldiers Wouldn't Tell: Sex in the Civil War*, Mechanicsburg (PA), Stackpole Books, 1994, p. 31.

45. Mary Boykin Chesnut, *A Diary from Dixie, as Written by Mary Boykin Chesnut, Wife of James Chesnut, Jr., United States Senator from South Carolina, 1859-1861, and Afterward an Aide to Jefferson Davis and a Brigadier-General in the Confederate Army* (édité par Isabella D. Martin et Myrta Lockett Avary), New York, D. Appleton and Company, 1905, p. 382. http://docsouth.unc.edu/southlit/chesnut/menu.html.

46. Cité dans « Unhappiness Abroad : Civil War Refugees », in Fort Ward Museum and Historic Site, Alexandria, Virginia, http://oha.alexandriava.gov/fortward/special-sections/refugees.

47. Roderick Phillips, *Untying the Knot: A Short History of Divorce*, Cambridge, Cambridge University Press, 1991, p. 155.

48. Roderick Phillips, *Untying the Knot: A Short History of Divorce*, Cambridge, Cambridge University Press, 1991, p. 194.

49. Roderick Phillips, *Untying the Knot: A Short History of Divorce*, Cambridge, Cambridge University Press, 1991, p. 219.

DEUXIÈME PARTIE

Le mariage aujourd'hui et dans l'avenir

INTRODUCTION

Ce que nous croyions être hier et ce que nous croyons être aujourd'hui

1. Anne-Marie Ambert, « Divorce : Facts, Causes and Consequences », Vanier Institute of the Family, www.vifamily.ca/library/cft/divorce_05.html.

2. Jonathan Ames, « What is the Future of Marriage ? », cité dans « Voice Box », Nerve.com, www.nerve.com/dispatches/voicebox/futureofmarriage/question1.asp.

3. Par exemple, *Bride*, qui était, en 2009, le magazine le plus important aux États-Unis en nombre de pages (700 par numéro), a un tirage de 405 000 copies et est publié six fois par année. Anne Kingston (*The Meaning of Wife: A Provocative Look at Women and Marriage in the Twenty-first Century*, New York, Farrar, Straus and Giroux, 2005, p. 41) attribue au livre *Weddings* (1987), de Martha Stewart, la mise en place de la notion de tradition en tant que norme en matière de célébration de mariage.

4. Rebecca Traister, « Bridezilla Bites Back! », in *Salon*, 18 juin 2004, http://dir.salon.com/story/mwt/feature/2004/06/18/bridezilla/index.html.

5. Rebecca Mead, *One Perfect Day: The Selling of the American Wedding*, New York, Penguin, 2007, p. 222 et 223.

6. Anne Kingston, *The Meaning of Wife: A Provocative Look at Women and Marriage in the Twenty-first Century*, New York, Farrar, Straus and Giroux, 2005, p. 34.

7. Le diadème de Céline Dion pesait vingt livres (9 kg), de quoi lui écraser les vertèbres.

8. Cf., par exemple, Marcelle S. Fisher, « A New Nose, Then the " I Do " », in *New York Times*, 30 janvier 2005 ; « Plastic Surgery, Breast Implants Popular at Bridal Fair », in *The StarPhoenix* (Saskatoon), 22 janvier 2007.

9. Stephanie Coontz, « In Search of a Golden Age: A look at Families throughout U.S. History Reveals There Has Never Been an " Ideal Form " », in *In Context* (printemps 1989), p. 18, www.context.org/ICLIB/IC21/Coontz.htm.

10. Cité dans «Biography for Billy Gray», Internet Movie Database, www.imdb.com/name/nm0336474/bio.

CHAPITRE 8

Célibataire et souvent seul

1. Toutes les citations de John McCrae sont tirées de lettres à sa mère citées dans CBC, « Horror on the Battlefield : In Flanders Field », douzième épisode de *Canada: A People's History*, http://history.cbc.ca/history.

2. Les principales recherches sur ce thème comprennent : Frances Manges, *Women Shopkeepers, Tavernkeepers, and Artisans in Colonial Philadelphia*, thèse de doctorat, University of Pennsylvania, 1958 ; Mary Robert Parramore, « *For Her Sole and Separate Use* » : *Female Sole Trader Status in Early South Carolina*, mémoire de maîtrise, University of South Carolina, 1991 ; Elisabeth Anthony Dexter, *Colonial Women of Affairs: A Study of Women in Business and the Professions in America Before 1776*, New York, Houghton Mifflin, 1924 ; et Jean Jordan, « Women Merchants in Colonial New York », in *New York History*, vol. 58, 1977, p. 412-439.

3. Christine Jacobson Carter, *Southern Single Blessedness: Unmarried Women in the Urban South, 1800-1865*, Urbana, University of Illinois Press, 2006, p. 7.

4. Cité dans Joan D. Hedrick, *Harriet Beecher Stowe: A Life*, Oxford et New York, Oxford University Press, 1995, p. 180 et 181.

5. Toutes les citations sont tirées de Lisa M. Fine, « Between Two Worlds: Business Women in a Chicago Boarding House 1900-1930 », in *Journal of Social History*, vol. 19, n° 3, printemps 1986.

6. *Eleanor Record*, mai 1915, cité dans Lisa M. Fine, « Between Two Worlds : Business Women in a Chicago Boarding House 1900-1930 », in *Journal of Social History*, vol. 19, n° 3, printemps 1986, note 21.

7. Cité dans Sam Roberts, « 51 % of Women Are Now Living without a Spouse », in *New York Times*, 16 janvier 2007.

8. Reginald Bibby, « Cohabitation », *The Future Family Project*, Vanier Institute of the Family, www.vifamily.ca/library/future/2.html.

9. Pamela J. Smock, « Cohabitation in the United States : An Appraisal of Research Themes, Findings, and Implications », in *Annual Review of Sociology*, vol. 26, août 2000, fait le tour des ouvrages sur la question.

10. Le salaire des hommes qui vivent en union libre est de 10 à 40 % inférieur à celui des hommes mariés. Les femmes mariées et celles qui cohabitent ont sensiblement les mêmes revenus, mais les femmes qui vivent en union de fait avec une autre femme sont moins souvent à charge de leur conjointe.

11. Il y a beaucoup de raisons qui expliquent cette lacune. D'abord, les preuves sont rares. Jusqu'à tout récemment, par exemple, les recensements ne recueillaient aucune information concernant le travail des femmes. L'opprobre qui s'attachait aux femmes seules, particulièrement celles qui étaient pauvres, les rendait invisibles dans leur propre société. Mais elles étaient nombreuses et il existe des moyens de se renseigner sur leurs vies. Par exemple, on peut étudier les registres des services de police ou ceux des tribunaux pour retrouver celles que la pauvreté a fait dériver vers la criminalité ou la prostitution. On peut aussi se renseigner sur leurs lieux de résidence ou leur participation aux organisations religieuses, chercher à savoir si elles entretenaient une correspondance, si elles faisaient du bénévolat, et faire des recherches sur d'autres aspects de la vie quotidienne. Étant donné que les autorités craignaient que les femmes seules représentent une menace pour l'ordre social, il existait des politiques qui visaient à les surveiller et à les contrôler. Les historiens de la famille ont eux aussi négligé les célibataires, qui vivaient comme membres à part entière d'une famille, prenaient d'autres arrangements ou vivaient seules. Les historiens de la famille se sont concentrés uniquement sur les hommes et les femmes mariés.
Concernant les recherches récentes sur les femmes seules, voir, par exemple, Amy Froide et Judith Bennett (dir.), *Singlewomen in the European Past, 1250-1800*, Philadelphie, University of Pennsylvania Press, 1999 ; Bridget Hill, *Women Alone : Spinsters in England 1660-1850*, New Haven, Yale University Press, 2001 ; Lee Virginia Chambers-Schiller, *Liberty : A Better Husband. Single Women in America : The Generations of 1780-1840*, New Haven, Yale University Press, 1984 ; Mary S. Hartman, *The Household and the Making of History : A Subversive View of the Western Past*, Cambridge, Cambridge University Press, 2004 ; Amy Froide, *Never Married : Singlewomen in Early Modern England*, Oxford, Oxford University Press, 2005 ; Katherine Holden, *The Shadow of Marriage : Singleness in England, 1914-60*, Manchester, Manchester University Press, 2007 ; Virginia Nicholson, *Singled Out : How Two Million Women Survived without Men After the First World War*, Londres, Penguin, 2008.

12. Nancy Cott, *No Small Courage : A History of Women in the United States*, New York, Oxford University Press, 2004, p. 181-183.

13. Nigel Jones, « A New Type of Women », in *Mail Online*, 5 juin 2008, www.daily-mail.co.uk/home/books/article-1024405/INTERVEW-Meet-Virginia-Nichol-son-author-Junes-book-Singled-Out.html.

14. Voir Susan Koppelman (dir.), *Old Maids: Short Stories by Nineteenth Century U.S. Women Writers*, Boston, Pandora Press, 1984. Cet ouvrage comprend treize histoires écrites de 1834 à 1891.

15. Tess Kalinowski, « As Traditional as a Child », in Ann Rohala (dir.), *The Lucky Ones: Our Stories of Adopting Children from China*, Toronto, ECW Press, 2008, p. 13.

16. National Adoption Information Clearinghouse, *Single Parents Adoption: What You Need to Know*, www.childbirthsolutions.com/articles/preconception/adop-tion/singleadopting.php.

17. Robert Klose, « In the Beginning », in *Adopting Alyosha: A Single Man Finds a Son in Russia*, chap. 1, www.nytimes.com/books/first/k/klose-adopting.html.

18. Doug Hood, « Sometime in the Night: A Single Man Becomes a Father », in *Adoptive Families* (2000), www.adoptivefamilies.com/articles.php?aid=172.

19. Tess Kalinowski, « As Traditional as a Child », in Ann Rohala (dir.), *The Lucky Ones: Our Stories of Adopting Children from China*, Toronto, ECW Press, 2008, p. 8.

20. Lori Gottlieb, « Marry Him! The Case for Settling for Mr. Good Enough », in *The Atlantic*, mars 2008, www.theatlantic.com/doc/200803/single-marry.

CHAPITRE 9

Un point de vue homosexuel
sur la nature du mariage

1. Toutes les citations sont tirées du magazine *People*, 19 août 2008.

2. Juvénal, *Satires*, II, v. 117-136, cité par Marguerite Garrido-Horry, *Juvénal: esclaves et affranchis à Rome*, Paris, Presses universitaires franche-comtoises, 1998, p. 279.

3. Par exemple, dans « Roman Same-Sex Weddings from the Legal Perspective », in *Classical Studies Newsletter*, vol. x (hiver 2004), www.umich.edu/~classics/news/newsletter/winter2004/weddings.html, Bruce W. Frier soutient que le mariage romain avait une dimension sociale indépendante de sa dimension juridique, car « le gouvernement romain [...] refusait d'encadrer le processus de mariage au moyen d'autorisations ou même d'enregistrements, ce qui fait que le mariage était en pratique un événement en grande partie privé, échappant à la sur-veillance gouvernementale ». Frier ajoute qu'« on pourrait aller jusqu'à dire que ces cérémonies unissant des partenaires de même sexe avaient pour but, au moins en partie, de subvertir l'institution sociale traditionnelle du mariage ».

4. Keith Olbermann, « Gay Marriage Is a Question of Love », msnbc.com, 10 novem-bre 2008, www.msnbc.msn.com/id/27650743.

5. La première organisation américaine pour la défense des droits des homosexuels, la Society for Human Rights de Chicago, fut fondée en 1924. Au Canada, la pre-mière organisation favorable aux gays, l'Association for Social Knowledge (ASK), fut fondée en 1964.

6. Jim Burroway, « Today in History: Eisenhower Signs Executive Order 10450 », in *Box Turtle Bulletin*, 27 avril 2008, www.boxturtlebulletin.com/2008/04/27/1886.

7. *Klippert c. Sa Majesté la Reine* (1967), R.C.S. 822, http://csc.lexum.umontreal.ca/en/1967/1967scr0-822/1967scr0-822.html.

8. CBC, « Same-Sex Rights : Canada Timeline », www.cbc.ca/news/background/samesexrights/timeline_canada.html.

9. Cité dans David Adox, « What's the Difference Between a Homosexual and a Murderer ?, in *Salon*, 2 mai 1997, www.salon.com/may97/sullivan970502.html.

10. La littérature haineuse sur les gays cite également *Lv* 18, 22, *Gn* 19, *Rm* 1, 18-32, *1 Co* 6, 9-11, *1 Tm* 1, 10 et *Jud* 7.

11. Ce document est considéré comme une interférence non démocratique même par ceux qui s'opposent au mariage gay. L'éthicienne Margaret Somerville, par exemple, critique ce document du Vatican, alléguant que « la question de savoir si on doit légaliser de telles unions à titre d'institution civile est une décision civile. Tout le monde, y compris les personnes qui sont religieuses, peuvent exprimer leur opinion, y compris leurs conceptions morales. Mais, dans une société laïque et démocratique, les conceptions religieuses ne jouissent pas d'un statut spécial pour de telles décisions » (in « The Other " Rights Question " in Same-Sex Marriage », The Institute for the Study of Marriage, Law and Culture, www.marriageinstitute.ca/pages/otheright.htm). On peut consulter le document du Vatican sur le site www.vatican.va/roman_curia/congregations/cfaith/documents/rc_con_cfaith_doc_20030731_homosexual-unions_fr.html.

12. Margaret Somerville, « The Case Against " Same-Sex Marriage " », mémoire présenté devant le Comité permanent de la justice et des droits de la personne, 2003, www.marriageinstitute.ca/images/somerville.pdf.

13. Margaret Somerville, « Jean, Paul and Jean-Paul : Politicians, the Pope, and Same-Sex Marriage Confusion », Institute for the Study of Marriage, Law and Culture, www.marriageinstitute.ca/pages/jpaul.htm.

14. Katherine Young et Paul Nathanson, « Marriage-a-la-mode : Answering Advocates of Gay Marriage », communication présentée à l'Université Emory, Atlanta (Géorgie), 14 mai 2003.

15. Voir Carren Strock, *Married Women Who Love Women*, New York, Alyson Books, 2000, p. 74. Ces statistiques représentent des estimations.

16. Cité dans Ruth Vanita, *Love's Rite : Same-Sex Marriage in India and the West*, New York, Palgrave-Macmillan, New Delhi, Penguin India, 2005, p. 166 et 167.

17. Pasteur Gregory Daniels, cité dans Kate Boykin, « Whose dream ? », in *The Village Voice*, 18 mai 2004.

18. Cité dans Benoit Denizet-Lewis, « Double Lives on the Down Low », in *New York Times Magazine*, 3 août 2003.

19. Cité dans Orville Loyd Douglas, « Guy Meets Guy on the Down Low », in *Now*, 16-23 août, www.nowtoronto.com/news/story.cfm?content=128701&archive=20,50,2001.

20. Chong-suk-Han, « A Different Shade of Queer : Race, Sexuality, and Marginalizing by the Marginalized », http://bad.eserver.org/issues/2006/76/gaysofcolor.html.

21. Pour une contribution à la recherche sur cette question, voir Kathleen E. Hall, *Same-Sex Marriage : The Cultural Politics of Love and Law*, Cambridge, Cambridge University Press, 2006.

22. Cité dans Benoit Denizet-Lewis, « Double Lives on the Down Low », in *New York Times Magazine*, 3 août 2003.

23. John Bowe, « Gay Donor or Gay Dad ? », in *New York Times Magazine*, 19 novembre 2006.

24. Mikaela Dufur, Benjamin McKune, John Hoffmann et Stephen Bahr, « Adolescent Outcomes in Single Parent, Heterosexual Couple and Homosexual Couple Families : Findings from a National Survey », communication présentée lors de l'assemblée annuelle de l'American Sociological Association, New York, 2007, www.allacademic.com/meta/p184075_index.html.

25. Charlotte J. Patterson, « Lesbian and Gay Parents and Their Children : Summary of Research Findings », in American Psychological Association, *Lesbian and Gay Parenting 2005*, www.apa.org/pi/lgbt/resources/parenting-full.pdf.

26. Jenny Carole et *al.*, « Are Children at Risk for Sexual Abuse by Homosexuals ? », cité dans American Civil Liberties Union, « Overview of Lesbian and Gay Parenting, Adoption and Foster Care », www.aclu.org/lgbt-rights_hiv-aids/overview-lesbian-and-gay-parenting-adoption-and-foster-care.

27. American Association for Justice, « Convicted Killer, Not Lesbian Mother, Awarded Custody of Girl », www.thefreelibrary.com/Convicted+killer+not+lesbian+mother+awarded+custody+of+girl-a018341036.

28. Cité dans Kate Kendell, « Lesbian and Gay Parents in Child Custody and Visitation Disputes », in *Human Rights Magazine*, été 2003.

29. Cité dans Kate Kendell, « Lesbian and Gay Parents in Child Custody and Visitation Disputes », in *Human Rights Magazine*, été 2003.

30. Cité dans Gayle Rosenwald Smith et Sally Abrahms, *What Every Woman Should Know about Divorce and Custody*, New York, Perigee, 1998, p. 72.

31. Denise L. Whitehead, « Policies Affecting Gay Fathers : Specific Issues and Policies », Father Involvement Research Alliance, University of Gelph, 2009, www.fira.ca/article.php?id=98.

32. Voir, par exemple, Masud Hoghughi et Nicholas Long, *The Handbook of Parenting*, London (CA), Sage Publications, 2004, p. 135 : « C'est peut-être parce que, toutes choses étant égales par ailleurs, il est hautement improbable que les pères gays sortent gagnants des litiges portant sur la garde de leurs enfants, que très peu de causes semblables ont été présentées devant les tribunaux. »

33. David Brooks, « The Power of Marriage », in *New York Times*, 22 novembre 2003.

34. *Beth R. v. Donna M.* (2008), http://data.lambdalegal.org/pdf/legal/robinson/beth-r-v-donna-m-decision.pdf.

35. Claudia McCreary, « Custody Battles : Don't Ask, Don't Tell », www.suite101.com/article.cfm/gay_parenting_families/66402.

CHAPITRE 10

Les enfants et les rapports
parents-enfants dans les mariages modernes

1. John Mullins, « Dr. Benjamin Spock Dies at 94 », in *Athens Banner-Herald*, www.onlineathens.com/1998/031698/0316.a3spock.html.

2. Benjamin Spock, *Dr. Spock on Parenting*, New York, Pocket Books, 2001, p. 10.

3. Lynne Verbeek, « Dr. Spock's Last Interview », *Parents' Press*, 1994, www.parentspress.com/drspock.html.

4. Natalie Angier, « One Thing They Aren't : Maternal », in *New York Times*, 9 mai 2006.

5. Dr. Benjamin Spock et Robert Needlman (dir.), *Dr. Spock's Baby and Child Care*, 8ᵉ édition revue, New York, Pocket Book, 2004, p. 392.

6. Jeffrey Moussaieff Masson, *The Emperor's Embrace : Reflections on Animal Families and Fatherhood*, New York, Pocket Book, 1999.

7. Cité dans Christopher Rootham, « Parental Leave in Canada », in *Canadian Lawyers.ca*, www.canadian-lawyers.ca/understand-your-legal-issue/family-law/1036284.

8. Dans certaines parties de l'Inde, les femmes sans enfants sont punies et souffrent de discrimination. En Afrique, on les divorce et elles sont remplacées par d'autres femmes. En Chine et dans les autres cultures influencées par le confucianisme, l'absence de descendance a des répercussions religieuses : il n'y aura personne pour prendre soin des parents et honorer les ancêtres défunts.

9. Cité dans http://blessed-quiver.blogspot.com/2009/07/interview-with-quiverful-family.html. Pour une famille sans problèmes médicaux, voir par exemple, http://asarrows.tripod.com/quiverful.

10. Ana Veciana-Surarez, « She's Back ! Face to Face with Celine Dion », in *Reader's Digest*, avril 2002.

11. Martin Daly et Margo Wilson, *The Truth about Cinderella : A Darwinian View of Parental Love*, New Haven, Yale University Press, 1999 ; Lawrence H. Ganong et Marilyn Coleman, *Stepfamily Relationships : Development, Dynamics, and Interventions*, New York, Kluwer Academic/Plenum Publishers, 2004.

12. Saint Jérôme, ca. 400, cité par Esther Wald, *The Remarried Family : Change and Promise*, New York, Family Service Association of America, 1981, p. 49.

13. Martin Daly et Margo Wilson, *The Truth about Cinderella : A Darwinian View of Parental Love*, New Haven, Yale University Press, 1999 ; Lawrence H. Ganong et Marilyn Coleman, *Stepfamily Relationships : Development, Dynamics, and Interventions*, New York, Kluwer Academic/Plenum Publishers, 2004.

14. Elizabeth Chin, « Ethnically Correct Dolls : Toying with the Race Industry », in *American Anthropologist*, New Series, vol. 101, n° 2 (juin 1999), p. 305, 306 et 315.

15. Pearl Buck, « I Am the Better Woman for Having My Two Black Children », in *Today's Health*, janvier 1972, p. 21, 22 et 64.

16. Entrevue avec Joe Rigert, archives numériques de l'Université du Minnesota, http://purl.umn.edu/50110.

17. National Association of Black Social Workers, « Position Statement on Trans-Racial Adoption », septembre 1972, The Adoption History Project, University of Oregon, http://darkwing.uoregon.edu/~adoption/archive/NabswTRA.htm.

18. Aux États-Unis, par exemple, en 1994, le Multiethnic Placement Act [Loi sur l'adoption multiethnique] d'Howard M. Metzenbaum interdisait aux agences de placement familial et d'adoption subventionnées par le gouvernement fédéral de retarder ou d'empêcher le placement d'un enfant en raison de sa race, de sa couleur ou de son pays d'origine. Un amendement de 1996, Interethnic Adoption Provisions [Dispositions sur l'adoption interethnique], corrigea ce texte législatif en précisant que le placement ne pouvait être retardé ou empêché *sur le seul motif* de la race et du pays d'origine.

19. Cité dans Ann Rauhala (dir.), *The Lucky Ones: Our Stories of Adopting Children from China*, Toronto, ECW Press, 2008.

20. Kayla Webley, « Why Americans Are Adopting Fewer Kids from China », in *Time*, 28 avril 2009.

21. Jasmine Bent, « Just Known as Me », et Lia Calderone, « A Long Way from Hunan », cité dans Ann Rauhala (dir.), *The Lucky Ones: Our Stories of Adopting Children from China*, Toronto, ECW Press, 2008, p. 174 et 178.

22. Par exemple, la Suède permet à tous les parents qui travaillent de prendre jusqu'à dix-huit mois de congé payé par enfant ; sur ces dix-huit mois, au moins trois doivent être réservés au parent « minoritaire », qui est habituellement le père, une mesure visant à encourager le comportement paternel. La Norvège et l'Estonie ont des congés parentaux d'une durée similaire. Le Royaume-Uni, la France, et plusieurs autres pays ont un congé de maternité d'un an.

23. Tracy Bushnik, « La garde des enfants au Canada », Statistique Canada, www.statcan. gc.ca/pub/89-599-m/89-599-m2006003-fra.htm. Voir également Ingrid Peritz, « Quebec Campaign: Revenge of the Cradle Redux », *Globe and Mail*, 22 novembre 2008.

CHAPITRE 11

Pour les riches ou pour les pauvres ?
Le mariage et l'argent

1. Aux États-Unis, le pays le plus riche au monde, la proportion est de 26 %. L'Europe est en meilleure posture, puisque la proportion des travailleurs mal payés s'échelonne entre 7 % (en Finlande) et 13 % (en Allemagne).

2. Armine Yalnizyan, « The Rich and the Rest of Us: The Changing Face of Canada's Growing Gap », in *Canadian Journal of Sociology Online*, mars-avril 2007, www. cjsonline.ca/pdf/rich.pdf.

3. Tony Wong, « House Bidding Wars Stretching Budgets », in *Toronto Star*, 6 novembre 2007. Dans « Social Assistance and Conjugal Union Dissolution in Canada: A Dynamic Analysis », in *The Canadian Journal of Economics*, vol. 30, n° 1, février 1997, p. 112-134, Pierre Lefebvre et Philip Merrigan remarquent que « les difficultés économiques reliées à la situation financière du mari sont une source d'instabilité conjugale » (p. 131).

4. David Shipler, *The Working Poor*, New York, Knopf, 2004, p. 11.

5. Barbara Ehrenreich, *Nickel and Dimed: On (Not) Getting By in America*, New York, Owl, 2002, p. 27.

6. En Amérique du Nord, on estime qu'une famille ne devrait pas consacrer plus de 30 % du revenu brut du ménage au logement ou, dans le cas des propriétaires, au paiement de l'hypothèque, aux taxes, aux assurances et aux services d'utilité publique.

7. La proportion de femmes incarcérées dans les prisons canadiennes est de 7 % ; mais ce chiffre est en augmentation.

8. Cité dans Elizabeth Henderson, « Locked Out », in *The American Prospect*, 5 décembre 2006, www.prospect.org/cs/articles?articleId=12277.

9. Bruce Western, *Punishment and Inequality in America*, New York, Russell Sage Foundation, 2006, p. 141.

10. · W. E. B. Du Bois, *The Philadelphia Negro* [1899], Philadelphia, University of California Press, 1996, p. 277.

11. Elliot Liebow, *Tally's Corner* (1996), cité dans Bruce Western, « Incarceration, Marriage and Family Life », Russell Sage Foundation, septembre 2004, www. russellsage.org/publications/workingpapers.

CHAPITRE 12
Le mariage et les questions raciales

1. « Black History Spotlight : Mildred Loving », mai 2008, http ://concreteloop. com/2008/05/black-history-spotlight-mildred-loving.

2. Peggy Pascoe, « Miscegenation Law, Court Cases and Ideologies of " Race " in Twentieth-Century America », in Martha Hodes (dir.), *Sex, Love, Race : Crossings Boundaries in North American History*, New York, NYU, 1999, p. 479 et 480.

3. Cité dans Warren Fiske, « The Black-and-White World of Walter Ashby Plecker », in *The Virginian Pilot*, 18 août 2004.

4. Cité dans Warren Fiske, « The Black-and-White World of Walter Ashby Plecker », in *The Virginian Pilot*, 18 août 2004 ; voir également Michael G. Kenny, « Toward a Racial Abyss : Eugenics, Wickliffe Draper, and the Origins of the Pioneer Fund », in *Journal of the History of the Behavioral Sciences*, vol. 38, n° 3, été 2002, p. 259-283.

5. Christine Peters, « Gender, Sacrament and Ritual : the Making and Meaning of Marriage in Late Medieval et Early Modern England », in *Past and Present*, n° 169, novembre 2000, p. 63-96, évoque l'opinion de Martin Luther sur le mariage : « " Il y a autant de coutumes que de régions ", comme dit le proverbe. Ainsi, puisque les noces et le mariage sont une affaire séculière, il ne convient pas que nous, ecclésiastiques et pasteurs, réglementions quoi que ce soit à cet égard ; nous devons plutôt laisser à chaque ville et région ses coutumes. À certains endroits, la future mariée est conduite à l'église deux fois, le matin et le soir ; ailleurs, on fait un sermon et on publie les bans deux ou trois semaines avant le mariage. Je laisse toutes ces choses et les questions connexes aux dirigeants et aux conseils pour qu'ils en décident comme bon leur semblera, cela ne me regarde pas » (*Die evangelischen Kirchenordnungen*, éd. Sehling, i, 23).

6. Nancy Cott, *Public Vows : A History of Marriage and the Nation*, Cambridge (MA), Harvard University Press, 2002, p. 4.

7. Katherine M. Franke, « Reconstruction Era and African American Marriages », http ://academic.udayton.edu/RACE/04needs/family03.htm.

8. Aux États-Unis, le capitaine Richard H. Pratt, un vétéran des guerres contre les Indiens qui fonda le premier pensionnat autochtone approuvé par le gouvernement fédéral, s'opposait à l'extermination totale des Indiens, préférant les « civiliser » : « Tuez l'Indien et sauvez l'homme », déclarait-il.

9. Dans son « Report on Industrial Schools for Indians and Half-Breeds » (1879), Flood Davin recommandait que l'administration fédérale de John A. Macdonald ouvre des pensionnats pour les enfants autochtones. Antérieurement, il y avait eu une petite école résidentielle dans le Haut-Canada, l'école Alnwick, qui fut en fonction de 1848 à 1856.

10. «Thomas Morgan as Commissioner of Indian Affairs, 1889-1893», http://clarke.cmich.edu/resource_tab/native_americans_in_michigan/treaty_rights/federal_education_policy/federal_education_policy.html#tm.

11. Cité dans le *Rapport de la Commission royale sur les peuples autochtones*, www.ainc-inac.gc.ca/ap/rrc-fra.asp.

12. Mary Crow Dog, citée dans Susan F. Ferguson (dir.), *Mapping the Social Landscape: Readings in Sociology*, New York, McGraw-Hill, 2007, p. 555.

13. Duncan C. Scott et *Saturday Night*, 23 novembre 1907, cité dans *Rapport de la Commission royale sur les peuples autochtones*, vol. 1, chapitre 10, www.ainc-inac.gc.ca/ap/rrc-fra.asp.

14. Fondation Guérir l'héritage des pensionnats, «Conséquences intergénérationnelles», www.wherearethechildren.ca/fr/exhibit/impacts.html.

15. Cité dans Turning Point: Native Peoples and Newcomers Online, «*Time* Magazine Article on Residential Schools», 26 août 2003, www.turning-point.ca/?q=node/274. En 1997, Plint plaida coupable à une accusation d'agression sexuelle sur trente garçons indiens. Le juge Douglas Hogarth le traita de «terroriste sexuel» et le condamna à une peine de onze ans de prison. Mais la plupart des professeurs et administrateurs réussirent à échapper à la justice.

16. Bill Seward, cité dans «Hidden from History: The Canadian Holocaust», in *Nexus Magazine*, vol. 9, n° 2, février-mars 2002.

17. Charles Brasfield, «Indian Residential Schools: The Aftermath», in *Visions*, vol. 3, n° 3, 2007, p. 9-10, www.heretohelp.bc.ca/publications/visions/trauma-victimization/bck5.

18. Amnesty International Canada, «Stolen Sisters: Discrimination and Violence against Indigenous Women in Canada», 2004, www.amnesty.ca/campaigns/sisters_overview.php. Voir également Susan F. Ferguson (dir.), *Mapping the Social Landscape: Readings in Sociology*, New York, McGraw-Hill, 2007, p. 555.

19. Joanne Barker, «Gender, Sovereignty, and the Discourse of Rights in Native Women's Activism», in *Meridians: Feminism, Race, Transnationalism*, vol. 7, n° 1, 2006, p. 137.

20. Cité dans Joanne Barker, «Gender, Sovereignty, and the Discourse of Rights in Native Women's Activism», in *Meridians: Feminism, Race, Transnationalism*, vol. 7, n° 1, 2006, p. 138.

21. *McIvor v. The Register, Indian and Northern Affairs Canada*, 2007, BCSC 827, www.courts.gov.bc.ca/jdb-txt/sc/07/08/2007bcsc0827.htm.

22. *Rapport de la Commission royale sur les peuples autochtones*, vol. 3, p. 23, www.ainc-inac.gc.ca/ap/rrc-fra.asp.

23. Seuls les marchands, les diplomates, les étudiants étrangers et ceux qui avaient une «situation particulière» étaient exemptés.

24. Thomas MacInnes, *Oriental Occupation of British Columbia*, Vancouver, Sun Publishing, 1927, p. 12-13.

CHAPITRE 13

Les politiques du mariage

1. Ann Jones, *Women Who Kill*, Boston, Beacon Press, 1996, p. 283.
2. *Ibid.*, p. 283 et 284.
3. *Ibid.*, p. 284.
4. John E. Snell, Richard J. Rosenwald et Ames Robey, « The Wifebeater's Wife : A Study of Family Interaction », in *Archives of General Psychiatry*, vol. 11, n° 2, 1964, p. 109. Cité dans Susan Schechter, *Women and Male Violence : The Visions and Struggles of Battered Women's Movement*, Cambridge (MA), South End Press, 1982, p. 21.
5. Susan Schechter, *Women and Male Violence : The Visions and Struggles of Battered Women's Movement*, Cambridge (MA), South End Press, 1982, p. 21.
6. Gretchen Arnold, « Social Movement "Success" : The Battered Women's Movement's Discourse and Institutional Change », communication présentée lors de la réunion annuelle de l'American Sociological Association, San Francisco, 2004, www.allacademic.com/meta/p109112_index.html.
7. Ray C. Hotchkiss, cité dans Ann Jones, *Women Who Kill*, Boston, Beacon Press, 1996, p. 289.
8. Ann Jones, *Women Who Kill*, Boston, Beacon Press, 1996, p. 315.
9. *Ibid.*, p. 308.
10. Cité dans Ann Jones, *Women Who Kill*, Boston, Beacon Press, 1996, p. 302.
11. *State v. Wanrow*, 559 P.2d 548 (1977), Center for Constitutional Rights, http:// ccrjustice.org/ourcases/past-cases/state-washington-v.-wanrow. Pour un examen du précédent établi par cette cause, voir également www.libraryindex.com/ pages/2082/When-Women-Kill-Their-Partners-LEGAL-ISSUES-SURROUNDING-BATTERED-WOMEN-WHO-KILL.html.
12. Ann Jones, *Women Who Kill*, Boston, Beacon Press, 1996, p. 310 et 311.
13. *R. c. Lavallée* [1990] 1 R.C.S. 852, http://csc.lexum.umontreal.ca/fr/1990/1990rcs1-852/1990rcs1-852.html.
14. *R. c. Lavallée* [1990] 1 R.C.S. 852, http://csc.lexum.umontreal.ca/fr/1990/1990rcs1-852/1990rcs1-852.html. Cité dans Ellen Anderson, *Judging Bertha Wilson : Law as Large as Life*, Osbodde Society for Canadian Legal History, Toronto, University of Toronto Press, 2001, p. 220.
15. Cité dans Ellen Anderson, *Judging Bertha Wilson : Law as Large as Life*, Osbodde Society for Canadian Legal History, Toronto, University of Toronto Press, 2001, p. 219 et 222.
16. Cité dans Ann Jones, *Women Who Kill*, Boston, Beacon Press, 1996, p. 303.
17. Cf. www.ontario.ca/fr/life_events/abuse/004751.
18. Norma Basch, *Framing American Divorce*, Berkeley, University of California Press, 2001, p. 21.
19. Cité dans Glenda Riley, *Divorce : An American Tradition*, Lincoln, University of Nebraska Press, 1977, p. 31.
20. Robert Remington, « Celebrating a Reluctant Feminist Heroine », in *National Post*, 6 avril 2000, www.fact.on.ca/news/news0004/np00040.htm.
21. *Leader-Post* (Régina), 5 décembre 1942, cité dans Mona Holdmund et Gail Youngberg (dir.), *Inspiring Women : A Celebration of Herstory*, Régina, Coteau Books, 2003, p. 152.

22. U.S. Department of Labor, Children's Bureau, *Standards for Day Care of Children of Working Mothers* (1942), http://digitalcollections.smu.edu/cdm4/item_viewer.php?CISOROOT=/hgp&CISOPTR=437&CISOBOX=1&REC=1.

23. Voir Emilie Stolzfus, *Citizen, Mother, Worker: Debating Public Responsibility for Child Care after the Second World War*, Chapel Hill, University of North Carolina Press, 2003, p. 2: « Une réticence marquée à considérer les mères comme des citoyennes ayant un droit égal au travail salarié, et une incapacité de comprendre que l'éducation des enfants et les tâches domestiques étaient un travail dont la valeur économique profitait à toute la société furent les points clés de l'idéologie conservatrice discriminatoire qui fut un obstacle important au maintien du financement public des services de garde. »

24. Nancy Cott, *Public Vows: A History of Marriage and the Nation*, Cambridge (MA), Harvard University Press, 2002, p. 197.

25. Un ami inconnu, cité dans la notice nécrologique de Bertha Wilson prononcée à son alma mater, http://abdn.ac.uk/alumni/contacts/obituaries.php.

26. *R. c. Morgentaler* (1988), http://scc.lexum.umontreal.ca/fr/1988/1988rcs1-30/1988rcs1-30.html.

27. Diane Zuckerman, « Welfare Reform in America: A Clash of Politics and Research », in *Journal of Social Issues*, hiver 2000, p. 587-599.

28. Wade Horn, cité dans James C. Rodriguez, « Do Fathers Make a Difference: Social and Public Policy as a Catalyst for Responsible Fatherhood », in *Fathers and Families Coalition of America*, 20 décembre 2007, www.azffc.org/show_old_article.php?id=16.

29. Legislative Analyst Office, « Californians and the Marriage Penalty », 16 décembre 1999, cité dans Thomas F. Colemand, « The High Cost of Being Single in America, or the Financial Consequences of Marital Status Discrimination », in *Unmarried America*, www.unmarriedamerica.org/cost-discrimination.htm. Voir également Joint Committee on Taxation, *Report to the House Ways and Means Committee*, 22 juin 1999.

30. Daniel R. Feenberg et Harvey S. Rosen, « Recent Developments in the Marriage Tax », in *National Bureau of Economic Research Working Paper N°. W4705*, avril 1994.

31. Eugene Steurle, de l'Institut d'urbanisme, cité par Jane Koppelman, « Promoting Marriage as Welfare Policy: Looking at a public Role in Private Lives », in *National Health Policy Forum*, mémoire n° 770, 15 février 2002.

32. Thomas F. Colemand, « The High Cost of Being Single in America, or the Financial Consequences of Marital Status Discrimination », in *Unmarried America*, www.unmarriedamerica.org/cost-discrimination.htm.

33. Thomas F. Coleman, « The High Cost of Being Single in America, or the Financial Consequences of Marital Status Discrimination », in *Unmarried America*, www.unmarriedamerica.org/cost-discrimination.htm. Voir également Joint Committee on Taxation, *Report to the House Ways and Means Committee*, 22 juin 1999.

34. Le Congrès adopta la Loi sur la défense du mariage par un vote de 85 voix pour et 14 voix contre au Sénat, et de 342 voix pour et 67 voix contre à la Chambre des représentants.

35. La loi précisait que « les autorités religieuses sont libres de refuser de procéder à des mariages non conformes à leurs convictions religieuses ».

36. À la fin de 2009, trente États soumettaient le mariage homosexuel à une interdiction constitutionnelle. Plusieurs autres États avaient des dispositions législatives interdisant le mariage homosexuel. Six États — le Massachusetts, le Vermont, le Connecticut, l'Iowa, le New Hampshire et Washington — autorisent les mariages homosexuels par le biais de mesures législatives ou de décisions judiciaires. Le Maine aurait pu être le septième État à légaliser le mariage homosexuel, mais sa population a décidé de s'opposer à la loi adoptée en 2009. Le Michigan doit encore se prononcer sur cette question.

CHAPITRE 14
Enjeux au cœur du débat sur le mariage

1. La majorité de cette section sur le Parlement des femmes est tirée de Kym Bird, « Performing Politics : Propaganda, Parody and a Women's Parliament », in *Theatre Research in Canada*, vol. 13, n°s 1 et 2, printemps-automne 1992. Kym Bird pense qu'il pourrait y avoir eu jusqu'à neuf pièces de théâtre différentes et au moins douze représentations : quatre au Manitoba, six en Ontario et deux en Colombie-Britannique. Le premier *Parlement des femmes* fut présenté en février 1893 au théâtre Bijou de Winnipeg, par l'Union Chrétienne des Femmes pour la Tempérance, laquelle collabora aussi à la plupart des autres productions théâtrales.

2. Cité dans Historia-Dominion-Institute, « Nellie McClung », in *Historica Minutes*, www.histori.ca/minutes/minute.do?id=10643.

3. Cité dans Saskatoon Women's Calendar Collective, « Suffrage : The Women's Parliament », in *Herstory : An Exhibition*, http://library2.usask.ca/herstory/w0parl.html.

4. Cité dans Center for Canadian Studies, Mount Allison University, « Nellie McClung 1873-1951 », www.mta.ca/about_canada/study_guide/famous_women/nellie_mcclung.html.

5. Bibliothèque et Archives Canada, « L'affaire " Personnes ", 1927-1929 », http://epe.lac-bac.gc.ca/100/206/301/lac-bac/famous_five-ef/www.lac-bac.gc.ca/celebres5/053002_f.html.

6. Landon Pearson et Roger Gallaway (coprésidents), *Pour l'amour des enfants, Rapport du Comité mixte spécial sur la garde et le droit de visite des enfants*, décembre 1998, chapitre 1, www2.parl.gc.ca/HousePublications/Publication.aspx?DocId=1031529&Language=F&Mode=1&Parl=36&Ses=1.

7. Susan Faludi, *Stiffed : The Betrayal of the American Man*, New York, William Morrow, 1999, p. 137.

8. Adam Liptak, « Gay Marriage through a Black-White Prism », in *New York Times*, 29 octobre 2006.

9. Aux États-Unis, 5 % des mariages sont des mariages mixtes. En 2001, au Canada, 217 500 unions mixtes (mariages et unions de fait entre une personne de minorité visible et une personne d'une minorité non visible ou une personne d'une autre minorité visible) représentaient 3,1 % de toutes les unions.

10. Mildred Loving, « Loving for All », in *Positive Liberty*, 2007, www.positiveliberty.com/2007/06/mildred-lovings-statement.html.

11. Kayleen Schaefer, « The Sit-In at the Altar : No " I do " Till Gays Can Do it, Too », in *New York Times*, 3 décembre 2006.

12. Nissa Billmyer, « Mail Order Brides Discussed », www.universitychronicle. com/2.12299/mail-order-brides-discussed-1.1708425.

13. Cette phrase est de Patricia Papernow, spécialiste des familles reconstituées.

14. Katherine Young et Paul Nathanson, « Marriage-a-la-mode : Answering Advocates of Gay Marriage », communication présentée à Emory University, Atlanta, 2003.

15. Katherine Young et Paul Nathanson, « Marriage-a-la-mode : Answering Advocates of Gay Marriage », communication présentée à Emory University, Atlanta, 2003.

16. Voir « U.S. Divorce Rates for Various Faith Groups, Age Groups, and Geographic Area », www.religioustolerance.org/chr_dira.htm.

17. Un témoin non identifié de douze ans, cité dans Landon Pearson et Roger Gallaway (dir.), *Pour l'amour des enfants, Rapport du Comité mixte spécial sur la garde et le droit de visite des enfants*, décembre 1998, chapitre 1, www2.parl.gc.ca/ HousePublications/Publication.aspx?DocId=1031529&Language=F&Mode=1& Parl=36&Ses=1.

18. Edward Kruk, professeur en travail social, Université de la Colombie-Britannique, cité dans Landon Pearson et Roger Gallaway (coprésidents), *Pour l'amour des enfants, Rapport du Comité mixte spécial sur la garde et le droit de visite des enfants*, décembre 1998, chapitre 1, www2.parl.gc.ca/HousePublications/Publication. aspx?DocId=1031529&Language=F&Mode=1&Parl=36&Ses=1.

19. Howard Irving, Université de Toronto, cité dans Landon Pearson et Roger Gallaway (coprésidents), *Pour l'amour des enfants, Rapport du Comité mixte spécial sur la garde et le droit de visite des enfants*, décembre 1998, chapitre 1, www2.parl.gc.ca/ HousePublications/Publication.aspx?DocId=1031529&Language=F&Mode=1&Pa rl=36&Ses=1.

20. Teresa A. Sullivan, Elizabeth Warren, and Jay Westbrook, *The Fragile Middle Class : Americans in Debt*, New Haven, Yale University Press, 2001, p. 174.

21. Ross Finnie, « Women, Men, and the Economic Consequences of Divorce », in *Canadian Review of Sociology and Anthropology*, vol. 30, 1993.

22. Voir également Mark A. Fine et John H. Harvey (dir.), *Handbook of Divorce and Relationship Dissolution*, London, 2005 ; American Board of Family Medicine, « Children of Divorce : Consequences of Divorce », in *Journal of the American Board of Family Medicine*, vol. 14, nº 3, 2001, www.medscape.com/viewarticle/405852_4 ; Marvis MacLean et Lenore J. Weitzman (dir.), *Calculating the Costs : The Economic Consequences of Divorce in International Perspective*, Oxford, Oxford University Press, 1992.

23. Cori Kalinowski, Comité canadien d'action sur le statut de la femme, cité dans Landon Pearson et Roger Gallaway (coprésidents), *Pour l'amour des enfants, Rapport du Comité mixte spécial sur la garde et le droit de visite des enfants*, décembre 1998, chapitre 1, www2.parl.gc.ca/HousePublications/Publication.aspx?DocId=103 1529&Language=F&Mode=1&Parl=36&Ses=1.

BIBLIOGRAPHIE SÉLECTIVE

LIVRES

ABBOTT, E., *Une histoire des maîtresses* (trad. Laurette Therrien), Montréal, Fides, 2004.

ANDERSON, E., *Judging Bertha Wilson: Law as Large as Life*, Osbodde Society for Canadian Legal History, Toronto, University of Toronto Press, 2001.

ARIÈS, P., *L'enfant et la vie familiale sous l'Ancien Régime*, Paris, Éditions du Seuil, 1973.

AUSTEN-LEIGH, J. E., *A Memoir of Jane Austen*, Londres, Richard Bentley and Son, 1871, Project Gutenberg eBook #17797, transcrit par Les Bowler.

BARDAGLIO, P., *Reconstructing the Household: Families, Sex, and the Law in the Nineteenth-Century South*, Chapel Hill, University of North Carolina Press, 1995.

BASCH, N., *Framing American Divorce*, Berkeley, University of California Press, 2001.

BEECHER, C., *An Essay on Slavery and Abolition, with reference to the duty of American females* [1837], transcrit pour le Centre de textes électroniques de la bibliothèque de l'université de Virginie, 1998, http://etext.lib.virginia.edu/toc/modeng/public/BeeEssa.html.

— *A Treatise on Domestic Economy* [1841], New York, Schocken Books, 1977.

BELL, R. M., *How to Do It: Guides to Good Living for Renaissance Italians*, Chicago et Londres, University of Chicago Press, 1999.

BOYDSTON, J., *Home and Work*, New York, Oxford University Press, 1994.

BROWN, D., *Faces of War: A Collection*. Renfrew, Ontario, General Store Publishing House, 1998.

BUTLER, K. M., *The Economics of Emancipation: Jamaica and Barbados 1823—1843*, Chapel Hill, University of North Carolina Press, 1995.

CHAMBERS-SCHILLER, L. V., *Liberty: A Better Husband. Single Women in America: The Generations of 1780-1840*, New Haven, Yale University Press, 1984.

BOYKIN CHESNUT, M., in MARTIN, I. D. et LOCKETT AVARY, M. (dir.) *A Diary from Dixie, as Written by Mary Boykin Chesnut, Wife of James Chesnut, Jr., United States Senator from South Carolina, 1859-1861, and Afterward an Aide to Jefferson Davis and a Brigadier-General in the Confederate Army*, New York, D. Appleton and Company, 1905, http://docsouth.unc.edu/southlit/chesnut/menu.html.

CLARK, G., *Women in Late Antiquity: Pagan and Christian Life-styles*, Broadbridge Alderley, Clarendon Press, 1994.

COONTZ, S., *Marriage, a History: From Obedience to Intimacy, or How Love Conquered Marriage*, New York, Viking, 2005.

— *The Way We Never Were: American Families and the Nostalgia Trap*. New York, Basic Books, 2000.

COTT, N., *No Small Courage: A History of Women in the United States*. New York, Oxford University Press, 2004.

— *Public Vows: A History of Marriage and the Nation*, Cambridge (MA), Harvard University Press, 2002.

CUORDILEONE, K. A., *Manhood and American Political Culture in the Cold War*, New York, Oxford, Routledge, 2005.

DALY, M. et WILSON, M., *The Truth about Cinderella: A Darwinian View of Parental Love*, New Haven, Yale University Press, 1999.

DAVIS, K. B., *Factors in the Sex Life of 2200 Women*, 1929, http://trivialibrary.com/a/history-of-sex-survey-factors-in-the-sex-life-of-2200-women.htm.

DELANEY, J., LUPTON, M. J. et TOTH, E. (dir.), *The Curse: A Cultural History of Menstruation*, Champaign, University of Illinois Press, 1988.

DEMAUSE, L. (dir.), *The History of Childhood: The Untold Story of Child Abuse*. New York, Peter Bedrick Books, 1988.

D'EMILIO, J. et FREEDMAN, E. B., *Intimate Matters: A History of Sexuality in America*, University of Chicago Press, 1997.

DU BOIS, W.E.B., *The Philadelphia Negro* [1899], Philadelphia, University of Pennsylvania Press, 1996.

DUNAWAY, W. A., *The African-American Family in Slavery and Emancipation*, Cambridge University Press, 2003.

ERRINGTON, J., *Wives and Mothers, Schoolmistresses and Scullery Maids: Working Women in Upper Canada, 1790-1840*, Montréal, Kingston, McGill-Queen's University Press, 1995.

FADERMAN, L., *Odd Girls and Twilight Lovers: A History of Lesbian Life in Twentieth-Century America*, New York: Penguin, 1992.

FALUDI, S., *Stiffed: The Betrayal of the American Man*, New York, William Morrow, 1999.

FERGUSON, S. J. (dir.), *Mapping the Social Landscape: Readings in Sociology*. New York, McGraw-Hill, 2007.

FINE, M. A. et HARVEY, J. H. (dir.), *Handbook of Divorce and Relationship Dissolution*, London, Routledge, 2005.

FORSTER, M., *Significant Sisters: The Grassroots of Active Feminism 1839-1939*, Londres, Secker and Warburg, 1984.

FOSTER, G. L., *American Houses: A Field Guide to the Architecture of the Home*, Boston, Houghton, Mifflin, Harcourt, 2004.

FOUGHT, L., *Southern Womanhood and Slavery: A Biography of Louisa S. McCord, 1810-1879*, Columbia, University of Missouri Press, 2003.

FROIDE, A., *Never Married: Singlewomen in Early Modern England*, Oxford University Press, 2005.

FROIDE, A. ET BENNETT, J. (dir.), *Singlewomen in the European Past, 1250-1800*, Philadelphie, University of Pennsylvania Press, 1999.

GANDHI, M. K., *Autobiographie ou mes expériences de vérité*, traduit d'après l'édition anglaise par George Belmont, Paris, PUF, « Quadrige », 2004.

GANONG, L. H. ET COLEMAN, M., *Stepfamily Relationships: Development, Dynamics, and Interventions*, New York, Kluwer Academic/Plenum Publishers, 2004.

GENOVESE, E., *Roll, Jordan, Roll: The World the Slaves Made*, New York, Vintage Books, 1976.

PERKINS GILMAN, C., in KIMMEL, M. S. (dir.), *The Home: Its Work and Influence* [1903], Walnut Creek, Cal., AltaMira Press, 2002.

— *Women and Economics*, New York, Source Book Press, 1970.

GOLDEN, J., *A Social History of Wet Nursing in America*, Columbus, Ohio State University Press, 2001.

GORDON, L., *The Moral Property of Women: A History of Birth Control Politics in America*, Chicago, University of Illinois Press, 2007.

HALL, A. L., *Conceiving Parenthood: American Protestantism and the Spirit of Reproduction*, Grand Rapids (MI), Eerdmans, 2007.

HALL, E., *The Arnolfini Betrothal: Medieval Marriage and the Enigma of Van Eyck's Double Portrait*, Berkeley, University of California Press, 1994.

HAMPSTEN, E., *Settlers' Children: Growing Up on the Great Plains*, Norman, University of Oklahoma, 1991.

HARLAND, M., *Eve's Daughters; or Common Sense for Maid, Wife, and Mother*, New York, John R. Anderson and Henry S. Allen, 1882.

HARRIS, B., *English Aristocratic Women*, Oxford University Press, 2002.

HARRISON, F., *Dark Angel: Aspects of Victorian Sexuality*, Glasgow, William Collins, 1979.

HART, A. B. et HILL, M., *Camps and Firesides of the Revolution, Centre de textes électroniques de la bibliothèque de l'université de Virginie*, http://etext.virginia.edu/toc/modeng/public/HarCamp.html.

HARTMAN, M. S., *The Household and the Making of History: A Subversive View of the Western Past*, Cambridge University Press, 2004.

HEDRICK, J. D., *Harriet Beecher Stowe: A Life*. Oxford et New York, Oxford University Press, 1995.

HEYWOOD, C., *A History of Childhood: Children and Childhood in the West from Medieval to Modern Times*, Cambridge, Polity Press, 2001.

HILL, B., *Women Alone: Spinsters in England 1660-1850*, New Haven, Yale University Press, 2001

HOGHUGHI, M. et LONG, N., *The Handbook of Parenting*, London (CA), Sage Publications, 2004.

HOLDEN, K., *The Shadow of Marriage: Singleness in England, 1914-60*, Manchester, Manchester University Press, 2007.

HOUSTON, S. E., « The " Waifs and Strays " of a Late Victorian City: Juvenile Delinquents in Toronto », in PARR, J. (dir.), *Childhood and Family in Canadian History*, Toronto, McClelland and Stewart, 1982.

HUFTON, O., *The Prospect Before Her: A History of Women in Western Europe, 1500-1800,* London, Harper Collins, 1995.

HULL, K. E., *Same-Sex Marriage: The Cultural Politics of Love and Law,* Cambridge University Press, 2006.

HYMOWITZ, K., *Marriage and Caste in America.* Chicago, Ivan R. Dee, 2006.

INGRAHAM, C., *White Weddings: Romancing Heterosexuality in Popular Culture,* New York, Routledge, 1999.

JABOUR, A., *Marriage in the Early Republic: Elizabeth and William Wirt and the Companionate Ideal,* Baltimore et Londres, Johns Hopkins University Press, 1998.

— *Scarlett's Sisters: Young Women in the Old South,* Chapel Hill, University of North Carolina Press, 2007.

JARDINE, L., *Reading Shakespeare Historically,* New York, Routledge, 1996.

JONES, A., *Women Who Kill,* Boston, Beacon Press, 1996.

KALINOWSKI, T., in RAUHALA, A. (dir.), « As Traditional as a Child », *The Lucky Ones: Our Stories of Adopting Children from China,* Toronto, ECW Press, 2008.

KANE, H. T., *The Bayous of Louisiana,* New York, Bonanza Books, 1943.

KARANT-NUNN, S. C. et WIESNER-HANKS, M. E. (dir.), *Luther on Women: A Sourcebook,* New York, Cambridge University Press, 2003.

KING, W., *Stolen Childhood: Slave Youth in Nineteenth-Century America,* Bloomington, Indiana University Press, 1996.

KINGDON, R. M., *Adultery and Divorce in Calvin's Geneva.* Cambridge (MA), Harvard University Press, 1995.

KINGSTON, A., *The Meaning of Wife: A Provocative Look at Women and Marriage in the Twenty-first Century,* New York, Farrar, Straus and Giroux, 2005.

KLEINBERG, S. J., « Gendered Space: Housing, Privacy and Domesticity in the Nineteenth-Century United States », in BRYDEN, I. et FLOYD, J. (dir.), *Domestic Space: Reading the Nineteenth-Century Interior,* edited by. Manchester et New York, Manchester University Press, 1999.

KLOSE, R., « In the Beginning », in *Adopting Alyosha: A Single Man Finds a Son in Russia* chap. 1, www.nytimes.com/books/first/k/klose-adopting.html.

KOPPELMAN, S. (dir.), *Old Maids: Short Stories by Nineteenth Century U.S. Women Writers,* Boston, Pandora Press, 1984.

LE ROY LADURIE, E., *Le siècle des Platter, 1499-1628,* tome 1: *Le mendiant et le professeur,* Paris, Fayard, 1995.

LANDRY, Y., « Gender Imbalance, Les Filles du Roi, and Choice of Spouse in New France », in Bradbury, B. (dir.), *Canadian Family History: Selected Readings,* Toronto, Copp Clark Pittman, 1992.

LAQUEUR, T., *Solitary Sex: A Cultural History of Masturbation,* New York, Zone Books, 2004.

LE FAYE, D., *Jane Austen: A Family Record,* Cambridge, Cambridge University Press, 2003.

LE FAYE, D. (dir.), *Jane Austen's Letters,* Philadelphie, Pavilion Press, 2003.

LEWIS, D., *Our Girls,* New York, Clarke Bros., 1883.

LIVINGSTON, J. D. et PENNEY, S. H., *A Very Dangerous Woman: Martha Wright and Women's Rights,* Amherst, University of Massachusetts Press, 2004.

LOCKE, J., *Quelques pensées concernant l'éducation*, 1692, http://74.125.113.132/search?q=cache:DxI54WNfJeQJ:classiques.uqac.ca/classiques/locke_john/pensees_sur_l_education/Locke_Pensees_education.doc+pensées+sur+l'éducation&cd=1&hl=fr&ct=clnk&gl=ca&lr=lang_fr..

LOWRY, T. P., *The Story the Soldiers Wouldn't Tell: Sex in the Civil War*, Mechanicsburg, (PA), Stackpole Books, 1994.

LUBOVE, R., *The Progressives and the Slums: Tenement House Reform in New York City, 1890-1917*. Westport, Conn., Greenwood Press, 1974.

MACFARLANE, A., *Marriage and Love in England: Modes of Reproduction, 1300-1840*, Oxford and New York: Blackwell, 1986.

MACINNES, T., *Oriental Occupation of British Columbia*, Vancouver, Sun Publishing, 1927.

MACLEAN, M. et WEITZMAN, L. J. (dir.), *Calculating the Costs: The Economic Consequences of Divorce in International Perspective*, Oxford University Press, 1992.

McCAULEY, L., *Du Crow's Nest par Pascal Fuselier*, Lulu.com, 2008.

McLAREN, A., *Impotence: A Cultural History*, Chicago et Londres, University of Chicago Press, 2007.

— *Reproductive Rituals: The Perception of Fertility in England from the 16th to the 19th Century*, New York, Routledge and Kegan Paul, 1985.

McMILLEN, S. G., *Southern Women: Black and White in the Old South*, deuxième édition, Wheeling, Ill., Harlan Davidson, 2002.

MAINARDI, P., *Husbands, Wives, and Lovers: Marriage and Its Discontents in Nineteenth-century France*, New Haven, Yale University Press, 2003.

MILES, A. C., in PARSONS, M., *Every Girl's Duty: The Diary of a Victorian Debutante*, Londres, Andre Deutsch, 1992.

MINTZ, S., *Huck's Raft: A History of American Childhood*, Cambridge (MA), Harvard University Press, 2004.

MOODIE, S., *Roughing It in the Bush*, 1852, http://digital.library.upenn.edu/women/moodie/roughing/roughing.html#II-14.

MOOK, P., « Les Petits Sauvages: The Children of Eighteenth-Century New France », in PARR, J. (dir.), *Childhood and Family in Canadian History*, Toronto, McClelland and Stewart, 1982.

MOOREHEAD, C., *The Lost Treasures of Troy*, Londres, Weidenfeld and Nicolson, 1994.

MOSS, J. A., *Manual of Military Training*, deuxième édition révisée, 1917, www.vlib.us/medical/manual/manual1.htm.

MOUSSAIEFF MASSON, J., *The Emperor's Embrace: Reflections on Animal Families and Fatherhood*, New York, Pocket Books, 1999.

NICHOLSON, V., *Singled Out: How Two Million Women Survived without Men After the First World War*, Londres, Penguin, 2008.

NOËL, F., *Family Life and Sociability in Upper and Lower Canada, 1780-1870*, Montréal et Kingston, McGill-Queen's University Press, 2003.

NORTON, C., *English Laws for Women in the Nineteenth Century*, 1854, http://digital.library.upenn.edu/women/norton/elfw/elfw.html.

— *A Letter to the Queen on Lord Chancellor Cranworth's Marriage and Divorce Bill*, 1855, http://digital.library.upenn.edu/women/norton/alttq/alttq.html.

PARR, J. (dir.), *Childhood and Family in Canadian History,* Toronto, McClelland and Stewart, 1982.

PERKINS, W., *Christian âconomie,* Londres, 1609.

PERROT, M. (dir.), *From the Fires of Revolution to the Great War,* in ARIÈS, P. *et* DUBY, G. (dir.), *A History of Private Life,* vol. IV, trad. Arthur Goldhammer, Cambridge (MA), Harvard University Press, 1994.

PASCOE, P., «Miscegenation Law, Court Cases and Ideologies of "Race" in Twentieth-Century America», in Hodes, M. (dir.), *Sex, Love, Race: Crossing Boundaries in North American History,* New York, NYU Press, 1999.

PHILLIPS, R., *Putting Asunder: A History of Divorce in Western Society,* Cambridge, Cambridge University Press, 1988.

—*Untying the Knot: A Short History of Divorce,* Cambridge University Press, 1991.

PLECK, E., *Domestic Tyranny: The Making of a Social Policy Against Family Violence from Colonial Times to the Present,* Champaign, University of Illinois Press, 2004.

POLLOCK, L., *Forgotten Children: Parent-Child Relations from 1500 to 1900,* Cambridge University Press, 1984.

POPENOE, P., *Modern Marriage: A Handbook,* New York, Macmillan, 1925.

POTTS, M., et CAMPBELL, M., «History of Contraception», in SCIARRA, J. J. (dir.), *Gynecology and Obstetrics,* vol. 6, chap. 8, CD-ROM, Lippincott, Williams and Wilkins, 2003.

QUICK, D. S., McKENRY, P. C. et NEWMAN, B. M., «Stepmothers and Their Adolescent Children: Adjustment to New Family Roles», in PASLEY, K. et IHINGER-TALLMAN, M., *Stepparenting: Issues in Theory, Research, and Practice,* Westport, Conn., Greenwood Publishing Group, 1995.

RAUHALA, A. (dir.), *The Lucky Ones: Our Stories of Adopting Children from China,* Toronto, ECW Press, 2008.

RIIS, J. A., *How the Other Half Lives: Studies Among the Tenements of New York,* 1890, http://bartleby.com/208.

—*The Making of an American,* 1901, http://gutenberg.readingroo.ms/etext04/thmkn10.txt.

ROPER, L., *âdipus and the Devil: Witchcraft, Sexuality, and Religion in Early Modern Europe,* New York, Routledge, 1994.

ROSCOE, W., *Changing Ones: Third and Fourth Genders in Native North America,* New York, Palgrave Macmillan, 2000.

MAYFIELD ROURKE, C., *Trumpets of Jubilee: Henry Ward Beecher, Harriet Beecher Stowe, Lyman Beecher, Horace Greeley, P.T. Barnum,* New York, Harcourt, Brace, 1927.

ROWBOTHAM, J., *Good Girls Make Good Wives: Guidance for Girls in Victorian Fiction,* Oxford, Blackwell, 1989.

RYKEN, L., *Worldly Saints: The Puritans as They Really Were.* Holmes (PA), Zondervan, 1990.

ST. GEORGE, R. B. (dir.), *Material Life in America, 1600—1860,* Boston, Northeastern University Press, 1988.

SCHECHTER, S., *Women and Male Violence: The Visions and Struggles of the Battered Women's Movement,* Cambridge (MA), South End Press, 1982.

SEDGWICK, C. M., *Married or Single?*, 1857, monographies historiques de l'université Cornell, http://digital.library.cornell.edu/cgi/t/text/tetidx?c=cdl;cc=cdl;rgn= main;view=text;idno=cdl353.

SEIDEL, L., *Jan van Eyck's Arnolfini Portrait: Stories of an Icon*, Cambridge University Press, 1993.

SHIPLER, D., *The Working Poor*, New York, Knopf, 2004.

SIGGINS, M., *In Her Own Time: A Class Reunion Inspires a Cultural History of Women*, Toronto, HarperCollins, 2000.

ROSENWALD SMITH, G. et ABRAHMS, S., *What Every Woman Should Know about Divorce and Custody*, New York, Perigee, 1998.

SPOCK, B. et NEEDLMAN, R. (dir.), *Dr. Spock's Baby and Child Care*, huitième édition révisée, New York, Pocket Books, 2004.

STOLTZFUS, E., *Citizen, Mother, Worker: Debating Public Responsibility for Child Care after the Second World War*, Chapel Hill, University of North Carolina Press, 2003.

STOPES, M., *Married Love or Love in Marriage*, 1918, http://digital.library.upenn.edu/ women/stopes/married/1918.html.

STROCK, C., *Married Women Who Love Women*, New York, Alyson Books, 2000.

SULLIVAN, T. A., WARREN, E. et WESTBROOK, J., *The Fragile Middle Class: Americans in Debt*, New Haven, Yale University Press, 2001.

DE TOCQUEVILLE, A., *De la démocratie en Amérique*, vol. 3, Paris, Michel Lévy Frères, Libraires Éditeurs, 1864

TROLLOPE, F., « Philadelphia, Pennsylvania, August 1830 », in *Day in the Life of a Philadelphia Matron; Habit of Young Married Couples to Reside in Boarding Houses*, http://xroads.virginia.edu/~hyper/DETOC/FEM/trollope.htm.

VANITA, R., *Love's Rite: Same-Sex Marriage in India and the West*, New York, Palgrave-Macmillan; New Delhi, Penguin India, 2005.

VAN KIRK, S., *Many Tender Ties: Women in Fur-Trade Society in Western Canada, 1670—1870*, Winnipeg, Watson and Dwyer Publishing, 1980.

VICKERY, A., *The Gentleman's Daughter: Women's Lives in Georgian England*, New Haven, Yale University Press, 1999.

WALD, E., *The Remarried Family: Change and Promise*, New York, Family Service Association of America, 1981.

WILLIAMS, B. (dir.), *A Gentlewoman in Upper Canada: The Journals, Letters, and Art of Anne Langton*, University of Toronto Press, 2008.

WILLIAMS, W. L., *The Spirit and the Flesh: Sexual Diversity in American Indian Culture*, Boston, Beacon Press, 1992.

WISE, D., *The Young Lady's Counselor, or, The Sphere, the Duties, and the Dangers of Young Women. Designed to be a Guide to True Happiness in This Life, and to Glory in the Life Which is to Come*, New York, Porter, 1857, 1866.

Articles

Adox, D., « What's the Difference Between a Homosexual and a Murderer ? », in *Salon*, 2 mai 1997, www.salon.com/may97/sullivan970502.html.

American Civil Liberties Union, « Overview of Lesbian and Gay Parenting, Adoption and Foster Care », 6 avril 1999, www.aclu.org/lgbt/parenting/11824res19990406.html.

Angier, N., « One Thing They Aren't: Maternal », in *New York Times*, 9 mai 2006.

Barker, J., « Gender, Sovereignty, and the Discourse of Rights in Native Women's Activism », in *Meridians: Feminism, Race, Transnationalism*, vol. 7, n° 1, 2006, p. 127-61.

Berger, R., « Stepfamilies in Cultural Context », in *Journal of Divorce and Remarriage*, vol. 33, n° 1 et 2, 2000.

Bibby, R., « Cohabitation », in The Future Families Project, Vanier Institute of the Family, www.vifamily.ca/library/future/2.html.

Bird, K., « Performing Politics: Propaganda, Parody and a Women's Parliament », in *Theatre Research in Canada*, vol. 13, n° 1 et 2, printemps-automne 1992.

Black AIDS Institute, *AIDS in Blackface: Twenty-five Years of an Epidemic*, 2006, http://pubs.cpha.ca/PDF/P41/24478.pdf.

Blanck, P., « Civil War Pensions and Disability », *Ohio State Law Journal*, vol. 62, n° 1, 2001, p. 109-249, http://moritzlaw.osu.edu/lawjournal/issues/volume62/number1/blanck.pdf.

Booth, A. et Dunn, J. (dir), *Stepfamilies: Who Benefits? Who Does Not?*, Hillsdale (NJ), Lawrence Erlbaum Associates, 1994.

Botticini, M., « A Loveless Economy? Intergenerational Altruism and the Marriage Market in a Tuscan Town, 1415-1436 », in *Journal of Economic History*, vol. 59, 1999, p. 104-21.

Bowe, J., « Gay Donor or Gay Dad ? », in *New York Times Magazine*, 19 novembre 2006.

Boykin, K., « Whose Dream ? », in *The Village Voice*, 18 mai 2004.

Brooks, D., « The Power of Marriage », in *New York Times*, 22 novembre 2003, www.nytimes.com/2003/11/22/opinion/22BROO.html.

Burroway J., « Today in History: Eisenhower Signs Executive Order 10450 », in *Box Turtle Bulletin*, 27 avril 2008, www.boxturtlebulletin.com/2008/04/27/1886.

Burslem, M., « A Eulogy of Large Families », in Niagara Anglican Online (février 2009), www.niagara.anglican.ca/newspaper/article.cfm?article=A%20eulogy%20of%20large%20families.

Burton, A., « From Child Bride to "Hindoo Lady": Rukhmabai and the Debate on Sexual Respectability in Imperial Britain », in *The American Historical Review*, vol. 103, octobre 1998, p. 11-19.

J. C. Caldwell, J. C., Reddy, P. H. et Caldwell, P., « The Causes of Marriage Change in South India », in *Population Studies*, novembre 1983, p. 343-61.

Carroll, M. D., « "In the Name of God and Profit": Jan van Eyck's Arnolfini Portrait », in *Representations*, vol. 4, automne 1993.

Cartledge, P., « Spartan Wives », in *Classical Quarterly*, vol. 31, 1981, p. 84-105.

Chin, E., « Ethnically Correct Dolls: Toying with the Race Industry », in *American Anthropologist*, New Series, vol. 101, n° 2, juin 1999), p. 305-21.

Clark, C., « Domestic Architecture as an Index to Social History: The Romantic Revival and the Cult of Domesticity in America, 1840-1870 », in *The Journal of Interdisciplinary History*, vol. 7, 1976, p. 33-56.

DEL COL, L., *The Life of the Industrial Worker in Nineteenth-Century England*, www.victorianweb.org/history/workers2.html.

COONTZ, S., « In Search of a Golden Age : A look at Families throughout U.S. History Reveals There Has Never Been an " Ideal Form " », in *In Context*, printemps 1989, www.context.org/ICLIB/IC21/Coontz.htm.

CURTISS, J., « Royal Wedding Gown », in *The Victorian Society in America Newsletter*, 21 février 2007, www.northstarvsa.com/Newsletters/02-21-07 %20Newsletter.pdf.

DARBY, R., « The Masturbation Taboo and the Rise of Routine Male Circumcision : A Review of the Historiography », in *Journal of Social History*, vol. 27, printemps 2003, p. 737-57, www.cirp.org/library/history/darby4.

DENIZET-LEWIS, B., « Double Lives on the Down Low », in *New York Times Magazine*, 3 août 2003.

LLOYD DOUGLAS, O., « Guy Meets Guy on the Down Low », in *Now*, 16-23 août 2001, www.nowtoronto.com/news/story.cfm?content=128701&archive=20,50,2001.

DUFUR, M., MCKUNE, B., HOFFMANN, J. et BAHR, S., « Adolescent Outcomes in Single Parent, Heterosexual Couple, and Homosexual Couple Families : Findings from a National Survey », communication présentée à l'assemblée annuelle de l'American Sociological Association, New York, 2007, www.allacademic.com/meta/p184075_index.html.

FINE, L. M., « Between Two Worlds : Business Women in a Chicago Boarding House 1900—1930 », in *Journal of Social History*, vol. 19, n° 3, printemps 1986.

FINNIE, R., « Women, Men, and the Economic Consequences of Divorce : Evidence from Canadian Longitudinal Data », in *Canadian Review of Sociology and Anthropology*, vol. 30, 1993.

FISKE, W., « The Black-and-White World of Walter Ashby Plecker », in *The Virginian-Pilot*, 18 août 2004, www.manataka.org/page1275.html.

FRANKE, K. M., « Becoming a Citizen : Reconstruction Era Regulation of African American Marriages », in *Yale Journal of Law and the Humanities*, vol. 11, été 1999, p. 251-309.

FRIEDLANDER, D., « The British Depression and Nuptiality : 1873-1896 », in *Journal of Interdisciplinary History*, vol. 23, n° 1, été 1992, p 19-37.

FRIER, B. W., « Roman Same-Sex Weddings from the Legal Perspective », in *Classical Studies Newsletter*, vol. X, hiver 2004, www.umich.edu/~classics/news/newsletter/winter2004/weddings.html.

GEORGE, M. J., « Skimmington Revisited », in *The Journal of Men's Studies*, vol. 10, n° 2, 2002, p. 111-27.

GOTTLIEB, L., « Marry Him ! The Case for Settling for Mr. Good Enough », in *The Atlantic*, mars 2008, www.theatlantic.com/doc/200803/single-marry.

HAINES, M. R., « Fertility and Marriage in a Nineteenth-Century Industrial City : Philadelphia, 1850-1880 », in *Journal of Economic History*, vol. 40, n° 1, mars 1980, p. 151-58.

HAN, C.-S., « A Different Shade of Queer : Race, Sexuality, and Marginalizing by the Marginalized », in http://bad.eserver.org/issues/2006/76/gaysofcolor.html.

HANLEY, S., « "The Jurisprudence of the Arrêts" : Marital Union, Civil Society, and State Formation in France, 1550-1650 », in *Law and History Review*, printemps 2003, www.historycooperative.org/journals/lhr/21.1/hanley.html.

HAREVEN, T., « The Home and the Family in Historical Perspective », in *Social Research*, vol. 58, n° 1, 1991, p. 253–285.

HOOD, D., « Sometime in the Night : A Single Man Becomes a Father », in *Adoptive Families* (2000), www.adoptivefamilies.com/articles.php?aid=172.

JUSTMAN, S., « "The Reeve's Tale" and the Honor of Men », in *Studies in Short Fiction*, 1995.

KARI, S., « Lesbian Couple Gets First Gay Divorce », in *The Ottawa Citizen*, 14 septembre 2004.

KENDELL, K., « Lesbian and Gay Parents in Child Custody and Visitation Disputes », in *Human Rights Magazine*, été 2003, www.abanet.org/irr/hr/summer03/custody.html.

KENNY, M. G., « Toward a Racial Abyss : Eugenics, Wickliffe Draper, and the Origins of the Pioneer Fund », in *Journal of the History of the Behavioral Sciences*, vol. 38, n° 3, été 2002, p. 259-283, www.iupui.edu/~histwhs/h699.dir/KennyPioneer.pdf.

KLEIN, R. N., « Harriet Beecher Stowe and the Domestication of Free Labor Ideology », in *Legacy : A Journal of American Women Writers*, vol. 18, n° 2, 2001, p. 135-152.

KNETSCH, J. L., « Some Economic Implications of Matrimonial Property Rules », in *The University of Toronto Law Journal, Symposium : Economic Perspectives on Issues in Family Law*, vol. 34, n° 3, été 1984, p. 263-282.

KOSTER, M., « The Arnolfini double portrait : a simple solution », in *Apollo*, septembre 2003.

LEFEBVRE, P. et MERRIGAN, P., « Social Assistance and Conjugal Union Dissolution in Canada : A Dynamic Analysis », in *The Canadian Journal of Economics*, vol. 30, n° 1, février 1997, p. 112-134.

LEVISON, J. R., « Elizabeth Parsons Ware Packard : An Advocate for Cultural, Religious, and Legal Change », in *Alabama Law Review*, vol. 54, n° 3, 2003, p. 987-1077.

LIPTAK, A., « Gay Marriage through a Black-White Prism », in *New York Times*, 29 octobre 2006.

LONGFELLOW, E., « Public, Private and the Household in Early Seventeenth-century England », in *Journal of British Studies*, vol. 45, n° 2, 2006, p. 313-34.

LOVING, M., « Loving for All », in *Positive Liberty*, 2007, www.positiveliberty.com/2007/06/mildred-lovings-statement.html.

MADDOX, B., « The Grimms Got It Right », in *New Statesman*, 16 octobre 1998.

Scott C. Martin, "A Star That Gathers Lustre from the Gloom of Night" : Wives, Marriage, and Gender in Early Nineteenth-Century American Temperance Reform », in *Journal of Family History*, vol. 29, n° 3, 2004, p. 274-92.

MINTZ, S., « Housework in Late 19th Century America », www.digitalhistory.uh.edu/historyonline/housework.cfm.

MUMFORD, K. J., « Lost Manhood Found : Male Sexual Impotence and Victorian Culture in the United States », in *Journal of the History of Sexuality*, vol. 3, n° 1, 1992, p. 33-57.

NATIONAL ASSOCIATION OF BLACK SOCIAL WORKERS, « Position Statement on Trans-Racial Adoption », septembre 1972, in The Adoption History Project, University of Oregon, http://darkwing.uoregon.edu/~adoption/archive/NabswTRA.htm.

NEWTON, D., « Homosexual Behavior and Child Molestation : A Review of the Evidence », in *Adolescence*, vol. 13, n° 49, 1978, www.aclu.org/lgbt/parenting/11824res19990406.html.

ONTARIO CONSULTANTS ON RELIGIOUS TOLERANCE, « Masturbation : Medical Beliefs in Past Centuries », www.religioustolerance.org/masturba4.htm.

OTTO, H. A., et ANDERSEN, R. B., « The Hope Chest and Dowry : American Custom ? », in *The Family Life Coordinator*, vol. 16, n° 1/2, janvier-avril 1967, p. 15-19.

PALMER, H., « Queen Victoria's Not So "Victorian" Writings », www.victoriana.com/doors/queenvictoria.htm.

PANOFSKY, E., « Jan van Eyck's Arnolfini Portrait », in *The Burlington Magazine for Connoisseurs*, vol. 64, n° 372, mars 1934.

PARK, M., « Dürer's *The Birth of the Virgin* : Art and Midwifery in 16th Century Nuremberg », in *The Lancet*, vol. 358, n° 9289, 2001, p. 1265-67.

PATTERSON, C. J., « Lesbian and Gay Parents and Their Children : Summary of Research Findings », in American Psychological Association, Lesbian and Gay Parenting 2005, www.apa.org/pi/lgbc/publications/lgpsummary.html.

PERITZ, I., « Quebec Campaign : Revenge of the Cradle Redux », in *Globe and Mail*, 22 novembre 2008.

PETERS, C., « Gender, Sacrament and Ritual : The Making and Meaning of Marriage in Late Medieval and Early Modern England », in *Past and Present*, n° 169, novembre 2000, p. 63-96.

Peterson, J., « Prelude to Red River : A Social Portrait of the Great Lakes Métis », in *Ethnohistory*, vol. 25, hiver 1978.

PICKLES, K., « Locating Widows in Mid-Nineteenth Century Pictou County, Nova Scotia », in *Journal of Historical Geography*, vol. 30, n° 1, janvier 2004, p. 70-86.

REED-DANAHAY, D., « Champagne and Chocolate : "Taste" and Inversion in a French Wedding Ritual », in *American Anthropologist*, New Series, vol. 98, n° 4, décembre 1996.

REMINGTON, R., « Celebrating a Reluctant Feminist Heroine », in *National Post*, 6 avril 2000.

ROBERTS, S., « 51 % of Women Are Now Living without a Spouse », in *New York Times*, 16 janvier 2007.

RODRIGUEZ, J. C., « Do Fathers Make a Difference : Social and Public Policy as a Catalyst for Responsible Fatherhood », in *Fathers and Families Coalition of America*, 20 décembre 2007, www.azffc.org/show_old_article.php?id=16.

ROPER, L., « "Going to Church and Street" : Weddings in Reformation Augsburg », in *Past and Present*, vol. 106, n° 1, 1985, p. 62-101.

ROTH, M. T., « Age at Marriage and the Household : A Study of Neo-Babylonian and Neo-Assyrian Forms », in *Comparative Studies in Society and History*, vol. 29, n° 4, octobre 1987, p. 715-47.

SANATI, M., « Here Comes the Bill », in *Toronto Life*, juin 2003.

Kayleen Schaefer, « The Sit-In at the Altar : No "I Do" Till Gays Can Do it, Too, in *New York Times*, 3 décembre 2006.

SCHMIDT, J. M., « Private Parts », in *Civil War Medicine (and Writing)*, http://civilwarmed.blogspot.com/2009/02/medical-department-23-private-parts.html.

SHAW, B., « The Age of Roman Girls at Marriage : Some Reconsiderations », in *Journal of Roman Studies*, vol. 77, 1987, p. 30-46.

— « The Family in Late Antiquity : The Experience of Augustine », in *Past and Present*, vol. 115 (mai 1987), p. 3-51.

SMITH, J., « Katharina von Bora through Five Centuries : A Historiography », in *The Sixteenth Century Journal*, vol. 30, n° 3, automne 1999, p. 745-774.

SMOCK, P. J., « Cohabitation in the United States : An Appraisal of Research Themes, Findings, and Implications », in *Annual Review of Sociology*, vol. 26, août 2000.

STATUS OF WOMEN CANADA, « Polygamy in Canada : Legal and Social Implications for Women and Children : A Collection of Policy Research Reports », in 2005.

STECKEL, R. H., « The Age at Leaving Home in the United States, 1850-1860 », in *Social Science History*, vol. 20, n° 4, hiver 1996.

STOERTZ, F. H., « Young Women in France and England, 1050-1300 », in *Journal of Women's History*, vol. 12, 2001, p. 22-46.

STONE, L., « The Public and the Private in the Stately Homes of England, 1500-1990 », in *Social Research*, vol. 58, n° 1, printemps 1991.

STRIBOPOULOS, J., « The Passing of the Honourable Bertha Wilson », in *The Court*, 1er mai 2007, www.thecourt.ca/2007/05/01/the-passing-of-the-honourable-berthawilson.

TONE, A., « Contraceptive Consumers : Gender and the Political Economy of Birth Control in the 1930s », in *Journal of Social History*, vol. 29, n° 3, 1996.

VECIANA-SUAREZ, A., « She's Back ! Face to Face with Celine Dion », in *Reader's Digest*, avril 2002.

VERBEEK, L., « Dr. Spock's Last Interview », in *Parents' Press*, 1994, www.parentspress. com/drspock.html.

WATKINS, S. C., « Regional Patterns of Nuptiality in Europe, 1870—1960 », *Population Studies*, vol. 35, n° 2, juillet 1981, p. 199-215.

WATSON, E. C., « Home Work in the Tenements », in *Survey 25* (4 février 1911), p. 772-81, www.tenant.net/Community/LES/watson8.html.

WEBLEY, K., « Why Americans Are Adopting Fewer Kids from China », in *Time*, 28 avril 2009.

WESTERN, B., « Incarceration, Marriage, and Family Life », in Russell Sage Foundation, septembre 2004, www.russellsage.org/publications/workingpapers/incarcerationmarriagefamilylife.

WHITEHEAD, D. L., « Policies Affecting Gay Fathers : Specific Issues and Policies », in *Father Involvement Research Alliance*, University of Guelph, 2009, www.fira.ca/article.php?id=98.

WOLFE, A., « Working Girls, Broken Society », in *Toronto Star*, 2 avril 2006.

Sylvia Wolfram, « Divorce in England 1700-1857 », in *Oxford Journal of Legal Studies*, vol. 5, n° 2, été 1988, p. 155-186.

YALNIZYAN, A., « The Rich and the Rest of Us : The Changing Face of Canada's Growing Gap », in Canadian Centre for Policy Alternatives, mars 2007, www.cjsonline.ca/pdf/rich.pdf.

YOUNG, K. et NATHANSON, P., « Marriage-a-la-mode : Answering Advocates of Gay Marriage », communication présentée à Emory University, Atlanta, Georgia, 14 mai 2003.

ZUCKERMAN, D., « Welfare Reform in America : A Clash of Politics and Research », in *Journal of Social Issues*, hiver 2000, p. 587-99.

INDEX

TABLE DES MATIÈRES

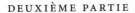

NOV. 2010

CE LIVRE A ÉTÉ IMPRIMÉ AU QUÉBEC EN OCTOBRE 2010
SUR DU PAPIER ENTIÈREMENT RECYCLÉ
SUR LES PRESSES DE MARQUIS IMPRIMEUR